ZUM BUCH

Dies ist der Roman einer Provinz ohne Vaterland und eines Mädchens ohne Vater. Eva Huber wuchs nach dem Zweiten Weltkrieg im politisch zerstrittenen und von Anschlägen erschütterten Südtirol auf. Sie wurde allein von ihrer bildschönen Mutter großgezogen, die sich mühsam mit Arbeiten in einer Hotelküche über Wasser hielt.

»Nur einmal in ihrem Leben konnte sich meine Mutter Gerda der Liebe eines Mannes gewiss sein, und ich der eines Vaters. All die anderen kamen und gingen wie ein Wolkenbruch im Sommer: Wir haben uns schlammige Schuhe geholt, aber die Wiesen sind trocken geblieben. Mit Vito hingegen war es etwas anderes. Das war echt. Für sie und für mich war seine Gegenwart wie ein langer Regen im Juni, der das Gras wachsen lässt und die Quellen speist. Und doch hat uns, danach und für immer, die Trockenheit nicht verschont.«

ZUR AUTORIN

Francesca Melandri, geboren in Rom, schrieb zahlreiche Drehbücher für Fernseh- und Kinofilme (»Prinzessin Fantaghiró«, »Bergkristall« u.a.). »Eva schläft« – Originaltitel: »Eva dorme« – ist ihr erster Roman und spielt vor dem Hintergrund der wechselhaften Geschichte Südtirols, wo die Autorin 15 Jahre lebte. Im Herbst 2012 wird in Deutschland ihr zweiter Roman – »Über Meereshöhe« (Originaltitel: »Più alto del mare«) – veröffentlicht, der von der italienischen Kritik bereits als Meisterwerk gefeiert wurde.

Francesca Melandri

EVA SCHLÄFT

ROMAN

Aus dem Italienischen von
Bruno Genzler

WILHELM HEYNE VERLAG
MÜNCHEN

Die Originalausgabe EVA DORME
erschien bei Mondadori, Mailand

Verlagsgruppe Random House FSC-DEU-0100
Das für dieses Buch verwendete FSC®-zertifizierte Papier
München Super liefert Arctic Paper Mochenwangen GmbH.

4. Auflage
Vollständige deutsche Taschenbuchausgabe 06/2012
Copyright © 2010 by Francesca Melandri
Copyright © 2011 der deutschsprachigen Ausgabe by
Karl Blessing Verlag, München,
in der Verlagsgruppe Random House GmbH
Copyright © 2012 dieser Ausgabe by Wilhelm Heyne Verlag,
München, in der Verlagsgruppe Random House GmbH
Printed in Germany 2012
Umschlaggestaltung: Hauptmann & Kompanie Werbeagentur, Zürich,
unter Verwendung eines Motivs von © Trevillion / Ayal Ardon
Druck und Bindung: GGP Media GmbH, Pößneck
ISBN: 978-3-453-40936-1

www.heyne.de

Meinen lustigen gemischtsprachigen Kindern
und zwei sehr liebevollen Vätern,
ihrem und meinem.

Eines Abends, als die Bauern in der Stube wieder einmal
die alten Verratsgeschichten wiederkäuten, machte der alte Sonner
dem Gemurre ein Ende, indem er sagte:
»Alles papperlapapp. Dass wir den Krieg gewonnen haben,
weiß jedes Kind. Aber dass wir gleich ganz Italien bekommen
würden, das hätte ich mir nicht gedacht.«

CLAUS GATTERER, *Schöne Welt, böse Leut. Kindheit in Südtirol.*

»Na so was, die da oben sind ja alle Deutsche!«

MARIANO RUMOR, nachdem ihm 1968 ein Ferienaufenthalt im Pustertal
die Existenz einer anderssprachigen Minderheit auf dem Territorium
jenes Landes vor Augen geführt hatte, dessen Ministerpräsident er war.

»Ihr seid Italiener, die von Deutschen regiert werden?
Ihr Glücklichen!«

INDRO MONTANELLI

Nennt die Welt, wenn ihr wollt, »das Tal der Seelenbildung«,
dann werdet ihr auch den Sinn der Welt erkennen ...

JOHN KEATS, in einem Brief an George und Georgiana Keats, April 1819

Lass Eva (im Schlummer ließ ich ihr die Augen schließen)
Hier unten ruh'n, indessen Du hier wachst.

JOHN MILTON, *Das verlorene Paradies*, 11. Gesang

Das Päckchen war in braunes Packpapier eingeschlagen und mit einer dünnen Kordel verschnürt. Empfänger und Absender waren in einer ordentlichen Handschrift geschrieben, die Gerda auf Anhieb wiedererkannte.

»*I nimms net*«, sagte sie an Udo, den Postboten, gewandt. Das nehme ich nicht an.

»Aber es ist doch für Eva ...«

»Ich bin ihre Mutter und weiß, dass sie es nicht haben will.«

Ob sie sich da wirklich sicher sei, wollte der Postbote sie fragen. Doch sie richtete den Blick ihrer hellblauen, länglichen Augen auf ihn und schaute ihn reglos an. Da schwieg er. Stattdessen zog er einen Stift aus der Brusttasche und holte ein Formular aus seiner Ledertasche hervor. Ohne sie anzusehen, reichte er ihr beides.

»Dann unterschreib hier.«

Gerda tat es und fragte dann, mit einem Mal fast zärtlich besorgt:

»Was geschieht denn jetzt mit diesem Päckchen?«

»Ich nehme es wieder mit zum Postamt und gebe an, dass du es nicht haben wolltest ...«

»Dass Eva es nicht haben wollte.«

»... und dann schicken sie es zurück.«

Udo verstaute das Päckchen wieder in der Ledertasche, faltete das Formular zusammen und sortierte es zwischen anderen Blättern ein. Dann steckte er den Stift in die Brusttasche zurück, prüfte, ob sie auch richtig zu war, und machte Anstalten zu gehen. Sein Oberkörper begann bereits, sich Richtung Straße zu wenden, und seine Füße würden ihm im nächsten Augenblick folgen, als ihm noch einmal Bedenken kamen.

»Wo ist Eva eigentlich?«, fragte er.

»Eva schläft.«

Und so reiste das braune Päckchen den ganzen weiten Weg, den es bis zu ihnen genommen hatte, wieder zurück:

zweitausendsiebenhundertvierundneunzig Kilometer insgesamt, einmal hin und einmal her.

Hätte man Gerdas Vater Hermann gefragt, ob er je erfahren habe, was Liebe ist (aber niemand tat das, am allerwenigsten seine Frau Johanna), wäre ihm das Bild seiner Mutter in den Sinn gekommen, wie sie in der Stalltür stand und ihm den Eimer mit der lauwarmen Milch vom ersten Melken am Morgen reichte. Mit dem Gesicht war er in die süße Flüssigkeit eingetaucht, aus der er mit einem Schnurrbart aus Schaum wieder hervorkam, und hatte sich dann auf den Weg zur Schule gemacht, ein einstündiger Marsch, den er täglich auf sich nehmen musste. Erst nachdem er schon ein ganzes Stück gelaufen war, wischte er sich mit dem Handrücken die Oberlippe sauber, etwa dann, wenn sein Klassenkamerad Sepp Schwingshackl zu ihm stieß, oder sogar noch weiter unten, wenn Paul Staggl sich dazugesellte, der ärmste Junge der ganzen Schule, von einem Hof, der nicht nur am Steilhang lag, sondern auch noch nach Norden ausgerichtet war und im Winter keinen Sonnenstrahl sah.

Oder wenn er länger darüber nachgedacht hätte (aber das tat er nie, sein ganzes Leben lang nicht, bis auf ein einziges Mal, kurz bevor er starb), wäre ihm die Hand seiner Mutter eingefallen, jugendlich frisch und doch schon rau wie altes Holz, in einer Geste bedingungsloser Zuwendung um seine kindliche Wange gekrümmt. Später, als seine Tochter Gerda zur Welt kam, hatte Hermann die Liebe schon seit einer ganzen Weile verloren. Womöglich unterwegs, so wie das Heu in seinem Traum.

Zum ersten Mal hatte er diesen Traum als Kind, doch er träumte ihn immer wieder, sein Leben lang: Seine Mutter breite-

te ein großes weißes Tuch auf der Wiese aus, häufte frisch ge-
mähtes Heu darauf und band es zu, indem sie die vier Ecken
zusammenführte und miteinander verknotete. Dann lud sie ihm
das Bündel auf die Schultern, damit er es zum Heuschober trug.
Es war eine gewaltige Last, aber das machte ihm nichts aus, seine Mutter hatte sie ihm aufgeladen, also war es eine gute Last.
Schwankend richtete er sich auf und schritt, einer monströ-
sen Blume ähnlich, über die gemähte Wiese. Seine Mutter sah
ihm nach mit ihren hellblauen, länglich geschnittenen Augen –
Augen, wie sie Hermann und später seine Tochter Gerda hatten,
und schließlich auch deren Tochter Eva, Augen, die sanft waren
und gleichzeitig streng wie auf gotischen Heiligenbildern. Doch
ein anderer Hermann, unsichtbar und alterslos, der den jungen
Hermann beobachtete, wurde bestürzt gewahr, dass die Zipfel
des Tuches schlecht verknotet waren und dass das Heu hinter
ihm zu Boden fiel: Zunächst flogen nur einzelne Halme davon,
dann ganze Büschel, mehr und mehr. Nun konnte der Hermann,
der das alles mit ansah und das Malheur erkannte, den Hermann
im Traum aber nicht warnen, und als dieser beim Heuboden
anlangte, war das Tuch leer.

In der Nacht, da er dies zum ersten Mal träumte, wurde in
Saint-Germain-en-Laye ein Friedensvertrag unterzeichnet, in
dem die Siegermächte des Großen Krieges, allen voran Frankreich, um das untergegangene österreichisch-ungarische Kaiser-
reich zu bestrafen, Südtirol dem Königreich Italien zuschlugen.
Zum großen Erstaunen dieses Landes, denn Trento und Trieste
zu befreien, ja, davon war immer die Rede gewesen, nicht aber
Bolzano – und erst recht nicht Bozen. Und das war nicht ver-
wunderlich: Die Südtiroler waren deutschsprachig und fühlten
sich so vollkommen heimisch in der österreichischen Donaumonarchie, dass sie nicht danach verlangten, von irgendjemandem befreit zu werden. Dennoch wurde Italien, nach einem ge-

wiss nicht auf dem Felde errungenen Sieg, mit diesem Zipfel der Alpen als unerwarteter Kriegsbeute belohnt.

Und in derselben Nacht starben auch seine Eltern. Beide wurden sie im Abstand von drei Stunden von der Spanischen Grippe hinweggerafft. Am Morgen darauf fand Hermann sich als Waisenkind wieder, ganz ähnlich wie seine Heimat Südtirol, das sein Mutterland Österreich verlor.

Nach dem Tod der Eltern erbte der Erstgeborene, Hans, den alten Hof. Der Besitz bestand aus einem Haus mit einer vom Rauch eingeschwärzten Stube, einem von Holzwürmern zernagten Stall mit Heuboden, einer Wiese am Steilhang, auf der man beim Mähen das Gewicht jeweils nur auf einen Fuß verlagern konnte, und einem Acker, der derart steil abfiel, dass man nach längerem Regen die Erde, die das Wasser zu Tal gespült hatte, in großen Tragekörben aus geflochtenem Bast wieder hinauftransportieren musste. Und Hans durfte sich noch glücklich schätzen, ein solches Erbe antreten zu dürfen.

Die drei älteren Schwestern sahen zu, dass sie rasch einen Bräutigam fanden, um wenigstens unter einem Dach zu schlafen, das sie ihr eigenes nennen konnten. Und Hermann, dem Jüngsten, blieb nichts anderes übrig, als sich als Knecht zu verdingen, auf den reicheren Höfen mit den flacheren Hängen, auf denen man beim Mähen beide Beine belasten konnte und die Erde auf den Feldern auch nach einem mächtigen Wolkenbruch blieb, wo sie war, und nicht zu Tal rutschte. Da war er elf Jahre alt.

Bis zu seinem zwanzigsten Lebensjahr passierte es ihm jede Nacht, dass er, der nie länger als einen halben Tag von seiner Mutter getrennt gewesen war, aus Angst und Einsamkeit sein Bett einnässte. Von seinem gefrorenen Urin wie von einem Leichentuch umhüllt, wachte Hermann im Winter dann auf irgendeinem der zugigen Speicher auf, wo die Bauern Knechte

wie ihn übernachten ließen. Wenn er sich von seinem Stroh-
lager erhob, zerbarst dieses dünne Futteral mit einem leisen
Knistern.

Es war der Klang seiner Einsamkeit und seiner Scham, des
Verlustes und des Heimwehs.

Wenn man in östliche Richtung fliegt, soll der Jetlag noch schlimmer sein, sagen alle. Wer sich gegen die Sonne wendet, den bestraft sie, indem sie ihn um den Schlaf bringt. Eigentlich kann ich es mir nicht leisten, so meinen Schlaf zu vergeuden.

In München hat mich Carlo am Flughafen abgeholt, was ich meiner Mutter niemals erzählen würde, denn ich weiß, dass sie ihn nicht mag, ihn nie gemocht hat. Vielleicht weil er sie damals, als ich ihn ihr vorstellte, nicht hofiert hat, nicht die Spur, nur höflich war er. Allerdings ist er Ingenieur, das darf man nicht vergessen, ein Mann, zu dessen Beruf es gehört, die Dinge wörtlich zu nehmen, sonst würden die Brücken und Viadukte, die er baut, nicht lange stehen. Meiner Mutter schönzutun wäre ihm wie eine Respektlosigkeit mir gegenüber vorgekommen. Wie wenig er doch verstanden hat. Von mir – und von ihr ganz zu schweigen.

Es liegt nun zehn Jahre zurück, dass ich Carlo meiner Mutter vorstellte. Wir wollten sie das lange Wochenende über Allerheiligen besuchen, und sie empfing uns auf dem Hof meiner Patin Ruthi. Wie im Prospekt eines Einrichtungshauses saß sie da in der mit Tannenholz getäfelten Stube. In ihrer mit Spitzen besetzten Bluse und der Baumwolljacke mit Hornknöpfen sah sie so durch und durch tirolerisch aus, dass es nur noch von einem Dirndl zu übertreffen gewesen wäre. Vielleicht war es ihr wichtig, sich Carlo in dieser bäuerlich pittoresken Atmosphäre zu präsentieren, fast so, als wolle sie ihre Identität inszenieren. Obwohl sie in Wahrheit nie eine Bäuerin war.

Carlo plauderte mit ihr, erkundigte sich nach ihrem Gesundheitszustand, hielt ihr die Tür auf, als wir auf den Hof traten, um uns zu verabschieden. Aber kein einziges Mal hat er ihr lachend in die Augen geschaut, kein einziges Mal ihr gesagt, dass ihm bei ihrem Anblick nun endlich klar werde, woher meine Schönheit stamme. Aber vor allen Dingen hatte er keine Lust, mit ihr *Watten* zu spielen. Und das hat meine Mutter ihm wohl nie verziehen. Carlo entschuldigte sich damit, dass er die Regeln dieses Kartenspiels nicht kenne. Die Regeln! Nein, er hatte wirklich gar nichts verstanden.

Deshalb nehme ich ihn nun nicht mehr mit, wenn ich sie besuche: Sie mag Carlo eben nicht, und das hat nichts damit zu tun, dass er verheiratet ist und drei Kinder hat, die ich nie kennengelernt habe; und auch nicht damit, dass er in den elf Jahren, die wir jetzt zusammen sind, nie die Möglichkeit erwähnt hat, sich von seiner Frau scheiden zu lassen.

Das sind nicht die Dinge, auf die es meiner Mutter ankommt.

Ich trat durch die Glastür der Ankunftshalle für internationale Flüge, an meiner Seite ein vielleicht fünfzigjähriger Mann, der meinen Gepäckwagen schob: Jack Radcliffe aus Bridgeport, Connecticut, Manager in einem Unternehmen für landwirtschaftliche Maschinen, zu Gast in München anlässlich einer Fachmesse seiner Branche. Groß gewachsen, grau meliertes Haar, tadelloser blauer Anzug. Ich selbst war nach den neun Stunden Flug immer noch so gekleidet und geschminkt, wie ich mich für die Vernissage in New York, von der ich zurückkam, zurechtgemacht hatte: Donna-Karan-Kostüm aus pistaziengrünem Jersey, Tropfenohrringe und Ballerinas an den Füßen. Wir bildeten sicherlich kein unansehnliches Paar. Getrübt wurde dieses Bild nur durch den glasigen Blick des Amerikaners und seine veilchenblaue Nase: Der Getränkeservice im Flugzeug hatte ganz seinen Vorstellungen entsprochen. Als Carlo ihn an meiner Seite erblickte, hob er seine schönen dunklen Augen zum Himmel, als rufe er ihn zum Zeugen an für die Geduld, die von einem Mann verlangt wird, der mit einer Frau wie mir zusammen ist.

Bei dem Amerikaner dauerte es dagegen eine ganze Weile, bis er begriffen hatte, dass dieser Fremde, der dort stand, mich abholen wollte. Vielleicht hätte ich vorher doch etwas davon erwähnen sollen. Jedenfalls war sein Lächeln urplötzlich verflogen. Es war ihm anzusehen, wie die Illusionen, die er sich hinsichtlich meiner Person gemacht hatte, dahinschmolzen wie Eis in einem zu lange in der Hand gehaltenen Whiskyglas. Sein Blick wurde noch glasiger, fast tränenfeucht, während er Carlo anstarrte, der ihm seinerseits jetzt ohne eine Spur von Überraschung oder Verlegenheit die Hand schüttelte, sich für die Umstände mit meinen Koffern bedankte und mich dann von ihm wegfegte, mit einer schwungvollen Drehung seiner breiten Schultern, die mir immer noch so gut gefallen.

Während ich in seinem Arm davonging, drehte ich mich noch einmal zu dem Amerikaner um, schenkte ihm ein aufmunterndes Lächeln, wedelte mit den Fingern einer Hand und zwitscherte:

»See you later, Jack!«

Völlig verdattert stand Jack Radcliffe aus Bridgeport, Connecticut, mit seinem Kofferkuli im Foyer der Ankunftshalle, aus dem Tritt gebracht mehr noch durch die Fassungslosigkeit als durch die Enttäuschung.

»Der Ärmste ...«, brummte Carlo, während er mir einen Kuss auf die Haare gab. Kein Vorwurf, nur eine Feststellung.

»Nein, wieso, ein netter Herr ...«

»Evas nette Herren«, seufzte Carlo. »Eine ganz spezielle Kategorie ...«

»Er war wirklich nett. Ich durfte mich den ganzen Flug über an seiner Schulter ausruhen.«

»Und wie hat er sich beschäftigt die neun Stunden über, mit deiner süßen Last am Leib?«

»Er hat mir die Decke aufgehoben, wenn sie runtergefallen war, und mir bei ein paar hochprozentigen Drinks von seiner unglücklichen Ehe erzählt.«

»Ach, stimmt, die genaue Bezeichnung der Kategorie lautet: ›Die netten Herren, die Eva von ihren unglücklichen Ehen berichten.‹«

Carlo hat mich fest gedrückt, liebevoll, männlich, von dem unschönen Gedanken, selbst auch zu dieser niederen Kategorie zu zählen, noch nicht einmal gestreift. Und natürlich gehört er auch nicht dazu, ganz und gar nicht. Von seiner Ehe erzählt mir Carlo gar nichts und gibt mir so auch nie die Gelegenheit zu beurteilen, wie glücklich oder unglücklich sie ist. Nicht dass mich das interessieren würde, nebenbei bemerkt.

Er hat den Gepäckwagen zu seinem Auto geschoben und meine Sachen eingeladen, ein dreiteiliges Kofferset, dunkelblau, frisch in New York gekauft: Trolley, Reisetasche und Beautycase, schon beeindruckend, wie durchdacht die Fächer aufgeteilt sind. Meiner Mutter würde das Set gefallen. Tatsächlich habe ich beim Kauf auch gedacht: Das ist eine Farbe, die ihr besser steht als mir, vielleicht bringe ich ihr die Teile übermorgen zum Osterfestessen mit. So stand ich also da, mit der Notebooktasche über der Schulter – die gebe ich nie aus der Hand, an niemanden – und sah Carlo zu.

Ich mag es, wenn ein Mann für mich körperliche Arbeit verrichtet, die Muskelkraft erfordert. Koffer anheben und in den Wagen wuchten zum Beispiel. Ich genoss den Moment und wandte schließlich den Blick von Carlo ab, damit er nicht dachte, ich wolle ihm Beine machen. Auf dem Gehweg kam mir ein Mann entgegen, der auf ein Taxi zuhielt, ein wenig jünger als ich, in einem neuen stahlgrauen Nadelstreifenanzug, dem Handkoffer nach ein Geschäftsmann, der zu einem Termin flog. Ein Deutscher, aber nicht aus Bayern, eher aus Norddeutschland, Hamburg vielleicht oder Hannover. Als sich unsere Blicke kreuzten, weiteten sich seine Pupillen, und sein Gesicht verzog sich zu der Miene, die ich lange schon von Männern kenne, denen ich in die Augen schaue, jener unverwechselbaren Mischung aus Gier und Sehnsucht. Das Verlangen lässt sie kühn werden, aber auch verwundbar, und macht mich zur Hüterin eines Geheimnisses. Jedenfalls wird ihre Mutter diesen Blick noch nie bei ihnen gesehen haben – das ist zumindest zu hoffen.

Mit einem dumpfen Schlag knallte Carlo den Kofferraum zu und setzte sich dann ans Steuer. Ich öffnete die Beifahrertür, und während ich Platz nahm und die Beine übereinanderschlug, hob ich wieder den Blick zu dem Geschäftsmann aus Hamburg oder Hannover, der nun gerade an mir vorüberging. Angelächelt habe ich ihn nicht, aber ein klein wenig mit den Augen gezwinkert, wie man es von dreizehnjährigen Models kennt, wenn sie ihren Blick eindringlicher wirken lassen wollen. Dann zog ich die Tür zu, und Carlo ließ den Motor an.

Ich bin nicht schön. Attraktiv schon, aber nichts Besonderes, und blonde Frauen, die ein wenig größer sind als der Durchschnitt, gibt es zuhauf.

Und jung bin ich auch nicht mehr. Wenn ich mich so umschaue, sehe ich sehr viele junge, attraktive Mädchen, deren Mutter ich sein könnte, mit knackigeren Körpern, glatteren Gesichtern und einer Ausstrahlung von Unschuld, die Wünsche weckt. Und doch schauen mir die Männer immer noch nach. Meine Mutter hat mir ihre Gesichtszüge vermacht, aber nur in einer oberflächlichen Version. Ihre hohen Wangenknochen, wie die einer russischen Adligen, sehen bei mir etwas gröber aus. Ihre vollen Lippen wirken bei ihr elegant, bei mir strahlen sie etwas Bäuerisches aus, etwas von frisch gemolkener Milch, Butter aus dem Fass. Ich habe ebenso schlanke Beine und volle Brüste wie sie, ihre Figur einer Nordeuropäerin, aber die Haltung – kein Vergleich. Gerda Huber hat ihr ganzes Leben an Herd und Schneidbrettern zugebracht, während ich Armani trage und mondäne Events organisiere. Und dennoch: Wer von uns beiden wie eine Königin wirkt, das ist sie.

Zwischen dem Münchner Flughafen und meinem Zuhause liegen drei Stunden Autofahrt und zwei Grenzen. Als junges Mädchen fand ich sie aufregend, diese doppelte Grenze gleich hinter der Haustür, denn so fühlte ich mich der weiten Welt, dem Neuen und Unbekannten nahe. Das war noch zu einer Zeit, als Schengen nicht mehr als ein Städtchen in Luxemburg war, von dem kaum jemand gehört hatte, und die europäischen Grenzen noch von Schlagbäumen und uniformierten Beamten mit strengen Mienen gesichert wurden, von Leuten, die keinen Spaß verstanden und einen zurückschicken oder gar festnehmen konnten. Der Brennerpass als Grenzstation passte da gut ins Bild: düster, bedrückend, mit einem höhlenartigen Bahnhof wie aus einem Agententhriller. Heute sind die Gefühle jener Zeit längst vergessen. Wenn man jetzt das enge Tor passiert, das Nordeuropa von Italien trennt, werden noch nicht einmal die Wagenpapiere kontrolliert.

Na ja, fast vergessen ... Nach Sterzing/Vipiteno, kurz vor Franzensfeste/Fortezza ist Carlo an der Autobahnraststätte/*Autogrill* rausgefahren, und wir haben ein belegtes Brötchen/*panino* gegessen. Als wir dann später die Autobahn/*autostrada* verließen, haben wir an der Mautstelle/*casello* bezahlen müssen. Das Ganze in seinem Volvo, der aus Schweden kommt, sodass hier zum Glück nichts zu übersetzen ist, weder ins Italienische noch ins Deutsche. Herzlich willkommen in Südtirol/*Alto Adige*, dem Reich der Zweisprachigkeit.

Hinter der Autobahn öffnete sich uns ein weites, helles Tal, das sogar jetzt noch freundlich wirkt, obwohl das erste Tauwetter die der Sonne zugewandten Bergrücken hat schlammig werden lassen und die noch verschneiten Almen bereits braune Flecken aufweisen. Auf den Hängen ringsum bilden Lärchen, Tannen und Birken dichte Wälder. Diese undurchdringliche Natur rahmt die von Arbeit geprägte Zivilisation gleichsam ein – die Höfe inmitten der weiten Wiesen und Weiden, die Brücken über den noch reißenden Fluss, die Kirchen mit den Zwiebeltürmen. Dies ist das Tal, in dem ich zur Welt gekommen bin.

Carlo hat mich nach Hause gefahren. Wir haben miteinander geschlafen, auf die übliche Weise, mit den üblichen Abläufen. Elf Jahre Geheimniskrämerei haben den Vorteil, dass sich die Sexualität zwar wie in einer Ehe in eingespielten, vertrauten Bahnen bewegt, aber nicht zu einem selbstverständlichen Anspruch oder einer Pflicht entwickelt hat. Eben diese Mischung aus Gewohnheit und Unberechenbarkeit ist es, die mir entgegenkommt. Danach glätten sich die beiden waagerechten Linien zwischen Carlos Augenbrauen, nehmen weniger Schatten auf. Zum ersten Mal aufgefallen ist mir das schon vor elf Jahren, auf eben diesem Bett, und seitdem sehe ich es jedes Mal. Das ist genau die Macht, die ich über ihn habe, denke ich dann: Ich bin die Frau, die seine Stirn glättet, seine persönliche Faltencreme. Eigentlich ein tröstlicher Gedanke, denn je älter er wird, desto mehr wird er mich brauchen.

Einander im Arm haltend, haben wir unter den Leintüchern gelegen. Weiß sind sie: Ich könnte es nicht ertragen, dass Farben meinen Schlaf stören, der ohnehin schon viel zu selten kommt. Carlo hat sich auf die Seite gedreht, mich von hinten mit seinem ganzen Leib umfasst und an meinen Haaren geschnuppert.

»Weißt du was?«, sagte er. »Du bist zu viel unterwegs.«

Ich habe gelächelt. Wenn er damit anfängt, weiß ich wieder, wie viel ihm an uns liegt. Als das Telefon klingelte, umfasste er mich noch enger. Geh nicht ran, sagten seine Arme. Ich bin nicht rangegangen, und der Anrufbeantworter der Telecom ist angesprungen.

»Risponde la segreteria telefonica ...«, verkündete das Gerät auf Italienisch.

Eine junge, aufgeregte Stimme mit starkem römischem Akzent war zu hören.

»Jetzt, gleich geht sie ran, pass auf ...«

Doch ungerührt fuhr der Anrufbeantworter, nun auf Deutsch fort:

»Hier spricht der Anrufbeantworter der Nummer null vier sieben vier ...«

»Was ist das denn? Deutsch?«, hörte man eine zweite Stimme, ein wenig heiser, zwischen hohen und tiefen Tönen schwankend: vierzehn, fünfzehn Jahre, allerhöchstens. Wenn nicht noch jünger.

»Mann, wie lange dauert das denn?«

»... Hinterlassen Sie bitte eine Nachricht nach dem Signal.«

Nun begannen die beiden Burschen zu feixen, und die erste Stimme brüllte in den Hörer:

»Crucchi, crucchi ...«

»Actùn, cartoffen, capùt ...!«, stimmte nun auch der andere ein, bevor er plötzlich abbrach, weil er vor Lachen nicht mehr konnte. Mein Rücken eng an Carlos Bauch, seine Arme um meine Brust geschlungen, lagen wir da und hörten reglos zu.

»Haut doch ab nach Deutschland!«, rief der Erste noch mal, dann legten sie auf.

»Immer noch!«, stöhnte ich. »Hört das denn nie auf?«

Es gibt da eine Szene in den Fernsehserien, die sich meine Mutter täglich nach dem Mittagessen anschaut. Man sieht sie immer wieder. Da steht der verheiratete Mann vor dem Bett, in dem seine Geliebte halb nackt liegt, und bindet sich die Krawatte, gibt ihr einen Kuss auf die Stirn und verlässt das Zimmer, während sie auf dem zerknautschten Lager zurückbleibt und mit traurigem Blick auf die Tür starrt, die sich hinter ihm geschlossen hat. Häufig umklammert sie dabei ihre Beine und legt das Kinn auf die Knie, wobei das Leintuch aber immer sittsam ihre Blößen bedeckt. Kein einziges Mal in den elf Jahren ist es mir mit Carlo so ergangen. Auch wenn er in Eile ist, nimmt er sich, bevor er geht, immer die Zeit, vom Bett aufs Sofa überzuwechseln oder auch in die Küche oder auf den Balkon, an einen Ort also, der nicht jener unserer Lust ist, um auch mir Gelegenheit zu geben, mich anzukleiden oder mir zumindest einen Morgenmantel überzuwerfen. Um noch gemeinsam einen Kaffee zu trinken, ein wenig zu plaudern, miteinander zu lachen.

Dieses Mal hat er mir beim Auspacken geholfen. Und die Kataloge der Ausstellungen, die ich in New York besuchte, haben wir auch noch gemeinsam durchgeschaut. Von Gerhard Richter im MoMA. Von einem jungen koreanischen Künstler in einer Galerie in Chelsea, der mit zweiundzwanzig seine Gemälde bereits an die Milliardäre der East Side verkauft. Von einer Ausstellung zur Holzschnitzkunst des Volkes der Dogon. Afrikanische Statuen sehe ich häufig in den Häusern meiner Kunden, nicht selten restaurierte Schlösser im Familienbesitz mit geschickten Ergänzungen aus Glas und Stahl: Die reichen Südtiroler haben viel übrig für Ethnokunst, sie gibt ihnen das Gefühl, Weltbürger zu sein.

Bevor er geht, sagt Carlo zu mir: »Wenn es dir recht ist, könnte ich nach Ostermontag noch mal drinnen kommen.«

»Ja, das wäre schön«, antworte ich.

Nein, keine Sorge: Wir haben nicht plötzlich beschlossen, gemeinsam ein Kind zu zeugen. Er hat nur gesagt, dass er von Bozen, wo er wohnt, nach den Feiertagen noch mal bei mir, in mein Tal, vorbeikommen wird. Wer in Alto Adige lebt, übernimmt, selbst wenn venetisch-kalabresisches Blut in seinen Adern fließt, viele Ausdrücke aus dem Südtiroler Dialekt in seine Sprache. Man kommt nach drinnen, *inni*, wenn man in die Täler fährt, die nach *aussi*, draußen, abfallen, der Ebene zu und hinaus in die weite Welt.

Als ich im letzten Sommer zum Beispiel in Positano Urlaub machte, rief Carlo an und erzählte, dass seine Frau und seine Kinder auch in die Ferien gefahren seien und dass er Gelegenheit habe, von Bozen zu mir zu fliegen.

»Ich komme heute Abend dann draußen«, sagte er und meinte damit nur, dass er mich besuchen würde und nicht etwa, dass er vorhabe, eine von der katholischen Kirche gebilligte Verhütungsmethode anzuwenden.

Und nun gibt mir Carlo zum Abschied einen Kuss (nicht auf die Stirn!), um dann nach Hause zu fahren. In sein Zuhause.

Natürlich kommt es vor, dass ich darauf angesprochen werde. Meistens ist es eine Sie, die glaubt, mir mitteilen zu müssen, dass ich ihr leidtue. »Wie hältst du das nur aus, so lange schon mit einem verheirateten Mann zusammen zu sein?«, werde ich gefragt. Und viele, fast alle, setzen hinzu: »Also, ich könnte das nicht, nie im Leben.«

Und jedes Mal brauche ich wieder einen Moment, um mich daran zu erinnern, dass manche Leute meine Situation unmöglich finden. Traurig, wenn nicht hoffnungslos. Ulli aber hätte mich das nie gefragt. Er wusste es: Es gibt nur einen einzigen Menschen, an den ich mich gebunden fühle, zu dem ich ganz gehören kann, ohne deshalb das Gefühl zu haben, in glitschigem Morast zu versinken, in Sümpfen, die ich nicht kenne. Er ist auch der einzige Mensch, den ich, falls es notwendig sein sollte, umsorgen und pflegen könnte, ohne mich deswegen wie eine Gefangene zu fühlen. Und dieser Mensch ist kein Mann.

Gegen sieben schaut noch Zhou vorbei, um mir Hallo zu sagen. Zehn Jahre, zwei Zöpfchen mit kleinen Plastikerdbeeren daran, ein wackelnder Backenzahn. Und Mandelaugen wie eine Chinesin, was sie ja auch ist. Und sie ist sehr gut in der Schule. Ihr Lieblingsfach: Geometrie.

»Ich hab Licht gesehen und mir gedacht, dass du wieder da bist«, begrüßt sie mich in ihrem venetischen Dialekt.

Nur ein paar Wochen habe ich sie nicht gesehen, aber sie anzuschauen, während sie redet, stürzt mich wieder in die gleiche Verwirrung wie ganz zu Anfang. Es ist, als sehe man einen Bruce-Lee-Film, der von einem Chor italienischer Gebirgsjäger synchronisiert wird.

Signor Song, ihr Vater, war Eigentümer einer Schuhfabrik in Shandong in Südchina, die er Ende der achtziger Jahre an einen Parteifunktionär verkaufte. Gesamterlös aus dem Verkauf der ganzen Anlage, also des Fabrikgebäudes, der Maschinen sowie der bereits lieferfertigen Waren: zwei gültige Reisepässe für die Ausreise, einen auf ihn selbst ausgestellt, den zweiten auf seine Frau. Als Andenken an China sowie seine dort einst sehr angesehene Familie konnte er nur eine hübsch verzierte Holzkiste mitbringen, die alles Notwendige für die Aufzucht von Kampfgrillen enthält, eine Art Volkssport in der Provinz Shandong, den sein Vater mit Leidenschaft betrieb.

Über Umwege gelangten die Songs nach Italien, zunächst nach Triest, dann nach Padua, wo ihre drei Kinder zur Welt kamen, und schließlich nach Südtirol. Hier wohnte Signor Song, als man ihn anlässlich der Volkszählung im Jahr 2001 aufforderte, eines der drei Felder auf dem Fragebogen anzukreuzen: Italienisch, Deutsch oder Ladinisch. Eine andere Möglichkeit war nicht vorgesehen, nur diese drei Volksgruppen werden in Südtirol anerkannt. Auch um in den Genuss der Vergünstigungen dieser italienischen Region mit dem Sonderstatus zu kommen, hatte er ein Formular auszufüllen und zu unterschreiben, in dem nach seiner Zugehörigkeit zu einer bestimmten Sprachgruppe gefragt wurde. Überschrieben war das Formblatt auf Deutsch mit dem Wortungetüm: *Sprachgruppenzugehörigkeitserklärung.*

Signor Song, so hat er es mir selbst erzählt, betrachtete lange dieses Wort. Sechsunddreißig Buchstaben. Elf Silben.

Obwohl in vielen Sprachen zu Hause (Italienisch, Englisch, Mandarin und mittlerweile auch ein wenig Deutsch), ist seine Muttersprache der Dialekt von Shandong: eine tonale, vor allem aber einsilbige Sprache. Zum ersten und vielleicht auch einzigen Mal in seinem Leben ließ er die pragmatischen Aspekte dieses Problems außer Acht und reagierte aus dem Bauch heraus: Niemals würde er sich zum Sprecher einer Sprache erklären, die es schafft, aus sechsunddreißig Buchstaben und elf Silben nur ein einziges Wort zu bilden. Kurz erwog er dagegen die Möglichkeit, »Ladiner« anzukreuzen: Von diesem abgeschieden lebenden Völkchen wusste er wenig, doch flößte es ihm eine vage Sympathie ein. Allerdings hatte er nicht vor, ins Grödnertal oder ins Gardertal zu ziehen, den einzigen Gebieten, wo dieses Sprachbekenntnis ihm deutliche Vorteile gebracht hätte.

Und so ist Zhou heute, ebenso wie ihre Eltern und ihre größeren Geschwister, in jeder Hinsicht eine Angehörige der italienischen Volksgruppe. Plappernd, mit ihrem Akzent wie aus einer Osteria in Padua oder Triest, leistet sie mir Gesellschaft, während ich noch den Rest aus meinen Koffern auspacke. Als es Zeit fürs Abendessen wird, verschwindet sie wieder.

Auf meinem Bücherschrank habe ich, in hellen Holzrahmen, zwei Fotos stehen. Das eine zeigt einen Jungen mit auffallend langen Wimpern wie ein Reh und einem Lächeln, das um Verzeihung zu bitten scheint: Das ist Ulli. Das andere ist schwarz-weiß und ein wenig vergilbt. Ein zehnjähriges Mädchen sieht man da zwischen zwei nur wenig älteren Buben – Vettern oder noch entfernteren Verwandten, ich weiß es nicht genau. Es zeigt sie, ein wenig im Gegenlicht, auf einer sonnenbeschienenen Alm, wo sie die Kühe hüten, die hinter ihnen zu sehen sind. Das Mädchen trägt ein Kleidchen, das sicher schon mehrmals weitergegeben wurde, und darunter schauen ihre ein wenig verdreckten nackten Beine hervor. Zwischen ihren Zehen sprießen einige Grashalme sowie eine Margerite. Sie blickt dem Fotografen direkt in die Augen. Die anderen nicht: Die beiden Buben starren sie an, verstohlen, mit offenem Mund, im Blick die Ehrfurcht und Fassungslosigkeit derer, die ein Naturwunder bestaunen.

Meine Mutter, als kleines Mädchen.

Sinnlos, einschlafen zu wollen, nach einem Zeitsprung von sechs Stunden, dazu noch in die falsche Richtung. Ich bin gar nicht ins Bett gegangen und habe stattdessen aufgeräumt. Jetzt öffne ich das Fenster und schaue in die tiefe Nacht hinaus.

Obwohl es April ist, riecht die Luft noch nach Schnee. Doch die Lärchen erwachen bereits, das Harz steigt schon aus den finsteren Tiefen der Stämme und beginnt seine öligen Essenzen in der Luft zu verteilen. Ich atme tief ein und aus. In schlaflosen Nächten geht mir immer wieder auf, welches Glück es bedeutet, an einem Ort zu Hause zu sein, wo es gut riecht. Eingebettet in bläuliches Licht, blinken die Sterne und versprechen für morgen einen schönen, wenngleich kühlen Tag.

Am Berghang vor meinem Balkon bewegen sich die Lichter der Schneeraupen die ganze Nacht über auf und ab wie kleine Raumschiffe, brav in einer Reihe. Mit dem Fortschreiten des Frühjahrs wird ihre Aufgabe, den Skifahrern bis zum Ende der

Saison verschneite Pisten bereitzustellen, undankbarer. Immer schneller schmilzt der Schnee, und er fällt kaum noch nach. An wie viele Dinge könnte ich denken, wenn ich den am Hang hoch- und runterkletternden Lichtern zusehe: an das warme Führerhaus von Marlene, der Schneeraupe mit dem Frauennamen, in dem man es auch in eisigen Winternächten gut aushalten konnte; an unsere leidenschaftlichen Auseinandersetzungen um die bessere Musik, Ullis Simply Red gegen meine Eurythmics, über eine Stereoanlage ausgetragen, die er selbst im Führerhaus installiert hatte; an den seltsamen, schwarz-weiß gestreiften Stoff, mit dem die Sitze verkleidet waren, als wäre Marlene ein texanischer Truck und diese Skipiste eine endlose Asphaltgerade im Monument Valley. An all das könnte ich denken. Aber ich tue es nicht. Zumindest nicht jede Nacht.

Oben auf dem Gipfel, in der klaren Luft über zweitausend Metern, genau unter dem Gürtel von Orion, strahlen die stets eingeschalteten Scheinwerfer der sogenannten Fabrik unerbittlich wie die einer Strafanstalt. Lange betrachte ich sie. Und wieder ein Gedanke, der mich selten streift: Eines Tages hätte sie mir gehören können, diese »Fabrik«, aber das wird nie geschehen.

Noch einmal hole ich tief Luft, bevor ich das Fenster schließe.

Als ich die erste Tasse Kaffee trinke, ist vom Morgengrauen noch nichts zu sehen. Müde bin ich nicht, aber was soll man morgens um sechs schon anderes zu sich nehmen? Diese Nacht kann ich vergessen, sage ich mir, es wird besser sein, wenn ich gar nicht mehr einzuschlafen versuche. Ich werde am Abend früh zu Bett gehen und dann morgen ausgeschlafen bei meiner Mutter erscheinen. Hoffe ich zumindest. Seit drei Tagen ist sie, wie ich weiß, mit Ruthi und weiteren Verwandten dabei, das Osterfestessen vorzubereiten. *Schlutza, Tirtlan, Strauchln.* Und dann *Topfentaschen, Rollade* und natürlich Grappa mit Preiselbeeren vom letzten Sommer. Ich möchte meiner Verpflichtung, all diesen Leckerbissen die Ehre zu erweisen, gern nachkommen, aber wenn ich keinen Schlaf finde, werde ich auch keinen Appetit mehr haben.

Immer noch schwarz zeichnet sich der Berg gegen den jetzt von einem fahlen Licht erhellten Himmel ab, während im Osten eine einzelne leuchtende, rosa-, fast orangefarbene Wolke hervorsticht. Die Schneeraupen ruhen mittlerweile in ihrem aus dem Fels geschlagenen Hangar. Die Fabrik strahlt immer noch, aber nicht mehr für lange. In zwei Stunden werden die zwischen den Stützpfeilern gespannten Drahtseile damit beginnen, sie den Berg hinaufzuziehen, die Tausende, Zehntausende von Skifahrern in der Sekunde, die unser Tal braucht, um weiter so opulent leben zu können wie bisher. Ich an erster Stelle: ohne Fabrik keine Touristen, ohne Touristen keine Hotels, ohne Hotels kein Wohlstand, ohne Wohlstand keine Events, die zu organisieren wären. Und das hieße für mich: keine Reisen mehr, keine Prada-Schuhe, keine Vernissagen von jungen asiatischen Künstlern in Chelsea, keine Reisen nach Indonesien oder Yucatán. Selbst auf Männer wie Jack Radcliffe aus Bridgeport, Connecticut, müsste ich verzichten, mit ihren entgeisterten, glasigen Blicken und geplatzten erotischen Phantasien.

Gelobt sei die sogenannte Fabrik, die zufriedene Skifahrer zu unser aller Wohl produziert.

In die Decke gemummelt, die mir meine Mutter geschenkt hat, nippe ich an meinem Kaffee. Es ist eine Patchworkdecke, hergestellt aus Quadraten, die sie aus meinen alten Kinderpullovern gewonnen hat. Biedere Farben, die schlecht zusammenpassen. Zeugnisse einer Zeit, in der man schon froh war, überhaupt etwas zum Anziehen zu haben, und kein Mensch an Ästhetik dachte: lodenblau, apfelrot, mausgrau, tannengrün. Ein orangefarbenes Quadrat (von welchem Pullover stammt das denn noch?) hebt sich besonders unschön von den anderen ab. Die Decke ist ein Fremdkörper in meinem elegant eingerichteten Haus, in dem alles auf pistaziengrüne und aquamarinfarbene Töne abgestimmt ist, und fühlt sich kratzig wie Stacheldraht an, als sei die Wolle noch nicht einmal gekämmt worden. Ich erinnere mich noch gut, wie diese Pullover an den Armen kratzten. Wie habe ich das nur ausgehalten? Kein Zufall, dass ich heute nur noch Mohair- und Kaschmirpullover trage.

Das Telefon klingelt.

In der Stille des Tagesanbruchs lässt mich der schrille Ton zusammenzucken, und fast hätte ich meinen Kaffee verschüttet. Im ersten Moment will ich rangehen, doch dann halte ich inne. Wer soll mich um diese Zeit denn anrufen? Da wird sich jemand verwählt haben. Ich lasse den Anrufbeantworter anspringen.

»*Risponde il numero ...*/Hier spricht der Anrufbeantworter ...«

Endlich ist *Signorina Telecom*/Fräulein Telekom mit ihrer fehlerlosen Hommage an die Zweisprachigkeit fertig, und ich warte auf eine Nachricht.

Ein langes Schweigen. Aber am anderen Ende der Leitung ist noch jemand dran, das meine ich wahrzunehmen. Dann, etwas deutlicher, das schwache Geräusch eines Atemzugs. Das darf doch nicht wahr sein, jetzt geht das schon so früh am Morgen mit diesen Belästigungen los. Vor der Schule noch. Entweder liegt es an der schlaflosen Nacht oder an dem Jetlag, jedenfalls schießt mir das Adrenalin warm ins Blut. Mit einem Ruck nehme ich den Hörer ab.

»Jetzt reicht's aber! Lasst mich endlich in Ruhe.«

»Eva ..., bist du das?«

Eine Männerstimme. Nicht mehr jung. Erschöpft oder krank. Vielleicht beides. Ich bin verwirrt.

»Wer ist da?«

Eine Pause.

»Sisiduzza ... Darf ich dich noch so nennen?«

Ich starre auf das orangefarbene, herausstechende Quadrat der Decke. Ich muss meine Mutter wirklich mal fragen, woher die Wolle stammt. Vielleicht gar nicht von einem meiner Pullover, sondern von Ruthi.

»Das kann nicht wahr sein ...«, murmele ich.

»Doch, ich bin es wirklich, Vito.«

Ich hebe den Blick. Die Sonne ist aufgegangen und taucht meinen Kelim in ein goldenes Licht.

Wehe den Töchtern liebloser Väter: Ihr Schicksal ist es, ungeliebt zu bleiben. Nur einmal in ihrem Leben konnte sich meine Mutter Gerda der Liebe eines Mannes gewiss sein – und ich der eines Vaters. All die anderen kamen und gingen wie ein Wolkenbruch im Sommer: Wir haben uns schlammige Schuhe geholt, aber die Wiesen sind trocken geblieben. Mit Vito hingegen war es etwas anderes. Das war echt. Für sie und für mich war seine Gegenwart wie ein langer Regen im Juni, der das Gras wachsen lässt und die Quellen speist. Und doch hat uns, danach und für immer, die Trockenheit nicht verschont.

Ihm bleibe nicht mehr viel Zeit zu leben, hat Vito mit angestrengter Stimme zu mir gesagt.

Und hinzugefügt: »Ich möchte dich gern noch einmal sehen.«

Wenige Stunden später bin ich schon auf dem Weg, Richtung Süden. Ich fahre zu ihm.

»*Vofluicht no amol!*«, machte sich Hermann mit lauter Stimme Luft. »*Vofluichtes Scheisszoig!*«

Ihm war der Korb umgefallen, den er für einen Bauern zum Markt transportieren sollte, und *Graukäse*-Laibe in den verschiedensten Formen waren über den Boden gerollt.

Weder ›*Maledizione!*‹ noch ›*Caspita!*‹ hatte er geflucht, wie es die nun geltenden faschistischen Gesetze, nach denen in der Öffentlichkeit nur noch die italienische Sprache verwendet werden sollte, eigentlich vorschrieben. Und erst recht nicht ›*Ostia!*‹ (Hostie), was zwar nicht illegal, weil italischer Herkunft, aber Gotteslästerung gewesen wäre. Nein, auf Deutsch hatte er geflucht. Oder genauer, im Dialekt. Nun kam aber gerade ein Beamter des Katasteramtes vorüber, hörte Hermann und fühlte sich aufgefordert, die römische Kultur Südtirols oder besser des Alto Adige zu verteidigen, schlug ihm mit der tintenbefleckten flachen Hand mitten ins Gesicht und riss ihm die blaue Arbeitsschürze, den Tiroler Bauernschurz, vom Leib.

Kein Deutsch in der Öffentlichkeit, keine Tiroler Trachten, keine Dirndl oder Lederhosen: Alles, was daran hätte zweifeln lassen können, dass der heilige italische Boden bis zum Brenner, der neuen Staatsgrenze, reichte, musste verschwinden. So bestimmten es die Gesetze des faschistischen Italien. Und keiner der Bauern und Knechte auf dem Markt hob den Blick oder sprang Hermann gar bei.

Doch trotz der Ohrfeige und der Demütigung, oder vielleicht auch gerade deswegen, sah man nicht lange darauf an Hermanns Hemdkragen das *cimice*, Wanze, genannte faschistische Parteiabzeichen mit dem Rutenbündel blitzen, was man im örtlichen Parteibüro mit Wohlwollen zur Kenntnis nahm. Er bekam eine Arbeit, lernte Lastwagenfahren und war nun für den Holztransport zwischen den Tälern zuständig. Und dabei drückte man auch ein Auge zu, wenn er sich mit den Waldarbeitern auf Deutsch unterhielt. Denn so weit oben, zwischen den gottverlassenen Felswänden und Steilhängen, würde sie noch nicht einmal der Duce hören können.

Einige Jahre waren vergangen, als Hermann eines Tages auf der Hauptstraße der Provinzstadt eine Schar Goldfasane erblickte: So nannte man die von der SA. Ihre Blicke waren scharf wie Klingen, darauf ausgerichtet, alles, was ihnen beim Aufbau des glorreichen Tausendjährigen Reiches im Weg war, niederzustrecken. Wie sie da entlangmarschierten in ihren tadellosen Uniformen, aufrecht, arisch, grenzenlos deutsch, fand Hermann sie so schön wie Halbgötter.

Und er beschloss, einer von ihnen zu werden.

Vielleicht verlor Hermann den Rest von Liebe eben in dem Moment, da er sich vormachte, sie gefunden zu haben, genauer, als er Johanna sah, ein achtzehnjähriges Mädchen mit schwarzen Haaren, blass und dünn, das nie den Mund aufmachte und mit gesenkten Kopf herumlief, so als wünsche sie nur, dass die Welt keine Notiz von ihr nahm. Mit einer Frau zu leben, die sich mit jeder Geste für ihr bloßes Dasein zu entschuldigen schien, würde ihn vielleicht die Scham und Ohnmacht seiner Jugend, seine Wut und Einsamkeit vergessen lassen: Das spürte Hermann, auch wenn er es natürlich so nicht hätte sagen können. Obwohl er dieses Mädchen nicht liebte, hielt er um ihre Hand an. Johanna ihrerseits erkannte sogleich die Kälte in seinen hellen Augen. Allerdings glaubte sie auch, dort die Spuren einer verschütteten Zärtlichkeit zu entdecken, und machte sich vor, dass in diesem groß gewachsenen Mann mit dem hölzernen Gang eine nur ihr zugedachte tiefere Leidenschaft steckte. Das stimmte jedoch nicht, vielleicht hätte es so sein können, aber so war es nicht. Jedenfalls heiratete sie ihn.

Ihr erstes Kind, Peter, kam mit dem verschlossenen Charakter seines Vaters und den dunklen Augen seiner Mutter zur Welt. Er war drei Jahre alt, als Hermann ihn sich auf die knöchernen Schultern setzte und sich mit ihm unter die Menschenmenge mischte, die sich an einer Kreuzung der Staatsstraße zusammendrängte. Dort oben kam sich der Junge groß und bedeutend vor, fast so wichtig wie der Kronprinz Umberto, der als Ehrengast zur Denkmaleinweihung gekommen war. Dieses Monument zu Ehren der italienischen Gebirgsjäger, der *Alpini*, war vom Bürgermeister vehement gefordert worden. Noch war die Statue mit einem weißen Tuch umhüllt, das der Sommerwind wie mit gewaltigen Atemzügen hob und senkte: Peter kam sie wie ein riesengroßes Gespenst vor, nicht menschlich, aber doch lebendig, pulsierend. Nach den offiziellen Ansprachen und musikalischen Darbietungen der Kapelle glitt das Tuch mit einem lauten Rascheln wie von einem Tier in ektoplasmatischen Schlängelbewegungen an der Figur hinab zu Boden. Und was nun zum Vorschein kam, hatte gar nichts Verschwommenes mehr, war härtestes, fast dumpf wirkendes Material.

Ein Granit-Alpino mit gedrungenem Hals und italisch stämmigen Beinen blickte trotzig gen Norden, auf die vergletscherten Berge, wo seit nun schon zwanzig Jahren die neue Grenze verlief. Sein nicht eben feinsinnig wirkender Gesichtsausdruck symbolisierte die blinde, unerbittliche Gewalt, die das faschistische Italien gegen jeden entfesseln würde, der immer noch glaubte, dass Alto Adige nicht zu Rom gehöre. Diese Klarstellung war durchaus nicht überflüssig. Und das nicht nur, weil viele, gar zu viele Südtiroler immer noch nicht bereit waren, ihre römische Abstammung anzuerkennen. Nein, es gab auch noch einen aktuelleren Grund: Nur drei Monate zuvor war Hitler in Wien eingezogen und hatte den Anschluss Österreichs an sein Drittes Reich proklamiert. Und Österreich, das verlorene Mutterland, lag ja gleich dort drüben, jenseits der Gletscher.

Doch hier, so tat es dieser steinerne Alpino auf seinem Sockel kund, und so verkündeten es auch alle hohen Herren, die sich zu dem Anlass eingefunden hatten, hier war man in Italien.

Mussolini hatte eine feinmaschige Italianisierung Südtirols begonnen, wobei ihm aber bald schon klar geworden war, dass es, um diese Gegend »urrömisch, südländisch, imperial« werden zu lassen, nicht ausreichte, den Bauern zu verbieten, Deutsch zu sprechen oder ihre landestypischen Trachten zu tragen. Und es reichte auch nicht aus, die Schüler in der Schule statt ihrer Muttersprache das Gedicht vom *Pio bove*, dem ›frommen Ochsen‹, lernen zu lassen. Die armen jungen Lehrerinnen aus Caserta, Agrigento oder Rovigo, die man in den hohen Norden geschickt hatte, verzweifelten immer wieder an ihrer undankbaren Aufgabe, diese jungen Bauerntölpel die musikalischen Klänge der italienischen Sprache hervorbringen zu lassen. Außerdem gab es in ganz Südtirol mutige Lehrkräfte, die in den sogenannten »Katakombenschulen« trotz Verbot heimlich weiter Deutsch unterrichteten. Es hatte auch nicht viel genutzt, alle Ortsnamen zu italianisieren. Jetzt schauten die Menschen eben auf die Kirchtürme und sahen so, wo sie waren: War es ein Zwiebelturm, wussten sie, dass Völs vor ihnen lag, war der Turm spitz, befanden sie sich in Blumau. Und Fiè, Prato Isarco und all die anderen Namen, die sich Ettore Tolomei in Mussolinis Auftrag hatte einfallen lassen, wurden außer von den Ämtern von niemandem verwendet.

Nein, wollte man dieses wunderschöne Land mit den hohen Bergen tatsächlich romanisieren, gab es nur eine Lösung: Allein

Italiener durften dort noch leben. Und dazu reichte es nicht aus, wie bisher den Zustrom von Einwanderern aus anderen italienischen Regionen anzukurbeln und zu fördern, in der Hoffnung, dass die deutschsprachigen Südtiroler auf diese Weise mit der Zeit immer mehr zur Minderheit in ihrem eigenen Land würden. Nein, sie mussten wirklich fortziehen.

Hitler griff die Idee begeistert auf. Schließlich zählte es zu seinen Lieblingsbeschäftigungen, Völker zu »säubern«, indem er große Menschenmengen auf der Landkarte hin und her schob (oder vernichten ließ). Und so versprach er Mussolini, alle Südtiroler, die weiterhin deutsch bleiben wollten, würden in Großdeutschland als Brüder reinster arischer Abstammung mit offenen Armen empfangen. Jeder würde einen neuen Hof von der Größe des südlich des Brenners zurückgelassenen erhalten, Wiesen und Weiden von der gleichen Ausdehnung sowie Kühe nicht nur in der gleichen Anzahl, sondern, so behauptete die Propaganda, auch mit einem Fell in den gleichen Farben wie die Tiere, die in den Ställen ihrer Vorfahren zurückbleiben würden. Sudetenland, Galizien, Steiermark und sogar Burgund, weiter noch die endlosen Gebiete, die man den dort ansässigen slawischen Völkern abnehmen würde: die Tatra in Polen, die weite Puszta in Ungarn, bald schon auch die fruchtbare Krim. Wer Südtirol verlasse, werde fette Böden vorfinden, die nur darauf warteten, von männlich-deutscher Arbeitskraft kultiviert und so zu einem Paradies auf Erden zu werden.

Mussolini seinerseits drohte den »Dableibern«, wie sie genannt wurden, mit gewaltsamer Italianisierung: dem absoluten Verbot, Deutsch zu sprechen, selbst in den eigenen vier Wänden. Er kündigte Massendeportationen aller Südtiroler an, die sich weigerten, die italienischen, oder genauer »Römischen« (wie es großgeschrieben in den Flugblättern hieß), Sitten und Gebräuche anzunehmen – Deportationen etwa nach Sizilien, um Feigenkakteen anzubauen, von denen kein Mensch wusste, was das für Früchte sein sollten. Die Alternative, vor die sie gestellt wurden, lautete nicht, zu gehen oder zu bleiben, sondern sich entweder zum *Walschen* oder zum *Daitschen* zu erklären, zum Italiener oder zum Deutschen. Auf italienischem Territorium deutsch zu bleiben war nicht möglich.

Fortziehen oder Dableiben wurde als freie Wahl hingestellt. Die Entscheidung zum Aufbruch aber, so verkündeten es die Flugblätter der Nationalsozialisten, würde belohnt werden als eindeutiger Beweis der Hingabe an die gewaltige Aufgabe, Großdeutschland zu schaffen. Wer seine Heimat liebe, müsse bereit sein, sie zu verlassen, um sie anderswo im Tausendjährigen Reich identisch wieder aufzubauen. Zu bleiben aber sei ein untrügliches Zeichen von Verrat, von Feigheit, von Ungehorsam gegenüber der nationalsozialistischen Idee.

So sah die Wahl aus oder genauer, die »Option«.

Kein Bauer ließ seinen Hof gern zurück, doch da sie sich als *Daitsche* fühlten, beschloss die große Mehrheit, sich auf den Weg zu machen. Sie »optierten«, wie es genannt wurde. Doch immer noch gab es zu viele Bauern, die sich Fragen stellten, flüsternd, abends im Schlafzimmer mit der Ehefrau: Würden sie die Weiden, die ihr Urgroßvater hundert Jahre zuvor mit Säge und Axt gerodet hatte, jemals wiedersehen? Und diese Gebiete, wo sie Kühe von der gleichen Farbe wie hier erwarteten, Höfe von der gleicher Ausdehnung, Bäume in derselben Anzahl, waren die eigentlich unbewohnt? Und wenn nicht, wohin würden dann die Bauern ziehen, die jetzt noch dort lebten?

Der Druck auf die »Dableiber« wurde zu organisierter Verfolgung, an der Hermann mit Feuereifer teilnahm. Mit dem Segen der faschistischen Parteileitung verkrüppelte er Zugpferde, tötete Wachhunde. Beschmierte mit seinen Exkrementen die Türpfosten jener Hofbesitzer, die nicht fortzuziehen gewillt waren.

Wenn er sich danach in einem Bach die Hände wusch, fühlte er sich erfüllt von einer Kraft, wie er sie noch nie erlebt hatte. In diesen Momenten waren die Scham und Verlassenheit des jungen Knechtes, der sich in der Eiseskälte vollgepinkelt hatte, fast vergessen.

Es gab da einen alten Bauern, der seit vielen Jahren Witwer und kinderlos geblieben war. Er hatte sich niemals weiter als ein paar Kilometer von der Stube entfernt, in der er geboren worden war und in der er auch jetzt noch lebte. Nicht einmal damals, während des Großen Krieges, denn er war auf einem Auge blind zur Welt gekommen und hatte nicht Soldat werden können. Zwei Kühe besaß er, Lissi und Lotte, die er nicht in andere Hände geben wollte: Denn sie waren sozusagen seine Familie. Kurzum, der alte Mann konnte sich nicht dazu durchringen, das Optionsformular zu unterzeichnen. Da trat Hermann in Aktion. Mit zwei Kameraden steckte er seinen Stall in Brand. Die ganze Nacht lief der alte Mann mit einem kleinen Wassereimer hin und her und versuchte, während ihm aus dem gesunden Auge die Tränen liefen, das Feuer zu löschen. Als würden zwei riesige Säuglinge schreien, so klang das Muhen von Lissi und Lotte, die in den Flammen gefangen waren. Sie verstummten erst, als das lodernde Stalldach auf sie hinabstürzte und sich in der Luft neben Rauch und Asche der Geruch von gegrilltem Steak ausbreitete. Da sank der Alte zu Boden und stand nie wieder auf.

Auch an der Aktion gegen Sepp Schwingshackl nahm Hermann teil. Sein früherer Schulkamerad war der gottlosen Faszination, die der Führer auf so viele seiner Landsleute ausübte, nie erlegen, und die ruhige Entschlossenheit, mit der er erklärt hatte, dass er seinen Hof nicht verlassen würde, machte ihn zu einem sehr gefährlichen »Dableiber«. Jedenfalls befahl der Gauleiter Hermann und noch zwei anderen, ihm einen Denkzettel zu verpassen – wie gesalzen er sein sollte, könnten sie selbst entscheiden. Und obwohl sie beide, Sepp und er, als Kinder jeden Morgen den Weg zur Schule gemeinsam zurückgelegt hatten und Sepp ihm jedes Mal, wenn ihm der Laster voll Holz liegengeblieben war, geholfen hatte, machte Hermann sich jetzt auf den Weg zu ihm.

Sepp überlebte den Überfall. Zurück blieben aber ein Zittern in den Händen, eine leichte Taubheit und eine weißliche Narbe auf der Stirn, die seine Augenbraue etwas hob zu einem Ausdruck des Erstaunens, als habe sich die Fassungslosigkeit angesichts der Tatsache, dass der alte Freund aus Kindertagen sein Gesicht mit Tritten bearbeitete, dort für immer eingegraben.

Eine jubelnde Menge begleitete den Aufbruch der ersten »Optanten«, jener Pioniere einer neuen Heimat. Hellblonde Kinder (ihrer Haarfarbe wegen ausgewählt) bekränzten die Köpfe der Aufbrechenden mit Margeritenkronen. Das Rot, Schwarz und Weiß der Hakenkreuzfahnen stach ab vor dem tiefen Blau des Himmels, dem Schneeweiß der Gletscher und dem herbstlichen Goldgelb der Lärchen: ein fantastisches Bild, wie alle betonten. Als Hermann Huber mit seiner Familie den Zug bestieg, war sein Sohn Peter vier Jahre alt, und seine Frau Johanna war mit der Tochter Annemarie schwanger. Wie es sich für einen wahren Nationalsozialisten geziemte, wollte Hermann ein Beispiel geben und gehörte zu den Ersten, die sich auf den Weg machten.

Und er war auch einer der Letzten. Einige Monate später trat Italien in den Krieg ein, und die Umsiedlung der Optanten wurde eingestellt, obwohl sich die meisten Südtiroler dafür entschieden hatten. Wer nun aufbrach, waren die jungen Männer, die man einberufen hatte, um an der Front zu kämpfen. Ein Paradies auf deutschem Boden, einen *daitschn Himml*, zu schaffen, daran dachte jetzt niemand mehr.

Als der Krieg aus war, kehrte die Familie Huber ins Tal zurück. Niemand, noch nicht einmal die »Dableiber«, waren neugierig zu erfahren, wo sie gewesen waren. An welcher Front Hermann gekämpft hatte, in welcher Division der Wehrmacht, ob er in die SS eingetreten war, ob er auch viele Zivilisten ermordet oder nur bewaffnete Gleichaltrige in Uniform getötet hatte, feindliche Soldaten, die umzubringen ja moralisch sauber war: Niemand fragte ihn danach. Und vor allen Dingen wollte niemand wissen, wie das denn nun mit dem Himmel auf Erden im Gelobten Land des Führers ausgesehen habe.

Auf dem Soldatenfriedhof in der Hauptstadt des Tales standen nun einfache Holzkreuze inmitten turmhoher Lärchen: ein kleiner Wald für die Toten, umgeben von einem größeren Wald mit echten Bäumen. Auf den Kreuzen das Datum und der Ort, wo sie gefallen waren. Genaue Angaben: Woroschilowgrad, Aletschenka, Jesowjetowska, Triest, Cassino, Pojablie, Vermuiza. Oder allgemeiner: Kaukasus, Finnland, Normandie, Montenegro. Hin und wieder war auch nur der Kontinent angegeben: Afrika. Oder die Himmelsrichtung: im Osten.

Viele Kreuze wurden mit Fotos versehen: untadelige junge Männer in gebügelten Uniformen, mit künstlichen Posen, der Blick bei fast keinem direkt geradeaus gerichtet, sondern eher in die Höhe oder zur Seite. Unmöglich zu sagen, ob der hier verewigte Ausdruck ihrer Augen zu ihrer Rolle bei dem erdumspannenden Gemetzel passte. Vielleicht hatte dieser verträumt dreinblickende achtzehnjährige Bursche eine schwangere Frau mit einer MG-Garbe niedergemäht. Vielleicht hatte dieser SS-Unterscharführer mit den eiskalten Augen sich einem Gefangenen gegenüber barmherzig gezeigt. Viele waren wohl beides gewesen: brutal und menschlich. Aber das wollte niemand mehr wissen. Es waren die Söhne, die Väter und Brüder derer, die jetzt die zerstörten Häuser wiederaufbauten. Niemand fragte danach, ob sie als bescheidene Helden, als Feiglinge oder als Peiniger gestorben waren.

»Optanten« und »Dableiber«, die Feinde von einst, fanden sich in dem Wunsch vereint, das, was vorgefallen war, nicht allzu genau zu benennen. Nazi, Kollaborateur, Denunziant, Kriegsverbrecher, Konzentrationslagerführer: Dies waren keine Bezeichnungen, sondern Blindgänger, um die herum man sich nur auf Zehenspitzen bewegen durfte, damit es nicht zur fürchterlichsten Explosion kam, der der Wahrheit. Zu hoch waren die Trümmerberge, die noch fortzuräumen waren, zu groß der Hunger, zu zahlreich die Toten, um die getrauert wurde. Selbst den granitenen Alpino mit seiner Miene dümmlicher Entschlossenheit hatten die Bomben der Alliierten vom Sockel geholt. Nein, es war sinnlos, zurückzuschauen und von irgendjemandem Rechenschaft zu verlangen. Auch von Hermann nicht.

Dies war die Abmachung, sie wurde nicht ausgesprochen, aber alle hielten sich daran.

In dem Haus, in dem die Familie Huber vor dem Krieg gelebt hatte, wohnte nun Alberto Ruotolo, ein Eisenbahner. Wie Tausende andere Einwanderer war auch er Mussolinis Aufforderung gefolgt und hatte sein Viertel Vomero in Neapel verlassen, um Südtirol zu italienisieren. Und auch der neue Staat, die Republik Italien, brauchte ihn sowie das gesamte faschistische Beamtentum weiterhin, um die Infrastruktur des Landes aufrechtzuerhalten. So kam es, dass aus den Fenstern des Hauses, in dem Hermann seinen ersten Sohn gezeugt hatte, nun nicht nur die Gerüche von Tomatensoße drangen, sondern auch eigenartige Laute, wenn Ruotolos beleibte Frau die Kinder zum Essen herbeirief und aus voller Kehle Salven endbetonter Worte abfeuerte: ›Pepè! Ueuè! Totò!‹, so klang ihr neapolitanischer Dialekt in den Ohren der Südtiroler.

Die Ruotolos blieben also in diesem Haus wohnen, und die Hubers hatten keine andere Wahl, als nach Schanghai zu ziehen. So nannte man, durchaus nicht wohlwollend gemeint, jene Ansammlung von Häusern an einem Hang im Schatten der mittelalterlichen Burg, die man jenen Familien zugewiesen hatte, welche nach dem Krieg zurückgekehrt waren, um wieder hier zu leben: »Rücksiedler«, dies war nun das schlimmste Schimpfwort, für die Hubers und die anderen heimgekehrten »Optanten«. Denn plötzlich schienen die Südtiroler vergessen zu haben, dass sie zur Zeit der Option fast alle bereit gewesen waren, nach Deutschland zu ziehen, und nur deshalb hier ausgeharrt hatten, weil der Krieg ausgebrochen war, und dass für die eigentlichen »Dableiber«, die sich gewehrt hatten, damals niemand eine Hand gerührt hatte. Aber die vielen, die auf dem orangefarbenen Formular das ›Ja‹ angekreuzt hatten, nannten nun die wenigen, die tatsächlich fortgezogen waren, »Heimatverräter«. Und für dieselben Leute, die bei der Verabschiedung von Hermanns Familie Hakenkreuzfahnen geschwenkt hatten, war er nun ein elender Schurke. Hermann nahm es hin, aber der dumpfe Druck, der ihm die Brust einschnürte, seit er sich damals als elfjähriges Waisenkind vollgepinkelt hatte, wurde nun noch stärker.

Schanghai lag über einen Kilometer vom nächsten Laden entfernt und fast zwei vom Zentrum der Kleinstadt, deren Einwohner darauf bedacht waren, die »Rücksiedler« auf Abstand zu halten. Es war eine Ansammlung niedriger Häuser, die mit einem grauen Gemisch aus Zement und Kies verputzt waren. Hinter dem Berg, der sie überragte, verschwand im September die Sonne; sie tauchte erst im Mai wieder auf. Bei Gewittern ergossen sich die Wassermassen von der Provinzstraße bis in die Häuser hinein, und selbst im Sommer wollte die Wäsche einfach nicht trocken werden. Wer in Schanghai wohnte, galt als arbeitsscheu, unzuverlässig und kommunistisch.

Ein anderer Name für Schanghai war »Hungerburg« oder auch »Revolverviertel«, weil Polizisten, Gebirgsjäger und Carabinieri kamen und gingen. Als man Gerda Jahre später häufig in Begleitung eines Italieners in Uniform sah, sagte so mancher:

»Kein Wunder, wenn man in Schanghai aufgewachsen ist ...«

Peter war elf Jahre alt und hatte keinen Freund. Seine Kindheit hatte er anderswo verbracht und sprach deshalb mit einem seltsamen bayerischen Akzent, denn so weit fort waren die Hubers gar nicht gewesen. Nun aber erlaubte es keine Mutter ihrem Sohn, zum Spielen zu ihm zu gehen – nach Schanghai. Die Klassenkameraden quälten ihn, und wenn er sich beklagte, meinten sie nur: »Wenn's dir hier nicht gefällt, kannst du ja wieder gehen. Keiner hat euch gebeten zurückzukommen.« Seine Schwester Annemarie war schon alt genug, um bei der Hausarbeit zu helfen, Gerda war noch ein Säugling. Während der letzten Bombenangriffe in München war ihrer Mutter Johanna die Milch weggeblieben. Doch Gerda lernte früh, mit nicht einmal vier Monaten, Knödel zu verdauen, und überlebte. Schon da war klar zu erkennen, dass sie ihrer Mutter nicht ähnelte.

Johanna war noch nicht alt: so um die dreißig, denn sie hatte schon mit achtzehn geheiratet. Hässlich war sie nun auch nicht, aber sie schien sich zu schämen, überhaupt auf der Welt zu sein. Vielleicht war der Krieg daran schuld, vielleicht auch die Tatsache, dass ihr Mann seit ihrer Rückkehr nicht mehr mit ihr sprach.

»Ostfront«, knurrte Hermann nur, wenn er doch einmal gefragt wurde, wo er gekämpft habe, und fügte kein Wort mehr hinzu.

Gerda wuchs heran; Peter und Annemarie hatten die dunklen Augen ihrer Mutter geerbt, während die ihren hellblau und länglich wie die ihres Vaters waren, und sie hatte hohe, majestätisch wirkende Wangenknochen. Johanna hingegen wurde von Tag zu

Tag krummer und sah doppel so alt aus, wie sie tatsächlich war. Als stünde diesem Haus nur eine begrenzte Menge Lebenssaft zur Verfügung, und der sei nicht mehr der Mutter zugedacht, sondern allein noch der jüngsten Tochter. Und zu Gerda strömte er mit aller Macht.

Peter begann, immer mehr Zeit allein im Wald zu verbringen. Jeder seiner Schritte auf dem dicken Humusboden, den Milliarden von Lärchennadeln in Jahrtausenden aufgeschichtet hatten, hallte von den metertief abfallenden kahlen Felsen wie von einer Trommel wider. Diese sanften Schläge, während er mit geschärften Sinnen und mit der Steinschleuder in der Hand durch den Wald lief, waren für ihn der schönste Klang auf Erden. Hier fühlte er sich zu Hause, und Eichhörnchen und Füchse, Marder, Auerhähne und Elstern sah er als seine Gefährten. Natürlich lernte er sie zu töten, aber zunächst lernte er, sie geduldig zu beobachten, stundenlang darauf zu lauern, dass sie sich zeigten. Er war ein hervorragender Schütze, und bald schon konnte er sich mit dem Geld, das ihm der Hutmacher für Felle und Federn zahlte, sein erstes Gewehr kaufen.

Obwohl sie damals noch sehr klein war, erinnerte sich Gerda ihr Leben lang an den Tag, als Peter seinen ersten Hirsch nach Hause brachte. Er hatte ihn sich auf die Schultern geladen und trug ihn um den Hals, indem er mit den Händen fast zärtlich seine Hufe hielt. Der Kopf des Hirsches aber baumelte an Peters Rücken hin und her, das Maul geöffnet, aus dem die Zunge heraushing: eine blutige Version des Guten Hirten. Gerda war fasziniert von dem Kontrast zwischen der bereits leblosen Materie der trüben Augen und dem sich noch so weich anfühlenden Fell. Lange Zeit wurde sie den süßlichen Geruch des Blutes nicht mehr los, der ihr in die Nase gestiegen war, als Peter den Hirsch häutete, und auch nicht den von Tierfett und -nerven aus dem größten Topf, den Johanna besaß, über dessen Rand das lange elegante Geweih hervorschaute. Hätte Gerda nicht zuvor mit eigenen Augen gesehen, wie Peter mit einem sauberen Schnitt den Kopf des Tieres vom Rumpf trennte, hätte sie fast glauben können, der ganze Hirsch spiele noch Verstecken in einem Topf, dessen Fassungsvermögen irgendein Zauber erweitert hatte.

Jedenfalls wurde der Schädel gekocht und sorgfältig entfleischt, denn Peter war sicher, einen ordentlichen Preis zu erzielen, wenn er ihn als Trophäe verkaufte.

Bevor die Optanten aufgebrochen waren, hatten sie auf die italienische Staatsbürgerschaft verzichtet, und nun fanden sich die »Rücksiedler« als Staatenlose wieder. Ohne Papiere, ohne Arbeit, ohne Respekt war die erste Zeit für die Familie Huber wie für die anderen Bewohner Schanghais besonders hart. Die Mutter des Zahnarztes im Städtchen, eine Baronin, bot Johanna eine Stelle als Bedienstete in ihrem Haus an, aber davon wollte Hermann nichts wissen: Solange er lebte, würde seine Frau nicht arbeiten gehen. Damit war es an Peter, die Familienkasse aufzubessern, der mit zwölf Jahren eine Stelle im Sägewerk antrat. Als Annemarie damit anfing, die Treppe in der Schule zu putzen, war sie gerade mal zehn und damit jünger als die Schüler der letzten Klassen. Doch die Mühen waren nicht umsonst: Nachdem Hermann einige Jahre lang für andere Lastwagen gefahren war, hatte er genug zur Seite gelegt, um einen eigenen anzahlen zu können.

Drei Jahre waren seit dem Kriegsende vergangen, als die italienische Regierung mit einem gnädigen Federstrich alle Folgen der Option tilgte und die Rücksiedler, die es wünschten, wieder ihre italienische Staatsbürgerschaft erhielten. Der Hermann früherer Zeiten hätte sich niemals die Erleichterung vorstellen können, die er an jenem Tag empfand, als man ihm die Papiere aushändigte, die ihn und seine Familie erneut zu italienischen Staatsbürgern machten.

Nun gehörte auch Schanghai zum mittlerweile republikanischen Staat Italien.

Als Gerda acht war, übernahm sie von der Mutter die Aufgabe, den Motor von Hermanns Lastwagen anzuwärmen. Nachts um drei stand sie auf, warf sich, ohne sich auch nur kurz das Gesicht zu waschen, den Mantel über und trat, zur dunkelsten Stunde, in die eisige Winternacht hinaus. Die Unterbrechung des Schlafes war aber noch schmerzhafter als die Kälte, die sie jetzt wie ein Schlag ins noch verschlafene Gesicht traf. Hermann konnte seinen Laster nachts nirgendwo unterstellen. Bevor man am Morgen den Motor anlassen konnte, musste man zunächst die eingefrorene Anlasserkurbel vorn an der Schnauze freibekommen. Mit Händen, rauer als die einer Wäscherin, entfachte Gerda aus Papier und Sägespänen mit so wenigen Streichhölzern wie möglich ein kleines Feuer unter dem Motorblock. In der klirrenden Kälte hockte sie auf allen vieren neben dem Wagen und hielt das Feuer in Gang, indem sie mit einer kleinen Metallschaufel das Brennmaterial ringförmig verteilte. Ein Fehler hätte das Ende bedeuten können, denn bei zu hohen Flammen wäre der Tank explodiert und der ganze Laster in die Luft geflogen – und sie mit ihm. Hatte sich die Anlasserkurbel ein wenig erwärmt und das gefrorene Kondenswasser, das sie blockiert hatte, wieder verflüssigt, kehrte Gerda ins Haus zurück, nahm eine Tasse Kaffee, den ihre Mutter unterdessen auf dem mit Holz gefeuerten Küchenherd gekocht hatte, trat ans Bett ihres Vaters und weckte ihn. Wenn Hermann den Laster bestieg und den Motor anließ, war es für Gerda schon Zeit, sich für die Schule fertig zu machen.

Eines Morgens, es war noch dunkel, hielt Gerda ihrem Vater wie immer den Kaffee vor die Nase. Doch er wurde nicht gleich wach. Er träumte noch. Endlich öffnete er ein klein wenig die glanzlosen Augen.

»*Mamme ...*«, murmelte er.

Seine Mutter war wieder da! Stand neben ihm, hatte ihm eine Tasse dampfender Milch ans Bett gebracht, so wie früher, wenn er als Kind krank war.

Gerda erschrak: Diesen unschuldigen, vertrauensvollen Blick hatte sie bei ihrem Vater noch nie gesehen.

»*Tata ... i bin's. Die Gerda*«, sagte sie.

Hermann blinzelte und schlug die Augen auf. Der gleiche Mund, die gleichen Wangenknochen, die gleichen Augen wie seine Mutter, aber es war nur seine Tochter. Da wurde er sich bewusst, wie er sie gerade genannt hatte, und konnte es ihr nie mehr verzeihen.

Im Sommer, wenn der Lkw-Motor nicht erwärmt werden musste, zog Gerda mit ihren Cousins zur Alm hinauf, um dort die Kühe von Onkel Hans zu hüten, dem älteren Bruder von Hermann, der den Hof geerbt hatte.

Die Alm lag einen halben Tagesmarsch vom Hof entfernt, zu weit, um jeden Abend heimkehren zu können, und so schliefen Gerda und ihre Vettern Michl und Simon, die ungefähr in ihrem Alter waren, sowie der kleine Sebastian, Wastl genannt, in einer Almhütte im Heu. Die Zeit vertrieben sie sich, indem sie sich den Bauch mit Heidelbeeren vollschlugen, sich mit Ginsterbeeren bespuckten, Zweige schnitzten oder einander jene Körperteile zeigten, die bei ihnen unterschiedlich waren. Nur im äußersten Notfall rannten sie den Kühen nach, die sich entfernt hatten. Wenn es regnete, oder noch besser, wenn es donnerte, schlüpften sie tief ins warme Heu und erzählten sich Schauergeschichten, die meistens von bösen Berggeistern handelten. Dreimal die Woche brachte Hans' Frau Schüttelbrot, Speck und Käse vorbei.

Gerda war die Einzige, die bei den Kühen immer ohne Stock auskam, denn folgsam wie gigantische Hündchen liefen ihr die

Tiere freiwillig nach. Auch die Vettern wären Gerda überallhin gefolgt. Wenn Simon und Michl viele Jahrzehnte später an diese Nächte zurückdachten, mit Gerda im Heu, während der kleine Wastl neben ihnen schlief, ließ die Erinnerung an ihr blondes Schamhaar, das ihr hochgerutschtes, abgetragenes Kleidchen enthüllte, ihnen immer noch das Blut in die unteren Körperregionen strömen.

Eines Morgens in solch einem Sommer kam ein englischer Bergsteiger, der sich verirrt hatte, des Weges und erblickte aus einiger Entfernung Gerda. Die Augen halb geschlossen, saß sie unter einer Zirbelkiefer und erzeugte mit einem Grashalm vor den Lippen Pfiffe so schrill und scharf wie Glas. Ihre schlammverkrusteten Füße und ihre nackten Beine schauten unter einem zerlumpten Baumwollkleidchen hervor, während ihr schmutziges Haar im Nacken mit einem schmalen, geflochtenen Lederband zusammengebunden war. Doch der Engländer sah die rosigen Wangen, die runde Stirn, den fleischigen Mund, die lang gezogenen hellblauen Augen und dachte, kein Zweifel, das ist das schönste kleine Mädchen, das ich je gesehen habe. Der Gedanke, weiterzugehen und sie niemals mehr wiederzusehen, schien ihm unerträglich. Lange betrachtete er sie, bevor er sich zu erkennen gab. Er vergaß die Tour, die er gehen wollte, und blieb den ganzen Tag bei Gerda und ihren Vettern auf der Alm.

Er teilte mit ihnen den Proviant, den er im Rucksack dabeihatte, und als er Gerda lachen hörte, beschloss er, alles zu tun, um diesen Klang länger zu hören. Seinen Wanderstock schwingend, rannte er den Kühen nach und bellte dabei wie ein Hütehund, hängte sich eine Kuhglocke um den Hals und begann wie eine Kuh zu weiden, kaute lange und schluckte dann tatsächlich das Gras hinunter. Und Gerda lachte und freute sich. Dann machte er die englische Königin Elizabeth nach, schritt wie sie einher, mit einer Krone aus Margeriten auf dem Kopf, mit der er Gerda krönte und sie zur einzig würdigen Herrscherin erklärte. Als es für den Engländer schließlich Zeit wurde, sich auf den Rückweg zu machen, bat er sie ehrerbietig um Erlaubnis, ein Foto von ihr machen zu dürfen. Am Ende des Sommers wurde Gerda von Hans' Frau ein an sie persönlich adressierter Briefumschlag ausgehändigt. Absender: John Gallagher, Leeds, United Kingdom. Er enthielt ein Foto der zehnjährigen Gerda, das Eva viele Jahre später in ihrem Bücherregal aufstellen würde. Auf der Rückseite in einer Handschrift mit großen, spitzen Buchstaben: *In eternal gratitude for the best day of my life. Forever yours, John.**

Während eines solchen Sommers wurde das Alpinodenkmal wiederaufgebaut und ein neuer Gebirgsjäger daraufgesetzt, schlanker als der vorherige und mit einem nicht mehr ganz so trotzig-einfältigen Gesichtsausdruck wie zuvor. In seiner Rede anlässlich der feierlichen Einweihung erklärte der Militärbischof, dass dieser Soldat nun für die Aussöhnung der Republik Italien mit ihrer entlegensten Provinz stehe. Er symbolisiere eine Haltung, die defensiv und nicht aggressiv sei, betonte er.

Doch an der Einstellung der Südtiroler änderte das nichts. Für sie war dies ein Denkmal des faschistischen Italien und würde es auch immer bleiben, selbst jetzt noch, da der Faschismus untergegangen war. Niemand von ihnen, abgesehen von einigen Amtsträgern, nahm an der Enthüllung teil. Auch Peter nicht, der jetzt sechzehn war, und ebenso wenig sein Vater Hermann, der von diesen Dingen überhaupt nichts mehr wissen wollte.

---

* »In ewiger Dankbarkeit für den schönsten Tag meines Lebens. Für immer, Dein John.«

Einige Jahre später kehrte Peter die ganze Nacht nicht heim. Erst als es bereits hell zu werden begann, hörte ihn seine Mutter, die nie schlafen konnte, solange ihr Erstgeborener nicht zu Hause war. Und sie brauchte nur kurze Zeit, um zu begreifen: Es war nicht die Jagd, von der Peter heimkam. Seine Kleider rochen weder nach Wald noch nach Schießpulver, sondern waren mit roter und weißer Farbe beschmiert. Aber Johanna fragte nicht nach.

Am Tag darauf versammelten sich die Carabinieri um das Alpinodenkmal und sperrten die Kreuzung, an der es stand, für den Verkehr. Denn in der Nacht war sein Granitsockel weiß und rot angestrichen worden, in den verbotenen Farben der Tiroler Landesflagge also. Aber auf diese Weise verhöhnt, rief der Alpino nun bei den Leuten weniger Angst oder Ablehnung als vielmehr eine Art spöttischer Zuneigung hervor, sodass man ihn seit diesem Tag in dem Städtchen immer öfter nur noch »Wastl« nannte, anderswo hätte man vielleicht »Pierino« oder »Fritzchen« gesagt. Einen ganzen Tag schrubbten ihn die Carabinieri mit Bürsten und Seife wieder sauber.

Peter fand keine feste Stelle und schlug sich weiter mit Gelegenheitsarbeiten durch. Er erntete Kartoffeln, bot sich den Bauern, deren Söhne ihren Wehrdienst ableisteten, als Tagelöhner an, wenn jede Hand gebraucht wurde, um das Heu einzubringen. Nur gelegentlich, bei besonders schweren Transporten, half er seinem Vater mit dem Laster, doch das Geld wollte nie reichen. In einem Winter fand er Arbeit als Wächter in der Villa einer adligen Wiener Familie, die in Südtirol den Sommer verbrachte. Dreimal die Woche hatte er die Öfen anzuzünden, damit die Wasserleitungen nicht einfroren, musste lüften und den Schnee vom Dach schippen. Es war keine schwere Arbeit, aber sie war auch schlecht bezahlt. Eigentlich wollte Peter eine Familie gründen, er war jetzt immerhin schon zweiundzwanzig, und es gab da ein Mädchen, das ihm ganz gut gefiel: Doch wenn das so weiterging, würde daraus nichts werden. Irgendwann erfuhr er dann, dass man im Stahlwerk Falck in Bozen Arbeitskräfte suchte.

In der Familie konnte nur Johanna Italienisch lesen und schreiben: Sie war die Einzige, die während des Faschismus die Schule besucht hatte. Als Hermann zur Schule ging, bis zum Tod seiner Eltern, gehörte Südtirol noch zur Donaumonarchie. Ihre Kinder besuchten die Schulen der aus dem Antifaschismus hervorgegangenen Republik Italien, die zwar, anders als von den Südtirolern erhofft, diese entlegene Provinz nicht an die Mutter Österreich zurückgegeben hatte, jedoch immerhin das Recht der deutschsprachigen Bewohner anerkannte, in ihrer Muttersprache lesen und schreiben zu lernen. Die gesamte Bürokratie allerdings kommunizierte weiterhin auf Italienisch.

So war es Johanna, die Peter half, die erforderlichen Papiere zusammenzustellen – Führungszeugnis, Musterungsnachweise, Gesundheitszeugnis –, und die ihn zu den verschiedenen Ämtern begleitete.

Kein Formular, keine Bestimmung, kein Schild war auf Deutsch geschrieben, kein Beamter sprach oder *verstand* Deutsch. Die Tatsache, dass die Menschen, die das Amt aufsuchten, alle deutschsprachig waren, interessierte hier niemanden. Anträge waren in fehlerfreiem Italienisch einzureichen, oder man lief Gefahr, noch einmal ganz von vorn anfangen zu müssen. Für Johanna war es eine Qual, sich mit diesen abweisenden Beamten in einer Sprache auseinanderzusetzen, die nicht die ihre war, doch schließlich hatte sie alle notwendigen Bescheinigungen beisammen. Dann bügelte sie ihrem Sohn noch den Sonntagsanzug, und an einem Montag in der Früh bestieg Peter den Bus in die Provinzhauptstadt.

Einige Wochen blieb er in Bozen, wo er bei einer entfernten Cousine seiner Mutter unterkam, in einer engen Behausung mit vier kleinen Kindern zwischen zwei und acht Jahren. Nachts konnte er dort auf dem Boden neben dem Ofen schlafen, aber tagsüber musste er fort. Es waren gerade die Tage der drei Eismänner, der Eisheiligen in der Mitte des Frühjahrs, dem letzten Aufbäumen des Winters, und die Luft war frostig. Peter fehlte das Geld, um sich in einem Gasthaus aufzuwärmen, und so brachte er die Nachmittage im Wartesaal des Bahnhofs zu.

Dort sah er sie aus den Zügen steigen, Männer, wie sie, was Peter nicht wusste, in jenen Jahren auch in Turin, in Lüttich oder Düsseldorf eintrafen, mit sizilianischen Schirmmützen, den *coppole*, auf dem Kopf, und karierten Jacketts. Meist trugen sie Kartons, die mit Bindfäden verschnürt waren, selten nur Lederkoffer. Hin und wieder war auch eine Frau darunter, meist zwischen zwanzig und dreißig, selten älter, mit vollem schwarzem Haar. Sie stiegen entweder allein aus dem Zug oder aber mit drei, vier Kindern an der Hand und wurden immer von einem Mann abgeholt, der so aussah wie diejenigen, die soeben allein eintrafen, nur war sein Gesicht etwas weniger gezeichnet, etwas weniger ängstlich: das Gesicht eines Mannes, der Arbeit gefunden hatte und der nun bereit war für die Last und die Ehre, Familienoberhaupt zu sein.

Diesen Einwanderern aus Süditalien hatte zu Hause niemand erklärt, in was für eine Gegend sie aufbrachen. Niemand in den Arbeitsämtern von Enna, Matera oder Crotone, wo die Bozener Unternehmen neue Arbeitskräfte gewannen, dachte daran, den Auswanderern zu sagen, dass die Menschen, unter denen sie in Zukunft leben würden, Deutsch sprachen und keine Spaghetti aßen und auch keine Polenta, ein im Grunde ja noch italienisches Gericht, sondern Speisen, die sie Knödel, Schlutzkrapfen oder Spatzlan nannten. Schließlich gehörte dieser Landstrich zu Italien. Und mehr musste so ein Auswanderer auch nicht wissen.

Als Peter in seinem sauberen und frisch gebügelten Sonntagsanzug in Bozen eingetroffen war, begab er sich sogleich zum Personalbüro des Stahlwerks und gab dort seine Bewerbung und die mühsam besorgten Bescheinigungen ab. In den folgenden Tagen suchte er dann noch Lancia auf, das Personalbüro der Eisenbahn und schließlich sogar die Straßenverwaltung ANAS: Ein Leben als Straßenkehrer war zwar nicht das, wovon er träumte, aber immer noch besser, als ohne Arbeit dazustehen.

Auf keine seiner Bewerbungen erhielt er eine Antwort. Doch es dauerte eine Weile, bis Peter begriff, was dahintersteckte. Das Wirtschaftswunder des Industriestandorts Bozen mit seinen Sozialwohnungen und seinen fast anständigen Löhnen war nur für Italiener gedacht. Nicht, dass man deutschsprachige Arbeitskräfte von vornherein ausgeschlossen hätte. Sie waren nur einfach nicht vorgesehen.

Gewiss, in den Südtiroler Schulen durfte wieder Deutsch unterrichtet werden, und neue »Katakombenschulen« waren nicht notwendig, damit Schüler und Lehrer in ihrer eigenen Sprache reden und lernen konnten. Anders als Mussolini versuchte die neue Republik Italien nicht, alles Deutsche in Südtirol auszumerzen. Nein, es war eine andere Haltung, die man jetzt in dieser Frage einnahm. Man tat einfach so, als gäbe es sie überhaupt nicht.

Schließlich kehrte Peter nach Hause zurück. Johanna durchfuhr der Schrecken, als sie sah, wie schäbig sein Anzug aussah: Drei Wochen lang hatte er ihn nicht ausgezogen. Warum er keine Arbeit finden konnte, erklärte Peter nicht, und niemand fragte ihn danach. Den nächsten Sommer blieb er die ganze Saison über in der Schweiz. Dort verdingte er sich als Almhirt und besserte seine Einkünfte durch den Verkauf von Jagdtrophäen, hauptsächlich von Gämsen, auf. Einmal hatte er Glück und erwischte einen Steinbock. Seine Kunden waren zumeist deutsche Touristen. Die wenigen Italiener, die sich in diese Gegend verirrten, hatten an Trophäen kein Interesse.

Gerda war zwölf, als ihr Bruder sie eines Tages im November fragte, ob sie mit nach Bozen komme. Dort gebe es ein großes Fest, sagte Peter, die Straßen seien voller Menschen wie bei dem *Kirschta*.

Ein Ausflug! So etwas kannte sie gar nicht. An manchen Sonntagen waren auf der Provinzstraße, die an Schanghai entlangführte, Autos, Pferdewagen oder Gruppen von Fahrradfahrern unterwegs, und Gerda hörte die Leute singen und lachen. Auch die Kollegen ihres Vaters luden an Sommersonntagen ihre Familie und Freunde auf den Lastwagen und fuhren mit ihnen zum Picknick an den Fluss, der in den vergletscherten Bergen entsprang, oder zu den Wiesen bei der Einmündung des Tales. Wenn der Wind Gerda den Duft von Grillwürstchen, Musikfetzen oder Gelächter zutrug, überkam sie eine große Sehnsucht nach der Unbeschwertheit dieser Fremden. Hin und wieder konnte man auch an einem Fest teilnehmen. Am Ende des Sommers wurden auf dem großen Hof zwischen den höher gelegenen Häusern von Schanghai die frisch geernteten Maispflanzen aufgeschichtet, von denen in Handarbeit die langen, lanzettförmigen, scharfkantigen Blätter abgerissen wurden, mit denen man dann Matratzen füllen konnte, die immerhin eine ganze Wintersaison hielten. Mit Liedern und Scherzen untermalten Tagelöhner und Bäuerinnen die Arbeit, und wenn dann am Abend in einer Ecke des Hofes der Blätterberg höher als die Haustüren aufragte, begann man zu den Klängen von Zithern und Akkordeons zu tanzen. Die Bewohner Schanghais strömten zusammen, die einen brachten eine Flasche Obstwein mit, andere ein Stück Speck, wieder andere Stühle für die älteren Leute. Alle waren dabei, nur Familie Huber nicht. Hörte Hermann, wie gesungen wurde an solch klaren, nach Heu duftenden Sommerabenden, verfinsterte sich seine Miene. »Manche können es sich eben leisten zu feiern«, sagte er dann, »aber ich muss morgen arbeiten.« Und damit ging er zu Bett.

Gerda wusste nicht, wie das Lachen ihres Vaters klang. Dagegen erinnerte sie sich noch sehr genau an den Moment, als sie ihre Mutter zum letzten Mal hatte lachen hören. Beim Putzen war ihr ein Eimer mit Seifenlauge auf dem Küchenfußboden umgekippt, und Hermann war darübergelaufen und ausgerutscht. Der Anblick, wie ihr ungelenker Ehemann mit einem lauten Plumps auf dem Hosenboden landete, bereitete Johanna Vergnügen, und Gerda erinnerte sich lange noch an das leise, von Zuckungen und Schluchzern unterbrochene Lachen, das ihren dünnen Oberkörper schüttelte. Hermann sagte nichts, forderte sie nicht auf, damit aufzuhören, beschimpfte sie nicht, machte sich nicht seinerseits über sie lustig. Doch warf er ihr, als er aufstand, einen Blick voll solch tiefer Verachtung zu, dass Johanna das Lachen auf den Lippen erstarb, ähnlich einer Feldblume, die von einem glühenden Holzscheit berührt wird. Solange sie lebte, hörte Gerda ihre Mutter nie mehr lachen.

Auch Peter, diesen zehn Jahre älteren Bruder, kannte Gerda nur wenig, er war ihr kaum vertraut. Getrennt durch Alter und Geschlecht, hatten sie kaum Zeit miteinander verbracht – jedenfalls viel weniger als mit den Vettern – und sich nie viel zu sagen gehabt. Unter einem Dach zusammengelebt hatten sie und vom selben Brot gegessen. Mehr aber auch nicht.

Eigentlich war er zu einem stattlichen, gut aussehenden Mann herangewachsen, aber sein Auftreten war so blass und verhuscht wie das seiner Mutter. Seine Gesten waren weniger unsicher als vielmehr verstohlen, wie die eines Jägers auf der Lauer. Von Johanna hatte er auch die dunkelbraunen Augen, die kein Licht reflektierten, und in seinem Blick lag etwas Trübes, das Gerda als kleines Mädchen fast Angst machte. Nun, da er erwachsen war, ähnelte Peter seinem Vater Hermann überhaupt nicht mehr, außer wenn er etwas sagte – also, wie der Vater, fast nie, und wenn es nicht anders ging, dann mit halb geschlossenem Mund. So, als seien die Worte etwas Kostbares, von dem man sich nur schweren Herzens trennte.

Peter hatte niemals einen Freund nach Hause mitgebracht, und das Mädchen, das er heiraten wollte, hatte die Stube der Hubers noch nie betreten. Wenn sie sich trafen, dann auf der Tenne des Hofes, auf dem sie zur Welt gekommen war. Manchmal brachte er ihr kleine Geschenke mit, ein langes Hirschgeweih etwa, in das er geometrische Figuren geschnitzt hatte, oder einen Strauß Auerhahnfedern, die wie Stahl glitzerten, oder ein Halstuch, das er auf dem Markt gekauft hatte. Leni, so hieß das Mädchen, nahm die Geschenke mit einem Lächeln in Empfang, das sie kostbar machte – wie ein Sonnenstrahl, der Katzenaugen wie echtes Gold glänzen lässt. Aber auch bei ihr war Peter nicht viel gesprächiger.

Nein, die Hubers waren nicht dafür bekannt, unterhaltsame Gesellschafter zu sein.

Einen Ausflug also. Mit Peter. Gerda hätte nicht sagen können, was von beidem ungewöhnlicher war. *Tata* und *Mamme* würden nicht mitkommen, erklärte er ihr, die interessierten sich nicht dafür. Und Annemarie auch nicht, die als Dienstmädchen bei einer Familie arbeitete und sonntags nur den halben Tag frei-hatte.

Lange bevor es dämmerte, brachen sie auf. Es war ein milder Herbst, aber so früh am Morgen nicht nur dunkel, sondern auch kalt. Gerda war überrascht, wie viele Menschen schon unterwegs waren, obwohl es bis zur Frühmesse noch lange dauerte. Sie strömten alle ins Zentrum des Städtchens, wo einige Lastwagen und Busse bereits die Motoren warmlaufen ließen. Gerda trug ihr Firmungskleid. Zweimal hatte Johanna es ihr schon weiter gemacht, doch über der Brust und an den Hüften spannte es, und bald würde es nicht mehr für sie abzuändern sein. Darüber trug sie ein Oberteil aus Walkloden, grau mit grünen Bündchen, und über den Schultern ein rotes Tuch. Peter hatte wieder dieselben Kleider angezogen wie damals in Bozen bei der Arbeitssuche. Einige Leute sah man in Tracht, die Frauen in langen Röcken, Schürzen aus schwerem, schimmerndem Samt und Spitzenchemisetten wie bei der Herz-Jesu-Prozession und die Männer in rot-grün gestreiften Westen, kunstvoll gemusterten Gürteln über den Lederhosen und Filzhüten mit Auerhahnfedern auf dem Kopf. Wer nicht in Tracht ging, hatte sich die feinsten Kleider herausgesucht, die er besaß.

Gerda war die Jüngste. Als sie auf den Lastwagen stieg, machten ihr die Männer ehrfürchtig Platz, die Frauen boten ihr Roggenbrot und Holundersaft aus filzumkleideten Trinkflaschen an. Noch nie hatten sie so viele Menschen auf einmal angelächelt. Als die Fahrzeuge sich in einem Korso in Bewegung setzten, formierten sich die Scheinwerfer zu einer Lichtergirlande, die auf Gerda noch festlicher wirkte als ein brennender Adventskranz. Die Menschen auf dem Laster begannen zu singen, und mit noch kindlicher Stimme stimmte sie ein. *Am Brunnen vor dem Tore* sangen sie, *Wo der Wildbach rauscht* und *Kein schöner Land* – Lieder, in denen die romantische Liebe und die Liebe zur Heimat miteinander verschmolzen. Den Text kannte Gerda nicht, sie hatte noch nie mit anderen in solch einem großen Chor gesungen. Doch die Melodien waren eingängig, und die Töne klangen so vertraut aus den Kehlen wider, als kenne sie diese schon ihr Leben lang. Die kalte Luft strich ihr übers Gesicht, und sie empfand eine tiefe Freude, obwohl sie nicht wusste, wohin sie überhaupt fuhren und was so viele Menschen dort wollten. Denn das hatte Peter ihr nicht erklärt. Zum ersten Mal in seinem Leben aber beugte er sich zu seiner kleinen Schwester hinab und lächelte sie an.

Als sie fast drei Stunden später am Ziel eintrafen, war Gerda eingeschlafen; ihr Kopf lag im Schoß der Frau, die ihr den Holundersaft angeboten hatte. In dem Moment, da der klapprige Laster mit ächzenden Bremsen hielt, schlug sie die Augen auf.

Sie hatte das Gefühl, noch zu träumen, denn so viele Menschen beieinander hatte sie noch nie gesehen. Weder bei der Herz-Jesu-Prozession noch bei der Beerdigung des alten Grafen, als sich der Leichenwagen, von vier Rappen gezogen, einen Weg durch die Menschenmassen auf den mittelalterlichen Straßen des Städtchens gebahnt hatte. Peter half ihr vom Wagen, indem er sie wie eine Puppe unter den Achseln fasste und auf den Boden stellte. Gerda war von der Menge umringt, die sie drückte, hin und her schob, sie mitzog und bremste und wie ein verkehrt fließender Fluss die Steigung vom Bozener Becken zur Burgruine Sigmundskron hinaufströmte. Gerda drückte Peters Hand, hatte aber keine Angst. Im Gegenteil kam ihr die Menge wie ein lebender Organismus vor, wie ein beseeltes Wesen, dessen Gefühle, dessen Erregung sie spürte und das auf diese Weise sie selbst berauschte. Es war ein Zusammengehörigkeitsgefühl, das sogar ihr, dem gerade mal zwölfjährigen Mädchen, Wert und Würde verlieh. Sie fühlte sich stark, euphorisch, überzeugt, obwohl sie keine Ahnung hatte, wovon eigentlich. Niemals wieder in ihrem Leben würde Gerda, außer im Fernsehen, eine so große Versammlung sehen.

Es wurde ein milder Tag. Mitten im November ließ eine fast septemberwarme Sonne die Augen der Menschen strahlen, die einander anlächelten und sich grüßten, auch ohne sich zu kennen und obwohl sie aus verschiedenen Tälern stammten. Peter hatte recht: Was sich da vor der Burg Sigmundskron, dem Castel Firmiano, ereignete, war ein Fest, wie man in ganz Südtirol noch keines erlebt hatte.

Überall sah man Spruchbänder und Schilder. Auf vielen las Gerda: *Volk in Not.* Zwei Reihen Carabinieri flankierten den Umzug, schwarz wie Pech und mit roten Seitenstreifen an den Hosenbeinen entlang, sodass sie wie fremdartige Insekten aussahen, die Hände auf den Maschinenpistolen. Mit angespannten Mienen beobachteten sie die Menge, die zu der Burgruine emporwanderte. Sie waren jung, einige noch sehr jung. Und sie hatten Angst, mehr Angst als die Menschen in dieser riesigen Menge, wie Gerda auf Anhieb verstand, als sich ihr Blick mit dem eines Polizisten kreuzte. Er war gar nicht so viel älter als sie selbst, achtzehn, höchstens neunzehn, und blickte ihr unverwandt in die Augen, als schenke ihm das ein wenig Trost. Gerda hatte schon begriffen, dass »die da« nicht zu dieser Sache gehörten, an der sie, Peter und all die anderen teilnahmen, sondern ganz im Gegenteil Vertreter jener »Gefahr« waren, in der ihr »Volk«, wie es hieß, schwebte. Doch der Carabiniere, mit der Mütze zu tief in der Stirn, blickte sie weiter so an, als klammere er sich an den Liebreiz dieses Mädchens in dem zu engen Kleid, um die eigene Angst besser zu ertragen. Unwillkürlich lächelte Gerda ihn an, und der junge Polizist lächelte zurück. Da löste sich das Tuch um ihren Hals und fiel zu Boden. Instinktiv bewegte sich der Oberkörper des Carabiniere, wollte sich hinabbeugen, streckte die Hand, die nicht die MP hielt, aus, um das Tuch aufzuheben.

Der Kamerad aber, der neben ihm stand, fuhr plötzlich herum und starrte ihn an, ein harter Blick, der eine Meldung beim Vorgesetzten oder Schlimmeres ahnen ließ. Augenblicklich gefror das Lächeln des jungen Carabiniere zu einer Maske mit noch angespannteren Zügen als zuvor. Einen Moment lang zögerte er, dann kehrte sein Oberkörper in die geforderte kerzengerade, steife Haltung zurück. Gerda wandte sich ab, hob das Tuch vom Boden auf und ging weiter. Ihr Bruder hatte von dieser Szene gar nichts bemerkt. Er war von der Menge schon ein Stück weitergeschoben worden, dem höchsten Punkt des Hügels zu.

Menschentrauben lehnten an den Bäumen, drängten sich auf der Freifläche vor der Burg, auf den Erhebungen ringsumher, zwischen den Zinnen der verfallenen Befestigungsanlage. Gerda schien es, als wäre diese unübersehbare Menge ein gigantisches, alles überdeckendes Kraut, bestehend aus Fleisch, Kleidern, Haaren, Gesichtern, aus der Wiese gewachsen, sodass nun vom Gras nichts mehr zu sehen war. Nur das blutrote Porphyrgestein der senkrecht abfallenden Felsen, aus denen die Ruine wie ein verwunschenes Gebilde hervorzuwuchern schien, war zwischen den einzelnen Körpern noch zu erkennen.

Auf dem unter dem Burgturm errichteten Podest stand ein Mann. Gerda hätte nicht sagen können, was knöcherner wirkte, er oder die Krücken, auf die er sich stützte. Alt war er nicht, aber er sah krank und äußerst gebrechlich aus. Frontheimkehrer, die ihre Erinnerungen an den Krieg, der seit zwölf Jahren zu Ende war, am Leibe trugen, hatte Gerda viele gesehen, ausgemergelte Gestalten, Männer, die eine Hand oder den ganzen Arm verloren hatten oder aber ein Bein wie dieser hier, der jetzt zu der Menge sprach. Das Glied, das nicht mehr da war, schmerzte weiter, ein Schmerz, der in den restlichen Körper ausstrahlte und ihm, einem Vampir ähnlich, das Leben aussaugte und ihn verdorren ließ. Der abgemagerte Mann dort vorn schien unter solchen Symptomen zu leiden: Seine Stimme klang gepresst, metallisch, keineswegs wie die eines Redners. Und doch hörten ihm alle in gebannter Stille zu. Nur als er den Innenminister Tambroni erwähnte, musste er abbrechen, weil sich ein Pfeifkonzert erhoben hatte. Aber das brachte ihn nicht aus dem Konzept, er wartete ruhig, zeigte keine Anzeichen von Ungeduld, ließ es geschehen, dass die Menge nach Herzenslust diesen Vertreter der italienischen Regierung auspfiff.

Eine Minute verging. Die Pfiffe hörten nicht auf.

Zwei Minuten. Die Carabinieri und Soldaten, die vor dem Podium eine Absperrkette gebildet hatten, begannen sich anzuschauen, als würden sie sich fragen, wie sie reagieren sollten.

Drei Minuten. Die Pfiffe gegen den Minister, dem die Uniformierten unterstanden, schienen nicht abklingen zu wollen. Gerda riss einen Grashalm aus, staubig und von unzähligen Füßen zertreten, und führte ihn an die Lippen. Es war jene Geste, bei der sie auch John Gallagher aus Leeds, United Kingdom, damals beobachtet hatte. Sie blies über den zwischen den Daumen gespannten Halm und brachte einen schrillen Pfiff hervor. Da drehte sich Peter zum zweiten und letzten Mal an diesem Tag und in seinem ganzen Leben zu ihr um und lächelte sie zufrieden an.

Vier Minuten. Bei den jüngsten Carabinieri begannen die Hände Schweißränder auf den MP-Griffen zu hinterlassen. Mit zufriedener Miene blickte der Mann auf dem Podium auf Zehntausende pfeifender Menschen hinunter. Er hatte es nicht eilig, mit seiner Rede fortzufahren, sondern nutzte die Unterbrechung, um sich über den Zulauf zu dieser von ihm organisierten Veranstaltung klar zu werden. Er konnte wirklich zufrieden sein. Vor ihm, Silvius Magnago, war an diesem 17. November 1957 bei der Burg Sigmundskron eine Menge von mindestens dreißig-, vierzigtausend Menschen versammelt. Bei einer Südtiroler Gesamtbevölkerung von gerade mal dreihunderttausend Seelen war das mindestens jeder Zehnte. Wie Gerda und Peter hatten sie sich in tiefster Nacht mit Lastwagen, Bussen, Autos, Motorrädern oder Traktoren auf den Weg gemacht. Sie kamen aus der Umgebung von Bozen, aus dem nahen Überetsch, aber auch aus den weiter entfernten Regionen: dem Ahrntal, dem Passeiertal, dem Martelltal, dem Gsiesertal, aus Schlanders oder dem Vinschgau. Aus Gegenden, in denen man im Dialekt *oans, zwoa* ... zählte, oder anderen, wo man *aans, zwa* ... sagte. Und jetzt pfiffen sie und pfiffen, als wollten sie nie mehr damit aufhören.

Fünf Minuten. Die Carabinieri blickten zu ihren Vorgesetzten hinüber.

Der hagere Mann auf dem Podium holte Luft und öffnete den Mund. Er schien nun doch weiterreden zu wollen, und augenblicklich verstummte die Menge.

Silvius Magnago erinnerte an den Kanonikus Gamper aus Brixen, den bereits von Faschisten und Nationalsozialisten verfolgten Geistlichen, der einige Monate zuvor ausgerufen hatte: *»Es ist ein Todesmarsch!«* Einem Todesmarsch für Südtirol würde es seiner Meinung nach gleichkommen, wenn sich nichts Grundlegendes änderte: an der forcierten Einwanderung aus Süditalien, der Stellenverweigerung für Einheimische, an deren Verarmung und Auswanderung. Bald schon würden die Südtiroler nur noch eine Minderheit im eigenen Land sein, um irgendwann ganz aus der Geschichte zu verschwinden.

Er kämpfe, versprach Magnago, der Vorsitzende der Südtiroler Volkspartei, der Partei der deutschsprachigen Südtiroler also, für eine Autonomie ihrer Provinz ohne Zusammenschluss mit einer anderen italienischsprachigen Provinz, wie er zurzeit mit Trient bestehe. Für eine echte Autonomie also kämpfe er, die es den Südtirolern ermöglichen sollte, das Geschick ihrer Heimat wieder selbst in die Hand zu nehmen.

»Los von Trient! Los von Trient ...«, rief er zum Schluss der Menge entgegen, einmal, zweimal, immer wieder. Los von diesem mehrheitlich italienischen Gebiet also, in dem die Deutsch-

sprachigen als ungeschützte Minderheit lebten. Der Beifall der Zuhörer umtoste ihn und schien kein Ende zu nehmen.

Da plötzlich hörte man, wie oben auf dem Turm knatternd ein großes Tuch entfaltet wurde. Alle blickten hinauf. Zwei junge Leute hatten sich in die Burg geschlichen, lehnten nun in einer Schießscharte und entrollten eine lange weiß-rote Fahne. Die Tiroler Flagge zu hissen stand nach dem italienischen Gesetzbuch immer noch unter Strafe. Es war eines der faschistischen Gesetze, die abzuschaffen sich niemand die Mühe gemacht hatte. Ein Grüppchen Carabinieri rannte zum Turm, doch bevor die beiden festgenommen werden konnten, begannen sie zu rufen:

»Los von Rom!«

Peter und einige andere, meist junge Männer stimmten ein: *»Los von Rom!«*

Mit anderen Worten: keine von Politikern verabredete Autonomie, keine Verhandlungen, keine Kompromisse. Ihnen war es zu wenig, sich nur von Trient zu lösen. »Fort von Rom«, war die Parole. Fort von Italien.

Magnago presste die dünnen Lippen zusammen, während die jungen Aktivisten von den Carabinieri abgeführt wurden.

Ein gutes Jahr später wurde das Alpinodenkmal in dem Städtchen, in dem die Hubers lebten, erneut Ziel eines Anschlags. Dieses Mal blieb es nicht bei weißer und roter Farbe, jener beinahe harmlosen, an einen Studentenstreich erinnernden Provokation. Nein, nun war es Dynamit, das den Sockel zerriss. Der granitene »Wastl« aber blieb fast heil; der Sprengsatz hatte nicht richtig gezündet.

An diesem Tag hielt sich Peter in einem Nebental auf und half seinem Vater, Holz zu verladen. Nachdem er nun schon ein Vierteljahrhundert Lastwagen fuhr, hatte Hermann Rückenschmerzen, und er brauchte die Hilfe seines Sohnes, auch wenn das einen Verzicht auf das zusätzliche Geld bedeutete, das Peter mit einer anderen Arbeit hätte nach Hause bringen können. Als sie an diesem Abend heimkehrten, verlor Johanna kein Wort darüber, was dem »Wastl« am Morgen zugestoßen war. Ihr reichte die Gewissheit, dass ihr Sohn dieses Mal nicht dabei gewesen sein konnte, worüber sie große Erleichterung empfand.

An einem Junitag einige Jahre später stellte sich ein Mann aus Meran im Haus der Familie Huber vor. Er war *daitsch*, fluchte aber auf Italienisch. Mittlerweile fluchten sie ja alle italienisch, die Südtiroler, selbst in den eigenen vier Wänden: Sie riefen nicht mehr *Vofluicht* oder *Scheisszoig*, sondern *Madoja*, *Ostia*, *Porco zio,* oder auch, zur Freude der vergleichenden Sprachwissenschaftler, *Porzelona*. Das mochte damit zu tun haben, dass viele, so wie Hermann, zur Zeit Mussolinis Vorhaltungen oder auch Schläge einstecken mussten, wenn ihnen ein Ausruf in deutschem Dialekt entfahren war, sodass man auch zu Hause lieber auf Italienisch fluchte, um es zur Gewohnheit werden zu lassen. Allerdings mochte auch die leise Hoffnung dahinterstecken, ihr *daitscher* Gott sei vielleicht in Fremdsprachen nicht sehr bewandert und werde einen *walschen* Fluch möglicherweise nicht richtig verstehen und weniger übel nehmen. Doch wie man das Verhalten auch deutete, fest stand jedenfalls, dass die einstimmige Annahme italienischen Fluchens durch die deutschsprachige Bevölkerung das Einzige war, was sich von der Zwangsitalianisierung, wie der Faschismus sie betrieben hatte, bleibend durchsetzen konnte.

Der Mann aus Meran war gekommen, um Hermann mitzuteilen, dass er dessen jüngster Tochter eine Stelle in der Küche eines großen Hotels anzubieten habe. Schon bald nach dem

Krieg waren die Touristen nach Südtirol zurückgekehrt, und wer Arbeit suchte, fand sie meist an der neuen Grenze des Tourismus, den Tälern der Dolomiten. In den großen Hotels, die noch in der Vorkriegszeit in den Heilbädern des Etschtals gebaut worden waren, wurde daher das Personal knapp. Der Mann bot Gerda ein ordentliches Gehalt an, Kost und Logis sowie die Möglichkeit, einen Beruf zu erlernen: Köchin.

Wer weiß, wäre Hermann nicht ein verschüchterter Knecht gewesen, der sich aus Kummer in die Hose machte, hätte er nicht in düstersten Optionszeiten die Tore mancher Höfe mit Exkrementen beschmiert, hätte er bei der Frau, die er heiraten wollte, nicht Ergebenheit, sondern Liebe gesucht, hätte er an der Ostfront nicht Dinge getan und erlebt, über die ein Mantel des Schweigens ausgebreitet wurde, hätte Hermann also nicht vor langer, allzu langer Zeit schon alle Liebe verloren, dann wäre ihm vielleicht jetzt in den Sinn gekommen, dass die harten Jahre vorüber waren und dass seine Familie nicht mehr in Armut lebte; dass sein Lastwagen genug einbrachte, um seine Kinder ernähren und kleiden zu können, wenn auch nicht im Überfluss. Darüber hinaus musste er aus vielen Erzählungen eigentlich genau wissen, was seine Tochter erwartete, wenn er sie mit diesem Mann gehen ließ – nicht zufällig wurden die jungen Küchenmädchen »Matratzen« genannt.

Und dann hätte er dem Mann gesagt: *Wort a mol*, Moment mal. Und er hätte ihm erklärt: *Des Madl will i net weggian lossn*, das Mädchen lasse ich nicht fort, im Gesicht ist sie zwar noch ein Kind mit ihren rundlichen Wangen, aber ihr Körper wird immer weiblicher, sie hat schlanke Beine, und sie ist schön, nein, wunderschön ist sie, genau wie ihre Großmutter früher, aber sie selbst weiß das noch nicht, und deshalb muss ich sie beschützen, wie nur ich als ihr Vater das kann und muss. Vielleicht nehme ich sie mit zum Tanzen am *Kirschtà* im Sommer, dann können alle Burschen sehen, wie begehrenswert sie ist, aber auch, wie wachsam und aufmerksam ihr Vater aufpasst, der niemals zulassen wird, dass man ihr zu nahe tritt, und deshalb sage ich dir: Nein, ich geb sie dir nicht mit, denn ich will nicht, dass sie im Hotel für die Fremden arbeitet und »Matratze« genannt wird.

Was Hermann aber tatsächlich sagte, war: »Passt.«

Und Gerda, die gerade mal sechzehn war, machte sich auf den Weg.

Die Fahrt zu dem Kurort, in dem sie arbeiten sollte, war nicht lang, aber kompliziert. Am Bozener Bahnhof angekommen, blickte sie sich ratlos um. Überall um sie herum Stimmen, die italienisch sprachen; es kam ihr so vor, als seien nur Menschen mit dunkler Gesichtsfarbe unterwegs. Aber schließlich war dies auch die Stadt, in der vor Peters Augen einige Jahre zuvor die Einwanderer aus Süditalien eingetroffen waren.

Sie musste den Bus nach Meran nehmen, aber der Busbahnhof lag noch ein Stück entfernt. Vom Bahnhofsvorplatz führte eine breite Allee in die Stadt hinein. Die lief sie nun entlang, den Zettel fest in der Hand, auf dem der Mann den Namen des Hotels aufgeschrieben hatte, in dem sie anfangen sollte. Die blühenden Rosskastanien verströmten einen intensiven Duft. Der Mann hatte ihr gesagt, sie solle der Allee folgen und ungefähr in der Mitte nach links abbiegen. Mit unsicheren Schritten, berauscht vom Duft der Blütentrauben über ihr, den Griff des kleinen Koffers mit ihren wenigen Sachen fest in der Hand, lief sie über das Pflaster. Sie fand den Busbahnhof und trat auf einen der Fahrer zu, wagte es dann aber doch nicht, ihn anzusprechen, weil sie sich für ihr schlechtes Italienisch schämte.

»Schnell! Der Bus Richtung Meran fährt jetzt!«, hörte sie da jemanden einem älteren Ehepaar, offenbar Touristen aus Deutschland, zurufen. Sie rannte ihnen nach zu einem Bus, der bereits mit laufendem Motor wartete, und stieg ein. Sie hatte Glück: Im nächsten Moment schloss der Fahrer die Türen und fuhr ab.

Ich rufe meine Mutter an, um ihr zu sagen, dass ich nicht zum Ostermittagessen kommen kann. Das heißt, ich werde auf all die Köstlichkeiten verzichten müssen, die sie und meine Patin Ruthi schon seit einer Woche vorbereiten. Aber sie wird mich auch nicht wieder der ganzen Sippe vorführen können und die Komplimente einheimsen für ihre schöne und tüchtige Tochter – schade nur, dass sie nie geheiratet hat (zu meiner großen Erleichterung haben sie seit einiger Zeit das frühere »noch nicht« durch dieses »nie« ersetzt, ein Fortschritt, den ich meinen vierzig Lebensjahren zu verdanken habe).

»Ich muss verreisen«, erkläre ich ihr, »es ist dringend.«

Bisher habe ich mir noch nie ein Feiertagsessen entgehen lassen. Wenn ich jetzt absage, muss es sich also um etwas Dringendes handeln. Tatsächlich zwingt meine Mutter mich nicht zu näheren Erklärungen und fragt nur: »Kenne ich ihn?«

Die Möglichkeit, dass meine Absage vielleicht nichts mit einem Mann zu tun haben könnte, zieht sie gar nicht in Betracht.

Ich schaue auf die Gletscher in der Ferne oder genauer auf das, was in Zeiten des Klimawandels davon übrig geblieben ist.

»Kann sein«, antworte ich, und sie hakt nicht nach.

Keine Chance, einen Tag vor Ostern einen Flug nach Kalabrien zu erwischen. Ich rufe bei allen Fluggesellschaften an, dann an den Flughäfen in Bozen, in Verona, Venedig, Mailand, München, Innsbruck und Brescia. Stundenlang versuche ich es auch übers Internet. Nichts. Den nächsten freien Platz könnte ich in einer

Maschine nach Reggio Calabria in zwei Tagen buchen, das wäre nach Ostermontag. Das könnte zu spät sein für Vito. So bleibt mir nur eine Möglichkeit: Liegewagen bis nach Rom und von dort aus weiter, ebenfalls mit der Bahn, runter nach Kalabrien. Eine lange Fahrt.

Und so sitze ich nun im Bummelzug, der mich zunächst einmal nach Fortezza/Franzensfeste bringen wird. Über den Sitzen an der hinteren Wand des Abteils hängt ein Plakat des Deutschen Kultur- und Familienamts, der zuständigen Behörde für familiäre und kulturelle Angelegenheiten der deutschsprachigen Bevölkerung Südtirols, nicht zu verwechseln mit dem rigoros davon getrennten Amt mit den exakt gleichen Aufgaben für die Italiener. Es informiert über Weiterbildungsangebote für Erwachsene in der Provinz Bozen. Auf einem Foto sieht man einen Mann im blauen Overall in einem Raum, unter dem man sich wohl seine Werkstatt als Mechaniker, Kfz-Elektriker oder Schweißer vorstellen soll: Mit dem Gesichtsausdruck eines konzentrierten Kindes faltet er mit seinen kräftigen Handwerkerpranken ein rosafarbenes Blatt Papier, um auf diese Weise eine Origamifigur herzustellen.

Unter dem Foto der Schriftzug: *WER LEBT, LERNT.*

Habe ich manchmal an Vito gedacht, in der Zeit, als ich heranwuchs? Ich kann es nicht sagen. Er schied so jäh aus unserem Leben aus. So unerwartet, zumindest für mich. Für meine Mutter wohl nicht, nein, natürlich nicht, aber mir hat niemand etwas erklärt. Vito verließ uns zu einem Zeitpunkt, als ich bereits dachte, er würde nun für immer zu meiner Welt gehören und wir zu der seinen. Ich war schon seine Tochter und Gerda Huber seine Frau. Er war einfach da. Und dann, ganz plötzlich, nicht mehr.

Nein, ich habe gar nicht so oft an Vito gedacht.

Wie eingekeilt Fortezza/Franzensfeste doch liegt. Die steil abfallenden Felswände des Eisacktals rücken hier so nahe zusammen, dass sie der Senke kaum noch Platz lassen und sie wie ein
Schraubstock einzwängen. Wenn ich den Ort sehe, frage ich
mich immer, wie man dort bloß wohnen kann. Was mögen die
Eisenbahner, die Mussolini aus Rovigo, Caserta, Bisceglie oder
Sulmona kommen ließ, gedacht haben, als sie hier eintrafen? Als
sie das enge Tal sahen, in dem man, um den Himmel zu erblicken, den Kopf in den Nacken legen muss? Es heißt, auf ihrer
Flucht Richtung Brenner hätten die Nazis in der düsteren nach
Kaiser Franz von Österreich benannten Festung, die dem Ort
seinen Namen gab, die Schätze versteckt, die sie in Italien zu-
sammengeraubt hatten. Hin und wieder macht sich wohl jemand
daran, ein paar Quader zu verrücken und unter der Festungsan-
lage zu graben. Für mich ist das nur ein Märchen, das man sich
hat einfallen lassen, um diesem klaustrophobischen Ort einen –
wenn auch noch so absurden – Sinn zu geben.

Am besten esse ich hier noch etwas, Anschluss nach Bozen
habe ich erst in über einer Stunde.

In dem Restaurant/Pizzeria neben dem Bahnhof scheint man
die Speisekarte in den letzten zwanzig Jahren unverändert gelassen zu haben: Knödel, Wiener Schnitzel, Steak, Salat, *Spaghetti al pomodoro* oder *al ragù*. Mehr Auswahl gibt es nicht.
Sonst nur noch Pizzas, aber darunter findet man jetzt tatsäch-
liche eine *Hawaiiana* mit Ananas und eine, die sich *Caccia al
Tesoro* (Schatzsuche) nennt: mit Cocktailtomaten, Sardellen und
Oliven, die mit Kapern gefüllt sind. Ob die mit dem Schatz gemeint sind?

Während ich mein nicht eben zartes Schnitzel verspeise,
schaue ich mich um. Im Spiegel der Bar gegenüber meinem Tisch
sehe ich meinen Kopf im Gegenlicht. Ich hebe den Blick, zucke
zusammen und wende ihn sogleich wieder ab. Oben zwischen

den Flaschen mit Likören, die kein Mensch je bestellt, habe ich drei dieser verfluchten Zielscheiben entdeckt. Oh, wie ich die hasse.

Auf zweien dieser runden, von Hand bemalten Holztafeln ist im Zentrum ein Auerhahn dargestellt, der ein Wappen im Schnabel trägt, auf der dritten ist es ein Fasan. Am oberen Rand der Scheiben stehen Daten, *9/8/84, 12/5/88, 3/10/93* und darunter Namen: *Kurt, Moritz, Lara.* Es sind Geburtsdaten mit dem entsprechenden Vornamen, wie sie auch mein Onkel für den neugeborenen Ulli aufmalen ließ. Und auch hier sieht man winzige Löcher in dem dargestellten Tier in der Scheibenmitte. Wie Peter damals ist also auch der Inhaber dieses Restaurants ein Jäger, und so wie er hat er im Kreis seiner Freunde zur Feier seiner Vaterschaft auf die Namen seiner Kinder geschossen (mein Gott, geschossen!). Nur ist er ein besserer Schütze als mein Onkel oder war vielleicht weniger betrunken: Denn statt des Tieres in der Mitte traf Peter den Namen seines Sohnes.

Das letzte Mal sah ich diese schreckliche Zielscheibe, die auch Ulli nie ausstehen konnte, als sie mit ihm zusammen ins Grab hinabgelassen wurde. Da drängte sich der Gedanke auf, dass sein Vater, dieser Onkel Peter, den ich nie kennengelernt habe, damals nicht nur den Namen seines Sohnes, sondern auch dessen ganzes Leben mit Schrot durchsiebte. Ach ja, jetzt erinnere ich mich: Als Ullis Sarg damals ins Grab hinunterglitt, an jenem Tag habe ich ganz stark gespürt, wie sehr mir Vito fehlte.

»Wir haben einen Freund, einen wunderbaren Menschen verloren«, sagte damals jemand zu mir. Vor Wut ballte ich die Fäuste in den Manteltaschen. Verloren hatte ich niemanden. Ich war doch nicht mit Ulli im Supermarkt gewesen, und als ich mich irgendwann umdrehte, war er plötzlich fort, wie es einem mit einem Kleinkind passieren kann. Er war auch nicht wie eine

Zeitung oder ein Handy versehentlich auf einer Parkbank liegen geblieben. Nein, ich hatte Ulli nicht verloren. Ulli hatte sich umgebracht. Und viele dieser Menschen, die zu seiner Beerdigung kamen, waren mit ihrem Verhalten zu seinen Lebzeiten daran schuld. Wie eine Welle stieg die Wut in mir auf und verebbte wieder, und danach fühlte ich mich nur noch furchtbar erschöpft. In diesem Augenblick vermisste ich Vito schrecklich.

Ich sehnte mich danach, den Kopf wieder an seine Schulter zu lehnen oder genauer, an seinen Bauch, denn auch wenn Vito kein ausgesprochen großer Mann war – als ich ihn zum letzten Mal sah, war ich noch ein Kind – sein Kind. So stellte ich ihn mir in jenem Moment wieder vor, wie er mit seinen starken Armen von hinten meinen Oberkörper umfasste, während ich nur ein wenig den Hals drehte, mit dem Hinterkopf sein Brustbein streifte und mich mit meinem ganzen Gewicht gegen ihn lehnte, in der Gewissheit, dass er mich halten würde. Vor Ullis Grab stehend, packte mich eine derartige Sehnsucht nach Vito, dass sie einen Moment lang sogar die Trauer um meinen toten Cousin verdrängte, meinen Spielgefährten und Vertrauten, der mir mehr als ein Bruder war, ein Freund, vielleicht meine einzige Liebe.

So stand ich da, als Lukas, der alte Küster, zu einer ungewöhnlichen Trauerrede anhob. Aber nur aus Vitos Mund hätte ich die Einsicht akzeptiert, dass Ulli nicht umsonst gestorben ist. Doch Vito fehlte bei der Beerdigung.

Es wird Zeit, ich muss zahlen und aufpassen, dass ich den Zug aus Innsbruck erwische, der mich nach Bozen bringen wird.

Als beim Oberkommando der italienischen Streitkräfte die Nachricht einging, dass Gerda eine Stelle in einem großen Meraner Hotel antreten würde, beschloss man, unverzüglich ein Kontingent von rund tausend Soldaten nach Südtirol zu entsenden. Das Militär requirierte Gerdas Hotel, ebenso wie die beiden anderen großen Häuser des traditionsreichen Kurortes und quartierte in allen Zimmern Soldaten ein. Als die neue, blutjunge »Matratze« im Hotel eintraf, um dort die Arbeit aufzunehmen, warteten bereits über hundert italienische Gebirgsjäger auf sie. Durch den Dienstboteneingang sahen die Soldaten sie eintreten, diese voll erblühte Sechzehnjährige im Sonntagsdirndl, deren Finger den Griff ihres Koffers so fest umklammerten, dass die Knöchel weiß hervortraten. Da strahlten die Männer und empfanden Dankbarkeit gegenüber ihren Generälen: Nun endlich begriffen sie auch, wieso man sie hierher beordert hatte, ins Land dieser *crucchi*, die man nicht verstand, es sei denn, sie fluchten.

Nein, so war es nicht.

Der Grund für die Entsendung all dieser Soldaten war leider nicht Gerda. Es ging um Hochspannungsmasten. Dreiundvierzig, die alle gleichzeitig in die Luft flogen in der »Feuernacht«, eine spektakuläre Aktion, perfekt organisiert, gewissenhaft, geduldig. Mit einem Wort: deutsch.

Zu den Anschlägen bekannte sich der im Untergrund operierende *Befreiungsausschuss Südtirol* (BAS). Ihr Ziel, so erklärten die Mitglieder in einem Flugblatt, sei nicht die administrative Autonomie, wie sie Silvius Magnago, der schlaksige, charismatische Redner in den Ruinen von Sigmundskron, und seine Südtiroler Volkspartei anstrebten. Diesen, wie sie sagten, von Polit-karrieristen ausgehandelten Kompromiss lehnten sie ab. Statt-dessen erklärten sie, dass allein das »Volk« bestimmen könne, zu wem es gehören wolle: zum italienischen Staat, der seit vierzig Jahren Südtirol wie eine Kolonie besetzt halte, oder zu Öster-reich, jener Mutter, der man sie durch eine historische Schandtat entrissen habe. Sie verlangten ein Referendum, um in freier Selbstbestimmung über ihr Schicksal zu entscheiden, in der Überzeugung, dass es ein klares Votum für eine Rückkehr zum Mutterland Österreich geben würde. Fünfzehn Jahre waren seit dem Untergang der faschistischen Herrschaft vergangen, fünf-zehn Jahre, in denen das christdemokratische Italien gezaudert und das Problem verdrängt hatte, vielleicht in der Hoffnung, es würde sich irgendwann einmal von selbst erledigen. Da hatten die Attentäter zugeschlagen.

Für ihre spektakulärste Aktion wählten sie jene Juninacht, in der die Südtiroler traditionell überall auf den Bergen Feuer ent-zünden, um an den Mut und den Zusammenhalt zu erinnern, mit dem das Volk einst – angeführt von Andreas Hofer, seitdem ein Nationalheld – den Vormarsch der napoleonischen Truppen auf-gehalten hat. Indem sie in dieser besonderen Nacht rund fünfzig Strommasten in die Luft sprengten, sandten die Attentäter eine unmissverständliche Botschaft aus: Die Südtiroler fühlten sich nicht als Italiener, seien keine Italiener und würden auch nie Italiener werden.

Aus den Tageszeitungen erfuhren die Leser in Rom, Mailand, Palermo oder Turin von der Existenz einer Südtiroler Frage, von der bis dahin noch niemand gehört hatte.

Dieser erste Sommer im Hotel war also nicht nur für Gerda eine Feuertaufe. So wie das ganze übrige Südtirol auch, das nun plötz-lich Kriegsgebiet war, befand sich Meran in einem Belagerungszustand. Straßensperren, Ausgangssperren, Ringfahndungen. Insgesamt fünfzehntausend Einsatzkräfte – Polizisten, Soldaten, Carabinieri, Angehörige der Finanzpolizei – wurden aufgeboten mit ihren Mannschaftswagen, Motorrädern, auch Hunden. Die wenigsten waren Berufssoldaten, es überwogen junge Wehrpflichtige. Mit großen Seesäcken, Schiffchen auf dem Kopf, das Fernglas um den Hals rückten sie an, Sizilianer mit arabischen Gesichtszügen, Bergamasker mit Segelohren, Toskaner mit etruskisch hellen Augen. Und alle schauten sie auf Gerda.

Und sie schaute zurück. Manche Soldaten kamen ihr gar nicht so anders als die Jungen in der Kleinstadt vor, in der sie aufgewachsen war, als ihre Cousins und Schulkameraden. Die Alpini aus dem Friaul zum Beispiel bewegten sich mit diesem etwas steifen Gang, wie er für Leute typisch sein mochte, die aus Gegenden mit Felsen, Wäldern und Bergen stammen: Ihr Vater Hermann ging genauso und Peter auch. Und manche Mienen, zusammengekniffene Lippen in Gesichtern mit kindlich strahlenden Augen, wirkten ebenfalls vertraut auf sie: Auch hier in den Bergen machten die Menschen, wenn die Emotionen überhandnahmen, den Mund fest zu, während der Blick offen blieb, so, als flehe man darum, vom Schweigen erlöst zu werden. Andere, südländischere Körperhaltungen waren neu für sie. Dieses sanfte, fast feminine Sich-in-den-Hüften-Wiegen, die blitzartigen Bewegungen aus dem Handgelenk, eine Art zu lächeln, die nichts, vor allem sich selbst nicht, ernst nahm, all das gab es nicht bei den Männern, die sie kannte. Sie hatte auch noch nie zuvor gesehen, dass zwei Männer so selbstverständlich, fast körperlich aufeinander eingestimmt, Seite an Seite gingen wie manche paarweise patrouillierenden süditalienischen Soldaten. Und dann erst ihre Komplimente! Bis an die Zähne bewaffnet und sicher nicht ohne Angst, leisteten diese jungen Soldaten ihren Wehrdienst in einem Gebiet ab, wo ein Frontalangriff auf den

Staat erwartet wurde. Und dennoch waren sie noch locker oder auch unbedarft genug, um zu einem blonden Mädchen im Dirndl, einer »Deutschen« also, »*Sei bellissima!*«, du bist wunderschön, zu sagen und sie damit, trotz der Umstände, zum Lächeln zu bringen. Sie hatten Samtaugen und lange Wimpern wie kleine Mädchen, und trotz ihrer Uniformen und Waffen schafften sie es einfach nicht, sich ständig martialisch zu geben.

Aber es gab auch andere. In einem Hotel, nicht weit von dem entfernt, wo Gerda arbeitete, hatte sich ein ganzes Bataillon des neuen Einsatzkommandos (*Celere*) einquartiert, das Innenminister Scelba aufgebaut hatte. Die Komplimente dieser Soldaten machten Gerda Angst. Es waren Männer, die auf die Einheimischen herabschauten mit einem Blick, der sagte: Wir sind da, um die Dinge wieder gerade zu richten, die seit dem Ende des Faschismus aus dem Ruder gelaufen sind. Für sie waren alle Südtiroler Terroristen, schon allein weil sie deutsch sprachen. Für sie war Alto Adige italienisch, und wer Italien nicht mochte, sollte doch abhauen.

Die meisten Polizisten und Soldaten in Meran aber waren einfach junge Männer, denen mehr daran lag, gut zu essen und mit einem Mädchen zu schlafen, als zu schießen. Eines Tages sah Gerda an einer Straßensperre, wie ein Kameramann den Einsatz der Streitkräfte im Dienste der Nation fürs Fernsehen festhielt. Als der junge Soldat, auf den er das Objektiv gerichtet hatte, merkte, dass er gefilmt wurde, unterbrach er die Kontrolle des Wagens neben ihm, hob die Hand, in der er seine halb automatische MP hielt, zur Kamera und winkte. Diese Geste war für Gerda wie eine Offenbarung.

Obwohl also die Touristen in jenem Jahr aus verständlichen Gründen ausblieben, wurde in den großen Hotels die Arbeit nicht knapp. Zentnerweise Spaghetti, Maccheroni und Polenta wurden den ganzen Sommer über täglich in ihren Küchen gekocht und mit Soße verrührt. Durch die Straßen zog der Duft von angeschwitzten Zwiebeln, säuerlich-süßes Tomatenaroma und auch der beißende Geruch rohen Knoblauchs, den selbst die wagemutigsten unten den braven Südtiroler Hausfrauen bislang immer gemieden hatten. Gerdas Ausbildung in der internationalen Hotelküche (*tournedos, coq au vin, pâtes feuilletées*) wurde verschoben. Stattdessen lernte sie viel über die Geschmacksrichtungen und Aromen des Südens: Einen Teil der jüngsten Generation italienischer Männer hatte es nach Südtirol verschlagen, und die zeigten großen Appetit.

Keiner von den Soldaten aber, die den Zopf, den sich die einheimischen Mädchen um den Kopf schlangen, »Ersatzrad« nannten, keiner der Offiziere, die in den requirierten Hotels mit den von Geranienkaskaden überladenen Balkonen untergebracht waren, niemand von denen wusste, dass einige Wochen zuvor der Kommandant des vierten Armeekorps, General Aldo Beolchini, die Oberkommandierenden der Streitkräfte vor der Gefahr einer beispiellosen Welle der Gewalt gewarnt hatte. Von zuverlässigen Informanten, hatte er seinen Vorgesetzten berichtet, wisse er, dass Anschläge auf die Infrastruktur der Provinz, insbesondere auf Hochspannungsmasten, geplant seien.

Die militärische Führungsspitze aber schenkte der Warnung dieses Generals keinerlei Gehör. Stattdessen versetzte man ihn unverzüglich. Weit weg von Südtirol, das kurz darauf die »Feuernacht« erlebte.

Die perfekte Planung der Anschläge löste in Rom Panik aus. Die Attentäter, so schrieben die Zeitungen, hätten es sich zum Ziel gesetzt, die Einheit Italiens zu zerschlagen. Daher müsse jedes Mittel recht sein, um sie aufzuhalten. Eiskalt wie Killer gingen diese Leute vor, verbreitete man, verschlagen wie Agenten, gewissenlos wie eingefleischte Verbrecher. Kurzum, die Gefahr sei groß.

Kaum einen Monat später hatte man die Drahtzieher des Anschlags gefasst. Vielleicht war man enttäuscht, als man nun feststellte, was diese Attentäter in Wahrheit für Menschen waren, nämlich einfache Leute, kleine Geschäftsinhaber, Automechaniker, Schmiede, Bauern. Außer sonntags und wenn sie schliefen, trugen die Verschwörer stets ihren blauen Bauernschurz, der das Tiroler Arbeitsethos symbolisierte. Ihre Hände waren schwielig und rau vom Umgang mit Holz, Erde oder Motoröl. Ihre Frauen hatten sie beim Tanz auf dem *Kirschta* gefreit und rasch geheiratet, sodass sie jetzt vielköpfige Familien besaßen. Viele von ihnen oder auch ihre Väter waren zur Zeit der »Option« als »Dableiber« verfolgt worden, weil sie weder ihren Grund und Boden verlassen noch zu Italienern werden wollten. Der eine oder andere war auch in Dachau gewesen, weil er sich der Rekrutierung durch die SS zu entziehen versuchte. Wenig oder gar nichts im Sinn hatten sie mit dem Kommunismus, der ihnen fremd blieb in ihrer bäuerlichen, katholischen Welt. Denn es waren alles gläubige, manche sogar ausgesprochen fromme Leute, die gelobt hatten, keine Menschenleben in Gefahr zu bringen. Als der Straßenarbeiter Giovanni Postal durch einen Sprengsatz zerrissen wurde, der wegen einer defekten Zündschnur zum falschen Zeitpunkt explodierte, weinten viele von ihnen in ihren Häusern: Der Tod eines Unschuldigen war das Schlimmste, was ihnen persönlich, mehr noch als ihrer Sache, passieren konnte.

Über Jahre schon hatten sie sich regelmäßig getroffen und Pläne geschmiedet, aber nicht im Untergrund oder im Schutz ausländischer Konsulate, wie italienische Journalisten ihnen unterstellten, sondern in den holzverkleideten Stuben ihrer Höfe oder in Wirtshäusern. Und seit Jahren bereits hatten sie Sprengstoffe gehortet, die sie über den Brenner oder die alten Schmugglerpfade herbeischafften und auf Heuböden, unter dem Stallmist oder in ihren Werkstätten versteckt hielten. Zur Einübung nahmen sie sich kleinere, symbolische Objekte vor: Die Reiterstatue des Duce vor dem Wasserwerk von Ponte Gardena zum Beispiel, die auch sechzehn Jahre nach Mussolinis Tod noch nicht gestürzt worden war.

Bei der Planung der »Feuernacht« verabredeten sie, dass jeder von ihnen passende Objekte in der Umgebung, die er am besten kannte, also in der Nähe seines Hauses, aussuchen sollte. Und als sie dann den Sprengstoff an den Masten anbrachten, achteten sie nicht nur darauf, dass, wenn sie kippten, kein Mensch zu Schaden kam, sondern dass auch der Obsthain des Nachbarn nicht beschädigt wurde. Diese Männer wussten, was körperliche Arbeit bedeutete, und deswegen war ihnen solch ein demonstrativer Akt auch keinen zerstörten Weinberg, keinen ruinierten Bauern wert.

Anders als die italienischen Journalisten schrieben, waren die Angehörigen dieser ersten Generation von Bombenlegern weder Mitglieder von Geheimdiensten noch ehemalige Soldaten, die sich jetzt, fünfzehn Jahre nach Kriegsende, noch einmal austoben wollten. Sie waren auch keine verbohrten Antikommunisten oder Anhänger Großdeutschlands, ebenso wenig wie Neonazis oder Waffennarren. Diese Leute gab es auch, aber später, ähnlich wie auf der anderen Seite die italienischen Neofaschisten, die Geheimdienste oder den General De Lorenzo, der seine Carabinieri auf Abwege führte. Da kam es zu Anschlägen auf Kasernen und Grenzstationen mit Toten und Verletzten, zu Opfern, die einkalkuliert und beabsichtigt waren. Doch zu diesem Zeitpunkt waren die Bombenleger der ersten Generation, die »Bumser«, wie sie später fast liebevoll genannt wurden – Leute, die darauf bedacht waren, Obsthaine zu schonen –, bereits tot oder in Haft.

Die Bumser waren bodenständige Leute, die im Grunde an das Gute im Menschen glaubten. Das Vorgehen, auf das sie sich geeinigt hatten, war einfach: Würde einer von ihnen verhaftet, sollte er einfach nur schweigen und keinerlei Namen preisgeben. Es würde also reichen, so dachten sie, im Verhör nicht den Mund aufzumachen, und damit wäre ihre Organisation nicht gefährdet. Das schien nicht schwer.

Aber es hatte sich eben keiner von ihnen vorstellen können, wie diese Verhöre abliefen. Niemand machte sich klar, was Schläge, Schlafentzug und Blendung durch Phosphorlampen bedeuteten, niemand wusste vorher, wie man sich fühlte, wenn einem büschelweise die Haare ausgerissen wurden oder die Fingernägel, wenn Zähne ausgeschlagen, brennende Zigaretten auf der Haut ausgedrückt, Salzwasser durch die Nase gespült, die Genitalien mit Stromschlägen traktiert wurden. Niemand von ihnen hatte vorher von dem sogenannten »Kasten« gehört, einer Foltertechnik, von der französischen OAS in Algerien entwickelt und nun von Italienern fleißig und mit immer besseren Ergebnissen angewandt. Niemand von ihnen hätte sich vorher ausmalen können, dass uniformierte Vertreter eines demokratischen, republikanischen Staates sie so herabwürdigen könnten, zu einem nur noch »halb menschlichen, halb bewussten Zustand, in dem man alles zu tun, alles zu sagen bereit ist, wenn das nur endlich aufhörte, was da mit einem angestellt wird, ein Zustand, in dem man nur noch Objekt ist, aber kein Mensch mehr«, wie einer von ihnen nach seiner Freilassung erklärte.

Einigen Inhaftierten gelang es, mit auf Toilettenpapier gekritzelten Nachrichten die Welt draußen darüber zu informieren, dass sie gefoltert wurden. Innenminister Scelba, der die Spezialeinheiten der Polizei aufgebaut hatte, die Gerda in Meran so sehr einschüchterten, war gezwungen, Stellung zu beziehen.

»Auf der ganzen Welt schlagen Polizisten schon mal zu«, antwortete er.

Die Verschwörer redeten. Alle. Innerhalb nicht einmal eines Monats war das Netz der Feuernachtsattentäter zerschlagen. Zwei von ihnen starben noch während der Haft an Verletzungen durch die Folter. In einem Prozess, der einige Zeit später wegen dieser Misshandlungen stattfand, wurden alle angeklagten Carabinieri freigesprochen.

In einer Schlagzeile, die über die ganze erste Seite ging, hieß es am 23. Juni 1961 in der Tageszeitung ALTO ADIGE:

BOLZANO IST FESTER BESTANDTEIL DER REPUBLIK ITALIEN,
UND ALLE SOLLTEN SICH ENDLICH
DIESER TATSACHE BEWUSST WERDEN.

»Die Bomben vertreiben uns die Touristen.«

Das sagten die Leute in der Kleinstadt, als Gerda zum Ende der Saison wieder heimkehrte.

Unterdessen hatte es Peter geschafft, das Mädchen, das er verehrte, zu heiraten. Leni, so dunkelhaarig und zierlich wie Johanna, aber lebenslustiger als diese, wohnte nun im Haus der Familie Huber und erwartete ein Kind. Auch die Schwester Annemarie hatte einige Jahre zuvor geheiratet und war zu ihrem Mann nach Vorarlberg gezogen. Seit jenem Tag hatten ihre Eltern sie nicht mehr gesehen. Dabei wäre ein Besuch bei ihr nur ein Ausflug gewesen.

»Die Bomben vertreiben uns die Touristen.« Das meinten vor allem die Mitglieder eines neu gegründeten Konsortiums unter dem Vorsitzenden Paul Staggl.

Der ärmste von Hermanns ehemaligen Klassenkameraden, der sich ihm und Sepp Schwingshackl jeden Morgen auf dem Schulweg angeschlossen hatte, war jetzt ein Mann mit rötlichen Haaren, mit hellen, an ein Reptil erinnernden Lidern, rauer Stimme und der breitbeinigen Haltung eines Menschen, dem nur die eigenen Fähigkeiten zum Erfolg verholfen haben. Aus dem steilen, im ewigen Schatten liegenden Grund und Boden, der die Familie über Generationen zu einem Leben in Armut gezwungen hatte, war eine Goldgrube geworden. Ende der zwanziger Jahre schon, während Hermann als Belohnung für sein Mittun bei den Faschisten das Lasterfahren lernen durfte, hatte der junge Staggl auf seinem Land eine primitive Zugvorrichtung mit Seil und Laufrolle installiert. Die abenteuerlustigen Skifahrer, die mit überlangen Skiern und Robbenfellen ausgerüstet zu den Almweiden oberhalb des Städtchens aufstiegen, hielten sich daran fest und wurden, mit einer ordentlichen Zeit- und Kraftersparnis, den Hang noch weiter hinaufgezogen. Anfangs wurde das Zugseil von dem kräftigen Lastpferd seines Vaters in Gang gehalten, doch bald schon verdiente Paul genug, um sich von dem Geld einen Generator leisten zu können.

Als sein Vater starb, damals in den unruhigen dreißiger Jahren, in denen Hermann zunächst Faschist und dann Nationalsozialist wurde, hatte Paul seine Mutter und seine beiden noch unverheirateten Schwestern von der Idee überzeugt, einige Zimmer auf ihrem Hof an eben jene Skifahrer zu vermieten, die seinen primitiven Skilift nutzten. Was konnte es Herrlicheres geben für die deutschen Skitouristen, als in aller Frühe aufzuwachen und gleich die Piste vor der Tür liegen zu haben, und das auch noch auf der schöneren, dem Süden zugewandten Seite der Alpen? Nicht lange, und das Geschäft lief so gut, dass Paul in die Erweiterung des Gebäudes neben dem Stall investieren konnte. Die sensationellste Neuerung aber war die Einrichtung einer echten Toilette, und das nicht auf dem Hof, sondern, ein unerhörter Luxus, im Haus selbst, sodass man in kalten Winternächten nicht mehr ins Freie hinausmusste. Zum Einweihungsfest lud Paul die gesamte Nachbarschaft ein und zeigte sich äußerst großzügig: Nicht nur demonstrierte er seinen Gästen das unbefleckte *Wasserklosètt*, sondern bestand auch darauf, dass sie es persönlich ausprobierten. Um dafür zu sorgen, dass diese einmalige Gelegenheit auch von allen, Erwachsenen wie Kindern, ausgiebig genutzt wurde, ließ er von der Mutter und den Schwestern Berge von *Zwetschgnknödeln* zubereiten, die bekanntlich die Verdauung besonders wirksam anregen.

Wieder und wieder wurde die Toilette von den Nachbarn getestet. Keinen Augenblick stand die Spülung still. Und so wurde es ein denkwürdiges Fest, von dem man sich noch Jahre später erzählte.

Zur Zeit der »Option« hatte sich Paul Staggl bedeckt gehalten, hatte es vermieden, gefährliche Positionen zu vertreten, und sich, wie es die Behörden wünschten, für den Umzug entschieden. Aber als gewiefter Geschäftsmann, der er war, bedachte er bereits, dass sich durch den bevorstehenden Krieg alle angekündigten Maßnahmen hinauszögern, wenn nicht sogar zum Stillstand kommen könnten. Auch die Aussiedlungen. Seine Vorhersagen sollten sich bewahrheiten: Die Einzigen, die zum geplanten Zeitpunkt aufbrachen, waren Hungerleider, die nichts zu verlieren hatten, oder eben solche Fanatiker wie Hermann. Schließlich meinte es das Schicksal gut mit Paul: Seine Grundstücke an den Steilhängen blieben von den Bombardierungen durch die Alliierten verschont, während unten im Tal viele Häuser zerstört wurden.

Und so kam es, dass schon wenige Jahre nach Kriegsende anstelle des alten Hofes mit den steilen Wiesen, auf denen sich die Staggls über Generationen den Buckel krummgeschuftet hatten, ein großes Hotel entstand, dessen Zimmer einen weiten Blick auf die Gletscherwelt boten, was bald eine internationale

Gästeschar anlockte. Paul hatte drei weitere Lifte auf benachbarten Wiesen errichtet. Auch wer niemals bereit gewesen wäre, Schweiß und Anstrengung des langen Aufstiegs für den kurzen Rausch der Abfahrt in Kauf zu nehmen, konnte nun Ski fahren. Jeden Winter strömten die Touristen in immer größerer Zahl herbei.

Zu Beginn der sechziger Jahre zählte Paul Staggl noch nicht zu den reichsten Männern der Stadt, aber er war entschlossen, dies zu ändern. Für Anschläge und Bomben war in seinen Plänen nun wirklich kein Platz. Zur »Südtirolfrage«, die Peter und die anderen zornigen jungen Leute so leidenschaftlich erregte, weigerte sich Paul Stellung zu beziehen: Italiener, Deutsche oder Österreicher waren für ihn alle gleich, solange sie nur mit ihrem Geld die Kassen der Hoteliers füllten. Geld, das hatte Paul Staggl vor den meisten seiner Landsleute begriffen, stank nicht nur nicht, sondern kannte auch keine Volksgruppen. *Geld, denaro, l'argent, the dough, la plata* besaß keinerlei »Sprachgruppenzugehörigkeit« und würde sie auch niemals haben.

Paul hatte die Erstgeborene einer wohlhabenden Familie von Textilfabrikanten geheiratet. Seine vier Töchter waren in der Schweiz erzogen worden, fernab von diesem Tal mit seiner kargen, bäuerlichen Lebensweise. Schließlich galt es ihren Sinn für das Unwesentliche zu verfeinern, damit sie später auch Zugang zu den gutbürgerlichen Kreisen erhielten. Die Rechnung ging auf, und mittlerweile verkehrte Paul nur noch in der besten Gesellschaft des Städtchens. Kurz vor dem Krieg war ihm endlich auch ein männlicher Erbe geboren worden, ohne den der rasante Aufbau seines Vermögens aus dem Nichts heraus nur ein flüchtiger Erfolg gewesen wäre.

Zur Zeit der Feuernacht war dieser Sohn, Hannes Staggl, gerade mal zwanzig. Vom Vater hatte er die keltische Hautfarbe, die fast durchscheinenden Augenlider und die grellen fuchsroten

Haare. Was ihm allerdings fehlte, war dessen festes, bodenständiges Auftreten, sein freundliches, doch entschlossenes Lächeln, der eiserne Wille, den man hinter seinen verbindlichen Umgangsformen erahnte, kurzum all jene Eigenschaften, die Paul den Aufstieg ermöglicht hatten.

In seinem cremefarbenen 190er Mercedes raste Hannes durch die Straßen der Kleinstadt mit einer Eitelkeit, die auch etwas von Verzweiflung hatte. Hektisch wechselte er die Gänge, verschreckte mit kühnen Richtungswechseln das Mädchen, immer ein anderes, das neben ihm saß, berauschte sich an der Geschwindigkeit. Im Gesicht den peitschenden Fahrtwind, dazu die sinnlichen Klänge der »Negermusik«, die der tragbare Plattenspieler als Untermalung seiner waghalsigen Fahrweise ausspuckte, kam er sich wie in einem Hollywoodfilm vor. Doch die Staatsstraße durchs Tal war nicht die Route 66 und er nicht Rock Hudson. Und er raste auch nicht einem großartigen Schicksal, sondern höchstens Bozen zu. Und vor allen Dingen war nicht er es gewesen, sondern sein Vater, dem der spektakuläre Ausbruch aus dem düstersten aller Kerker, dem der Armut, gelungen war.

Es kam höchst selten vor, dass Paul Staggl seinem früheren Klassenkameraden Hermann Huber begegnete. Wenn sie sich zufällig irgendwo in dem Städtchen über den Weg liefen, hielten sie sich beide an eine stillschweigende Übereinkunft, das heißt, sie wurden von einem jähen Interesse für das Schaufenster eines Geschäftes gepackt, bückten sich plötzlich, um die Schuhriemen zuzuschnüren, verspürten den unaufschiebbaren Drang, einen Knopfverschluss zu prüfen. Niemand hätte die ausgebliebene Begrüßung zwischen den beiden Unhöflichkeit oder Verlegenheit zuschreiben können, noch viel weniger Pauls Dünkel oder Hermanns Neid. Nur einer Reihe zufälliger Umstände wegen, die unbedeutend sein mochten, aber doch objektiv gegeben waren,

verfehlten sich ihre Blicke, sodass keiner von beiden die Verantwortung dafür übernehmen musste. Seit Jahrzehnten ging das
schon so, und es gab keinen Grund, etwas daran zu ändern. Daher war es auch nicht ungewöhnlich, dass ihre Kinder sich nie
kennengelernt hatten.

Eines Tages jedoch, auf der Rückfahrt von einer Spritztour,
noch gelangweilter als gewöhnlich von der Bereitwilligkeit, mit
der die Mädchen zu ihm in den cremefarbenen Mercedes stiegen,
erblickte Hannes Gerda.

Er wusste nicht, dass sie die Tochter eines alten Schulkameraden seines Vaters war. Wusste nicht, dass sie als Kind die Sommer auf der Almhütte und die Winter als Dienstmagd verbracht
hatte. Wusste nicht, dass sie seit einem Jahr nur noch die wenigen Monate in ihrem Städtchen wohnte, in denen die Hotels
geschlossen waren, also zwischen Allerheiligen und Sankt Niko-
laus und dann einige Wochen zwischen Ostern und Pfingsten.
Das wusste er alles nicht, als er sie sah, und fragte sich lediglich:
Wieso ist die mir nie aufgefallen? Wo hat sie sich versteckt seit
ihrer Geburt, diese schöne Blonde mit den länglichen Augen,
den Lippen wie Tulpen, dem ausgreifenden, doch weichen Gang,
der ganz anders war, als er ihn von den Frauen im Tal kannte,
die zwar auch lange, muskulöse Beine hatten, sich aber so kan-
tig wie Männer bewegten. Wo hatte es bisher gesteckt, dieses
junge Mädchen mit dem ausgereiften Körper, den vollen Brüsten, selbst den Ohren einer erwachsenen Frau?

In einem engen grünen Mantel, der ein wenig abgetragen
und zu kurz wirkte – sie hatte das Stück von ihrer verheirateten
Schwester vermacht bekommen, die viel kleiner war als sie –, lief
Gerda die Straße entlang. Darunter schauten ihre schlanken Beine hervor, ihre Füße in den flachen, bequemen Schuhen eines hart
arbeitenden Mädchens, die schmalen Fesseln, die sich beim Gehen nur ganz leicht und schaukelnd bewegten. Das Begehren stieg

mit solcher Macht in Hannes' Leisten auf, dass er mit voller Kraft aufs Bremspedal trat und der Wagen quietschend stehen blieb.

»He, was ist denn los!?«, rief das dunkelhaarige Mädchen an seiner Seite, das sich den Kopf am Armaturenbrett gestoßen hatte.

Er blickte sie an, plötzlich überrascht, sie neben sich zu sehen auf dem karmesinfarbenen Ledersitz in seinem Sportwagen. Es war ein hübsches Mädchen, und das unter dem Kinn zusammengebundene Kopftuch brachte ihr klares Profil und ihre glatte Haut vorteilhaft zur Geltung. Mit ihren feingliedrigen Fingern rieb sie sich die angestoßene Stirn, während sich ihre jungen Brüste unter der Lederjacke hoben und senkten. Doch es interessierte Hannes nicht mehr. Seit er Gerda die Straße hatte entlanglaufen sehen, interessierte ihn von der anderen nicht einmal mehr der Name.

Wer war das bloß?

Seit einem Jahr war Gerda eine »Matratze«.

»Matratzen« waren Mädchen, die nicht geliebt wurden, die verwaist waren, unehelich, allein. Gerda war weder Waise noch unehelich. Sie war eine »Matratze«, weil ihr Vater Hermann sie hatte ziehen lassen.

Die »Matratzen« standen ganz unten in der Küchenhierarchie, zusammen mit den Küchenjungen, waren aber noch weniger wert, weil jene, selbst betrunken und arm, immerhin noch männlich waren. Sie, die »Matratzen«, waren hingegen Frauen. Und auch wenn sie Hilfsköchinnen oder sogar, was höchst selten vorkam, Köchinnen wurden, blieben sie doch »Matratzen«, denn eine Frau in der Küche war bekanntermaßen nur dann eine anständige Frau, wenn es sich um die Küche ihres Zuhauses handelte. Die Küchen, in denen sich die »Matratzen« abrackerten, waren aber die der großen Hotels, riesige Räume voller Rauch und Dampf, die nichts gemein hatten mit einem heimischen Herd, mit einer gemütlichen, behüteten Atmosphäre, wo die Kinder über ihren Hausaufgaben saßen und die Hausfrau Kleider stopfte, während die Suppe auf dem Herd vor sich hin köchelte. Die Küchen, in denen die »Matratzen« kochten, waren von Lärm und Hitze erfüllte Höhlen, in denen man schrie, fluchte und schwitzte, durchtränkt von beißenden Gerüchen und klebrigen Dämpfen, sodass Abstumpfung die einzige Möglichkeit war, den Aufenthalt durchzustehen.

Alle nannten sie »Matratzen«: die Küchenjungen, die Köche, die Chefköche, die in der Küche das Sagen hatten, und sogar, wenn auch nur hinter vorgehaltener Hand, die Hoteldirektoren. Wie ihr Name schon sage, seien sie nur für eines zu gebrauchen, hieß es – mit dem Unterschied, dass man auf ihren Namensvettern auch noch schlafen könne.

Theoretisch fiel Gerda also in diese Rubrik. Doch niemand hätte es über sich gebracht, ihr vulgäre Ausdrücke an den Kopf zu werfen, nicht einmal der besoffenste Küchenjunge. Sie hatte lange Beine, feste, runde Brüste und vor allem herrliche Augen, die sie niemals niederschlug. Das Begehren, das ihr Anblick auslöste, war zu stark. Die Männer hätten sich bis ins Innerste ertappt gefühlt, wenn sie ihr mit den gleichen derben Anspielungen wie den anderen Mädchen gekommen wären. Auch mit denen würden sie gern schlafen; tatsächlich aber fanden die Köche und vor allem diese armen Teufel von Küchenjungen, denen sogar das Geld für die Nutten an der Provinzstraße fehlte, selten, sehr selten, fast nie Gelegenheit dazu. Aber mit Gerda hätten sie es gern *richtig* gemacht. Bei ihr wollten sie die Zunge durch die Vertiefung zwischen ihren Brüsten gleiten lassen, mit den Fingern an Körperstellen eindringen, die man sich gar nicht vorstellen durfte, denn sonst lief man Gefahr, sich die Fingerkuppe abzusäbeln, weil die Hand das Fleischmesser nicht mehr richtig halten konnte und das Blut aus dem Kopf in untere Körperregionen strömte. Bei ihr wollten sie – und das hätten sie den anderen Männern in der Küche wirklich niemals gestehen können – das Lächeln sehen, das im Moment größter Lust über ihr Gesicht glitt. Nein, gegenüber Gerda vulgäre Bemerkungen zu machen war unmöglich.

Was dachte Gerda über die Gelüste, die sie weckte, die sie schon als kleines Mädchen bei den Burschen und Männern ihrer Umgebung erzeugt hatte? Schon als sie damals neben Simon und Michl, ihren Cousins, im Heu auf der Alm schlief, waren ihr die kurzen, unterdrückten Atemzüge aufgefallen, die seltsamen rhythmischen Schwankungen der Holzbretter, worauf erstickte, fast vorwurfsvoll klingende Stöhnlaute folgten und dann eine jähe, peinliche Stille. Was da vor sich ging, verstand sie nicht so richtig, spürte aber, dass es mit ihr zu tun hatte. Von klein auf war sie daran gewöhnt, Blicke auf sich zu ziehen, vor allem im Sommer, wenn die leichten Kleider ihre Körperformen nachzeichneten. John Gallagher aus Leeds, United Kingdom, war nur der Anfang gewesen. Sie hatte sie zu erkennen gelernt, diese zugleich hingerissenen und verwirrten, vulgären und anbetenden Blicke, aber sie glitten über ihren Körper hinweg, ohne sich einzukerben. Gerda selbst blieb davon unberührt. Nur den Männern, die ihr Anblick erregte, setzte diese Begierde zu – so wie Ätznatron zwar die Finger der Küchenhilfen angriff, die es verwenden mussten, nicht jedoch die Backformen, die damit gescheuert wurden.

Tatsächlich fühlte sich Gerda schon früh für etwas bestimmt, was noch keine klaren Konturen angenommen hatte, was sie aber, dessen war sie sich sicher, genau erkennen und von diesen Blicken würde unterscheiden können, wenn es eines Tages in ihr Leben trat. Dieses vage Etwas erklang in ihr wie ein tiefes Sehnen, wenn sie bestimmte Lieder hörte, wenn mit der Schneeschmelze der erste Harzduft die noch winterliche Luft durchzog oder in der Mitte ihres Monatszyklus, wenn ihre Brüste fester wurden und sich auch zwischen ihren Beinen die Sehnsucht regte. Es war etwas, was sie wie ein Schild vor allen vulgären Bemerkungen schützte. Und so starrten die Männer sie nur an, hingerissen und erschüttert, wie ein Naturereignis, das sich ihrer Kontrolle entzog, und begehrten sie eben dadurch noch stärker als zuvor. Aber nur von Weitem.

Gerda war also die erste »Matratze« in der Geschichte des Südtiroler Hotelwesens, die von den Männern respektiert wurde. Sie war nicht die letzte und auch nicht die einzige. Von einem bestimmten Moment an, ungefähr zu der Zeit, als Mina vom Bildschirm verschwand, wurden sie auch nicht mehr »Matratzen« genannt. Aber sie war die Erste.

Gerda begann, wie es sich gehörte, auf der untersten Stufe der Hierarchie: als Tellerwäscherin.

Wenn sie morgens gegen halb sieben in die Küche kam, war noch niemand da. Als Anfängerin war es ihre Aufgabe, jeden Morgen den mit Diesel betriebenen Brenner anzuzünden, der die Herdflammen versorgte. Sie erledigte das flink und mit Geschick, schließlich war sie es ja von Kindesbeinen an gewohnt, noch halb verschlafen mit Feuer und Brennmaterialien zu hantieren. Der Brenner brauchte länger als eine Stunde, bis er sich richtig aufgeheizt hatte, und um acht musste alles fertig sein, um den Gästen den Kaffee – von neapolitanischem Espresso wusste man zu jener Zeit in Südtirol noch nichts – mit heißer Milch zu servieren. Während er auf Touren kam, stieß der Brenner dichten, beißenden, klebrigen Rauch aus. Eine schwarze Wolke zog durch die noch leere Küche und dehnte sich immer mehr aus, bis es Gerda irgendwann die Kehle zuschnürte. Jene herrliche Luft, deretwegen die Gäste hier logierten, jener nach Nadelbäumen und Heu duftende Wohlgeruch, schien in dieser Küche Welten entfernt. Wenn der Brenner endlich richtig zog, kam Leben in die Küche, die Köche tauchten auf, die Hilfsköche und die anderen Küchenjungen ebenso, und Gerda begann ihren Arbeitstag an dem marmornen Spülbecken. Spülmaschinen waren noch unbekannt, und alles, von den kolossalen Brätern bis zum kleinsten Teelöffelchen, wurde von Hand gespült.

Manchmal waren die Pfannen und Backformen so verkrustet, dass man länger als eine halbe Stunde daran herumkratzen und -scheuern musste, und wenn der Arbeitstag vorüber war, schmerzten Gerdas Arme und Schultern so sehr, dass sie sich die Schürze nur noch mit lahmen Bewegungen wie eine alte Frau abbinden konnte. Noch schlimmer war die Seife. Die wurde in der Küche selbst hergestellt, indem man auf einer Herdflamme, etwas abseits von den anderen Töpfen, einen Kessel mit Ätznatron und Schweineschmalz zum Kochen brachte. Das Ergebnis war eine Art klebrige Creme, die Gerda dann wie Polenta auf einem großen Brett verteilte. Sobald die Masse kalt und fest geworden war, wurde sie in rechteckige Stücke geschnitten. Diese Natronseife griff die Haut an, und nach einem Monat waren Gerdas Fingerspitzen so wund wie rohes Fleisch. Doch mit Handschuhen galt man als »empfindlich«, ein Schimpfwort, fast schlimmer noch als »Matratze«.

Wurde der Filter des Rauchfangs nicht alle sieben Tage gesäubert, begann das geronnene Fett, in die Speisen zu tropfen. Einmal wöchentlich, am Freitag, kochten die Küchenhilfen ihn in einem Bottich mit Natronlauge aus und scheuerten auch die Kacheln in der gesamten Küche. An diesem Tag fiel für Gerda die »Zimmerstunde« aus, jene Ruhepause im Schlafsaal zwischen der Mittags- und der Abendschicht.

Gerdas letzte Aufgabe des Tages bestand darin, das hölzerne Hackbrett, auf dem sich Fisch- und Fleischreste abgesetzt hatten, zu sterilisieren. Spätabends, wenn die Küche schon geschlossen war, besprenkelte sie das Brett mit Alkohol, hielt ein Streichholz daran und ließ eine Stichflamme auflodern. So begann und endete Gerdas Arbeitstag mit Feuer.

Der Chefkoch, Herr Neumann, war ein beleibter, rotgesichtiger Mann mit ravioligroß geschwollenen Lidern und einem kleinen rosafarbenen Kindermund. Kochlöffel oder Gabeln benutzte er praktisch nie. Für den Geschmack einer Speise komme es zu fünfzig Prozent auf die Konsistenz an, und ein Koch, der seine Zutaten nicht berühre, habe keine Ahnung, was er zubereite. Für alles nahm er die bloßen Hände und tauchte seine überraschend feingliedrigen Finger in die Pfannen und Kasserollen. Noch nicht einmal zum Abschmecken der Soßen griff er zu einem Kochlöffel, sondern steckte kurzerhand einen Finger hinein und leckte ihn ab, geschwind wie ein naschendes Kind, das nicht erwischt werden will. Und er verbrannte sich nie.

Wenn dann die hungrigen Gäste die fast zweihundert Plätze im Saal besetzten, hagelte es in kurzen Abständen eine Bestellung nach der anderen. Mit den raumgreifenden Schritten von Schlittschuhläufern flogen die Kellner heran und lasen laut rufend von den Blöcken ab, was sie sich notiert hatten, bevor sie den Zettel neben der Durchreiche ablegten.

»Gerstensuppe, neu!«

»Filet au poivre, neu!«

»Lammrippen aux herbes, neu!«

»*Rollade*, neu!«

Mit schwungvollen Armbewegungen sammelten sie die Teller ein, die die Köche in der Durchreiche bereitgestellt hatten, stapelten sich bis zu sechs auf einmal auf die Arme und glitten über den Marmorfußboden in Richtung Speisesaal davon.

Streiten hörte man die Köche nie, zumindest nicht in den Stoßzeiten; zu sehr waren sie damit beschäftigt zu rühren, abzuschmecken, zu garnieren und sich nicht zu verbrennen. Einigen sah man die Hektik an, Hubert zum Beispiel, der sich ruckartig wie ein nervöser Vogel bewegte. Er war für die Vorspeisen und die gekochten Beilagen verantwortlich und tanzte rastlos vor den Herdflammen auf Beinen, die so dürr waren, dass sie jeden Moment wie Spaghetti durchzubrechen drohten. Herr Neumann dagegen erledigte seine Aufgaben genauso flink, aber ruhig. Manchmal überschnitten sich die Laufwege der Köche, und mit weit ausholenden, eleganten Bewegungen verhinderten sie, dass die glühende Pfanne des einen gegen den Rücken des anderen stieß. Es war ein Tanz, wild und fieberhaft, jedoch angetrieben von kühler Konzentration.

Die hin und her rauschenden Kellner und Kellnerlehrlinge allerdings empfanden jedes Warten, jeden Aufenthalt, auch wenn er nur Sekunden dauerte, im Fegefeuer zwischen der verrauchten Küche und dem Saal voller ungeduldiger Gäste als eine Behinderung ihrer Arbeit, an der sie irgendjemandem die Schuld geben mussten. Dass sie die Köche beschimpften und umgekehrt, kam häufig vor.

Schnell und in endloser Zahl, wie Regentropfen auf einer Fensterscheibe bei Gewitter, erschienen und verschwanden die fertigen Teller auf der Ablage in der Durchreiche. Die Zettel mit den erledigten Bestellungen wurden von Herrn Neumann auf einem langen Stift seitlich der Öffnung in der Wand aufgespießt. Sogar in den hektischsten Momenten gelang es ihm, begleitet von einem angestrengten, aber zufriedenen Grunzen, zwanzig Zettel auf einmal zu lochen. Wehe dem, der es gewagt hätte, ihm diese Aufgabe streitig zu machen: Nur der Chefkoch durfte darüber entscheiden, ob eine Bestellung korrekt erledigt, ausgeliefert und damit abzuhaken war. Einmal geschah es, dass ein junger, gerade eingestellter Ladiner einen Bestellzettel für einen bereits servierten Teller auf der Theke der Durchreiche liegen sah und in dem Glauben, er sei dort vergessen worden, es wagte, ihn auf den Dorn zu spießen. Herr Neumann sagte keinen Ton, packte nur das Handgelenk des Hilfskochs und knallte dessen geöffnete Handfläche auf die Platte. Dann griff er nach dem Zettelspießer und stach mit den kräftigen, raschen und treffsicheren Schlägen, mit denen er sonst Schnitzel klopfte, die Metallspitze je einmal in die vier Zwischenräume zwischen den Fingern. »Und beim nächsten Mal drücke ich dir die Finger zusammen«, sagte er.

Seit diesem Tag wurden die erledigten Bestellzettel von niemandem mehr angerührt.

Die Kellner leerten die zurückgebrachten Teller in einen Mülleimer neben der Tür und ordneten sie in ein Gitter für die Tellerwäscher ein. Gerda wusste immer, wer den Teller, den sie gerade spülte, im Saal abgeräumt hatte. Bei den männlichen Kellnern musste man schon froh sein, wenn sie die größeren Reste, Hühner- oder Kotelettknochen etwa, beseitigten, denn oft genug machten sie sich noch nicht einmal diese Mühe. Sie ließen die Teller, die sie in das Gitter stapelten, voller Essensreste, mit der klaren Botschaft, dass ihre Arbeit, das Bedienen der Gäste, etwas Feineres sei. Das Dreckwegräumen sollten andere besorgen. Die Kellnerinnen kippten dagegen die Abfälle in den Mülleimer, strichen sorgfältig mit dem Besteck noch einmal über die Teller, und wenn sie Zeit hatten, gossen sie sogar die Soßenreste weg, sodass das Geschirr, das Gerda von ihnen bekam, sehr leicht zu spülen war. Bei manchen Tellern hätte es fast schon gereicht, einmal mit dem Lappen drüberzuwischen und ihn zurückzustellen. Etwa bei den Tellern, die Nina zurückbrachte, eine vielleicht dreißigjährige Kellnerin aus Egna. Die ersten Male hatte sich Gerda noch bei ihr bedankt, aber Nina hatte sie einen Moment lang angesehen mit ihren dunklen, ein wenig zu nahe beieinanderstehenden Augen, vier fertige Teller für den Speisesaal auf den Unterarmen balancierend, die geschwollenen Füße in orthopädischen Schuhen. »Lass es«, sagte sie nur. Mit anderen Worten: Solche Floskeln kann man sich hier sparen, durch diese Tür hier gehe ich mehr als hundertmal am Tag; wenn ich mich da für jeden fertigen Teller bei den Köchen bedanken müsste, na, dann gute Nacht.

Gerda bedankte sich nicht mehr. Aber Ninas Teller waren und blieben die saubersten.

Um elf Uhr aß das Personal zu Mittag, während die letzten Grundzubereitungen auf dem Herd standen und noch ein wenig Zeit blieb, bis die ersten Gäste eintrafen. Gerda und ihre Kollegen saßen in einem düsteren Raum im Kellergeschoss unter der Küche gleich neben den Speisekammern, die Kellner auf der einen, das Küchenpersonal auf der anderen Seite. Es war Herr Neumann, der für sie kochte. Dass seine Leute ordentlich aßen, war ihm wichtig, und so ließ er sich immer wieder neue Gerichte aus Resten einfallen. Kalte Bratenstücke verarbeitete er zu Frikadellen mit Soße; aus übrig gebliebenem Kochfleisch, in hauchdünne Scheibchen geschnitten und mit Salzkartoffeln, Zwiebeln und Lorbeer in der Pfanne gewendet, bereitete er köstlich duftende *Greastl*; er gab geriebenen Käse und Béchamelsoße über kalt gewordene *Maccheroni al ragù* und schob das Ganze in den Backofen; Restegemüse und eine Handvoll Schnittlauch ließ er mit Reis in Brühe ziehen und zauberte so ein cremiges Risotto. Aber er selbst setzte sich nicht zum Essen zu ihnen: Ein Chefkoch ließ seine Küche nie allein.

Gerda aß hastig, praktisch im Stehen, drei Bissen auf einmal, und lief dann rasch wieder hinauf. Sie hatte keine Freude am Essen, und das nicht nur, weil einem der Appetit vergehen konnte, wenn man ständig von Nahrungsgerüchen umgeben war. Nein, auch später in Rente, als Kochen nicht mehr ihr Beruf war, aß sie ohne Leidenschaft – diesen Zug übernahm Eva von ihr.

Doch es hatte einen anderen Grund, dass Gerda so rasch ihren Teller leerte: Sie wollte die freie Zeit nutzen, um Herrn Neumann bei der Arbeit zuzuschauen.

Dem Küchenchef war aufgefallen, wie aufmerksam die Neue die Zubereitung der Gerichte in allen Phasen verfolgte. Erklären ließ sie sich nie etwas, doch wenn sie mal, was selten vorkam, ein wenig Zeit hatte, stand sie da und beobachtete mit ihren länglichen hellblauen Augen, was an den verschiedenen Arbeitstischen vor sich ging. Bei den Salaten und Vorspeisen, den Suppen und Nudelgerichten, den süßen Nachspeisen und sogar, welch unglaubliche Dreistigkeit, am Arbeitstisch für die Fleischgänge, dem Königreich von Herrn Neumann. Irgendwann wollte er wissen, ob dieses wohlgeformte Mädchen, dessen Gang für ein ruhiges Zusammenarbeiten in der Küche eigentlich zu aufreizend war, beim Zusehen nur Zeit vertrödelte, die sie besser auf das Spülen von Tellern und Gläsern verwenden sollte, oder ob sie tatsächlich etwas dabei lernte. Und so kam es, dass Herr Neumann, gegen alle Gepflogenheiten, Gerda schon nach einem Jahr zur Hilfsköchin ernannte. Halblaut grummelte Hubert ein paar unmissverständliche Anspielungen auf die wahren Gründe dieser Beförderung, fand aber nicht den Mut, diese auch vor ihr, geschweige denn dem Chef, zu wiederholen.

Die Arbeit als Hilfsköchin war immer noch sehr hart, vor allem im Sommer, wenn es in der Küche verrauchter als sonst und heißer als im tropischen Regenwald war. Allen lief der Schweiß in Strömen übers Gesicht, nicht nur den Übergewichtigen wie Herrn Neumann, sondern auch so schlanken, hageren Typen wie Hubert. Bei diesem Koch, der für die ersten Gänge und die gekochten Beilagen zuständig war, sah man am unteren Ende seiner langen Arme immer eine Art Metallfortsatz, eine Pfanne oder eine Kasserolle, deren Inhalt er beim Schwenken gerne in die Höhe warf, ohne dass er jemals außerhalb des Pfannenrandes gelandet wäre: Penne in Hirschfleischsoße, in Butter sautierte Kartoffeln, in Öl mit Knoblauch und Petersilie geschmorte Pilze. Über sein Gesicht, das zu früh faltig geworden war, rann der Schweiß, und manchmal tropfte er sogar von seinem Kinn. Oft wusste auch Gerda nicht mehr, ob es sich bei dieser Flüssigkeit, in die sie gebadet war, um eigene Ausdünstungen handelte oder um Küchendampf, der auf ihrer Haut kondensierte. Längs der Schläfen, an den Nasenrändern oder hinter den Ohren grub der Schweiß tiefe Rinnen in die Haut, wie es die Wildbäche im Kalkgestein der Dolomiten taten. Jeden Abend nach dem Duschen cremte Gerda die wunden Stellen an Kopf und Hals mit Nivea ein, doch wenn die Saison vorüber war, waren die Stellen offen wie rohes Fleisch. Um das Brennen des Schweißes auf der wunden Haut zu betäuben, gab es nur ein Mittel: rauchen. Bald hatte Gerda wie die anderen in jeder Pause eine Zigarette zwischen den Fingern.

Knetmaschinen, Schneidegeräte, Mixer gab es noch nicht. Was es gab, waren allein die Arme der Küchenhilfen und Hilfsköche. Bis um Mitternacht war Gerda jetzt damit beschäftigt, die Zutaten vorzubereiten, die die Köche am nächsten Tag weiterverarbeiten würden. Sie schälte und zerteilte verschiedenste Gemüse, die dann in den Schubladen unter dem Arbeitstisch für die gekochten Beilagen aufbewahrt wurden, rollte den Teig für die Tagliatelle aus, bereitete die Biskuitböden für die Torten und den Blätterteig für die Spezialität des Hauses zu, den Apfelstrudel, ohne den Ferien in Südtirol undenkbar waren. Jeden Abend galt es zentnerweise Äpfel zu schälen und zu zerkleinern, mit Zitrone zu beträufeln und unter einem feuchten Tuch bereitzustellen, damit der zuständige Konditor sie in der Küche am nächsten Morgen in den Teig geben und backen konnte. Außerdem hatte Gerda abends die länglichen, hellgrünen und purpurn gestreiften Rhabarberstücke mit Zucker vermischt in den bereits erloschenen, aber noch warmen Ofen zu schieben. Am nächsten Morgen waren sie zu Kompott geworden und konnten – mit Sahne, Gelatine und weiterem Zucker gemixt und in Puddingformen erkaltet – serviert werden.

Außerdem musste Gerda die Eier zubereiten. Das Eiweiß für die Baisers schlug sie in großen Kupferschüsseln zu Eischnee, Eigelb verrührte sie mit Zucker und Milch in Keramikschüsseln für den Kuchenteig. Häufig waren mehr als fünfzig Eier aufzuschlagen, und an manchen Abenden war ihr rechter Arm so lahm geworden, dass sie sich zum Aufbinden der Schürze von Elmar helfen lassen musste.

Alle Küchenjungen in den Restaurants und in den großen Hotels der Gegend waren Trinker. Obwohl er erst sechzehn Jahre alt war, bildete Elmar da keine Ausnahme. Doch ohne diese Hilfskräfte wäre der Betrieb in den Küchen nach ein paar Stunden zum Erliegen gekommen. In der Regel waren sie die jüngsten Söhne der ärmsten Bauern und hatten vor der Wahl gestanden, entweder als Knechte auf einem Hof reicherer Bauern vor Kälte oder in einer großen Hotelküche vor Hitze zu sterben. Elmar war die Entscheidung leichtgefallen: Kälte hatte er bereits genug durchlitten, so wie sein Vater auch und sein Großvater und alle Vorfahren gar zu vieler Generationen. Außerdem war ihm alles lieber als die Einsamkeit der Höfe seines Tals, des Val Martello. Da Herr Neumann nun Gerda zur Hilfsköchin befördert hatte, stand dieser Bursche mit dem extrem langen Gesicht und den zu großen Ohren auf der alleruntersten Stufe der Küchenhierarchie. Er war es, der noch die gusseiserne Platte unter dem Grillrost zu reinigen hatte, wenn die anderen schon schliefen.

Bat Gerda ihn nach Feierabend wieder mal, ihr die Schürze aufzubinden, konnte er seine aufgerissenen und mit Brandblasen übersäten Finger kaum ruhig halten, und später dann, auf seiner metallenen Pritsche, hielt ihn die Erinnerung daran, wie nahe er der Vertiefung oberhalb ihres Hinterteils gewesen war, noch stundenlang wach.

»Die feine Küche wird nicht in der Küche gemacht, sondern auf dem Markt und in der Speisekammer«, pflegte Herr Neumann zu sagen. Die Kunst, Lebensmittel auszuwählen, zu lagern und haltbar zu machen, war die Grundlage für alles Weitere. Unter seiner Anleitung lernte Gerda, immer das Beste zu finden und zu verarbeiten.

Fisch wurde freitagmorgens bei Tagesanbruch in mit Eis gefüllten Holzkisten aus Chioggia an der Lagune von Venedig geliefert: *triglie, code di rospo, branzini, vongole, fasolari,* wie Herr Neumann die Meerbarben, Anglerfische, Seebarsche oder Muscheln nannte. Auch bei Obst und Gemüse blieb er bei den italienischen Namen, vor allem bei den Salaten: *radicchio, lattuga, valeriana, rucola, portaluca, crescione* statt Rauke, Kopfsalat, Kresse, Portulak und so weiter. Beim Fleisch hingegen sprach er deutsch, da hieß es: Rinderfilet, Lammrippen, Eisbein. Und auch bei den Kuchen, bei Mohnstrudel und *Rollade,* bei Linzertorte und Spitzbuben. Diese kulinarische Zweisprachigkeit hatte sich eingespielt, wurde vom gesamten Personal übernommen und von niemandem infrage gestellt. Die einzige Ausnahme von der Regel, fast eine unfreiwillige Hommage an italienische und deutsche Vorurteile, waren Kartoffeln, die, obwohl ein Gemüse oder zumindest ein Knollengewächs, niemand italienisch *patate* nannte, die dann aber, wenn sie frittiert wurden, die Südtiroler Volksgruppenspannungen überwanden und als Pommes frites internationalen Status erlangten.

Es gab zwei große Kühlkammern, eine für Milchprodukte und die andere fürs Fleisch. Letztere war tatsächlich so groß wie ein Wohnzimmer, allerdings nicht mit Möbeln, sondern mit Stangen und Haken eingerichtet, an denen Rinderviertel hingen, halbe Kälber und ganze Hühner und Truthähne. Draußen vor der massiven Holztür war ein Kleiderhaken angebracht, an dem zwei dicke Mäntel hingen. Als Herr Neumann Gerda zum ersten Mal zur Gefrierkammer mitnahm, griff er sich einen davon und schlüpfte hinein. Sie blickte ihn fragend an.

»Da drinnen ist es kälter als im Januar auf dem Ortler. Warst du da schon mal?«

Sie schüttelte den Kopf.

»Ich auch nicht. Aber du willst doch nicht so jung sterben. Also zieh dir den Mantel über, bevor du da so verschwitzt hineingehst.«

Als die Sommersaison beendet war, kehrte Gerda für einige Zeit nach Hause zurück. Niemand stellte ihr Fragen. Weder ihr Vater noch ihre Mutter wollten wissen, worin ihre Arbeit bestand, ob sie genug aß und schlief oder wie sie sich mit dem übrigen Personal verstand.

War Hermann nicht mit seinem Laster unterwegs, um Holz zu liefern, verbrachte er seine Zeit am Stammtisch im Wirtshaus und ließ sich dort auf den Arm nehmen von den Gästen, die der Wein gesprächig gemacht hatte, während er nur noch tiefer in Schweigsamkeit versank. Johanna hatte es nicht nur aufgegeben, mit ihrem Mann zu reden, sondern auch, ihm ins Gesicht zu schauen. Als sie es die letzten Male versucht hatte, waren seine Augen so kalt geworden, als habe sie sich eine unverzeihliche Beleidigung erlaubt, und ihr war klar geworden: Als Beleidigung betrachtete er die Zuneigung, die sie sich trotz allem noch für diesen Mann zu empfinden herausnahm, mit dem sie seit dreißig Jahren das Ehebett teilte.

Leni, Peters Frau, hatte ein Kind zur Welt gebracht. An der verschimmelten Wand des feuchten Hauses in Schanghai hing die hölzerne Zielscheibe, auf die sein Name gemalt war, *Ulrich*, durchsiebt von den Schüssen, die Peter und seine Schützenbrüder zur Feier der Taufe darauf abgefeuert hatten. Als sei für ihn die Geburt seines ältesten Sohnes etwas Ähnliches wie eine erfolgreiche Jagd gewesen, hatte er die Scheibe unter seinen Trophäen eingereiht: Köpfe von Hirschen mit ihren verzweigten Geweihen, von Steinböcken, die wie nahe Verwandte von Einhörnern aussahen, ein echter Adler, der mit gespreizten Flügeln an die Wand genagelt war.

Hin und wieder verschwand Peter für einige Tage, ohne seiner Frau oder seinen Eltern Bescheid zu geben, und wenn er heimkehrte, verlor er kein Wort darüber, wo er gewesen war. Und dann kam sich Leni mehr noch als sonst, zusammen mit dem kleinen Ulli, wie eine Geisel in diesem düsteren Haus vor. Als sie eines Nachts wieder allein mit dem Kleinen im Arm in dem Ehebett aus Tannenholz schlief, träumte sie von dem schrecklichen Tag, als sie sich als Kind während eines Gewitters im Wald verirrt hatte. Im Traum schlug ein Blitz nur wenige Meter vor ihren Füßen ein und ließ die Erde erbeben. Da fuhr Leni aus dem Schlaf hoch und schlug die Augen auf. Gerade hatte sich Peter, noch in Kleidern, neben sie aufs Bett geworfen. Seine Haare, seine Haut, die Kleider, alles strömte einen schwefligen Geruch wie von einem Blitzeinschlag aus. Wie immer schaffte es Leni auch jetzt nicht, ihn zu fragen, wo er sich herumgetrieben hatte, denn im nächsten Augenblick war ihr Mann schon eingeschlafen. Dafür war Ulli aufgewacht. Da Leni ihn nicht sogleich wieder beruhigen konnte, blieb ihr nichts anderes übrig, als aufzustehen. Über eine Stunde wanderte sie mit dem weinenden Kind im Arm auf den Holzdielen der mittlerweile kalten Stube hin und her. Irgendwann zog sie, schon steif vor Kälte, den Mantel über, den ihr Mann, bevor er sich aufs Bett warf, auf dem Stuhl abgelegt hatte. Die freie Hand steckte sie in die Tasche, und als sie ihre Finger wieder hervorzog, waren sie mit einem feinen, leicht fettigen, brotpapierfarbenen Pulver überzogen, das nach Schwefel roch. Leni konnte es so genau nicht wissen, aber es war Donarit.

Sie nahm sich fest vor, mit ihm darüber zu reden, doch nicht einmal eine Stunde nachdem Ulli endlich entkräftet eingeschlafen war und sie mit ihm, ging Peter schon wieder aus dem Haus. Deshalb verriet Leni also Johanna von diesem seltsamen Pulver und dem Schwefelgeruch, den das Haar und die Kleider ihres Mannes verströmten. Die Schwiegermutter hörte ihr zu, sagte aber kein Wort. Sie erzählte Leni nicht, wie sie vor vielen Jahren Spuren roter Lackfarbe am Mantel ihres Sohnes entdeckt hatte, und zwar in jener Nacht, als der steinerne »Wastl« von Unbekannten beschmiert worden war. Sie blickte auch nicht zu Leni auf, sondern blieb vor dem Küchenherd knien und fuhr fort, die emaillierten Klappen und stählernen Griffe mit Wasser und Ammoniak zu schrubben. Als Leni erkannte, dass sie keine Antwort erhalten würde, verließ sie, mit Ulli im Arm, Küche und Hof.

Erst in diesem Moment drehte sich Johanna zu der Stelle auf dem Fußboden um, wo gerade noch die Füße ihrer Schwiegertochter gestanden hatten. Da durchfuhr ein jäher Schmerz ihren linken Arm, dessen Hand kurz zuvor noch die Ofenklappe festgehalten hatte, um sie besser wienern zu können. Kalter Schweiß trat ihr auf die Stirn, und eine Übelkeit überkam sie zusammen mit einem Gefühl drohender Gefahr. Nein, sie durfte sich von dem, was die Schwiegertochter ihr gerade erzählte hatte, nicht so erschrecken lassen. Im Grunde war doch nichts passiert, was nicht wiedergutzumachen wäre.

Tatsächlich aber nahm die Katastrophe bereits ihren Lauf, allerdings im Innern ihres Körpers, im Hin-und-her-Strömen von arteriellem und venösem Blut, das seit ihrer Geburt mit leisem, regelmäßigem Schwappen Organe und Gewebe versorgte. Schon seit einiger Zeit war ihre linke Kranzader, ohne dass sie davon wissen konnte, teilweise verstopft, sodass der ungehinderte Blutfluss zur vorderen Herzscheidewand gestört war. Johanna war sich dessen nicht bewusst, aber wie sie da so auf dem mit Spülwasser besprenkelten Holzboden kniete, erlitt sie einen leichten Herzinfarkt.

Nach den Monaten in der Großküche mit ihrem Lärm, der Hitze und all den Gerüchen kam Gerda, wenn sie wieder daheim war, das Schweigen im Haus ihrer Eltern so verhärtet wie der getrocknete Schlamm nach einer Überschwemmung vor. Jedes nicht unbedingt notwendige Wort, jeder Ausruf, jede Bemerkung, jede Frage, jedes Adverb und Adjektiv wurden darunter begraben. Geblieben waren nur Verben in Imperativform (nimm, bring, geh, wasch, iss) oder Bezeichnungen für bestimmte Dinge: *Tello* für den Teller, der anzureichen war, um die Suppe hineinzugeben; *Foiozoig* für die abendliche Pfeife des Vaters; *Holz*, das neben dem Küchenherd aufgestapelt werden musste. Diese verbliebenen Wörter ragten so aus der Stille hervor wie manche Dinge nach einem Erdrutsch, der ein ganzes Dorf unter sich begraben hat, aus der Schlammschicht hervorschauen, alltägliche Gegenstände jenes Lebens, das gerade fortgerissen wurde: eine Stuhllehne, ein Topf ohne Henkel, ein Schuh.

Als er Gerda zum ersten Mal ansprach, sagte Hannes:
»Wo warschn bis iatz?«
Wo sie bis jetzt gesteckt habe, wie das sein könne, dass er sie bis dahin noch nie irgendwo in den Straßen ihres Städtchens getroffen habe. Sie erzählte ihm, dass sie seit nunmehr einem Jahr die meiste Zeit in Meran verbringe und dort in einer Küche arbeite. Während sie redete, entdeckte Gerda in Hannes'

Augen jenen Ausdruck wehrloser Verblüffung, den auch der Blick ihres Vaters damals gezeigt hatte, als er sie mit *Mamme* ansprach.

Und als sie es sah, wurde ihr plötzlich klar: Das war es, worauf sie unbewusst seit Jahren gewartet hatte.

Die Seilbahn, die viele Dutzend Skifahrer auf den Berg hinaufbringen und der Kleinstadt und ihren Bewohnern die Pforten des Wohlstands öffnen würde, war mittlerweile vom Konsortium fertiggestellt worden. Der Wald, der den Nordhang des Berges bedeckte, jenen Hang, den Paul Staggls Vorfahren verflucht hatten, weil er so steil war und im Schatten lag, dieser Wald mit seinen Lärchen, Zirbelkiefern und Rottannen war zur Hälfte verschwunden. Nun überzogen den Nordhang die geschwungenen Bänder der Skipisten sowie die fast gerade Linie, welche die Masten der neuen Anlage bildeten. In wenigen Wochen sollte die Einweihung stattfinden. Das Rot der Gondel für dreißig Passagiere würde sich vor dem Blau des Himmels abzeichnen. Und wenn sie an ihrem robusten Stahlseil über die Köpfe der Gästeschar schwebte – der Musikkapelle, der gesamten Bürgerschaft, des Bürgermeisters, vor allem aber über Paul Staggls, des visionären Unternehmers, dem die Realisierung des Projekts zu verdanken war –, dann würden alle begreifen, welch strahlende Zukunft das Tal vor sich hatte.

Vor der Einweihung standen nur noch die letzten Sicherheitsüberprüfungen an sowie eine Erste-Hilfe-Übung für den Fall, dass der Strom einmal ausfallen sollte. Hannes überredete die Arbeiter seines Vaters, ihnen beiden, Gerda und ihm, die Rollen der Testopfer eines vermeintlichen Zwischenfalls zu überlassen: Sie waren also zwei Skitouristen, die wegen eines plötzlichen Abfalls der Stromspannung in der Kabine festsaßen und darauf warteten, dass die Arbeiter sie befreiten.

Als Gerda an der Talstation der Seilbahn eintraf, hatte sie das Gefühl, eine Anlage zu betreten, die eher für Riesen als für Menschen konzipiert war. Die unter der Decke angebrachten gewaltigen Räder transportierten ein faustdickes Stahlseil, an dem die rote Gondel wie ein mit einer riesigen schwarzen Klammer an einer Wäscheleine befestigtes Tuch hing. Als sie den Pfeiler umkurvt hatte und sich ihr mit geöffneter Tür näherte, kam sie Gerda eher wie ein klobiger Autobus als ein zum Schweben geeignetes Gefährt vor, lächerlich und beängstigend zugleich. Hannes bemerkte ihr Zögern. Er hielt ihren Arm und half ihr hinein. Die Türen schlossen sich hinter ihnen, die gewaltigen Räder drehten sich wieder mit einem lauten Rauschen wie aus einem Hochofen, die Gondel zog an, hob vom Boden ab und schwebte davon.

Mit einem Male war es still geworden. Mehr als der wachsende Abstand zwischen dem Erdboden und ihren Füßen, mehr als die Baumkronen, die sie zum ersten Mal von oben sah, mehr als die Gletscher und Gipfel, die sich in der Ferne am Horizont abzeichneten, war es diese Stille, unterbrochen nur von gelegentlichen schwachen Windböen, die Gerdas Herz bis zum Hals pochen ließ. Es war nicht die Stille der Almweiden ihrer Kindheit in den wind- und mondlosen Nächten, wenn sie mit Michl, Simon und dem kleinen Wastl im Heu lag und Gruselgeschichten erzählt wurden. Denn damals war durch die Ritzen zwischen den Brettern der Berghütte der Widerhall eines unendlichen, umhüllenden Raumes zu spüren gewesen, zu dem sowohl sie, die vier Kinder, als auch der Sternenhimmel gehörten, die Rufe der Nachtvögel und das Grummeln der Berge. Es war eine Stille, die vom Klang unzähliger Dinge erfüllt war, die nichts und niemanden ausschloss. Hier hingegen trennten die Glasfenster der Gondel Gerda und Hannes von den Geräuschen der Welt, hielten sie fern: das Rauschen in den höchsten Tannenwipfeln, das Krächzen der Raben, die neben dem Seil herflogen, neugierig gemacht durch dieses eigenartige schwebende Ding, die Stimmen der Menschen in den mittlerweile nur noch winzigen Häusern unter ihnen. Wenn das Seil über die kleinen Rollen der Masten streifte, erzeugte es ein kurzes metallisches Kreischen, das die Stille danach nur noch auffälliger machte, eine Stille, die nur für sie beide gemacht schien. Gerda wandte Hannes den Blick zu. Und er schien auf diesen Moment gewartet zu haben, beugte sich zu ihr vor und küsste sie.

In diesem Augenblick blieb die Gondel plötzlich stehen und begann hin und her zu schaukeln. Doch Gerda erschrak nicht. Dieses Schaukeln über dem Abgrund, das alle in solch einer Kabine festsitzenden Touristen hätte zusammenfahren lassen, das ihnen Entsetzensschreie entlockt, Ohnmachtsanfälle und eine Massenpanik provoziert hätte, war für sie wie ein Zeichen: Es war der Moment, da sie den ersten Kuss ihres Lebens erleben sollte, mit Hannes. Das stand festgeschrieben, das war Schicksal. Das war es, worauf sie immer gewartet hatte. Und jetzt endlich wusste sie es.

Als Gerda einige Wochen später zur Wintersaison ins Hotel zurückkehrte, ließ sie sich von Nina die Karten legen. Sie wollte hören, dass Hannes sie liebte und jeden Augenblick an sie dachte, so wie sie an ihn. Sie wollte, dass die Kollegin von Liebe reden und sie selbst Gelegenheit erhalten würde, seinen Namen laut auszusprechen: Hannes!

Nina hatte ein lang gezogenes Gesicht mit dunklen Augen und einen schönen, aufrichtig wirkenden Mund, in dem ein paar Zähne fehlten. Ohne zu lächeln, schaute sie Gerda an.

»Er ist reich, nicht wahr?« Es klang, als wolle sie sich einen erkannten Defekt bestätigen lassen.

»*Isch mir wurst*«, antwortete Gerda. Ja, das war ihr wirklich egal, denn aufs Geld kam es doch nicht an, sondern auf die Liebe. Nina schüttelte skeptisch den Kopf. Sie legte sieben *Watten*-Karten verdeckt auf dem Tisch aus.

»Dreh eine um. Ohne zu überlegen.«

Gerda zauderte nicht und deckte die erste Karte links auf. »Eichel-Sieben.«

Nina betrachtete die Karte mit der betrübten Genugtuung eines Menschen, der das Schlimmste, das gerade eingetreten ist, schon lange vorhergesehen hat. Sie schaute zu Gerda auf und sagte:

»Du bist schwanger. Und dass der dich heiratet, kannst du vergessen.«

Im Zug Fortezza–Bolzano sitzen mir zwei vielleicht sechzehn-jährige Mädchen gegenüber, die eine blond, die andere dunkel-haarig. Sie sehen aus wie diese kurvenreichen Assistentinnen aus dem italienischen Fernsehen, die gern paarweise und halb nackt auftreten, in Sendungen, die meine Mutter angeblich nicht kennt, weil sie immer nur ORF, den österreichischen, schaue. In Wahrheit lässt sie sich stundenlang von diesen Shows berieseln. Die beiden Fahrgäste mir gegenüber treten im Zwillingslook auf: dunkle Jacken mit grauen Fellkragen, schwarze, extrem tief sit-zende Hosen, die in schwarzen Stiefeln stecken. Wie uniformiert wirken sie. In Brixen steigen sie aus, dort liegt das Max, die größte Diskothek der Gegend. Karsamstag hin oder her, die Mäd-chen wollen tanzen.

Früher waren die Südtiroler Diskotheken – sofern es über-haupt welche gab – am Karsamstag immer geschlossen. Früher gab es im Max auch keine ›gay night‹ an jedem dritten Donners-tag im Monat. Schon gar nicht hätte ein Südtiroler Hotelier sein Haus im Prospekt als ›gay friendly‹ angepriesen (allerdings nur in den englisch gedruckten für die angelsächsische Kundschaft, aber nicht in den deutschen oder italienischen). Früher wurden natürlich auch nicht neben dem Schneebericht und den Öff-nungszeiten der Apotheken im Internet jene Orte genannt, die für die homosexuelle Kontaktaufnahme infrage kommen (in meinem Städtchen sind das die Toilette des Busbahnhofs und der Park am Fluss).

In meiner Heimat war früher vieles anders. Ulli könnte es bezeugen.

Am Bozener Bahnhof muss ich wieder warten, der Liegewagen nach Rom fährt um Mitternacht. An einem Stand bestelle ich mir einen Espresso. Der Mann hinter der Bar ist freundlich und spricht so gut Italienisch wie Deutsch, mit ausgeprägtem Bozener Akzent, doch Gesicht, Hautfarbe und Gesten sind eindeutig maghrebinisch.

Wo wird er bei der Volkszählung wohl sein Kreuzchen gemacht haben? Auf dem Formblatt ›*Sprachgruppenzugehörigkeitserklärung*‹, jenem Ungetüm aus Silben und Konsonanten, das sogar Herrn Song verschreckt hat.

Es ist bald Mitternacht, endlich. Ich spaziere zum Bahnsteig hinüber, wo der Zug bereits wartet. In der Ferne, jenseits der Güterwaggons auf den Abstellgleisen, jenseits der Hochspannungsleitungen, jenseits der Dächer und des Eingangs zum Val d'Isarco, dem Eisacktal, erkenne ich, vom Mondlicht erhellt, die Gipfel des Rosengartenmassivs, auf Italienisch Catinaccio, von *catenaccio,* »Sperrkette«. Das sind nicht nur zwei verschiedene Namen, sondern zwei gegensätzliche Arten, die Natur aufzufassen. Während über Lautsprecher die ankommenden und abfahrenden Züge angekündigt werden, scheinen die fernen und blassen Felsnadeln aus Dolomitgestein einer anderen Zeit anzugehören: märchenhaft und unerreichbar.

Der neapolitanische Liegewagenschaffner ist ungefähr dreißig, etwas übergewichtig und trägt keinen Ehering: Offenbar werden für die Feiertagsschichten Junggesellen eingeteilt. Er nimmt meine Fahrkarte entgegen.

»Die behalte ich und gebe sie Euch morgen wieder. Dann werde nur ich geweckt, wenn der Kontrolleur kommt, und Ihr nicht.«

Gut, er ist nur um meinen Schlaf besorgt, aber einen Augenblick lang fühle ich mich ihm ausgeliefert, so ohne Fahrkarte.

»Ihr seid ganz allein in dem Waggon«, fügt er freimütig hinzu. Und er spricht mich tatsächlich mit ›Ihr‹ an.

Aber es stimmt tatsächlich, ich bin ganz allein. Die Türen der anderen Abteile sind verriegelt. Schließlich haben wir Karsamstag, wer zu Ostern Verwandte besucht, befindet sich längst bei ihnen, und wer zwei Wochen Urlaub genommen hat, ist schon irgendwo im Süden am Meer. Normalerweise wäre ich jetzt ja auch bei meiner Mutter, aber ich fahre zu Vito. Ich habe also das Abteil ganz für mich allein. Das Licht ist eingeschaltet, und ordentlich zusammengefaltet erwartet mich die Wolldecke mit dem Relief-Logo der *Ferrovie dello Stato*, ein Handtuch und ein Paar Frotteepantoffeln. Mit einem Quietschen hat sich der Zug in Bewegung gesetzt.

»Möchtet Ihr einen guten Espresso nach dem Aufwachen?«

Der Schlafwagenschaffner klopft noch ein paarmal, immer mit einem neuen Anliegen. Nach dem Kaffee ist er um meine Sicherheit besorgt. Er will sich vergewissern, dass ich von innen richtig abgeschlossen habe, und bringt mir bei, wie sich die Leiter für die oberen Liegen als Diebstahlsicherung nutzen lässt, indem man sie mit der Klinke so verhakt, dass sie krachend umfällt, wenn jemand versuchen sollte einzutreten. Dann verlangt er, dass ich sie selbst so anbringe, wie er es mir gezeigt hat, um mir zu beweisen, dass die Leiter, wenn er von außen an der Klinke rüttelt (das tut er), ein furchtbares Getöse verursacht (was stimmt), von dem ich aufwachen würde (was wohl auch stimmt, aber nur, falls ich überhaupt einschlafen kann, denke ich skeptisch). Noch einmal schärft er mir ein:

»Außer uns beiden ist niemand im Waggon.«

Er entfernt sich zu seinem Abteil ein Stück den Gang hinunter. Aber immer noch hat er etwas auf dem Herzen und ruft:

»Was ist, sollen wir die Heizung runterdrehen?!«

Vom »Ihr« ist er unvermittelt zum »Wir« übergewechselt.

Tatsächlich ist es zu warm, ich spüre schon einen trockenen Hals.

»Ja, gut ...!«, rufe ich ebenfalls sehr laut, sonst würde er mich nicht verstehen. Zwischen seinem Abteil und dem meinen liegen mindestens weitere vier.

»Dann drehe ich sie aber morgen früh wieder auf, bevor es hell wird, um die Zeit wird es kalt ...!«, brüllt er zurück.

»In Ordnung ...«

So verständigen wir uns lautstark von Abteil zu Abteil, eine sehr intime, vertrauliche Situation wie bei einem alten Ehepaar, das sich zwischen zwei Zimmern seines Heims etwas zuruft. (Ich kenne das von meiner Mutter, wenn sie bei mir zu Besuch ist. In der Küche kocht sie und hält mir dabei schreiend einen langen Vortrag, über Ruthi zum Beispiel, während ich vielleicht am Telefon einem Kunden Rede und Antwort stehe. Ich habe ihr nie zu sagen gewagt, wie sehr mir das auf die Nerven geht.) Aber immerhin, würde Carlo sagen, hat sich der fürsorgliche Schlafwagenschaffner nicht aufgefordert gefühlt, mir etwas von einer unglücklichen Ehe zu erzählen. Vielleicht, weil er Junggeselle ist, auch wenn ich zwischendurch schon mal gedacht habe, dass er für die Nachtschicht vielleicht seinen Trauring abnimmt, man weiß ja nie, es könnte ja eine Signora im Waggon »ganz allein« sein ... Aber wahrscheinlich ist er jetzt nur einfach müde.

Mit dem Gesicht zum Fenster strecke ich mich auf der Liege aus. Es ist fast schon eins, ich lösche das Licht. Nur wenn sich der Zug in den Kurven neigt, sehe ich die Straßenlaternen draußen. Ansonsten erkenne ich nur ihren rötlichen Widerschein an den blassen Felswänden des Etschtals, die dadurch ein eigenes diffuses Licht abzugeben scheinen.

FROHES AUFERSTEHUNGSFEST!
HERZLICHE GLÜCKWÜNSCHE, DOCH NUR DEN SCHÖNSTEN!
ALLES GUTE, LIEBE FREUNDIN
HAPPY EASTER!

Es ist tiefe Nacht, doch nicht alle meine Freunde führen ein Leben, in dem die Tageszeit so eine große Rolle spielt; außerdem wohnen manche auch in anderen Zeitzonen. So erhalte ich laufend SMS mit Ostergrüßen: unchristlich oder fromm, ironisch oder liebevoll. Das Display des Handys in meiner Hand leuchtet jedes Mal auf, und einige Sekunden lang erscheint dann, von seinem bläulichen Licht erhellt, mein Spiegelbild auf der Fensterscheibe.

FROHE OSTERN, MEINE LIEBE.

Carlo. Ich lasse den Finger auf der Taste, sodass das Display nicht erlischt. Mein etwas gespenstisch wirkendes Spiegelbild schiebt sich vor die nächtliche Landschaft, die draußen vorbeirast, vor die schwach leuchtenden Felswände, vor das sternengetüpfelte Dunkel. Auch über Kirchen huscht mein Gesicht und über Burgen, von denen es in unserer Gegend so viele gibt, jede ein Kleinod von historischer oder kunsthistorischer Bedeutung, deren Namen ich aber kaum kenne (es sei denn, ich habe dort einmal eine meiner mondänen Veranstaltungen organisiert).

Plötzlich das Licht und der Lärm eines Tunnels: Wir unterqueren den letzten Ausläufer der Voralpen und lassen das Etschtal hinter uns.

In wenigen Minuten werden wir die Poebene erreicht haben. *Aussi.* Gleich bin ich draußen.

Paul Staggl war ein Unternehmer, dem viel daran lag, am Puls
der Zeit zu sein. Er las die *Dolomiten*, aber auch die *Süddeutsche
Zeitung* und den *Corriere della Sera*. Wenn von seiner Heimat
die Rede war, ging es meistens um die »Südtiroler Frage«, um
»Attentate« und »Bomben«, und das gefiel ihm nicht. Es war ge-
schäftsschädigend, dass man in Italien immer nur in diesem
denkbar schlechten Zusammenhang von Südtirol hörte. Und seine
Sorgen wuchsen noch durch den Umstand, dass der Winter zu
warm war dieses Jahr: schon Ende Dezember und kaum Schnee.
Ausgerechnet jetzt, da die neue Seilbahn eingeweiht war, waren
die Hänge noch übersät mit Steinen und trostlos braunen Flecken. Schon seit einiger Zeit dachte Paul über die Möglichkeit
nach, die Schneeauflage der Pisten von der Wetterlage unabhängig zu machen. Er hatte gelesen, dass man in der Schweiz an der
Herstellung von Kunstschnee arbeitete, aber noch handelte es
sich um primitive Verfahren mit enttäuschenden Resultaten.
Doch Pauls Vertrauen in den technischen Fortschritt war fast so
groß wie sein Selbstvertrauen. Bisher war das Projekt im Ent-
wicklungsstadium, aber dass ihm die Zukunft gehören würde,
daran zweifelte er nicht.

Paul war stets gut informiert – auch über das Mädchen, mit
dem dieser Trottel von seinem Sohn etwas angefangen hatte,
wusste er Bescheid. Die Beschäftigten der Seilbahn hatten ihm
Bericht erstattet. Nun war aber Gerdas Vater der letzte Mensch
im ganzen Tal, mit dem Paul verwandt sein wollte. Nicht, weil
Hermann ein Rückkehrer war und in Schanghai wohnte, und
ebenso wenig, weil ihn sein äußerst schwieriger Charakter jetzt

bereits, mit noch nicht einmal sechzig Jahren, zu einem komischen Kauz gemacht hatte. Solche Leute gab es schließlich überall in den kleinen Städten in der Provinz. Hermann war nun mal ein schroffer, schweigsamer Mann, dem kein Lächeln zu entlocken war, selbst wenn man ihn dafür bezahlt hätte. Einmal hatte ihm tatsächlich ein Witzbold am Stammtisch im Wirtshaus, einer Wette wegen, einen ordentlichen Betrag geboten, wenn er nur einmal die Mundwinkel heben würde, und keiner der Anwesenden vermochte zu sagen, ob Hermann sich durch dieses Angebot gekränkt fühlte oder nicht: Sein finsterer, von Weltverachtung erfüllter Gesichtsausdruck blieb so, wie er immer war. Nein, für Paul bestand Hermanns Schuld lediglich darin, sein Klassenkamerad gewesen zu sein, in jener Zeit, als der Besitz von Grund und Boden an steilen Nordhängen noch nicht gleichbedeutend mit Skipisten und Touristen war, mit Zugseilvorrichtungen und Reichtum, sondern mit bitterer Armut.

So beschloss Paul, dass es an der Zeit sei, sich um die berufliche Weiterbildung seines Sohnes zu kümmern. Er schickte ihn auf eine lange Studienreise, ins Engadin, nach Kärnten, Bayern und sogar Colorado, denn plötzlich war es dringend notwendig, dass er sich mit den Geschäftsmodellen der renommiertesten Skigebiete der Welt vertraut machte. Wie Hannes selbst dazu stand, erfuhr Gerda nie. Als sie vom Hotel aus bei ihm anrief, um ihm von der Schwangerschaft zu erzählen, war er bereits abgereist. Die höfliche Stimme seines Vaters riet ihr, es in sechs Monaten noch einmal zu versuchen.

Einige Tage verharrte Gerda in einem Zustand bloßen Erstaunens. Man hätte nicht sagen können, dass sie ihre Arbeit vernachlässigte. Sie wusch, zerteilte, schnitt, klopfte, rieb, knetete, rührte, schlug auf, hackte – alles wie immer. Und sie arbeitete auch nicht weniger gewissenhaft als sonst. Sie ließ keine Soßen anbrennen, keine Pasta verkochen, schnitt kein Gemüse *julienne* statt *brunoise* oder umgekehrt. Auch ihren Arbeitsplatz hinterließ sie abends stets ordentlich und sauber, was man von ihren männlichen Kollegen nicht behaupten konnte. Sie war überzeugt: Wenn sie es einfach nicht zur Kenntnis nahm, würde es wieder verschwinden, ohne große Spuren zu hinterlassen, so wie auch höchstens eine winzige Narbe zurückblieb, wenn man sich mit einem Spritzer Öl verbrannte und den Schmerz ignorierte. Sie glaubte weiter fest an eine Zukunft mit Hannes, aber das verlangte solch eine Konzentration, dass sie alle überflüssigen geistigen Aktivitäten unterlassen musste: mit den anderen Hilfsköchen zu reden, zu grüßen, auf nicht dringliche Aufforderungen einzugehen.

Und während sie intensiv, ja wild entschlossen diese Überzeugung nährte, schwollen ihre ohnehin schon vollen Brüste unter der Schürze täglich weiter an. Als habe sie es nicht mit einer, sondern gleich zwei Schwangerschaften zu tun, und das auch nicht im Bauch, denn der war weiterhin völlig flach, sondern in ihrem Busen.

Mehrmals am Tag, meistens morgens, musste sie in die Toilette fürs Personal rennen und sich übergeben. Mit bläulichen Ringen unter den Augen, die Lippen blass, die Wangen noch nass von dem eiskalten Wasser, das sie sich ins Gesicht geschaufelt hatte, kehrte sie in die Küche zurück und nahm mit bemüht sachlichem Blick die Arbeit wieder auf. Ihr Schweigen verbot den Küchenjungen, Köchen und Kellnern jede Bemerkung, jeden indiskreten Blick. Doch obwohl sie so voller Selbstdisziplin und Entschlossenheit die Wirklichkeit verleugnete, rief weder Hannes an, um ihr zu sagen, dass er sie liebe und bald heiraten werde, noch verschwand ihre Schwangerschaft. Und Gerda begriff: Die Gewissheit zu kultivieren, dass sie vorübergehen würde, reichte nicht mehr aus.

An einem Abend nach Schichtende, als auch der Küchenjunge Elmar schon schlafen gegangen war und sich die Hotelgäste auf der Terrasse den letzten Drink des Tages gönnten, ging Gerda von der leeren Küche zur Speisekammer hinüber. Wohldurchdacht gestapelt, damit es keine Druckstellen gab, standen da die Kisten mit dem Spargel aus Rovigo, dem Radicchio aus Treviso und dem Kopfsalat von den heimischen Bauern. Doch dafür interessierte Gerda sich jetzt nicht. Stattdessen nahm sie sich einen Bund aus der für die Gewürzkräuter reservierten Ecke, aber weder Schnittlauch noch Salbei oder Majoran, dann noch eins und wieder eins, und trug das ganze Grünzeug auf beiden Armen zur Küche hinüber. Dort legte sie es auf dem großen Schneidbrett ab und begann zu essen. Ihre Lippen wurden grün, und bald schon steckten überall Blättchen zwischen ihren Zähnen, aber sie hörte nicht auf, einen Stängel nach dem anderen aus dem Bund zu reißen, sich in den Mund zu stopfen und darauf herumzukauen wie die Kühe, die sie in jenen so lange zurückliegenden glücklichen Sommern gehütet hatte. Ein Rand hatte sich um ihren Mund gebildet, und sie wischte mit dem Handgelenk darüber – es war die gleiche Geste, mit der ihr Vater Hermann sich als Junge die Milchreste von der Oberlippe gewischt hatte, nur dass ihr Schnurrbart nicht elfenbeinfarben, sondern grün aussah wie die Blättchen, die sie, Stängel um Stängel, Bund um Bund, kaute und hinunterschluckte.

Irgendwann betrat Elmar die Küche, um sich, wie so oft, noch einen Schluck von dem Brandy oder Marsala oder einem der anderen Liköre auf dem Regal mit den Gewürzen und Gewürzsoßen zu genehmigen. Zunächst schuldbewusst, dann verwundert starrte er sie an mit seinem Gesicht, so lang und violett wie eine Aubergine.

»*Wos tuaschn?*«

»Ich mache grüne Soße«, antwortete Gerda mit ihrem in der Tat grünen Mund, ohne die Augen niederzuschlagen angesichts dieser absurden Lüge. Schließlich war es wie immer Elmar, der den Blick senkte.

In der Nacht, auf ihrer Pritsche in dem großen Raum unter dem Dach, in dem sie mit den anderen weiblichen Angestellten schlief, presste Gerda die Hand auf den entsetzlich schmerzenden Bauch. Sie hatte Fieber, Durchfall und Brechreiz, dann auch einige Krämpfe im Unterleib, die große Hoffnungen weckten. Aber mehr passierte nicht.

Die Petersilie hatte nicht funktioniert, und so versuchte es Gerda als Nächstes mit der steilen Treppe aus Zirbelkiefernholz. Sie führte hinauf zu ihrem Schlafsaal unter dem Dach, dem einzigen Bereich des Hotels, der nicht saniert, sondern unverändert geblieben war seit der Zeit, als die Gegend noch der Südzipfel des österreichisch-ungarischen Kaiserreichs war und die gut situierten Wiener Bürger hier den Winter verbrachten.

Damit der Aufprall nicht abgefedert wurde, zog Gerda die Beine an, stieß sich mit den Ellbogen ab und stürzte sich die Treppe hinunter. Auf jeder Stufe schlug sie hart auf, fünfzehnmal insgesamt, Schläge gegen das Becken, die willkommen waren, aber auch gegen Rippen und Schultern, die nur schmerzten und nichts brachten. Unten angekommen, gerieten ihr einen Augenblick lang Hell und Dunkel durcheinander; schwarz und klebrig wie Pech war plötzlich das Licht, das durch das schmale Fenster einfiel, während die Schatten unnatürlich leuchteten. Dann rappelte sie sich hoch und schleppte sich taumelnd wieder hinauf.

Grau geworden durch die Zeit war das Zirbelkiefernholz der fünfzehn schmalen Stufen und in der Mitte leicht ausgehöhlt durch unzählige Füße, die dort über Jahrhunderte hinauf- und hinuntergelaufen waren. Die Maserungen, die das Holz durchzogen, bildeten Kämme und Senken, und die dunklen, länglichen Spiralen der Astlöcher sahen wie Miniaturgalaxien aus. Doch Gerda hatte keinen Blick für die Schönheit dieses uralten Holzes, stieg nur immer wieder bis zur letzten Stufe hinauf, setzte sich und stürzte sich hinunter.

Fünf-, zehn-, vielleicht auch zwanzigmal, sie wusste es nicht mehr, rumpelte Gerda die Stufen hinab. Irgendwann zählte sie nicht mehr mit. Von ihrem Steißbein in Schwingung versetzt, gab das alte Holz einen schönen, vollen Ton von sich wie ein Xylophon mit ihr als Klöppel. Irgendwann hatte sie das Gefühl, immer so weitermachen zu können, ihr ganzes Leben lang: die Stufen hinunterhoppeln, mit neuen Blutergüssen wieder hinaufsteigen und dieses hölzerne, rhythmische Trommeln zu erzeugen, wütend und mutwillig, aber auch dumpf und gedankenlos, unkompliziert, fast freundschaftlich vertraut. Wenn sie dann unten vor der letzten Stufe lag, reglos, die Glieder wie eine schlaffe Puppe von sich gestreckt, pulsierten phosphoreszierende Schatten vor ihren geschlossenen Lidern und schienen alles Licht zu verschlucken. Einen Moment wartete sie und kroch dann auf allen vieren wieder hinauf.

Eva, das Klümpchen in ihrem Bauch, erreichten die Schläge lediglich gedämpft. Nur außerhalb hatten die Dinge Grenzen, die aneinanderstoßen, aufeinanderprallen, gegeneinanderschlagen, sich verletzen konnten. Sie war geschützt, für sie waren die Schläge nicht mehr als kleine Wellen auf dem grenzenlosen Ozean, der sie barg.

Schließlich lag Gerda fast bewusstlos am Fuße der Treppe. Sie hob den Blick. Jenseits des schmalen Speicherfensters trieben die Wolken rasch über die Berge, unerreichbar, unaufhörlich, ungerührt. Lange beobachtete sie die Formationen, ohne sie scharf wahrnehmen zu können. Gegen den Strich streichelten die dunklen Schatten der Zirruswolken die bewaldeten Hänge und das Gras der Almweiden, kraulten den nackten Fels der Schluchten und Gipfel, und ihr war, als könne sie das sanfte Rauschen dieser allumfassenden zärtlichen Berührung hören. Sie wusste nicht mehr, wie lange sie dort lag, der Körper ein einziger Schmerz, ihr Kopf leer. Irgendwann stand sie langsam auf und schleppte sich, mit einer Hand an der Wand, den engen Flur entlang, der zu den Schlafsälen der Angestellten führte.

Sie hatte versagt.

Evas Augen waren nur zwei Kugeln, riesengroß im Vergleich zum übrigen Körper, und hatten weder Wimpern noch Lider, die sich hätten schließen können. Dennoch schlief Eva weiter ihren Fötusschlaf, den Schlaf von Geschöpf und Schöpfer zugleich, den Schlaf eines Gottes, der vom Beginn der Zeit träumt. Ihrer eigenen.

Eine Viertelstunde zu Fuß von meiner Wohnung entfernt, über einen kurzen, steilen Pfad, der vom mittelalterlichen Zentrum des Städtchens hinaufführt, erreicht man ein weites Hochplateau, auf dem Mais und Kartoffeln angebaut werden. Inmitten der Felder steht dort eine kleine Kapelle. Von hier aus betrachtet, treten die Hänge unseres Tales auseinander, der Himmel weitet sich. Die Bank vor der Schmalseite der kleinen Kirche ist ein beliebter Platz, wo die Menschen den Sonnenuntergang und den Blick auf die Gletscher genießen.

Als ich noch klein war, spazierte auch meine Mutter, wenn sie mich besuchte, mit mir hinauf zu dieser Bank. Ich wagte es nicht, ihr zu sagen, dass ich die kostbare Zeit mit ihr lieber anders verbracht hätte, etwa bei dem Weiher jenseits der Felder, wo wir die gefräßig schnappenden Gänse mit trockenen Brotstückchen gefüttert hätten, oder zwischen den Hecken längs des Pfades, um dort Himbeeren zu pflücken, massenweise Himbeeren, bis Hände und Gesicht rot beschmiert gewesen wären, genug, um auch noch ein volles Glas mit nach Hause zu nehmen. Nein, ich verlor kein Wort über solche Wünsche, sondern stapfte brav, mich an ihrer Hand festhaltend, auf meinen kurzen Beinen hinter ihr her. Manchmal spürte ich, wie zerstreut sie meine Hand hielt, und wusste, dass sie in Gedanken nicht bei mir war – aber immerhin spürte ich sie, diese Hand meiner Mutter, die meine Finger umschloss.

Erst vor einigen Monaten, nach der Rückkehr von einem Wochenende in Paris, ist mir richtig klar geworden, wohin sie mich da immer geführt hat. Unzählige Male habe ich, auch als erwachsene Frau, auf dieser Bank gesessen und den Blick schweifen lassen, habe die Kapelle betreten und mir das Fresko angeschaut, das die kleine Apsis ziert. Dort sieht man Maria, die, den Blick ins Leere gerichtet, mit dem Fuß ausholt und im Begriff ist, ein Hündchen zu treten, das sich auf die Hinterbeine gestellt hat, um sie freudig zu begrüßen. Das Schild, das der Fremdenverkehrsverein schon vor ein paar Jahren vor der Kapelle aufstellen ließ, beachtete ich nie. Aus irgendeinem Grund aber las ich es an jenem Tag. Und da wurde mir klar, dass meine Mutter sie schon immer gekannt haben musste, die Geschichte dieser Kapelle, so wie sie seit Kindertagen auch diese andere Geschichte kannte, von der bärtigen Heiligen, die in der Kirche bei den Höfen, wo ich aufgewachsen bin, dargestellt ist.

Errichtet wurde die Kapelle von einem Adligen aus der Gegend, der als junger Mann ein ausschweifendes Leben führte. Nachdem er geheiratet und zu einem ehrbaren Leben zurückgefunden hatte, erhielt er eine nachträgliche Bestrafung durch die Geburt eines Sohnes mit dem Körper eines Hundes (das Schild stellt den direkten Zusammenhang zwischen dem früheren Lotterleben und der Zeugung dieser Missgeburt als Tatsache dar: »Und deshalb wurde ihm ein Ungeheuer geboren ...«). Da legte der Edelmann ein Gelübde ab und versprach der Jungfrau Maria, ihr zu Ehren eine Kapelle zu erbauen, wenn sie ihm die Gnade erweise, sein Kind sterben zu lassen. Wie sich aus der Darstellung des armen Hündchens und einer Madonna, die es durch einen Fußtritt vertreibt, schließen lässt, wurden die Gebete des unglücklichen Vaters erhört. In der Tat heißt es in einer Inschrift auf Hochdeutsch über dem Altar: ZUM LOBE GOTTES UND CHRISTLICHEN EINGEDENKENS WURDE DIESE KAPELLE ERRICHTET, AD 1682. Als ich das las, dachte ich: Nein, meine Mutter hätte das niemals getan. Auch wenn sie das Geld besessen hätte, um der Madonna eine ganze Kapelle zu stiften, hätte sie niemals gebetet, dass ich sterben möge.

Meine Mutter hat mir nie gesagt, dass meine Geburt ihr Leben über den Haufen geworfen hat. Ganz im Gegenteil. Als ich noch ein Kind war, klammerte sie sich an mich wie an ein winziges Floß im offenen Meer. Und darauf war ich stolz und wünschte mir, dass es mir gelingen möge, sie in Sicherheit zu bringen, hinaus aus den Stürmen ihres Lebens. Aber gerettet habe ich niemanden, weder sie noch mich.

Als junge erwachsene Frau habe ich versucht, meiner Unfähigkeit, sie glücklich zu machen, zu entfliehen. Ich erinnere mich, dass ich genau an dem Tag, als Ulli beerdigt wurde, beschloss, für immer fortzugehen, unsere leuchtenden Berge hinter mir zu lassen, die nach Heu duftende Luft, die Blütenpracht an den Balkonen. Plötzlich kam mir diese ganze Schönheit wie eine brutale Farce vor, welche die Engherzigkeit der Menschen, an der Ulli zugrunde gegangen war, nicht zu bemänteln vermochte. Ich konnte es mir erlauben. Ich war fünfundzwanzig, kinderlos (nicht schwanger zu werden, darauf habe ich mein ganzes Leben lang immer streng geachtet), arbeitete bereits seit einigen Jahren und hatte etwas Geld zur Seite gelegt. Ich dachte daran, nach Australien zu gehen und mir dort eine Stelle zu suchen. Fort, fort aus Südtirol/Alto Adige mit seiner zwanghaften Selbstbespiegelung und hinein in ein neues Leben, das ein völliger Gegensatz dazu sein sollte!

Als ich meiner Mutter von diesen Plänen erzählte, meinte sie nur:

»Ich wollte schon immer mal die Kängurus sehen. Jetzt werde ich endlich Gelegenheit dazu haben.« Mehr war dazu nicht aus ihr herauszubekommen.

Nach Australien gezogen bin ich dann doch nicht. Ich bin eben, trotz allem, ein »Dableiber«.

Ausgestreckt auf der Liegewagenpritsche, gewiegt vom fahrenden Zug, finde ich keinen Schlaf. Stattdessen nur Traumfetzen. Die Poebene, die draußen vor dem Fenster vorbeischießt, dringt zu mir ein – durch die Waggonwand, die Zudecke mit dem Emblem der italienischen Eisenbahn, meine Haut – und ergreift Besitz von mir, lässt meine Gedanken so flach werden wie die Landschaft draußen. Das darf doch nicht wahr sein: Jedes Mal, wenn mein Bewusstsein kurz davor ist, sich ganz zu verlieren und sich dem Schlaf zu ergeben, bricht das Rattern eines Zuges ein, der uns in voller Fahrt entgegenbraust. Ein mechanisches, geradliniges, nachtaktives Ich, das mich aus dem Halbschlaf hochfahren lässt.

Nachdem ich wieder einmal auf diese Weise aufgeschreckt worden bin, richte ich mich, auf die Ellbogen gestützt, ein wenig auf und blicke hinaus. Wir halten an einem kleinen verlassenen Bahnhof. Das blaue Schild mit den weißen Buchstaben verrät: POGGIO RUSCO, ein Name, der nach bäuerlichem Leben klingt, nach Traktoren, Salamis, Wurstwaren nach Hausmacherart ohne Konservierungsmittel. Fast eine halbe Stunde bleiben wir dort stehen. Keine Ahnung, wieso. Der orangefarbene Lichtkegel der hohen Laternen wirkt gallertartig, so gesättigt ist die Luft der Poebene von den Säften der Scholle.

Ich versuche ein Fenster zu öffnen, aber es ist verriegelt. Wenn ich jetzt den Liegewagenschaffner riefe, von einem Abteil zum anderen, auf diese intime, fast ehelich vertraute Weise, so würde er mit vom Schlaf geschwollenen Augen herbeieilen, er würde in dem Versuch, seine von meinem unverhofften nächtlichen Anliegen erzeugte Erregung zu überspielen, mit einem verstellbaren Schraubenschlüssel die Verriegelung lösen, mich dabei beobachten, wie ich diese schwere, nach Dünger und frisch gepflügten Feldern riechende Feuchtigkeit tief einatme, und mich fragen: »Warum schlaft Ihr nicht?« Und ich müsste ihm erklären, dass ich generell unter Schlaflosigkeit leide, aber besonders heute, da ich im Zug ganz Italien der Länge nach durchquere, um an Vitos Krankenbett zu eilen.

Vito. Warum hat er mich angerufen und nicht meine Mutter, seine verlorene Liebe, während ich nur ein kleines Mädchen war, als er mich das letzte Mal sah.

»Ich habe immer an dich gedacht«, hat er mit dieser angestrengten Stimme am Telefon gesagt. Was meint er mit »immer«? Unaufhörlich oder immer mal wieder?

Ich strecke mich wieder auf der Liege aus, und als sei dies das geheime Signal, auf das er nur gewartet hat, setzt sich der Zug in Bewegung.

Binnen einer knappen Stunde verlor Gerda Vater und Mutter.

Nach mehr als drei Monaten Abwesenheit war sie mit ihrem Bauch, der sich bereits wölbte, nach Hause gekommen. Als sie ihrer Mutter von der Schwangerschaft erzählte, verzerrte sich Johannas Gesicht wie im Krampf, und sie führte eine Hand zur Brust. Über ihre blau angelaufenen Lippen schoss ein Schwall farbloses Erbrochenes und spritzte auf Gerdas Schuhe. Dann fiel sie vom Stuhl.

Als Hermann nach Hause kam, sah er seine Frau am Boden liegen, ihr Körper schon starr und leblos wie eine Sache, und über sie gebeugt Gerda, deren Bauch von Leben strotzend pulsierte. Einen Moment lang stand er da, die Beine ein wenig gespreizt, reglos, schweigend. Dann geschah es: Mit einer eigenartigen Bravour, als habe er sein ganzes Leben lang genau diesen Ablauf geübt, hob Hermann Gerdas Koffer auf, der vor der Stubentür stand, und schleuderte ihn mit einem eleganten Schwung durch die noch offen stehende Haustür. Der Koffer beschrieb einen hohen Bogen und knallte gegen den Laternenpfahl vor dem Eingang, öffnete sich, und flatternd, wie ein Schwarm bunter Zugvögel, flogen Gerdas Kleider heraus. Stumm beobachteten Hermann und seine Tochter ihren Ozeanflug. Der Kontinent, auf dem sie landeten, war der ungepflasterte Platz vor den Häusern Schanghais. Und erst als sie dort lagen, auf diesem feuchten, schattigen Flecken der Vorstadt, den nur im Sommer Sonnenstrahlen erreichten, wurde ihre ärmliche, unbeseelte Natur wieder offenbar.

Ohne seiner Tochter ins Gesicht zu schauen, deutete Hermann mit dem Finger hinaus auf den Platz vor seiner Tür, auf dem nun Gerdas Kleider lagen, die sie auf dem Mittwochmarkt kaufte, ihre saubere, doch schon zu lange getragene Unterwäsche, ihre Wollstrickjacken ...

»Aussi«, sagte er.

Und Gerda ging hinaus.

Mit einem nicht lauten, aber endgültigen Schlag schloss sich die Haustür hinter ihr. Sie bückte sich und begann, ihre Sachen einzusammeln und in den Koffer zu stopfen, hob ihr bestes Stück vom Boden auf, ein grün-weißes Hemdblusenkleid, das sie sich selbst nach einem Schnittmuster genäht hatte. Da es die Taille betonte, konnte sie es seit Monaten nicht mehr tragen. Sorgfältig klopfte sie den Staub ab, bevor sie es in den Koffer zurücklegte.

Drinnen in dem Haus, das sie nie mehr betreten sollte, hörte Gerda, wie der Mann, der bis vor wenigen Augenblicken noch ihr Vater gewesen war, die Wand mit kräftigen Schlägen bearbeitete oder vielleicht auch den Fußboden oder den Tisch, jedenfalls ohne dabei irgendeinen Laut, noch nicht einmal ein Stöhnen, von sich zu geben.

Das Gebäude der *Opera Nazionale Maternità e Infanzia*, des Nationalen Hilfswerks für Mutter und Kind in Bozen, lag etwas außerhalb, nicht weit von dem Stahlwerk entfernt, wo man Peter nicht hatte anstellen wollen. Es war ein Triumph gerader Linien und rechter Winkel, solide, urfaschistisch; selbst die Hecken im Garten ließen keine Abweichungen zu. Von dem Talvera, der an dem Anwesen vorüberfloss, war nichts zu sehen wegen der hohen Mauer, die den Garten von der Straße trennte. Die Schwester Pförtnerin ließ Gerda herein und schloss das schwere Eisentor hinter ihr auf eine Art und Weise, die keine Zweifel zuließ: Wer hier eintrat, tat dies nicht aus freien Stücken, sondern weil ihm keine andere Wahl mehr blieb. Sie führte Gerda durch die breiten Flure bis zu einem leeren Schlafsaal, in dem es nach gekochtem Gemüse und Hühnerbrühe roch: Im Refektorium wurde gerade das Mittagessen aufgetragen.

Mit ihrem notdürftig geschlossenen Koffer in der Hand – der Aufprall hatte ein Scharnier beschädigt – war Gerda zwei Wochen vor dem errechneten Termin in dem Heim eingetroffen. Doch Eva, von Anfang an recht zielstrebig, beschleunigte die Dinge. Während Gerda noch damit beschäftigt war, ihre Kleider in den Spind zu räumen, fuhr ihr ein heftiger Krampf in den Unterleib. Verwundert blickte sie durch die hohen Fenster hinaus, als ließe sich der Grund dafür im Garten finden.

Die Schwester Pförtnerin neben ihr, die ihr gerade die Vorschriften und die Tageseinteilung in der Einrichtung erläuterte, merkte sofort, was los war. So waren sie alle, die jungen Mädchen: Wenn es so weit war, reagierten sie verblüfft, als hätten sie es bis dahin gar nicht richtig geglaubt. Als der zweite Krampf kam, schaute Gerda nicht mehr aus dem Fenster, sondern zu Boden, zwischen ihre Füße, und ihr entfuhr ein leises Stöhnen.

»Jetzt jammert ihr, aber vorher hat es euch gefallen«, sagte die Nonne, jedoch ohne Groll oder moralische Verurteilung. Eher wie die bloße Feststellung einer Tatsache, die sie selbst in jahrelanger Erfahrung beobachtet hatte und die zu leugnen so sinnlos wäre wie ein Versuch, die Wehen aufhalten zu wollen.

Die Augenfarbe der Hebamme war wie die von Wasser in einem Behälter aus dickem Glas. Eine blonde Haarsträhne war ihrer Haube entwischt, schweißnass, als sei sie es, die gebären sollte. Am Kittel über ihrer üppigen Brust steckte der »Stern der Güte«, der ihr einige Monate zuvor anlässlich des »Festes für Mutter und Kind« für ihre verdienstvolle Arbeit verliehen worden war.

Während der Feierstunde waren an hundertvierzig ledige Mütter und ihre Kinder Geschenkpakete überreicht worden.

»Pressen!«, forderte sie Gerda auf.

Gerda, die gerade in einer Wehe versank, reagierte nicht. Die andere Nonne, eine Krankenschwester, ließ die Zunge gegen den Gaumen schnalzen. Sie war klein und dunkel wie der Kern einer Wassermelone und trug einen gestärkten Schleier, der wie ein Schwanenflügel aussah und nur am Hinterkopf ihre schwarzen Haarwurzeln erkennen ließ.

Voller Verachtung sagte sie zur Hebamme:

»Noch nicht mal ›pressen‹ versteht die.«

Gerda wartete, bis die Wehe vorüber war, blickte dann die Schwester an und sagte auf Italienisch, nicht ganz korrekt:

»*Io capiscio*«, statt ›*capisco*‹ – ich verstehe schon.

Da verzog die schwarzhaarige Krankenschwester ungläubig das Gesicht.

»*Kapiscio ...!*«, äffte sie Gerdas deutschen Akzent nach und brach in fröhliches Gelächter aus. »*Kapiscio ...*« Ihre knöchernen Schultern zuckten vor Lachen, und sie konnte gar nicht mehr aufhören.

Die Hebamme und Gerda schauten sie reglos an.

»*Kapiscio ...*«, sagte die Krankenschwester weiter, während sie den Raum verließ. Ihr Gelächter hallte durch den ganzen Flur, bis sie die Glastür dieser Abteilung hinter sich geschlossen hatte.

Da wandte die Hebamme Gerda den Blick zu, hob eine Schulter an und schob die Unterlippe vor. Dann schloss sie die Augen mit überheblicher Miene wie eine Aufforderung, es ihr nachzutun.

»Was soll's? Ist eben 'ne *Terrona*«, tröstete sie Gerda in ihrem venetischen Dialekt.

Terrona. Das war das Schimpfwort der Norditaliener für die aus dem Süden. Aber von den internen Differenzen der »Walschen«, wie sie sich unterschieden und wie wichtig es ihnen war, nicht miteinander verwechselt zu werden, von alldem wusste Gerda, die junge »Daitsche«, die mit Italienern kaum in Berührung gekommen war, überhaupt nichts. Aber sie nahm sich vor, sich dieses neue Wort zu merken. *Terrona*: eine dumme, ungezogene Person, die grundlos lacht.

Unterdessen hatte die nächste Wehe sie gepackt.

Die Schmerzen waren vollkommen. Eine Galaxie quälender Sterne von betörender Schönheit, die pulsierten, an ihr rissen und zerrten. In der Mitte blitzten sie dicht gedrängt, sodass es nicht auszuhalten war. Auf den spiralförmigen Armen, die davon abgingen, hingegen in größeren Abständen.

Majestätisch und unerbittlich drehte sich die Galaxie um sich selbst. Nichts hätte sie stoppen können, weder Gerdas Schreie noch ihre Angst, geschweige denn ihre totale Erschöpfung. In den wenigen Pausen entspannten sich die Tentakel des Schmerzes, streckten sich aus und nahmen Gerda mit bis zu einem Punkt, an dem sie sich einen Augenblick lang einem reglosen Frieden überlassen konnte, einer grenzenlosen, vibrierenden Stille.

Dann atmete Gerda.

Aber bald zog sich der Tentakel des Schmerzes mit animalischer Lust wieder zusammen und riss sie brutal an sich. Und erneut stürzte Gerda hinab in den glühenden Kern der Wehen.

Es kam ihr vor, als gehe das schon seit Jahrtausenden so, dabei waren erst wenige Stunden vergangen. Ihre breiten Hüften waren wie dazu gemacht, neuem Leben den Durchtritt zu erleichtern. Und schließlich geschah es, dass nach einer letzten grellen Schmerzexplosion zwischen ihren Beinen Eva zur Welt kam.

Ihre Haut war hell. Ihre Oberlippe ähnelte einer Meeresfrucht und deutete an, dass sie einmal, wie ihre Mutter, einen vollen Mund haben würde. Der kahle Schädel sah wie eine Weltkarte aus, auf der die kreuz und quer verlaufenden purpurfarbenen Äderchen, die durch die Anstrengung der Geburt hervorgetreten waren, die Flüsse, Gebirgsketten und Kontinente eines neuen Planeten beschrieben. Die wenigen Haare dazwischen waren hellblond, fast weiß. Nicht rot, was Gerda sehr erleichterte: Dieses Baby, von dem sie noch gar nichts wusste, sah nur ihr ähnlich, niemandem sonst.

Als die Hebamme ihr die Kleine gewaschen und im Strampelanzug des Hilfswerks in den Arm legte, waren Gerdas Brüste schon schmerzhaft angeschwollen. Grünliche Adern durchzogen die Haut, und die eingeschossene Milch hatte bereits ihr Nachthemd durchnässt. Wie einen Segen empfing sie den gierigen Mund des Babys, der ihre dunkle Brustwarze umschloss. Evas Kopf an ihrem Busen hob und senkte sich wie eine kraftvoll arbeitende Pumpe. Die Hebamme »Stern der Güte« sah ihr eine Weile zu und weissagte dann in ihrem rauen venetischen Dialekt:

»Die Kleine wird dir nie Scherereien machen.«

So, als fühle sie sich angesprochen, schlug Eva die Augen auf und schaute ihrer Mutter ins Gesicht, neugierig, als sei sie es, die die andere kennenlernen wolle, und nicht umgekehrt.

Die Schwester Pförtnerin behielt recht: Auch Gerda hatte bis zu diesem Zeitpunkt nicht glauben wollen, dass es tatsächlich wahr würde, und begann erst jetzt richtig zu begreifen, dass sie eine Tochter hatte.

Zum ersten Mal in ihrem Leben war da etwas, was nur ihr gehörte.

Viele der jungen Mütter blieben sehr viel länger als die vorgesehenen drei Monate im Haus, denn viele wussten nicht, wohin sie zurückkehren sollten. Die Nonnen teilten sie für einfache Aufgaben in der Küche, in der Krippe oder beim Putzen ein. Wenn sie Glück hatten, fand man eine bezahlte Akkordarbeit in irgendeinem Handwerksbetrieb im Umkreis für sie: Sticken, Stricken, Nähen und Ähnliches, das machte sie unabhängig, sodass sie sich ein eigenes Zimmer suchen konnten. Doch häufig vergingen Monate, wenn nicht gar Jahre, bis das möglich war. Hatten sie mithilfe der Nonnen tatsächlich eine Stelle gefunden und kehrten in die Welt zurück, blieben sie beim Abschied noch einmal hinter dem Tor stehen und schauten sich halb traurig, halb erleichtert ein letztes Mal um. Aber nur jene jungen Frauen, die ihr Kind bei sich behalten konnten. Die anderen, die allein das Haus verließen und deren Kinder auf der Waisenstation, streng getrennt vom Trakt der Wöchnerinnen, zurückblieben, hatten es eilig wegzukommen. Kaum konnten sie nach der Geburt wieder laufen, durchschritten sie schon das Gittertor. Und sobald die Schwester Pförtnerin es hinter ihnen schloss, drehte sich keine von ihnen noch einmal um.

In dem Zimmer mit den hohen Bogenfenstern, das Gerda sich mit sieben ledigen Müttern teilte, belegte einige Tage lang eine übergewichtige Frau das Bett neben ihr. Sie wurde Anni genannt und war von undefinierbarem Alter. Nachts schnarchte sie, und tagsüber hielt sie sich den Zeigefinger an den Mundwinkel, selbst wenn sie aß. Wie Gerda erfuhr, war Anni vorher bereits fünfmal hier gewesen. Bei keinem der Kinder, die sie dort zur Welt brachte, wusste sie, wer der Vater war. Manche Nonnen vermuteten sogar, Anni durchschaue gar nicht den Zusammenhang zwischen den Säuglingen, die mit verblüffender Leichtigkeit zwischen ihren enormen Oberschenkeln austraten, und den Dingen, die die Männer, zwischen Bierkästen und Säcken mit Sägespänen in der

Abstellkammer unter der Treppe eines Wirtshauses, mit ihrem mächtigen Leib anstellten. Denn jedes Mal betrachtete sie ganz ratlos das mit Blut und Kindspech verschmierte Neugeborene, das sie da hervorgebracht hatte, bevor sie es dann der Hebamme oder einer der Krankenschwestern übergab. Wenn die Hebamme Frauen wie Anni beizustehen hatte, drängten sich ihr gewisse Gedanken zum Thema Abtreibung und Verhütungsmethoden auf, welche die Leitung des Mutter-Kind-Hilfswerks, wären sie ihr zu Ohren gekommen, gewiss dazu veranlasst hätten, ihr den »Stern der Güte« wieder zu entziehen. Deshalb behielt die Hebamme sie lieber für sich.

Gerda betrachtete Anni, wie sie wohl auch eine nur mit Perlen und Federn bekleidete Eingeborene aus dem Dschungel des Amazonasgebiets beäugt hätte, von der sie aus verlässlicher Quelle wüsste, dass sie eine entfernte Verwandte von ihr sei: bestürzt, ungläubig, misstrauisch, aber auch mit der unbezähmbaren Neugier herauszufinden, ob es nicht doch irgendwelche Ähnlichkeiten gebe. Sie fand aber keine. Es gab nur Trennendes, vor allem die Tatsache, dass Anni ihr Kind zur Adoption freigab. Daran hätte Gerda nicht im Traum gedacht. Anni ließ nicht erkennen, ob es sie traurig machte, ihr Kind wegzugeben. Bei jeder Geburt blieb sie nur kurz da, brachte den Säugling zur Welt, und am Morgen darauf war ihr Bett bereits wieder leer.

Die Tage im Heim verliefen immer gleich, waren geprägt vom festen Rhythmus des Stillens und Wiegens, von Füttern und Schlafenlegen. Die hohe Mauer, die Gerda bei ihrer Ankunft an ein Gefängnis erinnert hatte, kam ihr zunehmend wie ein Schutz vor; ein Schutz vor der Welt, die sie nicht mit offenen Armen empfangen würde, wenn ihre Zeit bei den Nonnen vorüber wäre.

Hier drangen die Ereignisse dieser Welt nur wie ein entferntes Echo zu ihr. Nach dem Abendessen saß Gerda mit Eva im Arm im Fernsehzimmer. Die Beine der unbequemen Metallstühle hatten eine Unzahl kleiner Kreise in den grünlichen Linoleumfußboden gestanzt, der das Licht der Schwarz-Weiß-Bilder aus dem Kommodenfernseher zurückwarf. Jeden Abend verfolgte sie, wenn auch nicht mit besonderem Interesse, die Meldungen der Nachrichtensendung.

WISSENSCHAFTLER SIND SICH EINIG. ALGEN WERDEN IN ZUKUNFT DAS HAUPTNAHRUNGSMITTEL DER GESAMTEN MENSCHHEIT SEIN; SIE SIND NAHRHAFT, UND IHR VORKOMMEN IST UNERSCHÖPFLICH.

DAS VERSCHWINDEN EINES HAARES DES PROPHETEN MOHAMMED AUS DEM HAZRATBAL-SCHREIN IM INDISCHEN SRINAGAR HAT IM GANZEN LAND ZU UNRUHEN MIT TOTEN UND VERLETZTEN GEFÜHRT.

DIE UNO DISKUTIERT DEN VORSCHLAG, AUF DER GANZEN WELT DAS JAHR AN EINEM SONNTAG BEGINNEN UND AN EINEM SAMSTAG ENDEN ZU LASSEN. EINE STELLUNGNAHME DES PAPSTES WIRD ERWARTET.

Auch die Rückkehr Minas auf den Bildschirm wurde gemeldet. Über ein Jahr lang war die Sängerin vom Fernsehsender RAI boykottiert worden, nachdem sie ein Kind von ihrem verheirateten Geliebten zur Welt gebracht hatte. In der Meldung, die der Nachrichtensprecher verlas, hatte man es allerdings geschafft, die Worte »boykottiert«, »Geliebter« und »verheiratet« kein einziges Mal vorkommen zu lassen.

Als es dann so weit war, drängten sich die ledigen Mütter in dem kleinen Fernsehzimmer. Die Sendung hieß *La fiera dei sogni* (Fest der Träume), und Mina sang *È l'uomo per me* (Der richtige Mann für mich). Sie hatte Nase, Augen und Mund wie eine ägyptische Königin, und so wie sie beim Singen die Arme und die Hüften schwang, musste allen klar werden, dass Mina das, was andere für unmoralisch hielten, keinen Augenblick bereute. Vielen der Mädchen vor dem Bildschirm stiegen fast Tränen in die Augen, weil sie ihnen neue Hoffnung schenkte, diese gleichzeitig freche und sanfte Stimme, die niemanden um Entschuldigung bat.

»Vielleicht ist es eines Tages gar nicht mehr so schlimm, ein Kind zu haben und nicht verheiratet zu sein«, sagte leise zu Gerda eine etwa gleichaltrige Brünette, die nicht sehr auf Körperpflege hielt und deren Blick wie ausgehungert wirkte. Sie hatte noch nicht gelernt, ihr runzliges, dunkelhäutiges Baby richtig im Arm zu halten, das daher auch in einem fort weinte.

»Das wird immer schlimm bleiben«, antwortete sie.

Unterdessen sang Mina weiter, mit einem Gesicht, das noch heller strahlte als die Strasskette über ihrem Dekolleté.

Die Schwester Pförtnerin hatte es bislang noch nicht gewagt, dem Hausgeistlichen die Sache mit der Pinzette zu beichten. Ein richtiger Diebstahl war es ja eigentlich nicht. Denn deren Besitzerin, ein Mädchen mit blond gefärbten Haaren und verdächtig feiner Unterwäsche, hatte gut einen Monat zuvor das Haus verlassen. Zurückgeblieben war ein Waisenkind mehr, für das mühsam eine Familie gefunden werden musste. Dass sie diese Pinzette aus verchromtem Stahl nun hinten in dem leeren Spind gefunden hatte, konnte sicher nicht als Sünde gelten, schon eher aber das Versäumnis, sie nicht unverzüglich der Mutter Oberin ausgehändigt zu haben. Tatsache war jedenfalls, dass seit dem Zeitpunkt, da es – dem Himmel sei Dank – mit diesen sinnlosen Menstruationsschmerzen vorbei war, die sie mehr als dreißig Jahre lang gequält hatten, auf der Oberlippe der Schwester Pförtnerin vereinzelt dunkle Haare, so hart und spitz wie Stacheldraht, sprossen. Die hatte sie immer, wenn sie sich unbeobachtet glaubte, verstohlen und mit einem entschlossenen Ruck von Daumen- und Zeigefingernagel ausgerissen. In dieser Situation kam ihr die Pinzette wie gerufen.

Nun fürchtete die Schwester Pförtnerin allerdings den Moment, da sie den Mut finden würde, diese Sünde der Eitelkeit zu beichten. Das aber weniger wegen der Schande und der Zerknirschung, die sie erwarteten, sondern weil man ihr auferlegen würde, ein für alle Mal das Diebesgut an die Mutter Oberin zu übergeben. Und auf dieses saubere, akkurate Entfernen der Härchen, das so viel angenehmer und eleganter war als der wütende Ruck mit bloßen Fingern, würde sie fortan verzichten müssen.

Als sie wieder einmal mit der Pinzette einem besonders widerspenstigen Büschel Härchen zu Leibe rückte – zum letzten Mal, wie sie sich sagte, ohne allerdings tatsächlich daran zu glauben, denn seit Tagen schon hatte sie diesen Vorsatz, ohne ihn in die Tat umzusetzen –, ertönte in ihrem Reich, der Pförtnerloge, die Torglocke.

In dieser Position dem Hilfswerk zu dienen war wahrscheinlich jene Aufgabe, die eine Nonne am wenigsten dazu verleiten konnte, ihr Keuschheitsgelübde zu bedauern. Das Aussehen der Mädchen, die bei ihnen im Haus für kurze Zeit Unterschlupf fanden, ihre Niedergeschlagenheit, ihr Entsetzen, ihre Angst hatten in der Tat wenig Beneidenswertes.

Seit über zwanzig Jahren beobachtete die Schwester Pförtnerin nun schon diese jungen Frauen, die einsam und bedrückt in den Gemeinschaftsschlafsälen lagen und sich, wie an Rettungsanker, an ihre Säuglinge klammerten, nachdem ihr ganzes bisheriges Leben in Scherben gefallen war. Hin und wieder tauchten die Männer bei ihr am Tor auf, die die Mädchen nicht geheiratet hatten, und fragten nach den untergeschlüpften ledigen Müttern, junge Burschen in einem Anflug von Reue oder gestandene Ehemänner, die trotz allem etwas für die Mutter ihres unehelichen Kindes empfanden. Aber alle waren sie so offensichtlich überfordert von dem Drama, das die von ihnen geschwängerten Frauen erlebten, dass die Schwester Pförtnerin kein gar zu hartes Urteil über diese verhinderten Väter fällen mochte. Wie verzogene Kinder kamen sie ihr vor, unfähig, die ganze Härte des Schicksals zu erfassen, das ihre Geliebten erwartete. Mädchen, die man überwachen musste, damit sie sich nichts antaten. Sie brachten ihnen billigen Modeschmuck mit und bedrängten sie, die Pförtnerin, ihn weiterzugeben. Wöchnerinnen mit Brustdrüsenentzündung, die nicht stillen konnten, weil sie ihr Kind schon zur Adoption freigegeben hatten, schlugen sie romantische Wochenenden in irgendwelchen abgeschiedenen Hotels vor, um den günstigen Umstand auszunutzen, dass die Ehefrau verreist war. Und das waren nicht die Schlimmsten: Sie immerhin hatten sich gemeldet. Im guten Anzug standen sie mit betretenen Mienen vor dem Tor und versuchten hinüberzuspähen. Der Schwester Pförtnerin war bewusst, dass sie alles gegeben hätten für ein Wort oder auch nur einen Blick von ihrer Seite, der ihren Entschluss für verständlich, unvermeidlich, ja richtig erklärte, ihr Kind nicht anzuerkennen und die Mutter nicht zu heiraten. Je mehr solcher Männer sie sah, desto weniger verstand die Nonne, was an ihnen dran war, wie es ihnen gelungen war, die jungen Mädchen dazuzubringen, sich ihretwegen der Gefahr einer Schwangerschaft auszusetzen. Für sie war das ein Rätsel, und die Begegnung mit Hannes Staggl trug sicher nicht dazu bei, ihr die Sache einleuchtender zu machen.

Als sie den schweren, schmiedeeisernen Riegel zurückzog, stand vor dem Tor ein cremefarbener Mercedes 190, auf dessen verchromtem Kotflügel die Nonne einen großen weißen Vogel erblickte: ihr eigenes Spiegelbild. Erst als sie die Augen hob, registrierte sie Hannes. Er stand hinter seinem Wagen mitten auf der Straße und schaute zu den Fensterreihen jenseits der Umfassungsmauer hoch. Allerdings waren die Nonnen nicht so einfältig, die Mädchen in den zur Straße hinausgehenden Räumen unterzubringen, weil diese andernfalls ihre Tage damit zugebracht hätten, wartend hinauszusehen, ob sich nicht doch das Wunder näherte, das sie aus ihrer Not retten würde. Hinter den Fenstern, wo Hannes das Mädchen, dem er ein Kind gemacht hatte, zu erblicken versuchte, waren Nonnen bei der Arbeit.

An dem jungen Mann fielen ihr besonders das fast orangefarbene Haar auf, die durchsichtig wirkende Haut und die Hände voller Sommersprossen. Als Hannes sich nach Gerda Huber erkundigte und dem Kind, das sie zur Welt gebracht hatte, atmete die Schwester Pförtnerin erleichtert auf. Zu viele uneheliche Kinder hatte sie schon zur Welt kommen sehen, die dazu verurteilt waren, für immer das Gesicht des Vaters, der sie verlassen hatte, zu tragen. Gerdas Tochter aber schien Glück zu haben und ganz nach der Mutter zu schlagen.

»Es ist ein Mädchen. Es ist gesund. Die Mutter ist auch wohlauf.«

Seine durchscheinenden Augenlider begannen zu flackern. Mit voller Wucht traf ihn die Realität, traf ihn dieses eine Wort: Mutter.

»Wie heißt sie?«

»Eva.«

Einen Moment lang blickte Hannes auf seinen Mercedes.

»Ein schöner Name.«

»Ja. Der ist schön.«

Erneut sah er zu den Fensterreihen hoch und kniff die Augen zusammen. Um in die Zimmer hinter den Scheiben, in denen sich der Himmel spiegelte, zu blicken? Um Zeit zu gewinnen? Um sich an diesen schönen Namen zu gewöhnen?

So, nun ist es so weit, dachte die Nonne Pförtnerin, jetzt kommt seine Bitte. Er hat weder ein Päckchen noch Blumen in der Hand, aber das Auto sieht nach reicher Familie aus, und wenn ein Mädchen hier wegen eines Kerls landet, der Geld hat, gibt es wenig Grund, sich etwas vorzumachen.

»Kann ich sie sehen? Die Kleine?«

Die Schwester Pförtnerin presste das Kinn gegen die Brust und schaute ihn von unten herauf an.

»Ja, wenn du ihr deinen Nachnamen gibst.«

Er senkte den Blick, schaute hinunter auf seine gut gearbeiteten Schuhe. So stand er eine ganze Weile da. In den Augen der Nonne hatten die kastanienbraunen Regenbogenhäute mit dem Alter ihre klaren Konturen verloren und lösten sich mit gräulichen Ringen an den Rändern auf. Aber die Pupillen waren noch schwarz und klar gezeichnet. Ihr Blick war nicht streng, sondern sachlich, geduldig, illusionslos. Er drückte keine Verurteilung, aber auch nicht die ersehnte Absolution aus. Sie wusste: Er würde wortlos davongehen, mit gesenktem Kopf, um nicht Gefahr zu laufen, doch einmal aufzuschauen zu den Fenstern, hinter denen er seine Tochter vermutete, die er nicht anerkennen wollte, wo in Wirklichkeit aber die Schwester Wirtschafterin Lieferantenrechnungen prüfte und die Köchin überlegte, was es zum Abendessen geben sollte.

Während der Mercedes hinter der Ecke verschwand, fragte sich die Schwester Pförtnerin einmal mehr, was das nur für eine Verlockung sein mochte, die all dieses Leid wert sein sollte. Sie konnte es sich einfach nicht vorstellen.

Der zweite Besuch, den Gerda erhielt, wurde ihr dagegen angekündigt.

Als die Nonne Pförtnerin den Riegel zurückzog und ihr Herr Neumann gegenüberstand, fielen ihr seine geschwollenen Augenlider auf, der stattliche Bauch, der gegen die Knöpfe seines Jacketts drückte, und vor allem sein Alter. Sie war erleichtert, dass dieses blonde, gut gebaute Mädchen, das wenig redete, aber sehr fleißig in der Küche half und sich so anmutig bewegte, dass es allen, sogar ihr selbst, eine Freude war, dass dieses Mädchen nicht von diesem dicken Mann schwanger geworden war. Auch Herr Neumann hatte eine Bitte, und zwar wünschte er sich, wie er der Pförtnerin nun erklärte, dass Gerda an ihren Arbeitsplatz zurückkehren sollte. Niemand würde auf sie herabsehen wegen dieser Sache, die ihr passiert war, dafür garantiere er. Da tat es der Schwester Pförtnerin leid, dass sie diesen Mann nur nach seiner äußeren Erscheinung beurteilt hatte – als ob die Härchen an ihrem Kinn darüber Aufschluss gäben, wer sie selbst tatsächlich war. Streng tadelte sie sich im Geiste und erlegte es sich auf, ihrem Beichtvater auch diese arrogante Oberflächlichkeit zu gestehen.

Als Gerda zur Pförtnerloge herunterkam, stockte Herrn Neumann der Atem, sodass die Knöpfe an seinem Jackett unter diesem zusätzlichen Druck abzuspringen drohten. Niemals, in seinem ganzen Leben, hatte er eine schönere Frau gesehen. Genau das hatte er zwar schon gedacht, als Gerda mit der umgebundenen Schürze seine Küche zum ersten Mal betreten hatte, sich dann aber den Gedanken verboten, um sich die Arbeit an ihrer Seite nicht unerträglich zu machen. Herr Neumann war seit fast dreißig Jahren nicht unglücklich verheiratet und hatte erwachsene Kinder und einige Enkelkinder. Darüber hinaus hatte er versprochen, Gerda vor Kränkungen zu schützen. Daher sagte er jetzt nur zu ihr:

»*Gerda gibs lai oane*« – eine wie dich gibt's nur einmal.

Sie packte schnell ihren Koffer und stieg in den pistaziengrünen Fiat 1300 mit dem weißen Verdeck, von dessen Raten Herr Neumann mittlerweile über die Hälfte abgezahlt hatte. Während sie für immer die *Opera Nazionale Maternità e Infanzia* hinter sich ließ, nahm sie zwei Dinge von dort mit: eine fünfwöchige

Tochter, die nie schrie, und beachtliche Fortschritte in der Beherrschung der italienischen Sprache. Eines jedoch ließ sie zurück: die Überzeugung, dass es die wahre Liebe gebe und dass sie dazu ausersehen sei, sie zu erleben.

Als der Fiat 1300 um die Ecke entschwand, standen die Nonnen, also die Hebamme »Stern der Güte«, die Krankenschwester aus dem Süden und all die anderen, die dort den Mädchen beistanden, auf dem Gehweg und winkten ihr nach, glücklich, dass zumindest Gerda einen Platz gefunden hatte, wo sie erwünscht war.

Am folgenden Morgen erschien die Schwester Pförtnerin zum wöchentlichen Gespräch mit dem Hausgeistlichen. Sie beichtete ihm all ihre Sünden. Dann machte sie sich auf den Weg zur Schwester Oberin und händigte ihr, mit Erleichterung und Bedauern, die Pinzette aus.

Ein Jahr nach dem Blutbad von Bologna im August 1980, in dem Sommer, als ich die Schule abschloss, war ich mit einem Klassenkameraden unterwegs zu den Tremitiinseln. Er gefiel mir nicht sonderlich, ich ihm umgekehrt aber schon, und deswegen hatte er seine Eltern, reiche Bozener Geschäftsleute, auch dazu überredet, mir ebenfalls die Reise und den Aufenthalt auf dem Campingplatz zu spendieren. Bis dahin hatte ich das Meer nur in Cesenatico gesehen, an einem Strand vor quadratischen Betonklötzen, die im Faschismus als Ferienkolonie errichtet worden waren: Denn das einzige Reiseunternehmen, bei dem meine Mutter buchen konnte, war die Caritas. So waren Ferien am Meer für mich mit dem säuerlichen Geruch von Tomatensoße verbunden, den herben Ausdünstungen zu vieler in einem Schlafsaal zusammengedrängter Kinder, mit Sand, den die älteren Jungen den Kleinen in die Augen warfen, mit Übergriffen von Erziehern, die durch permanente Überlastung böse geworden waren.

Die Zeiten eines Eurostars mit Reservierungspflicht lagen damals noch in weiter Ferne, und unser Waggon sah aus, als wäre er mit Kriegsvertriebenen vollgestopft. Wie Kleider aus überfüllten Schränken, deren Türen nicht mehr richtig schließen, quollen die Jugendlichen aus den Abteilen. Sie hockten auf den Klappsitzen im Gang, mit anderen auf dem Schoß, auf dem Fußboden, auf den Stufen vor den Zugtüren, in den Toiletten (vor allem jene, die ohne Fahrkarte unterwegs waren, und das waren nicht wenige). Ich und der Junge, der mir den Urlaub bezahlte, saßen eingezwängt zwischen schweren, schlecht gepackten Rucksäcken aus grobem, dickem Gewebe mit Aluminiumgestellen, die das Gewicht gleichmäßiger auf dem Rücken verteilen sollten, tatsächlich aber nur in die Rippen stachen. Wir rochen nach Fußschweiß, Haschisch, Kaugummi mit Erdbeergeschmack und vor allem Rauch: Ständig hatten wir eine Zigarette zwischen den Fingern, was damals noch möglich war. In Bologna hielt unser Zug auf Gleis eins, und da sah ich, unmittelbar vor meinem Fenster, die zerstörte Wand mit dem Glas davor, die auch heute noch als Mahnmal an den Anschlag erinnert, sowie die Uhr, die die Tatzeit festhält: 10.25 Uhr.

Ich war im Alto Adige der Bomben und Attentate groß geworden und war auch schon alt genug, mir einen Reim auf den Tod von Onkel Peter machen zu können. Aber nicht einmal ich, das Kind eines Landstrichs, der Terroristen hervorgebracht hat, konnte damals – und kann es heute immer noch nicht – das ganze Ausmaß dieses Massakers von Bologna begreifen. Fünfundachtzig Tote, Hunderte von Verletzten: Dieses Blutbad gehörte zu einer anderen Kategorie des Grauens. Als der Zug wieder anfuhr, versuchte ich, mit meinem Reisegefährten darüber zu reden. Er antwortete nicht, ließ sich nicht darauf ein und wechselte bei erstbester Gelegenheit das Thema, sodass ich mit meiner Bestürzung allein zurechtkommen musste. Ich summierte diese Abgestumpftheit zu den anderen bereits zahlreichen Gründen, weshalb er meiner Liebe nicht wert war – dass er mir den Urlaub spendiert hatte, trat da für mich in den Hintergrund –, und brachte die Ferien damit zu, mich vor seinen Augen von anderen Jungen anmachen zu lassen. Am Lagerfeuer abends am Strand fummelte ich mit anderen Rucksackreisenden herum oder mit jungen Einheimischen von der Insel und suchte dabei immer wieder seinen Blick. Und ich fand ihn, jedes Mal: ein verwirrter, erregter, seltsam schuldbewusster Blick. Mein Klassenkamerad protestierte nicht, bei keiner Gelegenheit, sondern bezahlte mir weiter den ganzen Urlaub bis zum letzten Tag. Erst viele Jahre später, als ich ihn schon lange aus den Augen verloren hatte, erfuhr ich von gemeinsamen Bekannten, dass unter den Toten von Bologna auch eine Tante von ihm war, eine Frau aus dem Passeiertal. Er habe sie sehr gemocht, wurde mir erzählt, und bei ihrer Beerdigung geweint.

Heute, mitten in der Nacht, steht mein Zug im Bahnhof von Bologna auf Gleis vier, und von meinem Fenster aus kann ich den Riss in der zerstörten Wand nicht sehen.

Unter den von einem matten Mond erhellten Bahnsteigdächern wartet niemand. Die Lautsprecheransage, die über die wenigen ankommenden oder abfahrenden Züge informiert, hört sich wie die Stimme eines einsamen Rufers in der Wüste an: eines unsichtbaren Propheten mit breitem emilianischem Akzent. Seine Einsiedelei: keine mystischen Felsen, sondern Marmorbänke, Getränkeautomaten, Gleise. Die schwach besetzte Gemeinschaft seiner Anhänger: ich, der neapolitanische Liegewagenschaffner und der Lokführer, dessen Gegenwart sich mir seit Stunden nur im Bremsen und Beschleunigen des Zuges offenbart.

Der Prophet schleudert uns seine Warnungen entgegen:

»Nachtzug Intercity 780 *Freccia Salentina* von Bari nach Mailand Hauptbahnhof fährt vom Gleis ...«

»Fernzug 1940 *del Sole* von Villa San Giovanni nach Turin Porta Nuova ...«

Jetzt setzt sich auch mein Zug wieder in Bewegung, während er weiter vor tauben Ohren predigt.

Wir lassen die altmodische Bahnhofsbeleuchtung hinter uns und tauchen wieder in die Nacht ein, ins große Dunkel einer Nacht über dem offenen Land, einer Nacht, die weder Freund noch Feind für uns ist.

Genauso empfand ich es auch, wenn ich Ulli Gesellschaft leistete, der die ganze Nacht Pisten präparierte mit der Schneeraupe

Marlene, die er bequemer und persönlicher eingerichtet hatte als ein Brummifahrer seinen Laster: mit den schwarz-weiß gestreiften Sitzbezügen, der Stereoanlage, die im Rhythmus von Queen- oder Clash-Songs mit Dutzenden von Leuchtdioden blinkte – eine technische Neuheit damals in den achtziger Jahren –, und der voll aufgedrehten Heizung, sodass man auch im T-Shirt nicht fror. Draußen der flackernde Winterhimmel und der stürmische Wind, wie er auf zweitausend Metern normal ist. Und wir fuhren die Pisten rauf und runter, um den Schnee zu einer perfekten weißen Samtfläche zu glätten für die Skifahrer, die die »Fabrik« am nächsten Morgen auswerfen würde.

Es war eine solche Nacht, als Ulli mir sagte, dass es ihm keine Angst mehr mache, schwul zu sein. Genau dieses Wort benutzte er: schwul. Nicht »gay« oder »homosexuell«, sondern jenen Ausdruck, mit dem die Alten am Stammtisch im Wirtshaus ihre Vorurteile bekräftigten, jene Bezeichnung, die Ulli hinter seinem Rücken die Klassenkameraden flüstern hörte, die Nachbarskinder, den jüngeren Bruder Sigi, alle, seit er so mit elf keine Lust mehr auf Fußball oder Eishockey hatte, sondern sich lieber mit mir, einem Mädchen, herumtrieb.

Im Jahr zuvor war Ulli in London gewesen, wo seine Homosexualität nichts Besonderes war. Dort behandelte man ihn, als sei seine Veranlagung etwas Alltägliches. Und das hatte ihm gefallen.

Und es war ebenfalls in solch einer Nacht, als ich ihm von meiner Blitzheirat erzählte, in Reno geschlossen und kurze Zeit später auch dort wieder aufgehoben, mit Lesley – oder Wesley. Jedenfalls tat ich so, als könne ich mich schon gar nicht mehr genau daran erinnern, wie er hieß, diese Art Ehemann für zwei Wochen. Natürlich fiel Ulli nicht darauf herein und lachte nur. Irgendwann aber sah er mich dann stumm mit jener sanften Traurigkeit an, die er so häufig zeigte, und meinte:

»Was wohl Vito dazu sagen würde?«

Ich zog laut die Nase hoch. Da war er wieder, dieser Gleichklang zwischen Ulli und mir, der mich jedes Mal aufs Neue überraschte: Auch ich musste im gleichen Moment an Vito denken. Dabei hatten wir ihn seit Jahren schon nicht mehr erwähnt, weder Ulli noch ich. Und meine Mutter schon gar nicht. Was hätte er gesagt zu mir und meiner Blitzheirat, dieser pflichtbewusste Carabiniere aus Süditalien? Ich war mir nicht sicher, ob ich es überhaupt wissen wollte.

Um zu verhindern, dass die Schneeraupe am Steilhang kippte und abstürzte, war Marlenes Schnauze über ein Drahtseil mit einer Winde an der Bergstation verbunden. Im Scheinwerferlicht funkelte es wie eine Perlenkette. Stumm beobachtete ich, wie es sich spannte.

Dann begann ich Ulli zu erzählen, dass ich seinen Bruder Sigi im Sommer an einem Weinausschank beim Altstadtfest getroffen hatte. Zusammen mit einer Bier- und Currywurstfahne hatte sein Mund folgenden Satz von sich gegeben: »Sollte ich eines Tages in der Zeitung lesen, dass dir ein Mann was angetan hat, würde mir das leidtun. Aber überraschen würde es mich nicht.«

Den Blick starr auf den Lichtkegel der Scheinwerfer vor uns im Schnee gerichtet, manövrierte Ulli weiter schweigend seine Marlene. Von brutalen, obszönen Sprüchen des betrunkenen Sigi konnte er ein Lied singen. Oft schon hatten wir zusammen überlegt, wann genau und wodurch dieser kleine Bruder mit den enzianfarbenen Augen, dem er jahrelang die Schuhe zugebunden hatte, nun ja ... so geworden war. Dann drehte sich Ulli plötzlich zu mir um, mit weit aufgerissenen Augen, die im matten Licht in der Kabine vor Empörung funkelten.

»Der will dich vögeln. Auch Sigi will dich vögeln!«

»Na wenn schon, überrascht dich das?«

»Ich will dich nicht vögeln.«

»Das zählt nicht, du bist ja schwul.«

Ulli brachte die Schneeraupe zum Stehen, sprang hinaus und schlug die Tür zu. Ich fürchtete, ihn gekränkt zu haben, obwohl er das Wort schwul vorher selbst benutzt hatte. Aber nein. Er bückte sich, um etwas aufzuheben, was er im Schnee entdeckt hatte. Angestrahlt wie ein Rockstar auf der grandiosen Bühne der ihn umgebenden Bergwelt, hob Ulli den Arm, um mir zu zeigen, was er gefunden hatte: dem Anschein nach ein bizarres zweiköpfiges Tier ohne Rumpf, dafür aber mit einem langen, fadenförmigen Schwanz. Erst als er wieder einstieg und mit ihm ein Schwall eiskalter Nachtluft ins Führerhaus wehte, erkannte ich, was es war: ein spitzenbesetzter BH.

Während wir in unserem beheizten Mikrokosmos in der endlosen Weite die Berge hinauf- und hinunterkurvten, rätselten wir, wie der hierhergekommen sein mochte. Wer – und aus welchem Grund – mochte in diesem strengen Dezember, der den Fluss in unserem Städtchen schon hatte einfrieren lassen, den Trieb verspürt haben, sich wie eine Zwiebel zu entblättern, sich all der Schichten einer komplizierten Skiausrüstung zu entledigen, um schließlich auch den Büstenhalter abzustreifen? Und das auch noch auf dieser besonders steilen schwarzen Piste, auf der die Cracks Spezialslalom trainieren?

Die ganze Nacht unterhielten wir uns darüber, ohne eine Erklärung zu finden.

Als ich Carlo kennenlernte, nahm ich mir zum ersten Mal in meinem Leben vor, treu zu sein. Carlo sollte davon natürlich nichts erfahren, aber ich empfand das als Erleichterung und empfinde es auch heute noch so, elf Jahre später. Für mich war das wirklich schon ein Fortschritt.

Jetzt sind wir zwischen Bologna und Florenz. Die Dunkelheit draußen hat nichts mehr von der befreienden Weite des Nachthimmels, sondern ist schwarz, beklemmend und laut: Wir durchfahren die Tunnel des Apennins, wir tauchen ein und wieder auf so wie ich in meine Gedanken.

Was hätte Vito zu meinem Verhalten gesagt? Wäre er da gewesen, hätte er gesagt ...

Aber das war er nicht.

Ob er manchmal an mich denken musste? An meine Mutter mit Sicherheit. Aber warum hat er nicht sie angerufen, sondern mich? Und jetzt bin ich es, die zu ihm eilt.

Carlo weiß nichts von Vito. Ich habe ihm nie von ihm erzählt.

Mir dessen bewusst zu werden funktioniert wie die Dämme, die Ulli und ich als Kinder gebaut haben. Es stoppt den Fluss meiner Gedanken, ähnlich wie wir, wenn auch nur kurz, damals den Lauf des Baches anhielten.

Spritzend und krachend, fast wie Trommelschläge, ließen wir die schwersten Steine, die wir finden konnten, ins Wasser plumpsen: blutwurstfarbenen Porphyr, graugrünen Granit, lachsfarben gestreiften, hellen Dolomit, wie Katzenaugen funkelnden Schiefer. Irgendwann schmerzten uns die Arme von der Anstrengung, und unsere stundenlang im Wasser aufgeweichten Hände, runzelig und weiß, sahen wie blinde Kreaturen der Unterwelt aus. Hatten wir es dann geschafft, den Bach zu stauen, nahm das Wasser seltsame Wege, grub Furchen in die smaragdgrünen Moospolster am Ufer, bildete unvermutet kleine Sumpflöcher im Gras, begann in Wirbeln zu rotieren durch den plötzlichen Widerstand von Felsblöcken, die wir bis zu diesem Moment gar nicht als Teil des Bachbetts, sondern des Unterholzes angesehen hatten. Es blieb aber unerheblich, wie hoch die Steinbarriere war, die wir dem Wasser entgegensetzten, und mit welchen Mengen aus Schlamm und Rinde wir alle Lücken verstopften: Zum Schluss fand das Wasser immer wieder in sein altes Bett zurück.

Ich habe Carlo nie von Vito erzählt.

Dieses Nie wirkt wie eine in den Fluss meiner Gedanken gestürzte Felswand. Einen Moment lang kommen sie zum Stillstand, und wenn sie dann wieder zu strömen beginnen, haben sie ihr Wesen verändert, bewegen sich nun irgendwo zwischen Träumen und Wachen, sind etwas anderes geworden, wie das verborgene Wasser eines Sumpfes etwas anderes ist als das rasch dahinziehende, munter sprudelnde eines Wildbachs.

In diesem halb bewussten Traum sehe ich mich als Kind wieder. Ich bin dabei einzuschlafen, in dem möblierten Zimmer, wo ich damals mit meiner Mutter außerhalb der Saison wohnte. Ein Eurostar hält neben dem Bett, das wir uns teilen. Einige Passagiere betrachten mich durchs Zugfenster mit dem Blick von Menschen, die schon sehr lange auf das vorbeiziehende Panorama geschaut haben: ein sachlicher Blick, aber doch nicht unbeeindruckt von den Landschaften, die ihnen seit Stunden entfliehen. Andere lesen Zeitung und heben nicht einmal den Blick. Erst in diesem Moment wird mir bewusst, dass es alles Männer sind und ihr Blick auf meine Mutter Gerda als junge Frau gerichtet ist. Sie liegt neben mir auf der Seite, einen Ellbogen auf die Matratze gestützt, den Kopf in einer Handfläche, während ein Busen voll und schwer aus dem Unterkleid hervorquillt. Sie ist wunderschön, so schön, wie ich es niemals sein werde. Ein Pfiff ertönt, und der Schnellzug setzt sich in Bewegung, durchquert unser Zimmer, als ob es ein Bahnhof wäre. Ein Mann beugt sich am Fenster vor, um unser Bett so lange wie möglich im Auge zu behalten. Meine Mutter legt einen Finger an die Lippen und murmelt sanft, an den Zug gewandt:

»Pst, Eva schläft ...«

»Nein, nein«, mischt sich da fröhlich Vitos melodiöse Stimme ein, »sie ist noch wach, meine kleine Sisiduzza. Er ist neben mir aufgetaucht, und seine Augen lachen und haben mich lieb. Um leichter einschlafen zu können, nehme ich seine Hand und drücke sie fest. Doch der Eurostar rast am Kopfende meines Bettes vorüber und weckt mich mit lautem Rattern ...

Ein hartnäckiges, metallisches Klacken weckt mich auf. Das Leiterchen, das mir der Liegewagenschaffner als Diebstahlsicherung zu verwenden gezeigt hat, schlägt gegen die Klinke neben meinem Kopf.

»In zwanzig Minuten erreichen wir Rom«, ruft eine Männerstimme auf dem Gang.

An den Bahnhof in Florenz habe ich keine Erinnerung, ich muss also doch irgendwo im Apennin eingeschlafen sein. Meine Augen sind geschwollen und meine Hände steif nach dem brüsken Erwachen. Lange fuhrwerke und klappere ich herum, bevor ich mich aus der Gefangenschaft durch die Leiter befreien kann. Kaum habe ich die Tür ein wenig geöffnet, zieht mir schon der Duft frisch gebrühten Espressos entgegen. Mit schuldbewusster Miene reicht mir der Schlafwagenschaffner ein Plastiktässchen.

»Tut mir leid, der ist sicher zu kalt geworden. Aber ich mache Euch auch gern einen neuen ...«

»Nein, nein, machen Sie sich keine Umstände ...«, antworte ich, während ich den Kaffee entgegennehme.

Ich bekomme noch ein Tütchen Zucker und das weiße Plastikstäbchen zum Umrühren.

»Danke ...«

Mit einem Schluck kippe ich den Espresso hinunter und wische mir mit dem Handgelenk über die Lippen. »Genauso macht es deine Mutter auch«, hat Ulli einmal zu mir gesagt, und ich nahm mir vor, mir die Lippen fortan wie alle Leute nur noch mit den Fingern sauber zu wischen, aber das fällt mir immer erst ein, wenn es bereits zu spät ist. Mit einer Hand noch vor dem Mund schaue ich den neapolitanischen Liegewagenschaffner wie durch einen arabischen Schleier an.

Er betrachtet mich mit ernster Miene. Er hat eine etwas niedrige Stirn, doch sein wellenförmig geschwungener Mund erinnert an das Meer im Süden. Dynamisch ragt sein Nacken aus dem himmelblauen Hemd der italienischen Eisenbahn hervor, er hat breite Schultern, wie ich es mag, und die zupackenden Hände eines Mannes, der sich auf Motoren, auf häusliche Reparaturarbeiten und auf Frauenkörper versteht. Ich bin um einiges größer als er. Noch hat keiner von uns beiden den Blick vom anderen abgewandt. Seine Augen wirken verschleiert, wie von einer plötzlichen Traurigkeit getrübt. Oder ist es Begehren? Meine Atemzüge werden jetzt tiefer, die seinen auch.

Und ich erwische mich bei dem Gedanken: Seit elf Jahren bin ich jetzt treu, aber nicht Carlo, sondern seiner Frau. Warum sollte ich sie nicht mit einem so zuvorkommenden Liegewagenschaffner betrügen, der die Situation nicht ausgenutzt hat und bereit ist, mir einen neuen Espresso zu machen, weil der erste kalt geworden ist?

»Danke ...«, sage ich, indem ich ihm die leere Tasse reiche. Er nimmt sie entgegen, darauf bedacht, meine Finger nicht zu berühren.

»Ich werde mich dann ein wenig zurechtmachen«, sage ich und mache Anstalten, wieder im Abteil zu verschwinden.

»Das habt Ihr doch gar nicht nötig«, antwortet er und deutet mit seinem schönen Perlenfischermund ein Lächeln an.

»Danke«, sage ich nun schon zum dritten Mal und schließe die Tür hinter mir.

Unser Zug rollt mittlerweile neben der Autobahn entlang, das heißt, wir haben deren Verzweigung bei Fiano Romano schon passiert. In Kürze wird er den Stadtring schneiden, und dann sind wir in Rom.

Als wir am Bahnhof Roma Tiburtina eintreffen, ist es halb sieben Uhr morgens, aber noch nicht lange hell: Wir haben schon Sommerzeit, da wird es erst spät Tag. Eine Frau mittleren Alters beobachtet, wie unser Zug jetzt am Gleis hält. Ihr Lidschatten schimmert silbern unter den zu Kommas gezupften Augenbrauen. Unter ihrem offenen tresterfarbenen Mantel trägt sie ein für ihr Alter zu kurzes Schlauchkleid und Schuhe aus goldfarbenem Leder. Sie sieht aus wie nach einer Nacht, die ihre Erwartungen nicht erfüllt hat. Hinter ihr, an einer Mauer, erinnert eine Steintafel an die römischen Juden, die 1943 zusammengetrieben und von hier aus in verplombten Zügen deportiert wurden. Auf ihrem Leidensweg nach Auschwitz transportierten die Nazis sie über jene Gleise nach Norditalien hinauf, über die mein Zug gerade gefahren ist.

Der Liegewagenschaffner reicht mir den Koffer herunter, bevor er selbst mit einem jungenhaften Satz vom Trittbrett springt. Als er mir die Hand gibt, wirkt er wieder erwachsen und formgewandt.

»Ich heiße Nino.«

»Und ich Eva«, antworte ich und schüttele seine Hand.

»Ein schöner Namen, fast so schön wie Ihr ...«

Den Trolley hinter mir herziehend, entferne ich mich gut gelaunt: Nichts beflügelt die Schritte einer Frau mehr als ein Kompliment. Auch meine Mutter weiß das sehr genau.

Herr Neumann und Frau Mayer hatten eine klare Abmachung. Sie würde ihm keine Steine in den Weg legen, wenn ihm so viel daran lag, diese Hilfsköchin wieder aufzunehmen, die sich ein Problem eingehandelt hatte – ein Problem, das mittlerweile zwei Monate alt war und dicke rosafarbene Wangen hatte und die hellen Augen der Mutter. Seit vielen Jahren schon verwöhnte der Chefkoch ihre geschätzten Gäste mit Tiroler Spezialitäten, vielleicht nicht übermäßig fantasievoll, aber immer perfekt zubereitet, und sorgte so dafür, dass sie im Jahr darauf zurückkehrten. Daher wollte sie ihm jetzt auch nicht seinen Wunsch abschlagen.

Frau Mayer war eine Frau um die fünfzig, die man als »klassische arische Schönheit« hätte bezeichnen können (und die seinerzeit auch tatsächlich so bezeichnet *wurde*): schlanke Figur, Turnerinnenbeine, ein zwar nicht üppiger, aber durch den Dirndlausschnitt gefällig zur Geltung gebrachter Busen und ein dicker blonder Zopf, den sie um den Kopf geschlungen trug und dem nie, da waren sich alle sicher, auch nur ein einziges Haar entwischte. Da sie während des Faschismus zur Schule gegangen war, sprach sie ein gutes, fast gewählt klingendes Italienisch. Doch erst wenn sie mit ihren Gästen Hochdeutsch sprach, kam ihre Vorliebe für gute Umgangsformen voll zum Ausdruck. Aus Frau Mayers Mund waren den Personalpronomen »Sie« und »Ihnen« die Großbuchstaben, mit denen sie geschrieben wurden, überdeutlich anzuhören.

Alles an ihr wirkte kontrolliert. Nur eines nicht: Der Blick ihrer schönen blaugrünen Augen ließ erahnen, dass sie, anstatt

Tag für Tag lächelnd ihre Gäste zu hofieren, ebenso ein Leben voller Ausschweifungen und Leidenschaft hätte führen können. Mit etwas Fantasie konnte man sich Frau Mayer auch als Vamp in einem Kabarett vorstellen, der die Männer an den Rand des Selbstmords treibt, als Kriegerin eines Barbarenvolkes mit Drachenblut am Dolch oder als wahrsagende Poetin mit einem guten Draht zu den Mächten der Unterwelt.

Vielleicht hatte gerade diese Neigung zum Exzessivem, die ihr Blick verriet, Frau Mayer dazu bewogen, auf eine eigene Familie zu verzichten und nur einem Gott zu dienen: dem Wohlergehen ihrer Gäste. Trotz ihrer zahlreichen Angestellten im Zimmerservice, im Speisesaal und in der Küche entging ihr kein Detail im Hotelbetrieb. Das korrekte Aufschütteln der Gänsedaunenkissen in den Zimmern mit den Birkenholzbetten, die Lieferung der Säcke mit dem Sägemehl, das auf dem Küchenfußboden verteilt wurde, die Tischdekorationen im Speisesaal, bestehend aus Trockenblumen und geflochtenem Stroh, oder die Wartung des Heizkessels – all diese Dinge durften nicht ohne ihre Zustimmung erledigt werden. Selbst die Auswahl der Musikstücke, die die Kapelle an lauen Sommerabenden auf der Terrasse zum Besten gab, erfolgte ihrem Geschmack entsprechend, der auf einem simplen Grundsatz basierte: ans Herz gehende Liebeslieder und nichts anderes. Wer einsam und melancholisch gestimmt war, durfte sich verstanden und aufgehoben fühlen in dieser Atmosphäre; wer in netter Begleitung war, nahm mitfühlend Anteil am Schicksal der weniger Glücklichen, und alle sprachen sie, zum Wohle des Hauses, großzügig den Getränken zu.

Das einzige Detail, das sich immer mal wieder ihrer Kontrolle entzog, war der Tod. Fast alle Gäste reisten nach Meran wegen der Thermalbäder und Heilwässer, um hier die verschiedensten Gebrechen zu kurieren. Entsprechend waren die meisten bereits im fortgeschritten Alter, was leider zur Folge hatte, dass ab und zu jemand von ihnen starb. Und manche Gäste waren, zum Leidwesen von Frau Mayer, sogar so rücksichtslos, dies auf ihrem Zimmer zu tun.

Auch hier dachte Frau Mayer natürlich nicht an sich selbst, sondern an ihre Gäste – die lebenden, genauer gesagt. Für die war es höchst unerfreulich, gerade in einer Zeit, da sie eine Besserung der eigenen Gebrechen erhofften, mit ansehen zu müssen, wie die Leiche eines Gleichaltrigen abtransportiert wurde. Aus diesem Grund hatte Frau Mayer mit einem lokalen Bestattungsinstitut einen Spezialservice vereinbart: Nicht in herkömmlichen Särgen, sondern in eintürigen Schränken aus schönem Nussholz wurden die Toten aus dem Haus getragen, wodurch der ganze Vorgang nicht mehr wie eine Leichenüberführung, sondern wie ein Umzug aussah.

Damit war der einzige Hotelgast, dessen Erholung gestört wurde, lediglich jener, Friede seiner Seele, dem sie ohnehin nichts mehr nützte.

Die Familie Mayer besaß das Hotel seit den Zeiten, da der österreichische Adel in diesem südländischen Vorposten von Felix Austria, wo zwei Drittel des Jahres die Sonne schien, seine Brunnenkuren machte. Sogar der Kaiser höchstpersönlich, in Tirol unterwegs, um sich ein Bild von der militärischen Lage im Ersten Weltkrieg zu machen, hatte hier für eine Nacht Quartier bezogen. Und Frau Mayer hegte die vage Erinnerung an eine kaiserliche Hand, die sich, herrlich und unbehandschuht, auf ihre blonden Locken gelegt hatte. Ob es sich um eine echte Erinnerung handelte oder um eine oft gehörte Geschichte mit ihr, dem dreijährigen Mädchen, als Hauptperson? Sie wollte es gar nicht so genau wissen.

Eigentlich war dem Erstgeborenen der Familie das Hotel zugedacht gewesen, während Irmgard, das einzige Mädchen und drittes von sechs Kindern, hätte leer ausgehen sollen. Auf diese Pläne der Familie Mayer hatte die Weltgeschichte jedoch keine große Rücksicht genommen.

Julius, der älteste Bruder, war bereits im ersten Jahr des zweiten großen Weltgemetzels in Montenegro gefallen.

Karl, der zweite, geriet bei El Alamein in Gefangenschaft und verbrachte den Rest des Krieges in einem Gefangenenlager in Texas. Da er sich dort aber, obwohl eigentlich kein großer Freund der nationalsozialistischen Ideen, geweigert hatte, seinen Treueeid gegenüber dem Oberkommando der Wehrmacht zu widerrufen, wie es die Amerikaner als Bedingung für die Freilassung von allen deutschen Offizieren verlangten, kehrte er erst drei Jahre nach Kriegsende, schwer krank, nach Hause zurück. Als Exnazi von seinen Mitbürgern in der Heimat gemieden, besonders von jenen, die selbst die schwarze SS-Uniform getragen hatten, verschied er bald aufgrund »allgemeinen körperlichen Verfalls«, wie der Hausarzt der Familie im Totenschein festhielt.

Anton, der Viertgeborene, war in den dreißiger Jahren als kaum Zwanzigjähriger nach Brasilien aufgebrochen, um dort sein Glück zu machen, und hatte es in Gestalt einer Kaffeeplantage, einer Mulattin, die er zur Frau nahm, vielen Geliebten verschiedenster Herkunft und rund einem Dutzend Kinder auch gefunden. Zurückzukehren, um in der Heimat das Hotel der Familie zu führen – daran verschwendete er keinen Gedanken.

Stefan, der Fünftälteste, war 1919 dreijährig an der Spanischen Grippe gestorben.

Josef, den Letztgeborenen, traf 1943 in Kalitwa an der Donschleife südwestlich von Stalingrad die Kugel eines russischen Scharfschützen mitten in die Stirn.

Um den gramgebeugten Eltern zu helfen, blieb nur noch eine übrig, und das war sie, die kleine Irmgard. Ihr Treuegelöbnis dem Gott des Hotelwesens gegenüber, das Frau Mayers gesamtes Leben prägte, war also das Resultat dynastischer Schicksalsschläge.

Der einzige Angestellte, der sich Frau Mayers totaler Kontrolle zu entziehen wagte, war Herr Neumann. Immerhin entwarf er tagtäglich die Speisekarte, entschied über die Einkäufe und bezahlte die Lieferanten. Er hatte das uneingeschränkte Regiment in der Küche. Diese Sonderrolle hatten Herr Neumann und Frau Mayer schon bei seiner Anstellung, wenige Jahre nach Kriegsende, vereinbart.

»Ein Chefkoch ist der Chef in der Küche, wie der Name schon sagt. Wie viel ich ausgeben kann, bestimmen Sie, aber was ich einkaufe und was die Gäste auf den Tisch bekommen, ist meine Sache. Sollten die nicht zufrieden sein, können Sie mir kündigen. Aber ich kann nur in einer Küche arbeiten, wo ich das Sagen habe. Also, entweder – oder ...«

Frau Mayer hatte sich für das »Entweder« entschieden und es in fast zwanzig Jahren nie bereut.

Und als Herr Neumann sie nun darum bat, seine Hilfsköchin Gerda wieder einstellen zu können, erhob sie keinen Einwand. Gewiss, sie hatte Augen im Kopf und sah, wie schön dieses Mädchen war. Da lag der Verdacht nahe, dass die Hartnäckigkeit, mit der sich Herr Neumann für sie einsetzte, mit Gerdas Reizen zusammenhing. Doch sofort verscheuchte sie diesen Gedanken: Ihr Chefkoch hatte in seiner Küche bislang nur Leute geduldet, die wirklich hart arbeiteten, und Gerda bildete in dieser Hinsicht, außer als ihr Bauch immer häufiger gegen die Arbeitsplatte stieß, keine Ausnahme. Zudem gab es tüchtige Hilfsköchinnen, denen man nicht ständig alles erklären musste, keineswegs wie Sand am Meer. Auch das war zu bedenken. Die Bedingungen waren allerdings ebenfalls klar: Von diesem Baby durfte man nichts sehen und nichts hören. Und dass es unmöglich die Gäste im Speisesaal stören durfte, musste gar nicht erst erwähnt werden. So undenkbar war das.

Am Tag ihrer Rückkehr nach Meran suchte sich Gerda als Erstes in der Speisekammer eine Apfelkiste aus festem Holz und ohne spitze Stellen, legte sie mit Kissen und Handtüchern aus, stellte sie in eine Ecke, wo sie nicht im Weg war, und bettete Eva hinein. Dann nahm sie ihre Arbeit an der Seite von Herrn Neumann wieder auf, als wäre sie niemals fort gewesen.

Noch nicht einmal jetzt, da ausgerechnet Gerda jenes für eine »Matratze« typische Missgeschick widerfahren war, nämlich ein Kind zu bekommen, ohne geheiratet zu werden, ließ jemand, weder die Küchenjungen noch die Hilfsköche, Köche oder Kellner, es ihr gegenüber an Respekt fehlen. Vielleicht lag das auch an dem Baby in der Holzkiste in einer Küchenecke: Evas Gegenwart verlagerte die Aufmerksamkeit von dem üblichen Verhalten einer »Matratze«, das Gegenstand ordinärer Witze war, auf das, wozu dieses Verhalten führen konnte: zu einem rosigen, unwiderstehlich süßen, pausbäckigen Baby. Noch nicht einmal, wenn sich Gerda, was mehrmals täglich geschah, die Schürze aufband und sie, ohne sie abzunehmen, zur Seite schob und sich die Bluse öffnete, um Eva die Brust zu geben, hörte man einen Kommentar. Natürlich schauten alle hin: die Kellner, die an der Durchreiche auftauchten und »Spinatspatzlan, neu« riefen, die Köche, die brieten, rührten, kosteten, und Elmar, der Tellerreste in die Mülltonne kippte. Diese weiße, blau geäderte Rundung mit der braunen, glänzenden Warze, die in dem kleinen Mund verschwand und wieder daraus auftauchte, zog alle Blicke in der Küche auf sich. Während in der plötzlichen Stille nur das kräftige Saugen und Schmatzen des trinkenden Kindes zu vernehmen war, starrten alle andächtig auf diesen Teil von Gerdas Körper, der immer schon sehnsüchtige Fantasien geweckt hatte, sie nun aber, während er seiner eigentlichen Funktion nachkam, verstummen ließ.

Es gab aber auch aufreibende Stunden. Dann trat die Last der Arbeit in der Hektik alltäglicher Verrichtungen wieder deutlich hervor, ähnlich wie der bittere Geschmack von Radicchio, der sich, nachdem er sich eine Weile unter den anderen Zutaten des Salats versteckt hat, unversehens auf der Zunge voll entfaltet.

Bevor sie einschlief in ihrem Bett im Schlafsaal unter dem Dach, den sie mit den anderen weiblichen Angestellten teilte, gab Gerda der Kleinen noch einmal die Brust. Fielen ihr dann die Augen zu, war Eva in die Armbeuge der Mutter gekuschelt, beide eingehüllt in den Geruch von Milch und Windeln. In der Nacht nach ihrem ersten Arbeitstag war Eva schon nach wenigen Stunden wieder aufgewacht und hatte nach der Brust zu suchen begonnen. Noch halb im Schlaf schaffte es Gerda nicht sofort, ihr Nachthemd aufzuknöpfen. Zunächst war es nur ein keuchendes Wimmern, das Eva von sich gab, dann ein Weinen, das immer lauter wurde. Von den Betten der Kolleginnen drangen Unmutsbekundungen zu ihnen herüber, Schnauben, halb Flüche, die erst verstummten, als Eva eine Brustwarze fand und sich beruhigte.

In der nächsten Nacht war Gerda, um allen Protesten zuvorzukommen, sofort zur Stelle, als Eva nach Milch verlangte, doch jetzt begann Eva nach dem Stillen zu weinen. Gerda nahm sie hoch, stand auf und trug sie hin und her durch den Schlafsaal, wobei sie der Kleinen mit der Handfläche sanft auf den Rücken klopfte, wie es ihr die Hebamme »Stern der Güte« beigebracht hatte. Wieder forderten schlaftrunkene Stimmen sie auf, endlich Ruhe zu geben. Aber erst nachdem ein kräftiges, nach geronnener Milch riechendes Bäuerchen Evas Weinen beendete, konnte sich Gerda wieder hinlegen.

Einige Nächte ging das so, und das immer in den düsteren Stunden vor dem Morgengrauen, in denen man, falls man aufgeweckt wird, die Gedanken niederkämpfen muss, um wieder in den Schlaf zu finden, was nicht immer gelingt. Nach einer Woche nahmen die Zimmerkameradinnen Gerda zur Seite und machten ihr nicht unfreundlich, aber unmissverständlich klar: Wollte sie weiter mit ihrer Tochter in der Gemeinschaftsunterkunft übernachten, durfte der Schlaf der anderen nicht mehr gestört werden.

Gerda verstand das. Sie kannte ja die Erschöpfung nach einem langen Arbeitstag, kannte die bleischweren Glieder, die schmerzenden Gelenke, das benebelte Gehirn: Allein der Schlaf konnte, zumindest teilweise, das Wissen, dass es am nächsten Tag wieder von vorn losgehen würde, erträglich machen. Die Proteste waren also gerechtfertigt: Ohne ausreichend geschlafen zu haben, schaffte man es einfach nicht, den ganzen Tag mit dem Arm voller Teller zwischen Küche und Restaurant hin- und herzulaufen oder Dutzende von Zimmern tipptopp aufzuräumen, auch wenn dort Vandalen gehaust hatten, oder die Fußböden von vier Stockwerken plus der im Nebengebäude zu schrubben. Ohne Schlaf konnte man eigentlich auch nicht, so wie Gerda, in dieser überhitzten Küche am Herd stehen, Zutaten zerteilen, verrühren, kochen, aber für diesen Säugling war nun einmal sie verantwortlich – es war ihre Tochter, nicht die der Kolleginnen. Deshalb trafen sie eine Vereinbarung: Bis zum Stillen vor Tagesanbruch konnte Gerda im Zimmer bleiben. Aber danach musste sie hinaus.

Einige Wochen lang verbrachte Gerda die letzten Stunden der Nacht damit, mit ihrem Kind im Arm auf dem Flur hin und her zu wandern. Die Müdigkeit hielt sie wie eine undurchdringliche Mauer gefangen, und sie konnte sich nicht vorstellen, ihr jemals zu entfliehen. Manchmal schlief sie auch auf ebenjenen

Stufen ein, von denen sie sich, Monate zuvor, in der Absicht hinuntergestürzt hatte, kein vaterloses Kind im Arm halten zu müssen. Aber nun war Eva auf der Welt und legte das mit blondem Flaum überzogene Köpfchen in einer Haltung vollkommenen Vertrauens auf ihre Schulter.

Trotzdem hatte Gerda sich noch nie so alleingelassen gefühlt wie in dieser Zeit.

Es kam vor, dass sie tagsüber, während sie an der Arbeitsplatte stand, plötzlich einnickte. Einmal übermannte sie der Schlaf in der Gefrierkammer. Da hatte sie sich den schweren Mantel aus grober Wolle übergezogen und dem Müdigkeitsanfall nicht widerstehen können. Zwischen den reifüberzogenen Rindervierteln und Zickleinhälften sank sie zu Boden, und wäre Herr Neumann nicht kurz darauf selbst dort aufgetaucht, um einen Truthahnbraten auszusuchen, wäre sie wohl erfroren.

An diesem Tag bot Nina, die Kellnerin aus Egna, ihr an, sich während der »Zimmerstunde« um Eva zu kümmern.

»Ein paar Stunden Schlaf würden dir nicht schaden«, sagte sie, indem sie das Baby auf den Arm nahm.

Gerda blickte in diese Augen, die sie aus nächster Nähe mitfühlend ansahen, und spürte, wie eine tiefe Dankbarkeit in ihr aufkam und immer stärker wurde, wie der Wind vor einem Schneesturm, und brach in Tränen aus. Erst als sie schon im Bett lag, konnte sie sich beruhigen, und der Schlaf, den sie gewaltsam verdrängt hatte, packte sie jäh und überwältigte sie.

Seit ihm von einer russischen Granate das Bein zerfetzt worden war, hatte Silvius Magnago keine Nacht mehr gut geschlafen. Der Phantomschmerz, der einem vorgaukelt, das fehlende Körperteil sei noch da, war seit zwanzig Jahren sein dauernder Begleiter. Nur diesem unsichtbaren Gefährten konnte er alle Facetten seines Wesens offenbaren, seine Kraft, seine Wut, seine Zähigkeit und seine Verzweiflung, seinen Groll gegenüber den Gesunden, die nicht wussten, was ein Leben mit dem ständigen Schmerz im Fleisch bedeutete, aber auch seine Fähigkeit, sich auf das Wesentliche zu konzentrieren. Seit Magnago aber diese Fetzen von rauem, im Bozener Gefängnis entwendeten Toilettenpapier zugespielt worden waren, kamen ihm die Schmerzen im Bein geradezu harmlos vor, verglichen mit dem, was ihn jetzt so quälte: das Wissen, nichts getan zu haben für diese Leute, die in ihm ihre letzte Hoffnung gesehen hatten.

Die Kleider, die man den Ehefrauen der Tatverdächtigen der »Feuernacht« einige Zeit nach deren Festnahme ausgehändigt hatte, waren voller Blut, Erbrochenem und Exkrementen gewesen. Die »Bumser« vom Befreiungsausschuss Südtirol waren im Grunde einfache Leute. Trotz allem hatten sie darauf vertraut, dass man ihnen schon helfen würde, wenn man erst in der Welt draußen von der unmenschlichen Behandlung erführe, die sie im Bozener Gefängnis erdulden mussten. Und so hatten sie nichts unversucht gelassen, um Berichte über die Folterungen, denen sie unterzogen wurden, aus der Haft zu schmuggeln. Einige Zettel wurden abgefangen und ihre Absender bestraft, doch andere schafften es, die Zensur zu überwinden. Der Adressat ihres Hilferufs war natürlich er, Silvius Magnago, die einflussreichste politische Stimme Südtirols.

Es war gegen Ende des Jahres 1961, als Magnago diese traurigen Klopapierzettel erhielt. Und er, der sich mit körperlichen Schmerzen sehr gut auskannte, hatte das alles gespürt, als widerführe es ihm selbst: die Krämpfe in den über Stunden hochgebundenen Armen, das Reißen des von Fausthieben traktierten Gewebes, das unheimliche Krachen von Knochen, die unter Schlägen barsten, der Brechreiz und das fassungslose Entsetzen derer, die gezwungen wurden, ihre eigenen Exkremente zu schlucken, die platzende Lunge, wenn der Kopf unter Wasser gehalten wurde, das Wahnsinnigwerden durch Schlafentzug.

Er hatte kaum geatmet, während er die Mitteilungen las, hatte geweint, in der Stille seines mit hellem Holz vertäfelten Arbeitszimmers, das auf die Prachtstraße Bozens hinausging. Dabei hatte er wieder die Geschehnisse vor Augen gehabt, denen er im Krieg als junger Gebirgsjägerleutnant beiwohnen musste, jene Bilder, die er so gern vergessen hätte. Er hatte den Blick aus dem Fenster gerichtet, auf den Gewürzstrauch, den er so mochte. Jetzt war er kahl, die gelben Blüten, die mit ihrem Vanilleduft den Frühling ankündigten, waren noch nicht gesprossen. Noch nicht einmal sie spendeten ihm also Trost.

Die Südtiroler Volkspartei, der er vorstand, konnte es sich nicht leisten, auch nur entfernt mit den »Bumsern« in Zusammenhang gebracht zu werden. Zu steinig war der Weg zu einer echten Autonomie Südtirols. Man musste alles einkalkulieren, die endlosen Zeitspannen politischer Prozesse, all die Beratungen und Konferenzen, das Wechselbad der Versprechungen und Drohungen vonseiten eines Staates, der zu lange geglaubt hatte, das Problem aus der Welt zu schaffen, indem er es einfach negierte. Erst jetzt, da diese Provinz zu einem Pulverfass geworden war, sann die italienische Regierung über mögliche Lösungen nach.

Magnago hatte damit begonnen, ein feines, hochempfindliches Netz aus Kompromissen und Verhandlungslösungen zu knüpfen, um jene Autonomie *(Los von Trient)* zu erreichen, die allein einen Ausweg aus der Sackgasse wies und das schlimmste Szenario verhindern konnte: einen Bürgerkrieg der beiden Volksgruppen. Dabei wusste er sehr genau, dass sein ausgeprägter Südtiroler Akzent, mit dem er sein ansonsten tadelloses Italienisch sprach, seine Gesprächspartner in Rom von vornherein zu der Überzeugung veranlasste, dass er sie hassen müsse Er wusste auch, welches Maß an Diplomatie, an Geduld und bewusstem Überhören so mancher Bemerkung notwendig war, um auch nur den eigenen Ausgangspunkt für Verhandlungen deutlich zu machen: Die Südtiroler hassten die Italiener nicht, was sie hassten, war die Kolonisierung, die sie durch den italienischen Staat erlitten hatten. Somit war klar, dass sie sich keinesfalls auf das Risiko einlassen durften, mit jenen Leuten verwechselt zu werden, die, um ihr Anliegen durchzusetzen, auf Sprengstoff zurückgegriffen hatten, auch wenn damit nur Symbole des Staates getroffen werden sollten.

Doch es gab einen weiteren Grund für seine Bestürzung angesichts dieser Zettel, die buchstäblich mit dem Blut gefolterter Männer geschrieben worden waren, und der hatte nichts mit politischen Zwängen zu tun. Während seines Studiums an der Universität Bologna, wo er auch sein Juraexamen ablegte, war Magnago zu der Überzeugung gelangt, dass der Dialog, die Suche nach Kompromissen, die harte, aber aufrichtige Diskussion selbst sehr weit auseinanderliegender Positionen, jeglicher Form von Gewalt vorzuziehen sei. Wer auf Argumente verzichtete und sich auf zerstörerische Aktionen gegen Sachen oder Menschen einließ, so seine Überzeugung, setzt sich ins Unrecht, egal, wie gerecht sein Anliegen auch sein mochte: Dies war das einzige politische Credo des Silvius Magnago. Von einer der großen Ideologien dieses kriegerischen 20. Jahrhunderts hatte er selbst sich daher nie blenden lassen. Nicht lange vor Beginn des letzten großen Völkerschlachtens war er erwachsen geworden und hatte genau beobachten können, wohin es führte, wenn die Politik der Gewalt den Vortritt ließ: Die ganze Welt hatte in Flammen gestanden. Sein eigener amputierter Leib und die Schmerzen, welche die Wunde ständig ausstrahlte, machten es ihm zur Pflicht, immer und überall für die Unversehrtheit des Menschen einzustehen. Und damit waren nicht nur die Bewohner seines »Heimatlands« gemeint, die ihn beauftragt hatten, sie zu repräsentieren; sondern auch seine Gegner, die trägen Politiker in Rom, ja, selbst jene borniertern, kleingeistigen Beamten in den Behörden, die ihre Macht ausnutzten und seine Landsleute schikanierten. Seine Pflicht sah er darin, den politischen Kampf von physischer Zerstörung zu trennen, selbst wenn es nur um Hochspannungsmasten ging.

Er hatte die Zettel sorgfältig zusammengefaltet in einen Umschlag gesteckt und an einem Ort deponiert, der nur ihm bekannt war. Später erfuhr die Öffentlichkeit zwar von den Folterungen im Bozener Gefängnis, aber es war nicht Silvius Magnago, der sie bekannt gemacht hatte.

In den zwei Jahren, die seither vergangen waren, waren zwei Männer des *Befreiungsausschusses Südtirol (BAS)* durch Misshandlungen in der Haft oder später an deren Folgen gestorben. Andere hatten bleibende Schäden davongetragen. Die Folter prägte ihren Körpern das untilgbare Zeichen des Leidens ein, so wie es der Krieg mit dem Gebirgsjägerleutnant Magnago getan hatte. Es gab zwar einen Prozess gegen die Carabinieri, die für die Misshandlungen verantwortlich waren, doch in dessen Verlauf behaupteten deren Verteidiger, die Häftlinge hätten sich die Verletzungen selbst zugefügt (obwohl sie von Dutzenden ärztlicher Gutachten, die den Prozessakten beilagen, dokumentiert wurden), und zwar mit dem alleinigen Ziel, Italien in Misskredit zu bringen. Das Gericht schloss sich dieser Auffassung an: Alle Angeklagten wurden freigesprochen. Unter dem Jubel ihrer Angehörigen verließen sie nach der Urteilsverkündigung den Gerichtssaal als freie Männer. Zusätzlich erhielten sie eine offizielle Belobigung ihres Vorgesetzten, des Carabinierigenerals De Lorenzo. Ihre Opfer aber, die Häftlinge, die sie zu gebrochenen Gestalten erniedrigt und entwürdigt hatten, wurden mit Handschellen in die Haftanstalt zurückgebracht.

Silvius Magnago äußerte sich nie dazu, wie viel ihm die Entscheidung abverlangt hatte, nicht auf den verzweifelten Hilferuf der Häftlinge zu reagieren. Er verriet auch nicht, ob deren Martyrium seinen ohnehin schon knappen Nachtschlaf um neue Albträume bereichert hatte.

Der Leib. Sich für die Unversehrtheit des Leibes einzusetzen. Bei diesen Männern war es ihm nicht möglich gewesen.

Im Herbst 1963 lächelte ein weiß gekleidetes junges Mädchen mit einem Blumenstrauß im Arm von den Plakaten herunter, mit denen die Mailänder Straßen gepflastert waren. Eine Art Gerda im mediterranen Stil: mit vollen Brüsten, weichen Lippen, hohen Wangenknochen, aber schwarzen Haaren und dunklem Teint. Auf diese Weise gedachte die *Democrazia Cristiana* sich ein neues, jüngeres Image zuzulegen, eine Aufgabe, mit der die christdemokratische Partei den Amerikaner Ernest Dichter betraut hatte, den Vater der Motivforschung hinsichtlich des Kaufverhaltens, der auch eine berühmt gewordene Werbekampagne für kalifornische Trockenpflaumen kreierte. Von ihm stammte der Slogan, der unter dem schönen Mädchen prangte:

DIE CHRISTDEMOKRATISCHE PARTEI IST AUCH ZWANZIG
GEWORDEN!

Zwischen Domodossola und Syrakus, zwischen Udine und Bari ergänzten überall auf der italienischen Halbinsel unbekannte Hände mit Pinsel und Farbe den Slogan:

... UND ES IST ZEIT, SIE FLACHZULEGEN!

Das war von Mr. Dichter so nicht geplant gewesen.

Die Anregung, mit der Christdemokratischen Partei das zu tun, was jeder Mann in Italien gern mit deren Altersgenossinnen aus Fleisch und Blut angestellt hätte, wurde von vielen beherzigt: Bei den Parlamentswahlen 1963 erhielt die Kommunistische Partei zum ersten Mal in ihrer Geschichte mehr als ein Viertel der Stimmen. Die Alleinherrschaft der DC war gebrochen.

Unter der Führung Aldo Moros konstituierte sich die erste Mitte-links-Regierung der Republik Italien. Einige Tage nach der Stimmenauszählung wurde der Sitz der Christdemokraten an der Piazza del Gesù mit einer großen Kiste Trockenpflaumen beliefert.

Dort lachte niemand. Das politische Gleichgewicht, wie es sich nach der Konferenz von Jalta etabliert hatte, war durch den Wahlausgang ins Wanken geraten. Die Geheimdienste beiderseits des Atlantiks waren sich einig, dass nun neue Saiten aufgezogen werden mussten. Damit gewann *Gladio* neue Bedeutung, jene paramilitärische Geheimorganisation, welche die CIA schon in den fünfziger Jahren in Italien aufgebaut hatte, um den Vormarsch der Linken zu stoppen. Nun wurde der sogenannte *Piano Solo*, der Plan einer Alleinregierung, entwickelt, der drei Ziele verfolgte: erstens einen militärischen Staatsstreich gegen die neue Mitte-links-Regierung; zweitens die Einsetzung einer »Regierung der öffentlichen Sicherheit« unter der Führung von Generälen und rechten Parlamentsabgeordneten und drittens die Ermordung des Ministerpräsidenten Aldo Moro.

Der *Piano Solo* wurde nie realisiert, aber zumindest das letzte der drei Ziele erreicht, wenn auch erst fünfzehn Jahre später und durch die Hand Dritter. Das neue Spiel der Geheimdienste hatte begonnen. Es war so schmutzig und brutal, wie man es noch nie erlebt hatte. Und Italien standen blutige Jahre bevor.

Am 9. Dezember 1963, vier Tage nach der Vereidigung der Regierung Moro, begann im Mailänder Justizpalast der größte politische Prozess seit Ende des Krieges, der Prozess gegen die Attentäter der »Feuernacht«. Angeklagt waren einundneunzig Personen, dreiundzwanzig wurden noch mit Haftbefehl gesucht.

Bis zu diesem Zeitpunkt wussten die meisten Italiener nichts von Südtirol. Kaum jemand war sich darüber im Klaren, dass es dort oben ganz im Norden eine entlegene Ecke gab, wo die Leute Deutsch sprachen. Erst jetzt, durch den Pressewirbel um den Mailänder Prozess, begann man etwas von der Existenz und dem Charakter dieser Grenzprovinz zu begreifen.

An einem kalten Januarmorgen, ungefähr einen Monat nach Prozessbeginn, eröffnete das Schwurgericht seine Sitzung vor einem Publikum, das an diesem Tag sehr viel bunter als gewöhnlich aussah. In den Bankreihen hinter den nächsten Angehörigen der Angeklagten saßen Dutzende Männer in Lederhosen, mit roten Westen, Lodenjacken und Filzhüten mit Federschmuck auf dem Kopf: die Tiroler Schützen.

Unter ihnen war auch Peter Huber mit fast all seinen Schützenbrüdern, die Jäger waren wie er, sowie die Ehefrauen der Angeklagten, die regelmäßig die Kosten und Mühen der langen Anfahrt im sogenannten »Tränenbus« auf sich nahmen. Auch die Schützen hatten einen Bus gemietet, um in großer Zahl am Mailänder Prozess teilzunehmen. Doch sie konnten nur wenigen Sitzungen beiwohnen, vielleicht zwei oder drei, denn sie alle hatten Familien und ihre Arbeit, die zu Hause auf sie warteten. Aber es war ihnen wichtig, den »Helden des BAS« jene Unterstützung zu zeigen, die Silvius Magnago ihnen verweigert hatte.

Die Attentäter der Feuernacht selbst enttäuschten weiterhin die Erwartungen all jener, die in ihnen außerordentliche Figuren, seien es Helden oder Mörder, sehen wollten. Sepp Kerschbaumer, der Kopf der Gruppe und Inhaber eines kleinen Geschäfts in Frangart vor den Toren Bozens, war von der Folter gezeichnet. Er war ein schmächtiger Mann mit einem eingefallenen Gesicht, einem ungewöhnlichen Haarschnitt nach der Mode der zwanziger Jahre und dem melancholischen Blick eines Menschen, der sich in der Welt der Ideale heimischer fühlt als in der Geschäftswelt, in der er jedoch sein tägliches Brot zu verdienen gezwungen ist: So war es auch eher seine Frau, die ihn dazu drängte, armen Schuldnern nachzulaufen, denen er selbst, der mehrmals täglich das Vaterunser betete, die Schulden ohne Weiteres erlassen hätte. Sein mit Intelligenz gepaarter idealistischer Eifer und die innere Überzeugung, mit der er die mehr menschlichen als politisch-historischen Gründe erläuterte, die zu den Aktionen des *BAS* geführt hatten, nötigten den Mailänder Richtern ehrlichen Respekt ab. Was Kerschbaumer schilderte, war für jedermann zu verstehen. Er erzählte, wie demütigend es sei, wenn man auf einer Behörde nicht verstanden werde und kein Formular ausfüllen könne, weil man die Amtssprache nicht beherrsche; er berichtete von Ärzten in Krankenhäusern, die von ihren deutschsprachigen Patienten verlangten, dass sie sich, egal wie krank oder schwer verletzt sie waren, auf Italienisch ausdrückten; er legte dar, wie schwierig es für Südtiroler sei, außerhalb ihres Hofes Arbeit zu finden. Die italienischen Besucher hörten Kerschbaumer gebannt und voller Verständnis zu.

Um die Benachteiligungen zu belegen, denen die Südtiroler ausgesetzt waren, berichtete einer der Angeklagten in einer anderen Sitzung: »Seit mehr als sechs Jahren wartet meine Schwiegermutter auf ihre Rente.«

Es gab Gelächter im Saal, beifälliges Gemurmel und Rufe aus dem Publikum, die von unverkennbarer Sympathie getragen waren:

»Meine Mutter auch.«

»Und mich lassen sie auch mit der Rente hängen.«

Es dauerte eine Weile, bis die Ruhe im Saal wiederhergestellt war.

Durch die Sitzungen im Mailänder Gericht lernten die Italiener die Südtiroler kennen, die tüchtigen Automechaniker, Bauern und kleinen Handwerker vom *BAS*, aber auch Südtirol allgemein; umgekehrt lernten die Südtiroler endlich jenen langen Stiefel kennen, der, ob sie es wollten oder nicht, längst Teil ihrer Heimat war. Auch in Lecce oder Rom, in Novara und selbst in Mailand, erkannten die Südtiroler jetzt, ging der italienische Staat mit seinen Bürgern nachlässig um: Nicht jede Schwerfälligkeit und Umständlichkeit war das Resultat einer absichtlichen Diskriminierung. Sie war nicht persönlich gegen die Südtiroler gerichtet, diese dickfellige Ineffizienz der italienischen Bürokratie.

Wenn Peter die Menschen in dem überfüllten Gerichtssaal betrachtete, fand er nicht mehr jene Italiener vor, die er zehn Jahre zuvor am Bozener Bahnhof hatte eintreffen sehen. Er sah nicht mehr die hageren Gesichter von Menschen, die der Armut zu entfliehen versuchte, mit von Hunger, von Hoffnung und Angst geweiteten Augen, mit dreckigen Fingernägeln, Männer, die am Abend, bevor sie zu den großen Fabriken in Norditalien aufbrachen, ein letztes Mal die Ziegen in den Stall getrieben hatten. Dies waren Italiener, für die die Städte, in denen sie wohnten, tatsächlich ihr Zuhause waren. Darunter hübsche Mailänder Mädchen mit zu Bienennestern toupierten Haaren, junge Männer mit dicken schwarzen Brillen und mit Notizbüchern auf dem Schoß; Hausfrauen mit geschwollenen Fußgelenken und mit wachem Blick, die täglich die Preise auf dem Markt verglichen und viel mit ihren Freundinnen lachten; Metallarbeiter, die nach der Nachtschicht noch ins Gericht gekommen waren, um sich mal diese Bauern aus dem Land der *crucchi* anzuschauen, die bei ihren Aktionen gegen »die da oben« beachtliche organisatorische Fähigkeiten bewiesen hatten und vielleicht auch der Arbeiterbewegung noch etwas beibringen konnten.

Neben diesen modernen Wirtschaftswunderitalienern saß nun die Schützenkompanie in ihrer Tracht aus dem vorigen Jahrhundert. Peter trug eine Auerhahnfeder am Hut, eine Weste mit verflochtenen Bändern nach der Art Andreas Hofers, der einst das napoleonische Heer zurückgeschlagen hatte, und an den Füßen Lackschuhe mit silbernen Spangen sowie Kniestrümpfe aus weißer Schurwolle. Vielleicht lag es ja auch an dieser unpassenden Kleidung, dass der Mailänder Prozess ihn persönlich ganz anders beeinflusste als die Mehrheit der Südtiroler. Für ihn reichten die symbolischen Anschläge gegen Hochspannungsmasten, wie sie die »Bumser« dort vorn auf der Anklagebank verübt hatten, nicht mehr aus. Es war Zeit, so glaubte er, zu härteren Maßnahmen zu greifen.

Als Peter aus Mailand heimkehrte, von wo aus er, wie so oft, kein Lebenszeichen von sich gegeben hatte, fand er seine Frau nicht mehr vor: Leni war zu ihren Eltern zurückgegangen. Seit zwei Monaten war sie schwanger mit ihrem zweiten Kind, doch in diesem Haus, das ihr so leer und verlassen vorkam, wollte sie nicht länger bleiben.

Mit jeder Woche, die ins Land ging, schlief Eva ein wenig länger durch und weinte nachts nicht mehr. Tagsüber lag sie in ihrer Kiste und betrachtete mit großen Augen die Dampfwolken, die von den Töpfen aufstiegen, die rote Tomatensoße, die in Kasserollen gegossen wurde, die langen, hüpfenden Beine von Hubert, der mit einer Hand die Schlutzkrapfen abgoss und mit der anderen Salbei in Butter bräunte. Evas Augen, die so blau und länglich wie die ihrer Mutter waren, aber ohne deren stolzen Ausdruck, schienen um Zuneigung zu bitten. Gerda hatten die Blicke der anderen nie etwas über sich selbst verraten; Eva hingegen schienen sie zu sagen, wer sie war.

Die Kollegen gaben ihr ein Stückchen Möhre, Fenchel oder Parmesan in die Hand und beobachteten dann lachend, mit welchem Ernst sie daran leckte und saugte, mit ihren zahnlosen Kiefern daran knabberte, wie sie mit dem Gesichtsausdruck einer akribischen Naturwissenschaftlerin deren Konsistenz ertastete, wie sie die Stirn kräuselte und wie sich ihr Gesicht verzog, wenn ihre Zunge entdeckte, dass der gelbe Halbmond, den sie ihr in die Hand gegeben hatten, ein Zitronenscheibchen war. Wie stolze Eltern suchten die Küchenangestellten einander mit Blicken, um sich gemeinsam an den unwiderstehlich süßen Taten des Säuglings zu erfreuen. In den Monaten, da Eva so friedlich ihre Apfelkiste bewohnte, gab es fast kein Geschrei und keine Beschimpfungen mehr zwischen Kellnern und Köchen.

Gerda hatte ihr Lachen wiedergefunden. Für sie war die Zeit, da sie vor Müdigkeit im Stehen einschlief, vorbei. Ihre vollen Lippen öffneten sich, und dahinter blitzten ihre weißen Zähne auf. Es war dieses Lachen, das den Männern, die sie umgaben, den Köchen und Kellnern oder dem Küchenjungen Elmar, durch und durch ging. Und Herr Neumann musste sich sogar, wenn Gerda lachte, mit der Schürze die Stirn abtupfen, um sein Gesicht zu verbergen.

Gerda hatte sich verändert: Jetzt bemerkte sie die Blicke der Männer. Und sie tat nicht so, als missfielen sie ihr.

Bald war die Obstkiste für Eva zu klein. Elmar half Gerda, eine Art Laufstall zu bauen, indem er verschiedene Kisten zusammennagelte. Den stellten sie unter den Arbeitstisch für die Süßspeisen, gut geschützt vor heißen Fettspritzern und außer Reichweite von Spülmitteln oder Fleischmessern. Manchmal rieselte ihr Mehl oder Zucker auf den Kopf, und alle lachten über das süße Baby mit dem Greisenhaar. Ja, *die Letzte*, die Kleine, war ein *braves Schneckile*, die alles daransetzte, niemanden zu stören. Sie saß in ihrem Ställchen und schaute sich zaghaft um, als frage sie in die Runde: Ich bin doch nicht im Weg, oder? Nein, das war sie nicht, und niemand versagte ihr das Lächeln, aber es war auch klar, dass sie nicht bis in alle Ewigkeit dortbleiben konnte.

»Was machst du denn, wenn sie zu laufen anfängt?«, fragte Nina eines Abends Gerda in dem Schlafsaal unter dem Dach.

Nach einem Tag in ihrem Stall unter der Süßspeisentheke robbte Eva jetzt, den von Windeln geblähten Popo wie eine Fahne in die Höhe gereckt, sich mit Armen und Beinen abstoßend durch das Zimmer. Irgendwann hatte sie eines der Betten vor der hinteren Wand erreicht. Mit den Händchen klammerte sie sich am Gitter des Kopfendes fest und versuchte, sich aufzurichten und hinzustellen. Als sie es geschafft hatte, ließ sie ein triumphierendes Glucksen vernehmen, während sie den Blick ihrer Mutter suchte, um mit ihr diesen Sieg zu teilen. Sie fand ihn nicht: Gerda hatte den Kopf sinken lassen und starrte zu Boden. Auf Ninas Frage wusste sie keine Antwort.

Alle fürchteten den Tag, da man Eva aus der Küche vertreiben würde, aber niemand wunderte sich, als es dann geschah. Köche, Küchenjungen und Hilfsköche saßen in dem düsteren Raum neben der Speisekammer beim Mittagessen zusammen, das Herr Neumann wie gewohnt für sie zubereitet hatte, während Gerda in der Küche geblieben war, um Eva ein Fläschchen aufzuwärmen. Als sie zur Theke mit den Süßspeisen trat, sah sie, dass ein Brett des Laufstalls sich verschoben hatte. Und Eva war nicht mehr da. Aufgeschreckt begann Gerda, mit dem warmen Fläschchen in der Hand, suchend in der Küche auf und ab zu laufen. Auf der Fleischtheke lagen direkt an der Kante schwere, scharfe Messer, die bloß darauf warteten, wie ein Henkersbeil herunterzufallen. Der Backofen war eingeschaltet, und seine Griffe glühten genau auf der Höhe von Kleinkinderhänden. Und in dem Eimer mit Schmutzwasser neben der Spüle hätte auch ein größeres Kind als Eva ertrinken können. Gerda fand ihre Tochter weder zerteilt noch verbrannt oder ertrunken, doch jedes Mal machte die erste Erleichterung schnell wieder Panik Platz: Ihre Tochter war fort. Sie rannte aus der Küche.

In den mehr als zwei Jahren, die sie bereits in dem Hotel arbeitete, war Gerda nur ein einziges Mal durch die Schwingtür gegangen, die zwischen dem Reich von Herrn Neumann und dem Speisesaal lag. Am Morgen ihres ersten Arbeitstages hatte Frau Mayer ihr, bevor die Gäste zum Frühstück herunterkamen, den Saal gezeigt, die Bogenfenster mit dem Panoramablick auf die Berge, die Tische mit den Blumenarrangements auf den weißen Leinentüchern, die Kronleuchter aus Muranoglas, und ihr dann klar und deutlich gesagt: In diesem Raum habe sie nichts verloren.

Jetzt blieb Gerda auf der Schwelle stehen. Die ersten Gäste nahmen gerade ihre Plätze ein, Paare, Männer ohne Begleitung, ältere Leute. Sachlich galant rückten die Herren den Damen den Stuhl zurecht, die sich niederließen und gnädig den Ausblick genossen, als handele es sich um ihr Eigentum. Der Kontrast zwischen diesen unbeschwerten Gesten und der Angst, die ihr selbst die Brust einschnürte, war so groß, dass Gerda wie betäubt dastand. Nein, von diesen Leuten suchte niemand eine Tochter, deren Vater nichts mit ihr zu tun haben wollte und die nun zu groß geworden war, um stundenlang in einem Ställchen aus Obstkisten auszuharren, sodass sie nicht mehr wusste, wohin mit ihr. Aber die Arbeit in dieser Küche war ja das Einzige auf der

Welt, was ihr noch geblieben war, und wenn sie die auch noch verlöre, würde sie auf der Straße landen wie all die anderen verzweifelten Mädchen aus dem Heim, die keinen Herrn Neumann hatten, der sie trotz allem abgeholt hatte.

Da erblickte Gerda ihre Tochter.

Entschlossen krabbelte Eva auf ein bestimmtes Ziel zu, und zwar die Beine eines Mannes in mittleren Jahren, der allein an einem Tisch vor den breiten Panoramafenstern saß. In ihrem rundlichen Gesicht stand ein zufriedenes Lächeln, das der Welt verkündete: Mich entzückend zu finden ist unvermeidlich, denn ich bin es.

Gerda huschte durch den Saal und sammelte mit einer Hand die Tochter vom Boden auf. Enttäuscht ob der Vereitelung ihres Planes, fing Eva an zu schreien und streckte fuchtelnd die Arme zu dem Herrn am Tisch aus. Dieser starrte verblüfft, aber nicht verärgert Gerda mit hochgezogenen Augenbrauen an.

Er war nicht der Einzige. Alle Männer im Saal blickten sie an. Ihre prallen Brüste, die aus der Schürze drängten, die blonden Haarsträhnen, die keck unter ihrer Hilfsköchinnenmütze hervorschauten, ihre von der Aufregung geröteten Wangen, der Mund, der wie gemacht schien für unsagbare Wonnen, die schlanken Beine, von denen ihr zu kurzer Arbeitskittel nur wenig verdeckte, und dann noch dieses rosige kleine Mädchen auf dem Arm, das sie jünger und gleichzeitig weiblicher wirken ließ: Da konnten selbst die Damen nicht anders als fasziniert hinzuschauen, auch wenn sie bemüht waren, sich auf die Flecken auf Gerdas Schürze zu konzentrieren, auf die Sägespäne, die an ihren Holzklappern klebten, auf den Schweiß, der auf ihrer Oberlippe schimmerte. Doch nichts änderte etwas an der Tatsache, dass diesen Raum gerade eine Frau betreten hatte, die sehr viel schöner war als alle anderen hier.

»... sie *haben unser Abkommen gebrochen*.«

Wie eine germanische Göttin, durch einen Zauber herbeigerufen, war Frau Mayer neben ihr aufgetaucht. Ihre Stimme klang ruhig, mehr enttäuscht als verärgert. Dem »sie« allerdings, mit dem sie Gerda angesprochen hatte, war der Großbuchstabe abhandengekommen. Damit war alles gesagt.

Zwei Tage. Mehr hatte Herr Neumann nicht für Gerda herausschlagen können. Zwei Tage Zeit, um für Eva eine Unterbringung zu finden. War die Suche bis dahin erfolglos, wäre Frau Mayer gezwungen, ihr zu kündigen.

Der Bus, der Gerda von Bozen in ihren Heimatort brachte, war lange unterwegs, und so hatte Gerda genügend Zeit, sich Gedanken zu machen. Bei wem konnte sie ihre Tochter lassen? Nach der Beerdigung ihrer Mutter hatte ihr die Schwester Annemarie mit Schülerinnenschrift einen Brief geschrieben. Darin machte sie Gerda für Johannas Tod verantwortlich, brachte mit unbarmherzigen Adjektiven zum Ausdruck, was sie über die Schwester dachte, und schloss den Brief mit dem Wunsch, sie nicht mehr wiederzusehen. Der ließ sich leicht erfüllen. Seit Annemarie nach Vorarlberg gezogen war, hatten sich die beiden nur noch zweimal getroffen: auf Peters Hochzeit und bei Ullis Taufe.

Als der Bus aber nach drei Stunden Fahrt schnaubend am Busbahnhof der Kleinstadt hielt, hatte Gerda immer noch keine Ahnung, was sie machen sollte. Verwirrt, ohne klares Ziel, ging sie, mit Eva auf dem Arm, einfach los, und so nahmen ihre Füße wie von selbst jenen Weg, der ihr am vertrautesten war. Nach einer halben Stunde war sie bei einer Häusergruppe im Schatten der mittelalterlichen Burg, einige Kilometer vom Zentrum entfernt, angelangt: in Schanghai.

Das Haus mit dem grauen Kies-Zement-Verputz stand so da wie immer in dieser düsteren, feuchten Ecke. Die Tür war verschlossen. Aus dem Kamin stieg kein Rauch auf. Es war Tag, und durch die dreckigen Fensterscheiben konnte man unmöglich erkennen, ob jemand daheim war. So stand Gerda auf dem Vorplatz, auf den ihr Vater vor – wie ihr vorkam – undenkbar langer Zeit in hohem Bogen ihren Koffer geschleudert hatte. Sie betrachtete den Laternenpfahl, gegen den er geknallt war, und da kam ihr plötzlich eine Idee, wen sie vielleicht fragen könnte.

Sie lief los, sehr schnell, denn zum Glück hatte sie nicht viel dabei, neben Eva nur eine kleine Tragetasche, in der Strampelanzüge und Windeln zum Wechseln waren. Immer schneller lief sie. In nicht einmal einer halben Stunde war sie am Ziel, ein wenig keuchend von der Anstrengung des Anstiegs.

Es war Spätsommer, und die steilen Wiesen, auf denen sich die Hubers über Generationen den Buckel krummgeschuftet hatten, warteten darauf, nun zum zweiten und letzten Mal im Jahr gemäht zu werden. Etwas entfernt sah man die Männer vom Hof mit Sensen bei der Arbeit. Die Kühe waren noch nicht von der Alm zurückgekehrt, und in den Ställen standen nur die Muttertiere mit ihren neugeborenen Kälbern. Die Luft roch nach Heu und Rauch, nach Mist und frisch gebackenem Brot. Auf dem Türsturz waren etwas verwaschen die mit Kreide geschriebenen Buchstaben C, M und B und dazwischen die Zahlen 19 und 64 zu lesen. Auch hier hatten Kinder nach Neujahr als die drei Weisen aus dem Morgenland, Caspar, Melchior und Balthasar, verkleidet den Bewohnern für ein paar Münzen Glück und Gesundheit für das Jahr 1964 gewünscht. Gerda klopfte an. Ihr Onkel Hans, Hermanns älterer Bruder und Alleinerbe des Hofes, war einige Jahre zuvor gestorben. Ihr öffnete nun die junge Frau von Michl, dem ältesten der Cousins, mit denen Gerda als Kind die Sommer auf der Alm verbracht hatte.

Gerda deutete auf Eva. Und erklärte ihre Not.

Die junge Frau, kaum älter als Gerda, blickte sie aufmerksam an. Sowohl ihr Mann Michl als auch der Schwager Simon (der jetzt in der Schweiz lebte) hatten die Cousine nur selten erwähnt, aber wenn, dann mit einem Leuchten in den Augen, das sie, die Ehefrau, in Verlegenheit brachte. Außerdem war Gerda noch nicht einmal auf der Beerdigung der eigenen Mutter gewesen, und schließlich hatte sich herumgesprochen, dass sie schwanger war. Nein, auch ohne sie zu kennen, konnte die junge Ehefrau nicht behaupten, dass ihr diese Gerda sympathisch gewesen wäre.

Während sie noch so dastanden, kam, schweißnass von der Arbeit, der jüngste Bruder ihres Mannes vom Feld zurück, jener Sebastian, Wastl gerufen, mit dem Gerda und die älteren Brüder damals im Heu wie mit einer Puppe gespielt hatten. Er war zu einem gut aussehenden vierzehnjährigen Jungen herangewachsen, groß und stark, mit einer geraden Nase, das dunkelblonde Haar zu einem Igel geschnitten, und fröhlich blickenden Augen. Mit einer herzlichen Umarmung begrüßte er die Cousine. Und als sie ihm erklärt hatte, worum es ging, sagte er zu ihr: »Du kannst sie hierlassen, die *Letze*.«

Michls Frau bedachte ihn mit einem finsteren Blick.

»Das sagst du so. Aber willst du etwa auf das Kind aufpassen?«

Nun traf auch ihr Mann ein. Michls Augen erstrahlten, als er Gerda sah, seine Arme begannen sich zu öffnen, doch dann blickte er kurz, von plötzlicher Scham erfüllt, zu seiner Frau und hielt in der Bewegung inne. Schwer und voller Anspielungen hing die nicht erfolgte Umarmung in der Luft, während der argwöhnische Blick der jungen Ehefrau auf Michl ruhte. Wastl erklärte dem älteren Bruder Gerdas Lage, seine Schwägerin biss sich auf die Lippen, und dann begann die Auseinandersetzung. Gerda beobachtete ihre Münder, folgte aber bald schon nicht mehr ihren Worten – es schien ihr, als unterhielten sie sich in einer fremden Sprache. Sie hatte verstanden. Irgendwann erklärte Michls Frau, sie habe in der Küche zu tun, das Essen stehe auf dem Herd, und verschwand im Haus. Michl fragte Gerda, ob sie nicht hereinkommen wolle, doch sie lehnte ab. So warf er ihr nur noch einen schuldbewussten, traurigen Blick zu und folgte seiner Frau.

Auch Wastl ging ins Haus, kam aber gleich darauf schon wieder zurück mit einem Glas Milch für die Kleine und ein wenig Brot, Speck und Käse für Gerda. Er blieb bei ihnen stehen, während Eva in kleinen Schlückchen die Milch trank, den Blick ihrer himmelblauen Augen auf die Hennen gerichtet, die zwischen Haus und Stall herumscharrten. Gerda bedankte sich und verstaute die Essenssachen in ihrer Tasche. Noch einmal umarmte Wastl die Cousine, die so schön war und so tief in der Patsche saß, streichelte der braven Kleinen kurz über die Wange und kehrte ins Haus zurück, wo das Abendessen auf ihn wartete.

Obwohl der Weg zurück ins Städtchen bergab führte, brauchte Gerda länger als für den Hinweg. Ihre Beine waren schwer, und das nicht vor Erschöpfung. Die Sonne stand tief, bald würde sie hinter den Gipfeln der Berge untergehen, die das Tal umstanden. Als sie die Ortsmitte erreichte, waren die Geschäfte bereits geschlossen, die Straßen menschenleer. Es war die Tageszeit, da die Erde schon dunkel, der Himmel aber noch erhellt ist – wenn die Mütter ihre Kinder, die draußen gespielt haben, hereinrufen und das Essen auf dem Tisch steht und alle, die kein Zuhause haben, die Sehnsucht danach noch stärker spüren als zuvor.

Gerda schlug die Richtung zum Ursulinenkloster ein. Vor dem Tor neben der Freitreppe angekommen, zog sie an dem Draht, der an einer Glocke befestigt war. Kurz darauf erschien eine klein gewachsene alte Nonne. Ohne lange Fragen zu stellen, ließ sie Gerda herein. Wenn in der Dämmerung ein Mädchen ohne

Begleitung nur mit einem Säugling auf dem Arm vor der Tür stand, erübrigten sich alle Erklärungen.

Die Nonnen versorgten sie mit einer Tasse Fleischbrühe und machten ihr dann ein Angebot: Sie würden das Kind bei sich aufnehmen, es erziehen und in ihrer Schule unterrichten und später einen Beruf lernen lassen. Sie selbst dürfe ihre Tochter besuchen und auch mal mitnehmen und mit ihr spazieren gehen. Gerda schüttelte den Kopf. Offenbar hatte sie sich nicht klar genug ausgedrückt: Als ihre Tochter zur Welt kam, habe sie Eva nicht zur Adoption freigegeben, und das werde sie auch jetzt nicht tun. Außerhalb der Saison arbeite sie ja nicht, da würde sie sich ein möbliertes Zimmer nehmen, denn diese zwei Monate im Jahr könne, ja wolle sie Eva bei sich haben. Das sei unmöglich, entgegneten ihr die Nonnen. Entweder bleibe das Kind ganz bei ihnen oder überhaupt nicht. Eine andere Lösung gebe es nicht.

Übernachten durfte sie auf einer Pritsche in einem Raum hinter der Küche. Dort lag sie nun, den Blick starr zu der hohen, unverputzten Decke gerichtet. Keine vierundzwanzig Stunden hatte sie mehr, dann musste sie wieder im Hotel sein, und zwar ohne Eva, sonst würde sie ihre Arbeit verlieren. Doch bald wurde die Müdigkeit stärker als ihre Sorgen: Sie kauerte sich auf der Seite zusammen, barg Eva in der Vertiefung zwischen Brust und Armbeuge, verhakte ihre Füße, indem sie den rechten großen Zeh zwischen den linken großen Zeh und den daneben steckte, und schlief ein.

Vor Tagesanbruch schon verließ Gerda das Kloster. Sanft schaukelte das Köpfchen der noch schlummernden Eva in ihren Armen.

Noch im Morgenmantel, den kleinen Sigi im Arm, öffnete Leni die Tür. Ulli stand neben ihr, eine Hand aufs Bein der Mutter gelegt, als wolle er dafür sorgen, dass zumindest dieser Elternteil nicht spurlos verschwinden würde, wie er es von dem Vater gewohnt war. Aus braunen Augen mit endlos langen Wimpern schaute er zu Eva auf und betrachtete sie – aufmerksam, aber nicht abweisend.

Gerda tat Leni leid, weil man sie aus dem Haus gejagt hatte, dessen bedrückender Atmosphäre sie allerdings selbst entflohen war. Und so bezweifelte sie, dass es für die Schwägerin besser wäre, wieder bei diesem Vater mit dem verschlossenen Herzen zu leben. Sie selbst war tief verunsichert und enttäuscht. Seit drei Monaten schon hatte sie ihren Mann nicht mehr gesehen und wusste nicht, wo er war und was er trieb. Zwar erzählte man sich seltsame, erschreckende Dinge über ihn, aber sie glaubte nicht daran, denn sie wusste ja: Die Leute übertrieben immer. Der Vorsitzende von Peters Schützenkompanie war bei ihr gewesen und hatte ihr klarzumachen versucht, dass Opfer für die »Heimat«, so hart sie auch sein mochten, immer ihren Preis wert seien. Leni gefiel nicht, was er ihr da erzählte, wusste aber nicht, was sie erwidern sollte. Bis vor einiger Zeit hatte Peter ihr immer noch, wenn er verschwand, etwas Geld dagelassen. Jetzt nicht mehr.

Einige Monate zuvor hatte ein großes englisches Unternehmen am Rande des Städtchens eine Fabrik für Maschinenbauteile eröffnet, die größte ausländische Industrieanlage, die man je in Südtirol gesehen hatte. Fast fünfhundert Arbeitskräfte wurden gebraucht, eine immense Zahl, gemessen an der Einwohnerzahl des Ortes. Und da es in der Kleinstadt nur wenige Italiener gab, die darüber hinaus größtenteils Beamte waren, würden nun endlich auch die alteingesessenen Südtiroler Arbeit bekommen. Leni teilte die Begeisterung, die das ganze Tal erfasst hatte. Die schlechten Zeiten für ihre Familie würden ein Ende haben, denn jetzt bot sich Peter die Möglichkeit, das zu tun, was er immer wollte: in einer Fabrik arbeiten. Doch als sie ihm den Zettel mit der Firmenanschrift und den Bewerbungsfristen zeigte, warf ihr Mann noch nicht einmal einen Blick darauf. Es war dieser Tag gewesen, an dem er wieder loszog. Und seitdem hatte sie ihn nicht mehr gesehen.

Jetzt sei sie, erzählte sie Gerda, mit ihren beiden Söhnen wieder ganz von ihren Eltern abhängig, als wäre sie gar keine verheiratete Frau, sondern nur eine ledige Mutter.

Sie brach ab und warf Gerda einen verlegenen Blick zu, die aber nur kurz die Augen zusammenkniff und mit den Achseln zuckte, als wolle sie »schon gut« sagen.

Leni wohnte wieder an ebenjenem Berghang, wenn auch tiefer im Tal, wo sowohl der alte Hof der Familie Huber, den Gerda am Vortag aufgesucht hatte, als auch Paul Staggls Viersternehotel lagen. In nächster Nähe gab es noch einen weiteren Hof, der von Lenis Haus über einen kurzen Schotterweg zu erreichen war. Dort sah man auf der Schwelle unter dem Holzbogen ein Mädchen stehen. Sie stand dort, seit Gerda mit Eva im Arm aufgetaucht war, hatte sich seitdem nicht vom Fleck gerührt und starrte in einem fort herüber.

Keine zwei Stunden mehr, dann würde ihr Bus nach Bozen abfahren. Wollte Gerda, so wie sie es Herrn Neumann versprochen hatte, abends im Hotel zurück sein, durfte sie ihn nicht verpassen. Ruhig, als hätte sie noch alle Zeit der Welt, verabschiedete sich Gerda von Leni und trat auf das Nachbarhaus zu.

Das Mädchen in der Tür trug ein verschossenes, zu langes Kleid, das sie gewiss von einer der größeren Schwestern geerbt hatte; wie helle, dürre Äste ragten ihre nackten Beine aus den schwarzen Gummistiefeln hervor, ihre dünnen Zöpfe waren nachlässig geflochten und rahmten ein spitzes Gesicht mit fast weißen Wimpern ein. Gerda fragte sie, ob jemand im Haus sei. Das Mädchen schüttelte den Kopf. Sie seien alle beim Heumachen, nur sie sei dagebrieben, um ihrem kleinen Bruder eine

Gerstensuppe zu kochen. Ruthi heiße sie, erzählte sie weiter, und sie sei neun Jahre alt. Dann fragte sie, ob sie mal das Baby halten dürfe, und Gerda nickte. Friedlich, mit einem verwunderten Lächeln im Gesicht, glitt Eva von einem Händepaar zum anderen hinüber.

Ei, ei, ei, du, du du, machte Ruthi und verzog dabei sanft das Gesicht, was Eva zu gefallen schien. Dann stellte sie die Kleine auf die Füße und hielt sie wie eine aufmerksame Mutter, also nicht an den Handgelenken, sondern an den Unterarmen. Von Ruthi geführt, lief Eva ein paar Schritte, drehte sich um und blickte das Mädchen stolz an, das ihr mit einem erstaunten Lächeln zeigte, wie sehr sie Evas Leistung bewunderte.

Gerda betrachtete ihre Tochter im sicheren Griff dieser erfahrenen Kinderhände. Sie sah auf zu der Wiese hinter dem Hof, wo in der Ferne, kaum größer als etwas dunklere Punkte auf einer grünen Fläche, die Bauern mit ihren Sensen bei der Arbeit waren. Dann suchte sie Ruthis Blick.

Gerda saß schon im Bus auf dem Rückweg nach Meran, als Ruthis Großeltern, Eltern und größere Geschwister bemerkten, dass sich ihre vielköpfige Familie noch um ein Kleinkind von nicht einmal einem Jahr vergrößert hatte. Aus dem Nachbarhof rief man Leni herbei, und die erklärte ihnen, wer diese blonde junge Frau war, die Eva wie eine Puppe zurückgelassen hatte. Ruthis Vater drohte, seine Tochter den Gürtel spüren zu lassen, aber der Großvater ließ es nicht zu.

Sepp Schwingshackl war noch keine sechzig, aber seine Hände zitterten merklich, er hörte nicht mehr gut, und eine raue, weißliche Narbe teilte seine Augenbrauen, ein Andenken an Hermann Huber, als der ihm dreißig Jahre zuvor die Seele aus dem Leib geprügelt hatte. Allerdings besaß er auch den offenen Blick eines Menschen, der mit sich im Reinen ist, und das sanfte

Lächeln eines Alten, der viel gesehen hat und sich mit Kindern auskennt. Eva auf Ruthis Arm blickte sich ängstlich um. Aber selbst jetzt weinte sie nicht, als sei sie sich darüber im Klaren: Wer auch immer diese Fremden waren – ob sie sich um sie kümmern würden, musste sich erst noch herausstellen. Behutsam hob Sepp sie jetzt der Enkelin aus dem Arm und nahm sie auf den Schoß.

»Gott hat sie uns gebracht, und wir werden sie bei uns aufnehmen«, erklärte er.

Nein, das war nicht Gott, sondern die Nutte von Tochter eines bösen Mannes, dachte sein Sohn, behielt es aber für sich.

Nein, das war nicht Gott, sondern eine schöne Frau wie meine Schwester Eloise, aber noch schöner, dachte Ruthi, behielt es aber für sich.

Es war Gott, also meine Mama, aber wo ist sie nur, dachte Eva. Aber da sie noch nicht sprechen konnte, behielt sie es für sich. Hätte sie es gekonnt, würde sie hinzugefügt haben: »Ich werde nicht mehr schlafen, bis sie wieder da ist.«

Müdigkeit und Verwirrung sorgten jedoch dafür, dass ihr langsam die Augen zufielen. Der kleine, flauschige Leib entspannte sich auf Sepps harten Knochen, seinem nach Holz, Seife und Schweiß riechenden Leib. Eva war eingeschlafen.

So begann der Rhythmus, der über Jahre ihr Leben bestimmen sollte: zehn Monate im Jahr bei der Familie Schwingshackl und außerhalb der Saison zwei Monate mit der Mutter in einem möblierten Zimmer.

Währenddessen saß Gerda im Bus und weinte. Sie weinte auf der Fahrt durch das ganze Tal, dessen Hauptort ihr Städtchen war, sie weinte, als der Bus auf die Staatsstraße einbog, und weinte auch noch, als sie in Bozen eintrafen. Dort stieg sie weinend in einen anderen Bus um und lief später weinend vom

Busbahnhof bis zu ihrem Hotel in Meran. Als sie den Schlafsaal betrat, den sie mit den anderen weiblichen Angestellten teilte, lief ein Radio. Schlagartig wurde Gerda sich einiger Dinge bewusst.

Sie hatte kein Kind mehr, auf das sie den ganzen Tag aufpassen musste.

Sie hatte keinen guten Ruf mehr, der zu schützen war.

Sie war noch nicht mal zwanzig.

Mit einem Male verspürte sie Lust, zu der Swingmusik die Hüften und Arme zu schwingen und so wie Mina jedem offen ins Gesicht zu schauen, der etwas daran auszusetzen hatte.

Vom Bahnhof Tiburtina zum Hauptbahnhof Termini in Rom, wo um Viertel nach sieben mein Zug nach Reggio Calabria abfahren soll, werde ich wohl die U-Bahn nehmen. Ich habe ja nicht viel Gepäck dabei, das dürfte kein Problem werden.

Falsch gedacht. Es wäre kein Problem, wenn ich einen Fahrschein bekäme. Aber ich habe keine Euromünze dabei, und außerdem scheinen die Fahrscheinautomaten hier unten alle nicht zu funktionieren. Und um sich an einem Ostersonntag um sechs Uhr achtunddreißig irgendwo einen geöffneten Fahrkartenschalter zu erhoffen, muss man ein Kind, verrückt oder Deutsche sein. Nun mag ich selbst solche Wurzeln haben, doch die Provinz, aus der ich stamme, gehört schon viel zu lange zu Italien, als dass ich mich noch solchen Illusionen hingeben könnte.

Ich verlasse also das Tiefgeschoss der U-Bahn, um oben nach einem Kiosk Ausschau zu halten. Der erste, den ich finde, ist sogar geöffnet, doch Fahrscheine hat er nicht mehr, der zweite ist geschlossen, weil es eben sechs Uhr (und mittlerweile) dreiundvierzig an einem Ostermorgen ist, und der dritte liegt mindestens einen Kilometer entfernt, wie ich von der Ukrainerin erfahre, die verschlafen hinter dem Tresen einer Bar bedient.

Nicht aufregen, nehme ich mir eben ein Taxi. Als ich aus dem Bahnhofsgebäude trete, beginnt sich der römische Himmel gerade in unzähligen Farben zu tönen, und ich bleibe stehen, um ihn mir anzuschauen. Hauchdünne orange- und rosafarbene, zartgraue und pistaziengrüne Schlieren breiten sich auf einer Fläche aus, die türkis schimmert. Empfindliche, verträumte Farben, die man nicht erwarten würde über diesem brutal hässlichen Teil der

Stadt mit der Hochbahn, die dicht an den Küchen- und Esszimmerfenstern im dritten Stock vorbeirattert. Und selbst über diesem abblätternden Grau in Grau ist die Pracht des Himmels über Rom so betörend, dass sie sogar mich, die ich an Sonnenuntergänge im Gebirge gewöhnt bin, berührt.

Bei dem Pfosten mit dem Taxischild, dessen einziger Zweck darin zu bestehen scheint, falsche Hoffnungen zu wecken, warten rund ein Dutzend Schlafwagenpassagiere, ungekämmt und benommen, und schauen sich feindselig an. Denn trotz einer Nacht mit wenig Schlaf lässt sich die Wartezeit leicht ausrechnen: Bei einem Verhältnis von zwölf Fahrkunden auf kein Taxi wird sie jedenfalls nicht kurz sein.

Willkommen in Rom.

Als ich endlich am Hauptbahnhof Termini eintreffe, dürfte mein Zug nach Kalabrien schon Latina erreicht haben. Der nächste fährt erst kurz nach elf. Ich muss also fast vier Stunden warten.

Es ist Tag geworden, der Bahnhof ist belebt wie an einem Werktag. Die allgegenwärtigen Flachbildschirme senden Werbespots, immer die gleichen, ein ums andere Mal. Eine Frau undefinierbaren Alters mit dünnen grauen Haarsträhnen, die wie am Kopf befestigte Rattenschwänze aussehen, tritt zu mir und fragt mit einem freundlichen Lächeln, wo sie einen Supermarkt findet. Das kann ich ihr nicht sagen und entschuldige mich dafür, worauf sie mir überschwänglich dankt, als hätte ich ihr gerade das Leben gerettet. Ich suche mir einen Geldautomaten, kaufe mir eine Zeitung, und da sehe ich sie wieder. Jetzt kniet sie vor einem Buggy und lässt vor den Augen des Kindes zwischen ihren Fingern eine Münze auftauchen und wieder verschwinden. Aber der Trick gelingt ihr nicht besonders gut. Der kleine Junge und seine junge Mutter, beide mit schwarzen, glatten Haaren und bolivianischen oder peruanischen Gesichtszügen, lassen sie gewähren, ermuntern sie nicht, aber jagen sie auch nicht fort: Stumm und geduldig schauen sie ihr zu und warten darauf, dass sie aufhört. Als die Frau mit ihrem Kunststück fertig ist, verabschiedet sie sich und geht davon mit dem zufriedenen Lächeln eines Menschen, der seinen Platz in der Welt gefunden hat. Mutter und Sohn schauen ihr keinen Augenblick nach.

Ich setze mich in eine Bar – Espresso, Hörnchen, ein frisch gepresster Saft – und schlage die Zeitung auf. Jede Seite lese ich, selbst die Lokalseite für Rom mit den entrüsteten Leserbriefen zu den Schlaglöchern in den Straßen, mit einem Artikel über wildes Parken, und sogar den Wohnungsmarkt studiere ich. Dann beschließe ich, mir ein wenig die Beine zu vertreten in jenem großen Einkaufszentrum, zu dem der Bahnhof Termini geworden ist. Ostern zum Trotz sind auch heute viele Läden geöffnet, vor allem die zahlreichen Geschäfte für Damenunterwäsche, in jeder Ecke eins, wie ich feststelle, während ich herumschlendere, aber nur, um mir die Zeit zu vertreiben: Ich bin schließlich auf dem Weg zu dem Mann, dessen Abwesenheit mein Leben und das meiner Mutter geprägt hat, und nicht zum Shoppen. Plötzlich höre ich Gesang.

Im untersten Geschoss des Einkaufszentrums, gegenüber dem x-ten Dessousladen, sehe ich ein Tor, das zu einer Tiefgarage führen könnte. Es steht offen und gibt den Blick frei auf eine zweiflügelige Glastür, die einen schmalen, fensterlosen, nur von Neonlicht erhellten Schlauch abschließt, der tatsächlich an eine Garage erinnert. An der hinteren Wand erkennt man einen Tisch mit einer weißen Tischdecke und einem bronzenen Kreuz darauf. Einige Leute sitzen davor und singen gemeinsam, dirigiert von einem weiß gewandeten Herrn. Es ist weder eine Garage noch ein Lagerraum. Es ist eine Kirche.

Als Kind bin ich gern in die Kirche gegangen.

Gut in Erinnerung habe ich die Christmette in unserer Pfarr-kirche. Meine Mutter war nicht dabei: Die Festtage zählten zur Saison. So habe ich Weihnachten immer bei Sepp und Maria ver-bracht. Sie lehrten mich, dass wir an diesem Tag die Geburt von Jesus feiern. Dieser wunderbare Mensch, der beste, den es je gab auf der Welt, so erzählten sie mir, hatte einen fantastischen, fer-nen Ort verlassen und war zu uns gekommen, um uns zu lehren, dass wir alle gut zueinander sein sollten. Eine Botschaft, die mich überzeugte, nicht zuletzt, weil meine Adoptivgroßeltern sie mir erzählten, die wirklich zu allen gut zu sein schienen.

In der Messe war die ganze unübersehbar große Familie Schwingshackl zugegen: dreizehn Söhne und Töchter, unzählige Schwiegersöhne und -töchter, ein Heer von Enkelkindern und dazu noch ein Anhängsel ohne klare Benennung – ich. Auch die Hubers waren da, die Cousins meiner Mutter. Onkel Wastl, der in der Musikkapelle Klarinette spielte, kam mir in seiner samtenen Weste, die nur an hohen Feiertagen getragen wurde, noch schö-ner als die trompetenden Engel über der Krippe vor. Und wenn er dann mit seinem Solo dran war, gelang es ihm immer irgend-wie, mir trotz der geblähten Backen und der Klarinette im Mund ein Lächeln zu schenken. Ja, sie war schön, diese festliche Weih-nachtsmesse.

Und dann war da noch die Sache mit dem Papa des Jesuskin-des. Mir wurde nie so ganz klar, wen ich nun für seinen richti-gen Vater halten sollte, den Heiligen Geist, den Erzengel Gabriel oder Gott. Aber darauf kam es auch nicht an, denn es war Josef, der das Jesuskind auf dem Arm trug, wenn Maria mal müde war, der ihm zum Einschlafen Geschichten erzählte und es vor dem grausamen Herodes beschützte. Als Vito in unser Leben trat, fühlte ich mich auf meinem Platz zwischen ihm und meiner Mutter wie die heimliche Schwester des Jesuskindes.

Ostern war schwerer zu verstehen. Da gab es das Kreuz mit all dem Blut dran, dann die drei Tage Finsternis und Grabesstille und schließlich die Auferstehung: eine ziemlich verzwickte Geschichte für ein kleines Mädchen. Vor allem verstand ich nicht, warum Jesus sich als Auferstandener nicht mehr von seiner Familie und den Freunden umarmen lassen wollte, die doch so froh waren, ihn lebend wiederzusehen. Ich fand das richtig garstig, seltsam für jemanden, der eigentlich so gut zu allen sein sollte, aber ich habe mich nie getraut, mir das genauer erklären zu lassen. Was mir jedoch gefiel, war das Glockengeläut, das vom Triumph des Lebens über den Tod kündete. Die Freude darüber spürte ich selbst.

Zum letzten Mal habe ich das Vaterunser bei meiner Firmung gebetet. Vito hatte uns gerade verlassen, und meine Mutter konnte wieder zur Kirche gehen, weil sie jetzt nicht mehr in einer »eheähnlichen« Gemeinschaft, mit anderen Worten, nicht mehr in Sünde, lebte. Zur Feier meiner Firmung hatte sie sich ihr elegantestes Kleid angezogen, eines der vielen Geschenke von Vito, ein Hemdblusenkleid mit weißem Revers. Mit Sicherheitsnadeln hatte sie es in der Taille enger machen müssen, denn seit Wochen nahm sie kaum noch etwas zu sich. Dazu trug sie ein Kopftuch, um die kahlen Stellen zu verdecken, die nach ihrer Erkrankung noch nicht wieder zugewachsen waren. Sie hatte aufgehört zu weinen, aber ihre trockenen Augen mit den dunklen Halbmonden darunter waren für mich noch schwerer zu ertragen als die geröteten und geschwollenen zuvor. Alles hätte ich gegeben, um ihren Schmerz zu lindern, aber das lag nicht in meiner Macht.

Der Pastor stand vor der Kirchentür und gratulierte ihr dazu, dass dieses sündige Leben nun beendet sei. Während ich zu diesem erbarmungslosen Gott, der Gerda Huber nur um den Preis, sie innerlich gebrochen zu sehen, wieder in seinem Haus aufnehmen wollte, nie wieder gebetet habe.

Ich suche mir einen Platz in einer Bank dieser Garagenkirche. Wir sind hier in Rom, der Stadt der tausend Kirchen, der hundert Basiliken, eine jede ein künstlerisches, historisches und ästhetisches Juwel. Die hier ist bestimmt die hässlichste von ihnen. Vor dem Altar steht ein nicht mehr ganz junger, magerer Priester. Er hat das Gesicht einer Ameise, oben breit und unten schmal, die ohnehin schon großen Augen wirken durch die dicken Gläser seiner Brille riesig. Auch seine Finger sind endlos lang, und die Gummisohlen seiner mächtigen Schuhe machen bei jedem Schritt quiekende Geräusche. Er ist mitten in der Predigt und spricht voller Leidenschaft. Seine Zuhörer: viele Frauen – Philippinerinnen, Südamerikanerinnen, Polinnen –, alleinstehende Alte, Obdachlose, der eine oder andere Reisende mit an der Wand abgestelltem Koffer, afrikanische Straßenhändler. Auch die ältere Frau von vorhin entdecke ich wieder, die mit den rattenschwanzartigen Haaren. Wir sind nicht mehr als vierzig, nehmen aber praktisch alle Plätze ein.

»Christus ist *wahrhaft* auferstanden«, ruft der Priester, wobei seine fast zu eleganten Finger jedem Wort Nachdruck verleihen, während er im Gang zwischen den Bänken auf und ab wandert. Jeder Schritt ein Quieken: *quiek, quiek*. Er kommentiert das Osterevangelium, die Stelle mit dem leeren Grab, erklärt in allen Einzelheiten, wie der Leichnam umhüllt war, aus welchem Material die Binden bestanden, wie lang sie waren. Er gestikuliert, quiekt *(quiek)*, fuchtelt mit den Armen.

Und er achtet darauf, dass seine Zuhörer ganz bei ihm sind. »Versteht ihr?«, fragt er die Gläubigen, indem er sie eindringlich anblickt.

Die nicken, und so fährt er quiekend fort, schaut seinen Zuhörern immer wieder in die Augen und schließt dann kurz die eigenen, wie um zu neuer Konzentration zu finden. Jetzt erzählt er von Johannes.

»Der Apostel sah und glaubte *(quiek, quiek)*. Verstehen Sie, was das bedeutet?«

Dass er selbst glaubt, was er da sagt, ist offensichtlich. Dieser Priester mit dem wunderlichen Insektenkopf vermittelt die Tiefe eines machtvollen, nüchternen Glaubens, des Glaubens eines Menschen, der sich die Finger mit gelebter Barmherzigkeit schmutzig macht. Und jetzt weiß ich auch, woran es mich erinnert, dieses nichtssagende Gotteshaus im Tiefgeschoss unter dem römischen Hauptbahnhof: an eine Missionskirche, die für die zu kurz Gekommenen in dieser Stadt da sein will.

Seine Predigt beschließt er mit einigen Worten zu Giorgio La Pira: »Der bedeutendste Bürgermeister, der je in Italien gewirkt hat.«

Ich blicke mich um. Ob irgendeiner aus dieser Gemeinde, die Hilfsarbeiter aus der Dritten Welt, die Alten mit ihrer kümmerlichen Rente, die amerikanischen Touristen auf der Durchreise, die rumänischen Pflegekräfte – ob einer von ihnen weiß, wer La Pira war? Vielleicht die ältere Frau, die oben in der Bahnhofshalle kleine Kinder mit albernen Kunststücken langweilt? Oder dieser illegal arbeitende senegalesische Straßenverkäufer mit dem Riesenbündel neben der Bank und dem reglosen, konzentrierten Profil eines westafrikanischen Griots? Auch ich selbst muss mich anstrengen, um aus meinem Gedächtnis einige vage Bruchstücke hervorzukramen: La Pira, war das nicht dieser christdemokratische Bürgermeister im Florenz der fünfziger Jahre? Doch der ameisengesichtige Priester achtet niemanden von ihnen, von uns, geringer als solch eine große Persönlichkeit, und indem er zunächst wieder die Augen halb schließt, um seinen Respekt zu bekunden, erzählt er uns dann, die Hände mit den feingliedrigen Fingern auf Schulterhöhe erhoben und fächerartig geöffnet, von einer Sitzung im Florentiner Rathaus, dem Palazzo della Signoria, viele Jahrzehnte zuvor:

»Während eines hitzigen Wortgefechts zwischen Kommunisten und Christdemokraten, bei dem schließlich beide Seiten schreiend und brüllend auf ihn losgingen, schloss La Pira die Augen und verharrte lange, lange in Schweigen, wodurch er auch alle anderen zur Ruhe zwang ... Und sie schwiegen und warteten, was er sagen würde.«

Der Priester hält inne und blickt seine Zuhörer aufmerksam an. Es ist totenstill. Pflegerinnen, Verkäufer schwarz kopierter DVDs, Obdachlose, die sich seit Wochen nicht mehr gewaschen haben, alle brennen darauf zu erfahren: Wie war das damals im Kalten Krieg der fünfziger Jahre, in den Auseinandersetzungen zwischen Katholiken und Stalinisten, mit diesem Bürgermeister einer Stadt, die viele von ihnen niemals betreten werden, was hat er denn nun gesagt, dieser berühmte Bürgermeister? Der Priester verlagert sein Gewicht von einem aufs andere Bein *(quiek)* und erzählt mit gesenkter Stimme im Präsens weiter.

»La Pira sitzt da und schweigt mit geschlossenen Augen. Und ohne sie zu öffnen, sagt er: ›Wie unbedeutend ist das doch alles, gemessen an dem Wunder, dass Christus auferstanden ist.‹«

Der ameisengesichtige Priester hebt den Blick seiner hinter den Brillengläsern riesengroßen Augen, betrachtet uns und wiederholt es noch einmal, verkündet es uns mit einem Lächeln voller Freude:

»Ja! Christus ist wirklich auferstanden!«

Und einen Moment lang empfinde ich, zu meiner großen Verblüffung, selbst diese große Freude.

Nach der Wandlung, beim Vaterunser, blicke ich mich um. Alle haben mit versunkener Miene die Handflächen zusammengelegt. Und ich merke, wie auch ich, nach wer weiß wie vielen Jahren, dieses Gebet mitspreche, ganz wie ein Kind zu seinem Vater.

»Vater unser im Himmel«, murmele ich auf Deutsch, wie ich es gelernt habe.

»Geheiligt werde dein Name.

Dein Reich ...«

Aus irgendeinem Grund halte ich plötzlich inne und beginne nach einem kurzen Zögern noch einmal von vorn. Nun aber in Vitos Sprache:

»Padre nostro che sei nei cieli,
sia santificato il tuo nome.
Venga il tuo regno,
sia fatta la tua volontà ...«

Es ist nicht so, dass ich plötzlich wieder gläubig geworden wäre, einen Glauben wiederentdeckt hätte, der mir nie gefehlt hat, auch nicht durch diesen Priester, der so beseelt und menschlich wirkt. Nein, ich habe nur spontan das Bedürfnis, mich den Leuten um mich herum anzuschließen, hier in dieser hässlichen Kapelle. Denn so wie ich scheinen auch sie mir alle Kinder »von unbekannt« zu sein.

Nach der Messe bleibe ich vor dem Schaukasten draußen bei der Tür stehen. Ausgehängt sind die üblichen Missionsheftchen, Bekanntmachungen religiöser Orden, das Programm einer Pilgerfahrt nach Lourdes, die Anfangszeiten der Messen und Andachten für Ostern und den Ostermontag und ein kariertes, mit Handschrift beschriebenes Blatt, auf dem steht: *Am Osterdienstag wird der Kaplan der staatlichen Eisenbahn auf einem Rundgang die Geschäfte im Bahnhof Termini segnen.*

Ich versuche es mir vorzustellen, wie der ameisengesichtige Priester mit seinen quietschenden Schuhen die Dessousläden betritt und sich zwischen den nur mit Babydoll und Tanga bekleideten Schaufensterpuppen seinen Weg bahnt. Er wird sich nichts anmerken lassen und ihnen allen mit seinem breiten Lächeln den Segen erteilen, wird mit seinen langen Fingern durchsichtige Push-up-BHs mit Weihwasser besprenkeln und durch seine

dicken Brillengläser mit schlichtem Wohlwollen die Verkäufe-
rinnen anschauen, die übertrieben geschminkt mit fromm gesenkten Köpfen hinter der Ladentheke stehen.

Es wird langsam Zeit für meinen Zug. Ich kaufe noch eine
Flasche Wasser, ein wenig Obst, aber keine Brötchen. In einem
Zug, der eine Strecke von siebenhundert Kilometern vor sich
hat, wird es ja wohl einen Bistrowagen geben. Eine vielleicht
achtzehnjährige, mit einem bunten Rock bekleidete Roma sitzt
in einem der kleinen Kunstledersofas, die überall im Bahnhofsgebäude verteilt sind; im Arm hält sie einen Säugling, links und
rechts zwei weitere Kinder, ein vielleicht dreijähriges Mädchen
und ein kaum älterer Junge mit einem Lausbubengesicht. Konzentriert, ohne dem Treiben um sie herum Beachtung zu schenken, starren sie auf einen der Flachbildschirme, auf denen in
einem fort Werbespots laufen. Sie scheinen entspannt zu sein
und sich so wohlzufühlen wie irgendeine beliebige Familie, die
zu Hause im Wohnzimmer auf der Couch zusammensitzt und
fernsieht. Als ich die Rolltreppe hinauf zu den Gleisen nehme,
verschwinden sie langsam aus meinem Blickfeld.

Die Lage war etwa so:

Der Heuboden eines alten Hofes zu Ende des Sommers. Die Ernte war gut, es hat weder zu viel noch zu wenig geregnet, das Heu lagert trocken auf dem Zwischenboden. Die Klappe, durch die es der Bauer dann im Laufe des Winters hinunter in den Stall und dann weiter in die Futtertröge befördern wird, ist aus altem Holz; auch der Fußboden, die Wände und Balken, die das Dach tragen, und die Schindeln darauf sind aus Tannenholz und schon sehr alt. Auf dem Boden steht eine brennende Kerze, die zischt, raucht, ihren Docht verzehrt. Der Wind pfeift durch die Ritzen zwischen den Wandbrettern und lässt das Flämmchen aufflackern, dann ein heftigerer Windstoß, und die Kerze kippt ins Stroh.

In jenem Sommer 1964 waren sie wirklich alle nach Südtirol gekommen, um in die Glut zu blasen und das Feuer zu entfachen.

Begonnen hatte es mit einigen polizeilich gesuchten Mitgliedern des BAS, die sich von der Gruppe abspalteten, weil ihnen das Vorgehen der »Bumser« zu harmlos schien. Anschläge gegen Hochspannungsmasten brächten nichts, erklärten sie. Um die »Heimat Südtirol« zu befreien, seien bewaffnete Guerillaaktionen notwendig. Und wenn dabei Blut fließen sollte, müsse man das eben hinnehmen.

Nach und nach waren sie alle aufgetaucht: die österreichischen Neonazis; die sich intellektuell gebenden Mitglieder der NPD, der Wiedergeburt von Hitlers NSDAP, ein Sammelbecken unbelehrbarer Anhänger eines »Deutschland über alles«; die italienischen Neofaschisten. Die rechtsradikalen Burschenschaften österreichischer Universitäten, der KGB, der von der sowjetischen Botschaft in Wien aus Kontakt zu den radikalsten Terroristen aufgenommen hatte; die Agenten italienischer und amerikanischer, österreichischer und deutscher Geheimdienste. Ja, selbst die Belgier waren vertreten, was man andererseits auch wieder verstehen konnte, denn jedweden flämischen Agent Provocateur mit einem Minimum an Berufsethos musste es reizen, im turbulenten Südtirol der sechziger Jahre, das damals viel bessere Karrierechancen als das heimische Flandern bot, den Dienst aufzunehmen. Schließlich war dann auch noch General De Lorenzo mit seinen Männern auf der Bildfläche erschienen. De Lorenzo war der Oberkommandierende der Carabinieri, früher Chef des italienischen Geheimdienstes SIFAR sowie der Verbindungsmann der CIA beim Aufbau der paramilitärischen Geheimorganisation *Gladio*.

So tummelten sich wirklich alle im schönen Südtirol, dem Land der nach frisch gemähtem Heu duftenden Wiesen, der rosaroten Felszinnen, der vom Rhododendron entflammten Steinmauern, der weiß glitzernden Gletscher oben an der Grenze und der Seilbahnen voller nach sportlicher Betätigung dürstender Skifahrer. Ja, sie waren wirklich alle gekommen, um hier die Generalprobe für ein Stück aufzuführen, das damals noch gar keinen Namen hatte, später aber, als handele es sich um ein harmloses Gesellschaftsspiel, »Strategie der Spannung« genannt wurde. Die Mitspieler: offen gewaltbereite Extremisten, V-Männer mit der Aufgabe, die Spannungen zu verschärfen, und ein Staatsapparat, der unbesonnener und härter noch als unter Mussolini reagierte.

Alles war bereit, ein Funken würde reichen, um das Feuer zu entfachen.

Von alldem hatte Peter keine oder nur eine sehr vage Ahnung. Dabei hatte auch er an subversiven Treffen in Almhütten gleich jenseits der Grenze teilgenommen und Leute kennengelernt, die so ganz anders als die zu Hause waren. Studenten mit dicken Hornbrillen zum Beispiel, die mit Wiener Akzent Verse aus den *Räubern* deklamierten, als habe Schiller sie eigens für sie verfasst, und pathetisch die kalte Luft der Alpennächte tief in sich eingesogen, felsenfest davon überzeugt, einen historischen Augenblick zu erleben. Da war ein junger Assistent von der Innsbrucker Universität, ein Mann mit wulstigen Lippen und fleischigen Fingern, redegewandt trotz der vom Übergewicht rührenden Kurzatmigkeit, der meinte, nicht zu spät geboren worden zu sein, um noch vom Tausendjährigen Reich zu träumen. Oder ein Chemiker aus Bayern, der Peter beibrachte, wie man eine Bombe bastelte, und dessen Finger mit der Präzision und Leichtigkeit von Schmetterlingen auf einer Blumenwiese über Sprengstoff und Zünder glitten. Aber niemand von ihnen sprach jemals über die Tatsache, dass Peter sich in einer Fremdsprache verständlich machen musste, um im Rathaus irgendeine Bescheinigung zu erhalten, oder dass er lange keine Arbeit hatte finden können, weil er der falschen Volksgruppe angehörte. Nein, diese Leute hatten andere Themen: *nationaler Befreiungskampf, Blut und Boden, bedrohtes Grenzlanddeutschtum, Volks- und Kulturgemeinschaft, Ausdehnung des deutschen Volkes in seinem rechtmäßigen Lebensraum.*

Peter wusste gar nichts von diesen Leuten, stellte aber auch keine Fragen. Er wusste nicht, dass sie bereits Sprengsätze nach Italien geschmuggelt hatten und dort an konkreten Plänen arbeiteten, die abenteuerliche Namen trugen: »Operation Sophia Loren« etwa, eine Anschlagserie auf von italienischen Soldaten besuchte Bozener Kinos, die aber nicht in die Tat umgesetzt wurden; »Operation Panik«, Anschläge auf den öffentlichen Nahverkehr einiger großer italienischer Städte mit vielen Verletzten in einer römischen Straßenbahn; »Operation Eisenbahnterror«, eine Bombendetonation am Bahnhof von Verona mit rund zwanzig Verletzten, und endlich auch, nachdem man lange darauf hingearbeitet hatte, dem ersten Toten.

An Peter waren diese Leute nur deshalb interessiert, weil er schon als Bub mit dem Gewehr über der Schulter die Grenzpfade abgelaufen war. Weil er sie besser kannte als die Falten im Gesicht seiner Mutter, diese Wege der Gämsen, Hirsche und Steinböcke beiderseits der ungerechten Grenze zwischen Österreich und Italien, weil er Fährten lesen konnte, die schwachen Linien gelockerten Erdbodens zwischen Latschenkiefern und Geröllfeldern. Weil er über diese Wege also auch jene führen konnte, die unter dem Hemd Dynamitkerzen transportierten, die sich an Kontrollstellen vorbeischleichen wollten, um italienische Milizen zu überrumpeln, oder die nach einem Attentat auf der Flucht waren. Und schließlich war Peter interessant für diese Männer, die so viel gebildeter waren als er selbst, weil er vor der Vorstellung zu töten nicht zurückschreckte, und zwar nicht nur mit Wild als Jagdtrophäe.

Was macht einen Menschen zum Mörder? Wann verschmilzt seine Wut wegen einer historischen Ungerechtigkeit mit einem anderen Groll, der persönlicher ist, intimer, peinlicher, weil er noch nie jemandem anvertraut wurde, und lässt diesen Menschen plötzlich zu einem Sprengsatz greifen? Wann schlägt es um, sein Streben nach dem, was er für ein höheres Gut hält, in Gleichgültigkeit gegenüber dem Bösen, das er im Namen dieses Gutes verübt? Was befähigt ihn dazu, die Herrschaft der Gebote zu stürzen, die wie eine Mauer die menschliche Gemeinschaft trennt: auf der einen Seite jene, die noch nie getötet haben, und auf der anderen diejenigen, die es getan haben, und sei es auch nur ein einziges Mal? Handelt dieser Mensch leichter aus voller

Überzeugung, oder hat er eine Seele, die erkaltet ist, still und stumm wie ein See im Winter, in dem die Barmherzigkeit eingefroren wurde und sich nur noch tief unten, in verborgenen Strudeln, regt, die vielleicht noch die kleinen Steine auf dem Grund bewegen, aber nicht mehr das Eis aufbrechen können? Darüber hat sich Peter nie Gedanken gemacht.

Gerdas Bruder mit den dunklen, kein Licht reflektierenden Augen hatte seinen Sohn Sigi nur wenige Male, und das auch nur für ein paar Stunden, gesehen. Anders als bei Ulli hatte er für ihn auch auf keine Zielscheibe geschossen, auf der in gotischen Buchstaben »Siegfried« stand, denn bei der Taufe seines zweiten Sohnes war er gar nicht dabei gewesen.

Seit Langem schon wartete Leni nicht mehr auf ihren Mann. Die seltenen Male, wenn Peter nach wochenlanger Abwesenheit auf dem Hof ihrer Eltern, wo sie jetzt wieder mit den Kindern lebte, auftauchte, immer auf dem Sprung und meistens in der Dunkelheit, fragte ihn niemand etwas. Nicht nur, weil sie keine Antwort erhalten hätten, sondern vor allem, weil sie sich auf diese Weise selbst keine Rechenschaft über ihre eigene Haltung ablegen mussten. Offiziell war Leni noch Peters Ehefrau, aber längst waren dessen wahre Familie nicht mehr sie, Ulli und der Säugling Sigi, sondern Fremde, mit denen er allerdings nicht das Bett oder eine behagliche Stube teilte, sondern Waffen, Sprengstoff, Minen, Zündschnüre und Zünder, Fluchtpläne, gefälschte Papiere, Märsche über alte Schmugglerpfade, das Umgehen von Straßensperren.

Am 27. August 1964 gab die Musikkapelle eines Nachbardorfs ein ganz besonderes Konzert oben auf dem Berg, an dem Paul Staggl und die anderen Mitglieder des Konsortiums in atemberaubendem Tempo einen immer größeren, fantastischen Skijahrmarkt aufbauten. Die Veranstaltung sollte dazu beitragen, jene Stimmen verstummen zu lassen, die ihn mittlerweile »die Fabrik«

nannten, den von den Stahlträgern der Seilbahnen, die echte Naturliebhaber niemals benutzt hätten, verschandelten Berg. Paul Staggl wollte seinen Landsleuten und den Sommergästen beweisen: Trotz der Sesselbahnen und Skilifts, Erfrischungsbuden und Stahlmasten (die sich bald schon über drei Hänge ziehen würden), der Restaurants mit dem bahnbrechenden, von den Militärkantinen übernommenen Selbstbedienungskonzept und des Viersternehotels auf mehr als zweitausend Metern Höhe – trotz alledem triumphiere dort oben auf dem Gipfel immer noch unangefochten die Natur. Und neben der Schönheit der »Heimat« mit dem 360-Grad-Blick von den Grenzgletschern bis zu den Dolomiten in der Ferne verblasste alles andere. Im Grunde kamen die Touristen aus der Stadt ja nicht nur, um Ski zu fahren, eine für das Wirtschaftswunderbürgertum mittlerweile unverzichtbare sportliche Aktivität, sondern auch, um sich an dieser majestätischen Pracht sattzusehen.

Und nichts konnte diese Tatsache eindringlicher unterstreichen als ein Konzert oben auf dem Gipfel, von Musikanten in den Trachten der Vorfahren. Im Programm auch die Welturaufführung einer Komposition des Direktors der Musikkapelle mit dem Titel »An meinen Berg«.

An jenem Tag brachte die von Gerda und Hannes eingeweihte Seilbahn ordentlich Geld ein: Touristen und Bewohner der Kleinstadt zog es in Scharen hinauf. Leni, in Begleitung ihrer Eltern, hatte auch die Kinder dabei, den Säugling Sigi, der, benommen von der dünnen Luft auf zweitausend Metern Höhe, durchschlief und auch nicht aufwachte, wenn der Kinderwagen rumpelnd gegen im hohen Gras versteckte Steine stieß. Und Ulli, der fest die Hand seiner Großmutter drückte, die Stirn gewölbt wie ein junges Reh, die Augen mit den langen, dunklen Wimpern zu jenem Ausdruck gespannter Erwartung aufgerissen, den er so oft in seinem kurzen Leben zeigen sollte.

Die letzten Klappstühle auf der Wiese wurden belegt, und Stille kehrte ein, nur ein-, zweimal unterbrochen vom Krächzen der schlauen Krähen. Der Dirigent hob seinen goldenen Stab, mit dem er auch den Marschtakt bei den Umzügen vorgab: und eins und zwei und ... Ein Donnerschlag. Ein Knall, der unmöglich von Musikinstrumenten erzeugt worden sein konnte.

Auf der Provinzstraße unten am Fuße des Berges, einige Kilometer weiter östlich und zweitausend Meter tiefer, war ein Jeep auf eine Mine gefahren und in die Luft geflogen. Niemand starb, aber vier Carabinieri wurden schwer verletzt.

In den ersten Septembertagen kam in einem Nebental ein Carabiniere durch Gewehrschüsse ums Leben, die durch das geschlossene Fenster der Kaserne, in der er stationiert war, abgefeuert wurden. Natürlich machte man sofort die Terroristen für die Tat verantwortlich, doch wie sich herausstellte, handelte es sich wohl um einen privaten Racheakt.

In der Nacht zwischen dem 6. und dem 7. September richtete in einer abgeschiedenen Almhütte ein V-Mann des Geheimdienstes im Schlaf Luis Amplatz hin, eines der zwei noch flüchtigen BAS-Mitglieder, die sich dem bewaffneten Kampf verschrieben hatten. Seine Beerdigung schlug höhere Wellen und war besser besucht als ein Staatsbegräbnis: Selbst Südtiroler, die den bewaffneten Kampf ablehnten, sahen mehrheitlich in der Ermordung von Luis Amplatz eine Hinrichtung durch den italienischen Staat.

Einige Tage darauf flog nicht weit von der Kleinstadt, in der die Hubers und die Staggls lebten, wieder ein Militärjeep in die Luft, diesmal durch eine über Funk gezündete Bombe. Verletzt wurden sechs Carabinieri, davon vier schwer. Einer verlor ein Auge, ein anderer ein Bein.

Die Kühe unten im Stall schnuppern unruhig den beißenden Geruch, den die Kerze verströmt. Bald schon wird die Flamme auf das Heu übergreifen. Kaum vorstellbar, wie und durch wen der Stall dann noch zu retten wäre.

Einmal im Monat wurde Frau Mayers Hotel mit allen Zutaten beliefert, die für die süßen Nachspeisen gebraucht wurden: Mehl, Zucker, Pinienkerne, Rosinen, kandierte Früchte, bunte Zuckerstreusel, Silberkügelchen, Kakaopulver. Und zwar von einem jungen Burschen aus Trient, dessen Nachname auf »nin« endete wie der Kosename eines kleinen Jungen, den jedoch alle nur »Zuckerbub« nannten: der Junge, der die Zuckersachen brachte. Für den Grund dieses Beinamens gab es allerdings auch eine zweite Version, und die hatte mit der Tatsache zu tun, dass er den Damen – allen, ohne Ausnahme – Blicke zuwarf, die noch süßer als seine Zutaten waren. Selbst Frau Mayer blieb davon nicht unberührt und schaute, wenn sie aus der Küche von seinem Eintreffen erfuhr, kurz in den großen Spiegel an der Wand hinter der Bar.

Die Hotelbesitzerin kam Herrn Neumann in dessen Herrschaftsbereich nicht ins Gehege und überließ es ihm, das Abladen von Warenlieferungen zu überwachen. Tauchte aber der Zuckerbub auf, fand sie immer einen Grund, sich auf dem Platz vor dem Hintereingang der Küche herumzutreiben, erbat sich eine Erläuterung zu einer bestimmten Rechnung, ließ dem Chef des Jungen – einem alten Schulkameraden von ihr – Grüße übermitteln oder gab dem Faktotum Anweisungen, wie irgendwelche Fässer zu stapeln seien. Alles war ihr recht, um sich, und sei es auch nur kurz, diesem Blick auszusetzen, der sich wie Samt an ihren weiblichen Körper schmiegte. Den Rest der Tage, an denen der Zuckerbub seine Waren geliefert hatte, brachte Frau Mayer in einem Zustand vager Erwartung und hoffnungsvoller Melancholie zu, in der blassen Erinnerung an etwas Verzehrendes, was sie jedoch nicht hätte benennen können.

So verschwommen und hauchzart Frau Mayers Gefühle waren, so zielstrebig und entschlossen ging der Zuckerbub vor, was Gerda betraf: An ihrem nächsten freien Abend würde er sie abholen, erklärte er, und sie zum Tanz ausführen.

Trotz all seiner Erfahrungen als honigsüß lächelnder Frauenliebling war es selbst für den Zuckerbuben neu, in Begleitung einer Frau ein Lokal zu betreten, bei deren Anblick sich allen die Pupillen weiteten: den Männern vor Verlangen, den Frauen aus Bestürzung über den Kontrast zur eigenen Erscheinung.

Auch für Gerda war es ein erstes Mal. Sie war noch nie ausgeführt worden, denn Hannes hatte sich in öffentlichen Lokalen nicht mit ihr zeigen wollen. Wenn sie sich trafen, waren sie allein geblieben, nicht nur an jenem Tag in der Seilbahn, sondern immer. Sie hatte neben Hannes in seinem Mercedes gesessen, während er den Wagen durch die Kehren irgendeiner Passstraße steuerte, und dann hatten sie angehalten und sich auf einer einsamen Wiese geliebt. Einmal war er mit ihr auch ins Cadore gefahren, in ein Hotel, ganz ähnlich dem, wo sie arbeitete, nur etwas kleiner. Verlegenheit gegenüber den Angestellten, die genau ihren eigenen Kollegen glichen, mit denen sie tagtäglich die Mühen der schweißtreibenden Arbeit teilte, blieb ihr erspart: Zwei Tage lang kamen sie nicht aus dem Zimmer und ließen sich Essen und Trinken auf einem Tablett vor der Tür abstellen.

Gerda hatte in dieser Abkapselung ihrer Liebe einen Beweis für deren Vollkommenheit gesehen. Dass Hannes andere Gründe haben könnte, dass er einfach nicht mit ihr zusammen gesehen werden wollte, wäre ihr nie in den Sinn gekommen. Tatsache war jedenfalls, dass sich Gerda bis zu diesem Abend noch nie an der Seite eines Mannes in der Öffentlichkeit gezeigt hatte.

In dem Lokal stand eine Jukebox.

»Was hörst du gern?«, fragte der Zuckerbub Gerda.

»Mina.«

Er warf eine Münze ein und wählte eine 45er-Scheibe: *È l'uomo per me* – der richtige Mann für mich. Dann legte er ihr einen Arm um die Taille und drückte sie an sich. Gerda dachte an Minas ägyptische Augen und die unzähligen Anspielungen in ihrem Blick und musste lächeln: Auch sie, Gerda Huber, Tochter von Hermann und Johanna Huber, tanzte nun.

Die Nacht verbrachten sie zusammen in seinem Lieferwagen und liebten sich zwischen Zucker- und Mehlsäcken. Als sie ins Hotel zurückkehrte, hingen in ihren blonden Haaren Silberkügelchen, Schokoblättchen und bunte Zuckerstreusel, und dank der erfahrenen Hände des Zuckerbuben fühlte sie sich so cremig, fluffig und leicht wie ein Karnevalskuchen.

Einige Stunden später erschien Frau Mayer mit zusammengekniffenen Lippen in der Küche, und Herr Neumann befürchtete sofort, dass es im Speisesaal Reklamationen gegeben habe. Doch mit einer Geste so trocken wie altes Brot deutete die Hotelbesitzerin auf Gerda, die gerade an der Salattheke für eine Garnierung aus Radieschen Blütenknospen schnitzte.

»Zwei Soldaten fragen nach Ihnen«, sagte sie im Tonfall schneidender Höflichkeit zu ihr.

Gerda blickte zu ihrem Chef auf. Als Zeichen der Zustimmung ließ Herr Neumann das Kinn gegen seinen fetten Hals klatschen, und keine zwanzig Minuten später saß Gerda vor einem Schreibtisch in der Carabinierikaserne am Ende der Straße.

Vor sich hatte sie zwei Soldaten. Einer hockte hinter dem Schreibtisch, sie vermutete, ein höherer Dienstgrad, auch wenn sie von Kragenspiegeln und Abzeichen keine Ahnung hatte. Der andere stand und schaute sie mit halb geöffnetem Mund an, als wisse er nicht genau, was er in ihr sehen sollte, eine Bürgerin, eine sehr schöne Frau oder eine Tatverdächtige.

»Peter Huber ist Ihr Bruder?«

»Ja.«

»Was wissen Sie über seine Aktivitäten?

»Welche Aktivitäten?«

»Wann haben Sie ihn zum letzten Mal gesehen?«

»Bevor meine Mutter starb.«

»Wann war das?«

»Vor anderthalb Jahren.«

»Haben Sie ein enges Verhältnis?«

Sie flatterte mit den Lidern. »Er ist mein Bruder.«

»Ihr Bruder steht unter dringendem Tatverdacht, Anschläge gegen Vertreter und Infrastruktur des italienischen Staates verübt zu haben.«

»Das verstehe ich nicht.«

Der Offizier sog entrüstet die Luft durch die Zähne.

»Ja, natürlich. Ihr hier oben wisst gar nicht, was das ist, der italienische Staat ...«

»Nein ... ›Infra...‹«

Der stehende Soldat wandte jetzt zum ersten Mal den Blick von Gerda ab und sagte, beflissener als gewünscht, zu seinem Vorgesetzten: »Infrastruktur. Das Wort ist es ...«

Ein gereizter Blick des anderen ließ ihn verstummen. Der Soldat senkte den Blick, hob ihn dann wieder zu Gerda und verfiel erneut in staunendes Schweigen.

Der Tonfall, in dem sich der Offizier auf seinem Stuhl nun wieder an die Vorgeladene wandte, klang nach Gitterstäben, Handschellen, nach harten, aber gerechten Strafen.

»Damit sind Brücken gemeint, Signorina, Straßen, Leitungsmasten ... Vor allem aber das Leben von Soldaten, die während der Ausübung ihres Dienstes Opfer von Anschlägen werden.«

Sie brauchten nicht lange, um zu erkennen, dass Gerda nichts von ihrem Bruder wusste. Dennoch behielten sie sie etwas länger da, als es notwendig gewesen wäre, einfach so, aus Gewohnheit, nicht um sie in die Enge zu treiben. Gerda machte es nichts aus, immerhin erhielt sie auf diese Weise unverhofft ein paar Stunden Pause. Aber sie war auch besorgt: Was trieb Peter da, was war aus ihm geworden, warum waren diese Soldaten hinter ihm her? Traurig dachte sie an Leni, an ihren verlorenen Gesichtsausdruck, als sie sie zuletzt gesehen hatte, und an ihre beiden Kinder. Dann musste sie an Eva denken, und ihre Arme kamen ihr leer vor. Sie hatte ihre Tochter bei der vielköpfigen Familie Schwingshackl wie den obersten, kleinsten Stein eines *Mandls* abgesetzt, eines Steinmännchens, das in den Bergen die Pfade markierte und das man nicht aus den Augen verlieren durfte, weil man sich sonst verirren würde zwischen Kiefern und Geröllhalden – oder im eigenen Leben.

Der Carabiniere mit dem niedrigeren Dienstgrad brachte sie zum Kasernenausgang. Mit nur einem Schritt überwand er die Schwelle, die den Gehweg von dem faschistischen Klotz trennte, und fragte sie, befreit von der autoritären Aura dieser Architektur, ob er sie mal wiedersehen dürfe.

Er könne sie ja noch mal festnehmen, antwortete Gerda, und der junge Carabiniere lachte dümmlich. Aber das war ihr egal. Sie musste ihn ja nicht heiraten und ihm keine Kinder schenken oder ewige Liebe schwören. Nichts anderes hatte sie mit ihm zu tun, als an seinem nächsten freien Abend mit ihm loszuziehen und die Hüften zu schwingen zu Minas samtweicher und doch energischer Stimme.

Es roch nach Schimmel, Verwesung, Urin und abgestandenem Alkohol. Der Gestank überlagerte den Duft frisch gemähten Heus, der von den Wiesen zu den Häusern zog, tränkte die kühle, leicht bewegte Luft dieser Septembernacht, drang wie ein schleimiger, giftiger Tentakel in die Nasenflügel ein. Dieser Geruch erreichte auch die vier Carabinieri, die kurz vor Tagesanbruch an die Tür eines Hauses in Schanghai pochten. Die Menschen hier schienen einen leichten Schlaf zu haben, denn Maresciallo Scanu, der ranghöchste Carabiniere, hatte gerade die Hand gehoben, um ein zweites Mal gegen das abgeblätterte Holz zu schlagen, da bewegte sich schon die Tür in den Angeln. Die Luft, die den Männern aus dem Wohnungsinnern entgegenschlug, rief wie ein böser Fluch archaische Ängste bei ihnen wach.

Auch der Appuntato – der Unteroffizier – und die beiden anderen stammten wie Maresciallo Scanu aus Süditalien. Alle vier waren sie jeweils fast einen halben Kopf kleiner als der Mann, der ihnen öffnete. Nur ihre Schirmmützen rückten ein wenig die Proportionen zurecht. Obwohl teils schon über ein Jahr, teils erst wenige Monate in Südtirol stationiert, war das Heimweh nach dem Süden bei allen gleich groß. Eines allerdings hielten sie diesen Südtirolern hier zugute: Es waren durchweg korrekte, saubere Leute, für die Ordnung einen hohen Wert hatte. Und so fragte man hier auch nicht *»Tutto bene?«* (alles gut), sondern »Alles in Ordnung?«, wenn man sich traf. Einen Saustall wie diesen hier hatten die Carabinieri in Südtirol zuvor noch nicht gesehen.

Die Stube, in die sie blickten, war mit schmutzigen Kleidern, Holzscheiten und den Einzelteilen eines auseinandergebauten Motors übersät. Die Töpfe und Pfannen auf dem Herd waren mit Dreckkrusten überzogen, die mit den Essensresten und Abfällen zu einem einzigen stinkenden Mischmasch verschmolzen. Verschiedene Eimer mit Schmutzwasser standen, umgeben von Dutzenden leerer Flaschen, auf dem Fußboden herum. Bis vor anderthalb Jahren war dieses Haus, obwohl feucht und dunkel, normal bewohnt gewesen, doch nun war es zu einer Müllhalde, einem Schrottlager verkommen. Der Mann, der die Tür geöffnet hatte, trug ein vergilbtes Unterhemd, eine alte Hose voller Schmutzkrusten und einen struppigen Bart.

Sie verhörten ihn im Stehen, sagten, sie suchten seinen Sohn. Den habe er schon lange nicht mehr gesehen, erklärte er. Ob er wisse, wo er sich aufhalte? Nein? Wo er wohne? Er habe keine Ahnung, auch seine Schwiegertochter sei fortgezogen. Er glaube ihm kein Wort, brauste der Maresciallo auf und drohte ihm schlimme Konsequenzen an, wenn er weiterlüge. Der Mann schwieg.

Die beiden einfachen Carabinieri machten sich daran, das Haus zu durchsuchen. Gewöhnlich, so wusste der Maresciallo, folgte der Hausherr den Polizisten und passte auf, dass nichts ramponiert wurde, stellte zurück, was sie in die Hand genommen hatten, beeilte sich, Schlösser und Riegel zu öffnen, um zu verhindern, dass sie aufgebrochen wurden, oder auch nur, um die Durchsuchung zu beschleunigen. Dieser Mann nicht. Reglos stand er in dem nur von einer Glühbirne erhellten Zimmer und sagte kein Wort, als gehe ihn das Hin und Her der Carabinieri gar nichts an. Er fragte auch nicht, weshalb sein Sohn gesucht wurde. Nicht, weil er den Grund bereits kannte, sondern weil in diesem alten Mann, der noch nicht einmal sechzig Jahre alt war, keine Fragen mehr waren.

Maresciallo Scanu schaute Hermann Huber ins Gesicht und musste an einen Friedhof denken.

Hausdurchsuchungen, Razzien, Erstürmungen von Privatwohnungen durch Polizeieinheiten werden nicht durchgeführt, wenn es bereits Tag geworden ist, wenn sich die Leute schon das Gesicht gewaschen und einen warmen Milchkaffee getrunken haben. Razzien geschehen auch nicht, wenn auf dem Herd eine Suppe kocht, glasig angeschwitzte Zwiebelscheiben ihren Duft verströmen und das Brot auf dem Küchenbrett darauf wartet, geschnitten zu werden; wenn die Bauern noch nicht vom Feld zurück sind und ihre Frauen auch nicht, wenn tief hängende, düstere Spätsommerwolken das frisch gemähte Heu bedrohen und alle Hände gebraucht werden, damit es beim ersten Donnern sicher auf dem Heuboden liegt – nein, auch dann geschieht es nicht und ebenfalls nicht, wenn es am Boden schon dunkel ist, der Himmel aber noch opalfarben schimmert und in der Stube die Säuglinge bereits auf den Armen der älteren Schwestern eingeschlafen sind, die Frauen Strümpfe stopfen und die Männer über den Erdrutsch reden, der nach dem letzten Gewitter die Straße verschüttet hat. Nein, der passende Moment für Razzien, Festnahmen, Hausdurchsuchungen ist seit Menschengedenken die schwärzeste Stunde der Nacht, vor dem ersten Dämmern.

Wenn die nachtaktiven Tiere mit einem noch halb lebenden Stück Fell oder Gefieder im Maul schon wieder in ihrem Bau verschwinden und die tagaktiven ihren Unterschlupf noch nicht verlassen haben; wenn die Menschen zwar nicht mehr rennen und fliegen mit ihren im Traum ewig gelenkigen Körpern, sich ihrer realen, sehr viel gebrechlicheren Hülle aber auch nicht richtig bewusst sind; wenn sich die Strömungen zwischen Berg und Tal einen Moment lang aufheben, die Luft steht und sich Kälte und Wärme nicht wie üblich vermischen: Genau in diesem kurzen Zeitraum, der so dunkel ist, still und reglos, in dem nichts passiert, rücken Polizei und Soldaten an, mit Stiefeln und Mannschaftswagen, brüllen Befehle, die nichts ordnen, sondern nur einschüchtern sollen mit jener Urgewalt, die ein Mensch mit einer Waffe in der Hand über Unbewaffnete ausübt.

Doch diesmal war es helllichter Tag, kurz vor Mittag, als die uniformierten Einheiten am Steilhang über dem Tal bei den Bauernhäusern vorfuhren, die sich um eine kleine Kirche drängten. Eine Gemeinschaftsaktion von Gebirgsjägern, Carabinieri und Polizei, fast tausend Mann, mit Mannschaftswagen, gepanzerten Fahrzeugen und sogar einem richtigen Panzer. Es war also nicht schwer, auf sie aufmerksam zu werden. Im Schutz einer Heugarbe wurden Gewehrschüsse abgegeben. War es der

Gesuchte, Peter Huber, der da schoss? Und wenn ja, waren auch die anderen bei ihm? Die Leute, die nur wenige Tage zuvor eine Panzerabwehrgranate gezündet und ein halbes Dutzend Soldaten verletzt hatten? Waren es Terroristen, die dort hinter den Heugarben lauerten? Und wie viele waren es? Oder war es nur einer? Das konnte man nie wissen. Wie Kinder, die Cowboy und Indianer spielten, hatten sie aus einer provisorischen Deckung auf die Soldaten geschossen, doch die Waffen waren echt, und ein Mann wurde verwundet. Wer sie auch sein mochten, jetzt flohen sie die steilen Hänge hinauf, folgten erst den Pfaden der Jäger und dann denen der Steinböcke, tauchten, wie nach jedem Anschlag, auf österreichischem Territorium unter und ließen die Bewohner der Höfe allein, die jetzt die Wut und Enttäuschung der italienischen Polizisten und Soldaten zu spüren bekamen. Plötzlich hallten Glockenschläge durch die klare Septemberluft, als wollten sie Alarm schlagen.

Es war Lukas, der alte Küster mit dem schütteren, meist ungekämmten Haar und den kurzen, doch vom jahrzehntelangen Glockenstrangziehen muskulösen Armen. Der Umstand, dass die Siedlung von bewaffneten Soldaten eingekreist war, schien ihm kein Grund zu sein, seine tägliche Pflicht zu vernachlässigen: Mittags um zwölf wurde zum Angelus geläutet. Die Soldaten allerdings kannten weder Lukas noch sein Pflichtbewusstsein, folgerten, dass dies ein Signal für die Terroristen sein müsse, von oben das Feuer zu eröffnen, und erstürmten daraufhin diese kleine Ansammlung einzelner Bauernhäuser, als gelte es, eine Festung zu schleifen.

Sie traten Türen ein und brüllten Befehle, als wäre der Krieg nie zu Ende gegangen und Italiener und Nazis immer noch Verbündete. Sie schossen auf die Hühner, die aufgeregt ihre Füße umflatterten, und verwandelten sie in reglose Klumpen aus Federn und Blut. Männer, Frauen, Alte und Kinder, alle wurden aus den Häusern getrieben. Auch in die Stube, wo eine taube alte Frau, eingeschlossen in die Stille, die sie seit Jahrzehnten umgab, vor einem Spinnrad saß, stürmte ein Soldat, ein junger Mann aus Niscemi in der Provinz Caltanisetta, der gerade mal zwei Monate Wehrdienst hinter sich hatte. Er war achtzehn und mit einem Sturmgewehr bewaffnet, von dem er kaum wusste, wie damit umzugehen war. Als er die alte Frau inmitten des Geschreis und der Schüsse so reglos dasitzen sah, vermutete er, dass sie etwas zu verbergen habe, zielte auf ihr Gesicht und schoss. Er verfehlte sie, und unmittelbar neben dem grauen Zopf, den sie um den Kopf geschlungen hatte, schlug die Kugel hinter ihr ein, wie ein neues Astloch in der mit Zirbelkiefernholz verkleideten Wand. Erst jetzt hob die Frau den Kopf.

Zwei andere Soldaten drangen ins Haus von Lenis Eltern ein. Als Ulli sie sah, rannte er quer durch die Küche zu seiner Mutter und barg sein Gesicht zwischen ihren Beinen. Vielleicht würde dieser Albtraum enden, wenn er sich weigerte, ihm ins Angesicht zu schauen. Leni senkte die Pfanne, in der sie gerade ein Stück Butter hatte schmelzen wollen, und hielt sie ihm wie einen Schutzschild vor den Kopf. Der eine Soldat blieb in der Tür stehen, während der andere zu dem Bettchen in einer Ecke des Raumes trat, die MP auf den Kopf des schlafenden Sigi richtete und gleichzeitig Leni zuschrie, sie solle ihm sagen, wo ihr Mann stecke, sonst werde er abdrücken.

Leni wusste nicht, wo Peter war. Sie wusste weder, wo er sich aufhielt, noch was er tat und aus welchem Grund. Sie hatte es nie gewusst und ihn auch nie danach gefragt. Sie war sich noch nicht einmal sicher, ob dieser Mann, der wenige Stunden zuvor mitten in der Nacht in ihrem Bett aufgetaucht und bald schon wieder verschwunden war, eben jener Peter Huber war, dem sie vor langen Zeiten einmal ewige Treue geschworen und dessen Gesicht sie seit Monaten nicht mehr bei Tageslicht gesehen hatte. Im Moment wusste sie nur, dass der Kopf ihres älteren Sohnes von einer Bratpfanne geschützt zwischen ihren Schenkeln steckte und auf den zarten, nach Schlaf duftenden Kopf des jüngeren in der gegenüberliegenden Ecke der Küche ein Gewehr gerichtet war. So weit voneinander entfernt wie verschiedene Kontinente kamen ihr die Köpfe ihrer beiden Söhne vor, und dazwischen breitete sich der Ozean ihrer mütterlichen Machtlosigkeit aus.

Schweigend schauten sie sich an, so als suchten beide, Leni und der Soldat, nach einer Antwort, die ihnen verschlossen war. Nach einer Weile legte der Soldat (zwanzig Jahre alt, aus Bucchianico in den Abruzzen gebürtig) die Stirn in Falten und blinzelte, als sei ihm ein Staubkorn ins Auge geraten, das er nicht herausholen konnte, weil er keine Hand frei hatte. Und so ließ er das Gewehr sinken.

Alle Männer und auch einige Frauen waren auf dem Platz zwischen den Häusern zusammengetrieben und in Handschellen zu dem nahen Bach geführt worden. Unter ihnen befanden sich auch Sepp Schwingshackl und dessen ältere Söhne. Seine Frau Maria hatte, als die Razzia begann, mit der kleinen Eva im Arm vor dem Stall gestanden und gerade noch Zeit gefunden, das Kind auf den Boden zu setzen, als sich schon die Handschellen um ihre Gelenke schlossen und sie abgeführt wurde. Eva saß nun zwischen den Kamilleblüten und stützte sich mit den gespreizten Fingern auf der Erde ab. Doch die genagelten Stiefelsohlen traten nicht auf ihre Hände, die glühenden Läufe der halb automatischen Waffen verschonten ihr Gesicht. Als Ruthi sie entdeckte, rannte sie herbei, als sei es mittlerweile ihr Schicksal, Eva zu retten. Sie setzte sich die Kleine auf die ein wenig vorgereckte linke Hüfte, wie es Mütter gewöhnlich tun, um die rechte Hand frei zu haben, und blieb, plötzlich wie erstarrt vor Unsicherheit und Angst, inmitten der herumfliegenden Hühnerfedern und hin und her hetzenden Soldaten stehen.

Einer von diesen (aus Acettura in der süditalienischen Provinz Matera gebürtig, achtzehn Jahre alt, Schulbildung: dritte Volksschulklasse), ein Junge mit Pickeln auf Stirn und Backen und nur ein wenig samtenem Flaum statt eines Schnurrbarts auf der Oberlippe, hatte unterdessen damit begonnen, wie von Sinnen auf den Schnittpunkt der dicken Balken zu feuern, die das Stalldach trugen. Bei jedem Schuss riss Eva die Augen auf. Ihr Blick folgte den Patronenhülsen, die wie wild gewordene Insekten durch die Luft zischten und zu Boden fielen, und dem Rauchwölkchen, das den Lauf einzuhüllen begann wie Dampf einen Topf, der zum Abkühlen auf der Fensterbank steht. »Peng« machte die Beretta BM59, und Evas Augen weiteten sich zu zwei blauen Knöpfen. Peng, und Eva hielt den Atem an. Peng! Peng!

Stundenlang mussten die Dörfler gefesselt am Ufer stehen, während die Soldaten auf die Häuserwände schossen, Handgranaten in Ställe und Scheunen warfen und sich in den Küchen mit Speck und Käse, Bier und Brot bedienten. Vier mittlerweile betrunkene Alpini packten Ruthis älteste Schwester Eloise an den Armen und schleiften sie hinter eine Dunggrube. Sie hatten sie bereits zu Boden geworfen, als ein Tenente Colonnello, ein Oberstleutnant, dazwischenfuhr und ihnen befahl, sie gehen zu lassen. Schon wollte das Mädchen, unter Tränen, ins Haus laufen, da wurde es wieder gepackt und zu den anderen Bauern gebracht, die am Bach zusammengetrieben waren. Als die Sonne langsam unterging, standen sie immer noch da und hielten sich aneinander fest, um nicht ohnmächtig zu Boden zu sinken.

Dies alles gefiel dem Tenente Colonnello der Carabinieri überhaupt nicht. Das war nicht der Kampf gegen den Terrorismus, wie er ihn sich vorstellte.

Er stand zwischen diesen von der Septembersonne idyllisch beschienenen Bauernhöfen und sollte eine Operation leiten, die taktisch falsch angelegt war und, wie jeder Offiziersanwärter im ersten Jahr sofort erkannt hätte, zum Scheitern verurteilt war. Völlig unangemessen war diese Aktion, sowohl in der Wahl der Mittel als auch in der Zielsetzung: Sollte ihm doch mal einer erklären, wie man auf diese Weise, indem man mit solch einem wahnsinnigen Aufgebot an Panzer- und Kettenfahrzeugen stundenlang bei einem Dörfchen im Tal herumstand, Terroristen ergreifen wollte, die sich auf alten Schmuggelpfaden oben in den Bergen im Grenzgebiet zwischen Österreich und Italien bewegten.

Noch nicht einmal die Männer, die seinem Kommando unterstanden, hatte er sich aussuchen können. Ja, es kam ihm sogar so vor, als habe man sie eigens nach dem Kriterium »Unfähigkeit« ausgewählt: junge, unbedarfte Wehrpflichtige, die sich am Lauf einer Beretta höchstens die Finger verbrannten, kleine Jungs, denen man ohne irgendeine Anleitung eine MAB in die Hand gedrückt hatte ... Da konnte man nur die Augen schließen und versuchen, nicht daran zu denken, was sie mit solchen Waffen anrichten könnten.

Wer aber dem Oberstleutnant noch größere Sorgen bereitete, waren manche seiner Unteroffiziere, die seltsame Reden schwangen und verdächtig gute Kenntnisse einer bestimmten historischen Epoche, des Faschismus nämlich, herauskehrten, wenn nicht gar Sehnsucht danach bekundeten. Einige Zeit zuvor hatte General De Lorenzo, der Oberkommandierende der Carabinieri, ihm, dem Tenente Colonnello, der damals noch in Rom stationiert war, einen schockierenden Befehl erteilt: Er solle die Bereitschaft seiner Männer erkunden, auch auf Zivilisten zu schießen, und eine Liste derjenigen anlegen, die sich dazu bereit erklärten. Der Oberstleutnant konnte diesen Befehl nicht verweigern, hatte aber, in der guten militärischen Tradition des passiven Widerstands gegen unverantwortliche Befehle, die Sache hinausgezögert und in Erwartung neuer Entwicklungen die Zeit verstreichen lassen. Bis man ihn dann nach Südtirol schickte, um dieses motorisierte Bataillon zu kommandieren; die *Liste der Willigen*, wie De Lorenzo sie genannt hatte, hatte man ihm gegenüber nicht mehr erwähnt. Doch während er nun diese Unteroffiziere beobachtete, die keinen Finger rührten, um ihren plündernden, saufenden und wild herumballernden Männern Einhalt zu gebieten, fragte er sich, ob diese perverse Selektion nicht bereits andere für ihn übernommen hatten.

Wie war das zum Beispiel mit Maresciallo Scanu, einem zuverlässigen Unteroffizier, den er schätzte? Der Tenente Colonnello hatte den ausdrücklichen Befehl erhalten, ihn nicht an der Operation teilnehmen zu lassen. Als sei dessen menschliches Mitgefühl nicht erwünscht, das trotz des Offiziersjargons zwischen den Zeilen des Berichts mitschwang, den er zu den Wohnverhältnissen des Huber Hermann, Vater des mit Haftbefehl gesuchten Huber Peter, abgefasst hatte. Und der Oberstleutnant begann sich zu fragen, ob es da nicht Kräfte gab, die all diejenigen von operativen Maßnahmen fernzuhalten bestrebt waren, die mit ihrem Einfühlungsvermögen hätten Brücken schlagen können zwischen den in Südtirol stationierten Streitkräften und den Einheimischen. Leute hinter Schreibtischen in Bozen oder gar in Rom, die in dieser bereits brennenden Provinz noch ins Feuer bliesen, anstatt sich im Ton zu mäßigen und die Gewalt einzudämmen. Leute, die daran arbeiteten, dass die Situation außer Kontrolle geriet. Es war keine Gewissheit, sondern nur so ein Gefühl, das er niemandem hätte anvertrauen können. Denn wenn dies tatsächlich eine kalkulierte Strategie war, zu welchem Zweck wurde sie verfolgt? Wer profitierte davon, wenn die Gewalt eskalierte? Der Tenente Colonnello konnte es sich nicht erklären und ahnte nur, dass es viele, gar zu viele Hintergründe gab, in die er nicht eingeweiht war. Und ihm, der sich noch genau an den Kloß im Hals erinnerte, als er feierlich seinen Eid auf die Verfassung der Republik Italien abgelegt hatte, behagte dieser Gedanke nicht. Überhaupt nicht.

In diesem Augenblick tauchte am Himmel, der durch das herbstliche Hochdruckwetter lapislazulifarben schimmerte, der Hubschrauber auf.

Im Luftwirbel seiner Rotorblätter bogen sich die Tannenspitzen, das Gras duckte sich, und Uniformrevers flatterten. Dann war der Helikopter gelandet.

Ein Oberst der Gebirgsjäger stieg aus. Er sprach schnell und abgehackt, und ohne den Oberstleutnant dabei anzuschauen, fragte er:

»Wie viele Leute habt ihr festgenommen?«

»Fünfzehn.«

»Gut. Lass sie an die Wand stellen und erschießen.«

Der Tenente Colonnello starrte den höherrangigen Offizier an. Der Hubschrauberlärm machte die Verständigung schwierig. Er musste sich verhört haben.

»Wie bitte?«

»Stell sie an die Wand!«, zischte der Oberst. »Alle.«

Der Carabiniere rührte sich nicht und antwortete ruhig, in höflichem Ton:

»Ich bin hier, um Straftaten aufzuklären und Verdächtige festzunehmen. Ein Mörder bin ich nicht.«

Da begann der Oberst der Gebirgsjäger zu brüllen:

»Du sollst sie erschießen lassen! Und danach lässt du das Dorf niederbrennen. Mach es dem Erdboden gleich!«

Der Carabinierioffizier spürte, dass er hungrig war. Oder genauer, sein Magen verkrampfte sich, was ihn daran erinnerte, dass er seit vielen Stunden nichts mehr gegessen hatte. Und er merkte, wie der Hunger seinen Zorn entflammte, und schrie zurück.

»Du bist wahnsinnig!«

»Das ist ein Befehl!«

»Der Befehl ist Wahnsinn!«

»Wenn du nicht gehorchst, bist du wegen Befehlsverweigerung dran!«

»Wir sind doch keine Nazis!«

Männer aller Dienstgrade, Alpini und Carabinieri, versammelten sich um sie. Nicht einmal die Ältesten unter ihnen hatten je erlebt, dass sich zwei Offiziere vor der Truppe dermaßen anbrüllten. Einigen von ihnen fiel der Unterkiefer herunter, viele standen wie in Trance mit offenem Mund da. Der Carabiniere packte den Gebirgsjäger am Arm, zerrte ihn zum Hubschrauber und stieß ihn hinein. Verlud ihn wie einen Rucksack oder eine Munitionskiste.

»Schaff ihn fort«, wies er den Piloten an, und es klang weniger wie ein Befehl als vielmehr wie eine flehentliche Bitte.

Der Pilot, ein Hauptmann, hatte die Szene schweigend beobachtet. Ihm war der Kiefer nicht heruntergeklappt, im Gegenteil: Sein Mund hatte sich zu einem schmalen violetten Strich verengt, weil er die Lippen so fest zusammenkniff. Den Blick des Tenente Colonnello meidend, als verbinde sie beide eine gemeinsame Scham, ließ er den Motor an. Schon durchschnitt der Propeller die Luft, die Männer legten eine Hand auf den Kopf, um ihre Mützen festzuhalten, der eine oder andere merkte jetzt, dass sein Mund noch offen stand.

Metallisch und zoomorph wie ein fantastisches mittelalterliches Kriegsgerät erhob sich der Hubschrauber in die Lüfte. Der Tenente Colonnello sah ihm nach, wie er sich entfernte, immer kleiner wurde, bis ihn der Himmel verschluckte, der nun eine rosafarbene Tönung annahm. Er fühlte sich erfüllt von einer besonderen Dankbarkeit diesem Piloten gegenüber, der zumindest mit einer Disziplinarstrafe rechnen musste. Ein Mann, von dem er noch nicht mal den Namen kannte und dessen Gesicht er schon wieder vergessen hatte.

Die Folgen des Militäreinsatzes an diesem goldenen Septembertag des Jahres 1964 waren zahlreich und sehr unterschiedlich.

Kein einziger Terrorist wurde im Verlauf der Operation verhaftet. Alle Festgenommenen mussten nach wenigen Tagen wegen erwiesener Nichtbeteiligung an den jüngsten Sprengstoffanschlägen wieder auf freien Fuß gesetzt werden. Nur ein alter, schwerhöriger Mann, der sich den Ermittlungsbeamten nicht verständlich machen konnte, wurde nach Venedig überstellt, wo er fast drei Monate lang, bis zum Dezember, inhaftiert wurde.

Sigi blieb für sein Leben gezeichnet durch diesen Gewehrlauf, der auf sein Köpfchen gerichtet war: Als Erwachsener entwickelte er sich zu einem fanatischen Anhänger Andreas Hofers und trat einer Schützenkompanie bei. So jedenfalls versuchte es sich Ulli zu erklären, wenn er wieder einmal erkennen musste, dass sein Bruder zu einem dumpfen, homophoben Rassisten geworden war. Mit dieser Deutung unterschlug er allerdings die Tatsache, dass zwar er und seine Mutter an jenem Tag traumatisiert wurden, nicht aber der kleine Sigi. Denn der hatte die ganze Zeit fest geschlafen.

Nach Ableistung seines Wehrdienstes wieder zu Hause, erlebte der junge Hilfscarabiniere aus Niscemi im Traum die Szene wieder, wie er auf die taube alte Frau schoss. Diesmal jedoch sah er, wie das Gesicht der Alten, nachdem er den Abzug betätigt hatte, in einer Explosion aus Feuer, Blut und Entsetzen vor seinen Augen zerbarst. Gleich am nächsten Morgen eilte der junge Mann zur Kirche Santa Maria Odigitria und warf sich dort voller Inbrunst zu Füßen der Madonna nieder, die ihm die größte Gnade gewährt hatte, nämlich ein schlechter Schütze zu sein.

In den italienischen Zeitungen las man nichts über diesen Militäreinsatz, nur in den deutschsprachigen, denen man daraufhin staatsfeindliche Propaganda vorwarf. Ein Abgeordneter des Provinzrates machte sich daran, die Zeugenaussagen der betroffenen Bauern zu sammeln, um sie in einer Denkschrift zu veröffentlichen und damit eine von der Südtiroler Volkspartei beantragte parlamentarische Anfrage zu dem Vorgang zu unterstützen. Er arbeitete noch an dem Bericht, als er, wenige Wochen nach jenen Ereignissen, unter nicht geklärten Umständen beim Klettern ums Leben kam. Manche behaupteten, das Seil, mit dem er sich sichern wollte, sei mutwillig beschädigt worden. Fest steht jedenfalls, dass die parlamentarische Anfrage am 25. September 1964 im Abgeordnetenhaus in Rom ohne diese Dokumentation behandelt wurde. Der Südtiroler Provinzabgeordnete hatte sie nicht mehr rechtzeitig fertigstellen können. So fiel es dem faschistischen Parlamentarier Almirante leicht, jede Erwähnung von Übergriffen der italienischen Sicherheitskräfte als Unterstellung und Propaganda der *austriacanti* zu diffamieren, wie er die deutschsprachigen Südtiroler in jeder öffentlichen Verlautbarung bezeichnete.

Zurück im Quartier, rief der Tenente Colonnello unverzüglich General De Lorenzo an und informierte ihn über den wahnsinnigen Befehl, den man ihm hatte erteilen wollen, und seine Weigerung, diesen auszuführen.

»Ja, ich hörte schon davon, dass Sie gekniffen haben«, antwortete der General.

Dem Oberstleutnant stellten sich die Härchen an den Unterarmen auf, als sähe er sich plötzlich einer unheimlichen Erscheinung gegenüber.

Noch am selben Abend erhielt er die Mitteilung, dass er von seinen Aufgaben in Südtirol entbunden sei und sich unverzüglich, in den nächsten vierundzwanzig Stunden, nach Friaul zu begeben habe, um dort die Stelle des Vicecomandante der Carabinieri in Udine anzutreten. Wie bei jeder Versetzung üblich, erhielt er wieder eine Beurteilung durch seine Vorgesetzten. Bisher hatte er stets die Höchstnote »hervorragend« erhalten, wurde diesmal jedoch mit einem niederschmetternden »durchschnittlich« bedacht. Damit hatte man ihm alle weiteren Karrierechancen verbaut.

11 Uhr 28. Der Zug Rom–Reggio Calabria fährt pünktlich ab. Zu meiner Erleichterung ist es kein Hochgeschwindigkeitszug im Omnibusstil, mit mehr als hundert lärmenden, essenden und vor allem telefonierenden Personen, die stundenlang zwangsweise einen Raum teilen. Vielmehr handelt es sich um einen guten alten Fernverkehrszug mit Abteilen zu sechs Sitzplätzen, in denen man, wenn der Platz gegenüber frei bleibt, die Sitze ausziehen, sich hinlegen und die Fenster verdunkeln kann, sodass man völlig ungestört ist. Warum gibt es solche Abteile immer weniger?

Die Mitreisenden in meinem Abteil sind zwei vielleicht zwanzigjährige Amerikanerinnen, die eine über-, die andere untergewichtig, beide in Jeans und T-Shirt, mit ausdruckslosen Gesichtern, leicht ungepflegten Haaren und gigantischen Rucksäcken in bester Interrailtradition. Einer davon, der des dickeren Mädchens, sieht besonders abgerissen aus. Er ist mit Filzstiftkritzeleien und Wappen von Städten und Ländern übersät, doch seltsamerweise reichen die Daten, die dort zu erkennen sind, von 1993 bis 1999, ein Zeitabschnitt, in dem das Mädchen höchstens zur Grundschule gegangen sein kann. Vielleicht hat ihr ein älterer Bruder, der während eines *gap years* die Welt bereiste, dieses Stück aus heroischen Zeiten vermacht. Und sie hat keinen Gedanken daran verschwendet, ihn reinigen zu lassen, dafür aber, als persönlichen Touch, ein rosafarbenes Stoffbärchen mit dem Kopf nach unten am Reißverschluss befestigt, das makaber wie ein Gehenkter hin und her schwingt.

Die Schulterlinie der anderen wird von ungesund wirkenden spitzen Winkeln bestimmt, und ihre Beine sehen wie von Jeans umhüllte Zahnstocher aus. Obwohl sie so mager ist, hat sie jedoch Riesenbrüste, die wie an einem Pfosten befestigte Bälle ausschauen. Vielleicht wurden sie das ja auch – später hinzugefügt, meine ich.

Das dicke Mädchen ist noch damit beschäftigt, die Rucksäcke auf die Gepäckablage zu wuchten, und nimmt dabei mit ihrem überbordenden Hinterteil den gesamten Raum zwischen den Sitzreihen ein. Sie schnauft und stöhnt, stellt sich auf die Zehenspitzen und reckt die Arme in die Höhe, wobei unter ihren Achseln dunkle, halbkreisförmige Schweißränder sichtbar werden; ihr T-Shirt rutscht aus der tief geschnittenen Jeans und legt ihre breiten, von Dehnungsstreifen überzogenen Hüften frei. Trotz all ihrer Mühen sieht sich die Magere nicht im Geringsten veranlasst, ihr beizuspringen. Mit distanzierter Miene schaut sie der anderen zu, als warte sie nur geduldig darauf zu erfahren, ob sie es nun schafft oder scheitert. Ich stehe auf, um zu helfen, doch das fette Mädchen macht sich zwischen mir und dem Rucksack, den sie hochhält (den der anderen), so breit, dass ich keine Chance dazu habe. Ein wenig verwirrt durch diese Zurückweisung meiner Hilfe, setze ich mich wieder. Doch dann wird mir klar: Sie hat mein Angebot einfach nicht wahrgenommen. An freundliche Gesten scheint sie nicht gewöhnt zu sein.

Kaum haben wir den Bahnhof Termini verlassen, da durchqueren wir schon eine außergewöhnliche Landschaft, deretwegen man anderswo auf der Welt eigens anreisen würde. Überall sieht man die Ruinen römischer Aquädukte, aber hier in Italien beachtet kein Mensch diese monumentalen Zeugnisse von Effizienz, Anmut und Beständigkeit. Auch meine Reisegefährtinnen im Abteil nehmen davon keine Notiz, obwohl sie als Touristinnen doch das Bedürfnis haben müssten, mit offenen Augen aus dem Zugfenster zu schauen. Stattdessen vertiefen sie sich in die Lektüre ihrer

Taschenbücher und haben iPod-Stöpsel in den Ohren. Los, hebt den Blick, würde ich sie am liebsten auffordern. Lasst euch das nicht entgehen! Diese Aquädukte zählen zu den großen Weltwundern! Aber nein, nichts regt sich. Schlimmer noch, sie heben den Blick, als wir gerade an einem Autofriedhof, einem der üblichen Verfallssymbole urbaner Peripherien, vorüberfahren. Eine nimmt sogleich ihre Lektüre wieder auf, die andere, als wollte sie mich provozieren, erst kurz bevor die römische Industrielandschaft wieder dem offenen Land mit den Aquäduktruinen Platz macht, die sich elegant und geheimnisvoll vor uns abzeichnen, umgeben von Schafen, die schlafend am Boden ruhen, reglos, erschöpft vom Ostertrubel. Es werden wohl die Mütter jener Lämmer sein, die die Römer heute zum Festessen verspeisen. Vielleicht vermissen sie ihren Nachwuchs, können dem aber nicht Ausdruck geben. Ein Bild wie das Aquarell eines Reisenden auf der Grand Tour mit dem Titel: *Traurige Schafe unter antiken Ruinen.*

»Hallo! Hallo!«

Vom Abteil nebenan dringt eine Männerstimme mit unverwechselbarem Akzent zu uns herüber: Indisch. Nach einer kurzen Pause gesellt sich eine Frauenstimme hinzu. Sie klingt voll, fleischlich, irdisch, nach einem Erdboden, der mit nackten Füßen beschritten wird – auch wenn diese Inderin in Italien sicher Schuhe trägt. Und ihr Sari? Wer weiß, ob sie den hier anzieht. Ein weiterer Vorteil von Waggons mit abgetrennten Abteilen. Man kann seiner Fantasie freien Lauf lassen und sich das Aussehen der Abteilnachbarn anhand ihrer Stimmen ausmalen. Was die Frau zu sagen hat, klingt ähnlich wie das Statement des Mannes.

»Hallo! Hallo, hallo! Okay, okay.«

Sie haben auch ein kleines Kind dabei, das halblaut wimmert und unverzüglich zum Schweigen gebracht wird. Durch eine volle Brust? Ein Fläschchen? Einen Erwachsenen, der ein paar Grimassen zieht?

Rechts des Zuges dehnt sich die Pontinische Ebene aus, platt, wie es nur Land sein kann, das Sümpfen abgerungen wurde. Eine klein parzellierte, kultivierte Fläche mit hohen Stapeln farbiger Plastikkisten an den Rändern: ein blauer Stapel hier, ein einheitlich gelber am Feldrand daneben, dann rot oder grün. Es sieht aus, als hätte ein gelangweiltes Kind seine Legosteine sortiert. Sie warten auf den nächsten Werktag, um wieder mit Gemüse gefüllt zu werden. Die Erde hat hier die Farbe von Blutwurst, man bekommt Lust, mit den Händen einzutauchen und daran zu schnuppern; selbst auf die Entfernung erkennt man, wie fruchtbar sie ist, ganz anders als der gräuliche Boden in meinem Tal zu Hause, wo man froh sein muss, wenn Kartoffeln gedeihen. In der Ferne entdeckt man die elegant geschwungene Linie von Pinienwäldern, und noch weiter dahinter bietet sich, fast nur als Glitzern erkennbar, das ins Himmelsblau übergeht, das Meer dem staunenden Blick dar.

Auf der linken Seite des Zuges zieht dagegen eine andere Welt vorüber, eine natürliche Stufe aus kargen, mit gedrungenem mediterranem Buschwerk überzogenen und nur von Ziegen bewohnten Hügeln. Niedrige Trockenmauern schneiden schmale Stücke für kümmerliche Olivenbäume heraus, hier und dort verfallene Häuser, die aus den gleichen Steinen wie die Mäuerchen errichtet wurden, den Steinen, aus denen die Hügel bestehen. Wie hart und mühselig zu bearbeiten ist dieser Boden, im Gegensatz zu der fruchtbaren Ebene darunter. Hin und wieder öffnet sich die karstige Hügelkette und gibt den Blick auf hohe Berge frei, die noch düsterer und verlassener wirken, von Wolken umhüllt. Eigentlich befinden wir uns noch vor den Toren Roms, aber man hat den Eindruck, als blicke man bereits hinein in die rauen Tiefen Italiens, wo Wölfe und Briganten hausen.

Dann verschlingt uns ein Tunnel, stockdunkel und endlos lang.

Wesley, der einzige Mann, dem es gegeben war, von mir Ehemann genannt zu werden, wenn auch nur für zwei Wochen, hat behauptet, ich sei ihm wegen meines besonderen Blicks für Landschaften aufgefallen. Mag sein. Allerdings muss man wissen, dass er mich damals an einem Strand in Sri Lanka entdeckt hat, inmitten einer Schar mit Saris bekleideter Frauen, unter denen ich die einzige Blondine war, die einzige mit blauen Augen, die einzige mit fast einem Meter achtzig Körperlänge. Und die einzige im Bikini war ich auch. Ich war zweiundzwanzig, und es war der erste Tropenurlaub, den ich mir von meinem selbst verdienten Geld leisten konnte.

Aber Wesley hatte schon recht: Auf Landschaften achte ich sehr.

Ein paar Stunden nach diesem ersten Zusammentreffen gingen wir zusammen essen. Es war so ein tropischer Abend, der wie gemacht zu sein schien, zwei Besucher aus dem Westen miteinander im Bett landen zu lassen: Hummer mit Curry, von einer grazilen, in Seide gehüllten jungen Dame serviert, die Lockrufe eines Pfaus in der Ferne, die Wellen des Indischen Ozeans, dunkel, doch von phosphoreszierendem Plankton glitzernd, der Austausch von Kindheitserinnerungen. Ich erzählte Wesley, wie Ulli und ich einmal die Gesteinsmassen angebrüllt hatten, die bei einem Erdrutsch einige Jahre zuvor aus dem Hang des Berges, in dessen Schatten wir lebten, gerissen worden waren. Breitbeinig stellten wir uns an der Kante der neu entstandenen Schlucht auf, dort, wo die Fluten einen Teil der Wiese wie ein Stück von einem Krapfen abgebissen hatten, und riefen so laut wir konnten zu den Felsblöcken zu unseren Füßen hinunter. Und die Felsen antworteten uns mit ähnlichen, jedoch nicht gleichen Stimmen, als bediene sich der Berg unserer Worte, um etwas ganz anderes auszudrücken. Aber was?

Wesley beobachtete mich, während ich davon erzählte, mit der Miene eines Goldsuchers, in dessen Sieb endlich ein Klümpchen aufleuchtet. »Du bist eine romantische Seele!«, rief er begeistert. Er war Lehrbeauftragter für englische Literatur an der Universität von Indiana und sprach wie die englischen Dichter, über die er forschte und Abhandlungen mit Titeln veröffentlichte wie *Göttlicher Dung: Der Gäa-Mythos als Sehnsuchtsmotiv in der Selbstbetrachtungsliteratur des modernen Intellekts*. Dass es Menschen gibt, die Essays über »göttlichen Dünger« schreiben, gehört zu den vielen Dingen, die ich nicht wusste, bevor ich Wesley traf.

Eine romantische Seele, erklärte mir Wesley, glaubt daran, dass ihr die Landschaften etwas mitteilen, etwas offenbaren wollen, was die Menschen, die sie bewohnen, entweder nicht wissen, vergessen haben oder für unwichtig halten, dass die Geografie eigentlich ein Buch ist, das in einer uns unbekannten Sprache geschrieben wurde, dessen Bedeutung sich uns jedoch eines Tages erschließt.

»Nennt die Welt, wenn ihr wollt, ›das Tal der Seelenbildung‹, dann werdet ihr auch den Sinn der Welt erkennen«, zitierte er Keats.

Ich blickte von dem Hummer auf und betrachtete die Wellen. Was hätte Keats zu diesem phosphoreszierenden Plankton gesagt? Poetisch und künstlich wirkte es wie Nachtlichtsternchen in einem Kinderzimmer.

Was Ulli und ich damals aber tatsächlich in die Landschaft riefen, um sie zu ihrer animistischen Offenbarung zu bewegen, waren allerdings größtenteils Beleidigungen von Personen, die wir nicht leiden konnten:

»*Di Greti hot dreckige Untohosn!*«

»*Do Sigi isch an Orschloch!*«

»*Do Pato Christian figgt mit di Kia, und mit di Hennen aa!*«

Und die Felsen bestätigten uns, dass unsere Verachtung und unser Zorn gut und gerecht waren:

Greti hat dreckige Unterhosen an (*Untohosn ... hosn ... hosn ...*).

Sigi ist ein Arschloch (*Orschloch ... schloch ... loch ...*).

Pater Christian fickt mit den Kühen (*mit di Kia ... Kia ...*) und mit den Hennen auch (*Hennen aa!*).

Aber das habe ich Wesley nicht erzählt.

In jener Nacht kam Wesley mit in meinen Bungalow am Strand und blieb drei Tage. Beim Sex war er allerdings nicht so romantisch wie seine Dichter. Er besaß den Körper eines *Wasp*, der seit Kindergartenzeiten Sport treibt: groß, muskulös, mit zartem blondem Flaum überzogen, ohne ein Gramm Fett, obwohl er damals schon über vierzig war. Mit seiner Athletenausdauer verschaffte er mir und sich selbst Orgasmen, die streng gleichmäßig aufgeteilt waren. Ergriff ich die Initiative, um ihm Lust zu bereiten, genoss er es, revanchierte sich dann aber sofort, als käme es vor allem darauf an, dass die Rechnung aufging und Geben und Nehmen in einem ausgeglichenen Verhältnis standen. Mit anderen Worten, es war eine Buchhaltersexualität, die er praktizierte, doch wenn man zweiundzwanzig ist, fallen einem manche Dinge nicht sogleich auf.

Am Morgen des dritten Tages stand ich früh auf und schwamm im Ozean, während Wesley noch im Bungalow schlief. Als ich zurückkehrte, weckte ich ihn, indem ich mich mit meinem noch nassen Leib auf ihn legte.

»Eva, ich weiß, warum du so wenig schläfst«, sagte er. »Du willst an den Geheimnissen Anteil nehmen, die der Erzengel Michael Adam anvertraute.«

»Heh?«

»Milton, *Paradise Lost*, Buch elf.«

Ich muss ihn mit dem Gesicht eines Goldsuchers angeschaut haben, in dessen Sieb endlich ein Rubik-Zauberwürfel auftaucht.

Geduldig wie ein Professor, dessen Aufgabe es nun einmal ist, den lieben langen Tag ahnungslosen Studentinnen im Bikini etwas beizubringen, streichelte er mir über den feuchten, salzigen Oberschenkel und erklärte:

»Im vorletzten Buch seines Meisterwerks lässt Milton den Erzengel Michael zu Adam sprechen und ihm die Zukunft zeigen: Kain und Abel, die Zerstörung von Salomons Tempel, der große Khan, der russische Zar, Montezuma ...«

»Was hat denn Adam mit Montezuma zu tun?«

»Gar nichts. Es ist eben die gesamte Zukunft der Menschheit, die der Erzengel Michael da Adam offenbart. Aber vorher versetzt er Eva in Schlaf, denn sie ist eine Frau und soll von alldem nichts wissen. Und so kommt es, dass Eva schläft, während Adam die Geheimnisse der Zukunft erfährt.«

Seine Hand fuhr unter mein Bikiniunterteil. »Auch du bist eine Frau ...« Seine Finger bewegten sich. »Aber du hältst dich mit Absicht wach, um zu lauschen ...«

Eine warme Flüssigkeit begann sich zwischen meinen Schenkeln zu sammeln. »Ich will doch gar nicht wissen, was die Zukunft bringt«, sagte ich. »Das ist so ein typischer Männerwunsch.«

»Nein, man merkt, dass du ihre Geheimnisse erfahren möchtest. Deshalb weigerst du dich zu schlafen.«

Etwas von Wesleys Worten schien auf mich zuzutreffen, aber ich hätte nicht genau sagen können, was es war. Zudem hatten jetzt seine Finger mein Zentrum erreicht, und das Denken fiel mir immer schwerer.

Wenige Tage später heirateten wir in Reno, Nevada. Ich hatte meinen Flug Colombo–Frankfurt nach Los Angeles umgebucht und meiner Mutter ein Telegramm geschickt: *»I gea heiratn.«*

Das *Marriage license office* in Reno hat den Ruf, nicht mehr als zehn Minuten zu benötigen, um seinen Besuchern eine Heiratsgenehmigung auszustellen. Bei uns waren es sogar nur acht. Ein Beamter mit pockennarbigem Gesicht und einer Adlernase wie ein amerikanischer Ureinwohner ließ sich von uns die Namen geben, die Nachnamen, Familienstand, Wohnort der Mutter (nicht des Vaters, zu meiner Erleichterung) sowie fünfundfünfzig Dollar in bar – das *Marriage license office* ist vermutlich der letzte Ort in den USA, wo man keine Kreditkarten akzeptiert.

Dann machten wir uns auf zum *Commissioner for marriages*, einen halben Kilometer entfernt. In einem mit rosa- und orangefarbenem Teppichboden ausgelegten Büro stand hinter einem Schreibtisch aus Massivholz eine farbige alte Frau mit stämmigen, in Kompressionsstrümpfen steckenden Beinen. Sie war es, die uns traute. Unser Trauzeuge hingegen war der Mann, der gerade sauber machte, ein Mexikaner in meinem Alter, mit einer wie eine Barockvolute in einer Kolonialkirche geschwungenen Oberlippe und Augen wie die eines kleinen Mädchens. Er hatte gerade in einem Losverfahren eine Greencard für die Staaten erhalten, erfuhr ich später, also dürfte der freudige Eifer, mit dem er seinen Namen unter die Heiratsurkunde setzte, wohl aufrichtig gewesen sein.

Nach der »Zeremonie«, schon unten im Wagen, schlug mir Wesley vor, unsere Hochzeitsnacht mit Joan und Elliot zu verbringen, einem mit ihm befreundeten Ehepaar, das am Lake Tahoe lebte. Da er ja nun ein verheirateter Mann sei, eröffnete er mir fröhlich, könne er jetzt auch mit Joan schlafen: Mir hatte er den Ehemann zugedacht.

Immerhin, seine Buchführung stimmte mal wieder.

Ich musste daran denken, was der Klappentext über den Autor des Werkes zum »göttlichen Dünger« verriet:

»Bevor Wesley Muno Lehrbeauftragter an der University of Indiana wurde, war er Schuster, Mitglied von Jugendgangs, Pfad-

finder, Tellerwäscher, Golfcaddie, Leichenbestatter, Sargpolierer, Hamburgerkneter, Metallarbeiter, Hilfsklempner, Testperson für medizinische Experimente, Assistent in einem Hamsterzahnreinigungslabor, Organist in einer Baptistenkirche, Dialogautor von Soapoperas, Vormund wohlhabender Jugendlicher, Übersetzer, Lastwagenfahrer. Sammelt Briefmarken.«

Erst in diesem Moment wurde mir klar, dass mich das »Briefmarkensammeln« hätte warnen müssen. »Fahr ran«, sagte ich zu ihm und stieg aus dem Wagen.

Unsere Ehe währte zwei Wochen, denn genau vierzehn Tage später sahen wir uns noch einmal wieder, ebenfalls in einem Büro, diesmal allerdings in dem des *Commissioner of divorce*. Es war jenem ersten ganz ähnlich, nur war der Teppichboden grau und grün, was für gescheiterte Ehen auch besser passte als die Rosa- und Orangetöne der anderen Büros. Die zwei Wochen zwischen Heirat und Scheidung hatte ich in Gesellschaft meines Trauzeugen, der mexikanischen Reinigungskraft, verbracht, der gern bereit war, seine Freude über die Greencard mit mir zu teilen. Was Wesley trieb, weiß ich nicht. Jedenfalls unterzeichneten wir ohne Groll das Dokument, das unsere Schicksale für immer trennte, verließen, geblendet vom harten Wüstenlicht, diesen grau-grünen Raum und haben uns nie wieder gesehen.

Zwanzig Jahre sind seit meiner kurzen Kostprobe vom mythischen Status einer verheirateten Frau vergangen. Die einzig bleibende Erinnerung daran ist der Umstand, dass ich, wenn ich meinen Personalausweis verlängere, als Familienstand »geschieden« in die entsprechende Spalte des Formulars einzutragen habe. Und nicht »ledig«, wie meine Mutter das ihr ganzes Leben lang musste.

»Was wohl Vito dazu sagen würde?«, hatte Ulli gemeint, als ich ihm von meiner Blitzehe erzählte.

Eine rein hypothetische Frage, die nie eine Antwort fand. Nun jedoch stellt sie sich anders: »Was wird Vito sagen, wenn wir uns wiedersehen?« Mit Sicherheit wird er mich fragen, ob ich verheiratet bin und Kinder habe. Werde ich ihm von Wesley erzählen? Wahrscheinlich nicht. Aber nicht, weil ich mich schäme, sondern nur, weil wir keine Zeit zu verlieren haben mit unwichtigen Dingen. Und von Carlo, der mir gegenüber seine Frau und seine Kinder nicht erwähnt, die mich auch gar nicht interessieren? Würde ich Vito davon erzählen, wenn er wirklich mein Vater wäre? Und falls er das wäre, würde ich dann dieses Leben führen?

Ich spüre, wie sich mir die Kehle zuschnürt. Es wird wohl besser sein, wenn ich mich wieder der Landschaft draußen vor dem Zugfenster zuwende.

Hinter Monte San Biagio sehen die Berggipfel zur Linken nur noch wie spitze Dreiecke aus, reine geometrische Formen ohne Eingriffe von Menschenhand. Auf der anderen Seite, in Richtung Meer, zieht sich weiterhin ein Teppich aus Anbauflächen und Treibhäusern die Ebene entlang. Immer noch scheinen sich die beiden Zugfenster links und rechts auf zwei völlig gegensätzliche, weit voneinander entfernt liegende Welten hin zu öffnen.

Das abgemagerte amerikanische Mädchen, deren Taille schmaler ist als ein Oberschenkel der anderen, reicht der Gefährtin einen Keks, hält ihn ihr in einiger Entfernung vor die Nase wie ein Dompteur, der lockend und hinhaltend Gehorsam verlangt. Der gierige Gesichtsausdruck der Dicken verrät, dass sie zu allem bereit ist, um an diesen Keks zu gelangen. Der Gesichtsausdruck der Mageren zeigt, dass sie das sehr genau weiß. Erst nach einer ganzen Weile gibt sie mit einem gönnerhaften Lächeln nach, und die Fresssüchtige schnappt sich den Keks, entzieht ihn sofort dem Blick der Kameradin, die gleichzeitig Urheberin und Zeugin ihrer Erniedrigung ist, und wendet sich kauend wieder ihrem Buch zu. Der Titel in verschnörkelten Goldbuchstaben ist nicht zu entziffern, aber darunter steht: *A true story.* Ich stelle mir eine leidvolle Lebensgeschichte vor, einen dramatischen Erfahrungsbericht mit allem, was dazugehört – schwierige Kindheit, erlittene Übergriffe und Mut machende Befreiung am Ende.

Und endlich, nach dem nächsten Tunnel, liegt das Meer vor uns. Nahe, sonnenbeschienen und vor allem, nach der Enge durch die kargen Bergketten, offen und weit. Das Bild wird belebt durch Windsurfer, durch die gleichmäßig ausgerichteten Reihen der Tellmuschelkulturen, durch Menschen, die den Ostertag für den ersten Strandausflug des Jahres genutzt haben. Der Bahnhof von Formia liegt etwas höher als das Städtchen und bietet einen atemberaubend weiten Ausblick auf den Golf. Doch noch nicht einmal jetzt, da das belebende Mittelmeerlicht durchs Zugfenster einfällt, da uns Agaven, Bougainvilleen, Bleiwurz, Hibiskus, Glyzinien, Jasmin und Oleander ihre Farbenpracht entgegenschleudern, da das Meer wie Geschenkpapier glitzert und das Geschenk darin Italien ist, noch nicht einmal jetzt heben die Mädchen den Blick von ihren Bestsellern. Ich empfinde eine ähnliche Enttäuschung wie eine stolze Hausherrin, deren zerstreute Gäste die Schönheiten ihrer Wohnung nicht bemerken.

Hausherrin?

Plötzlich fällt mir ein einfacher Syllogismus ein:

Südtirol ist meine Heimat –

Südtirol gehört zu Italien –

ergo

Italien ist meine ...

Was heißt *Heimat* auf Italienisch? Heimat, ein Wort, das nicht zu Italien passt – zu viel hat es von Kümmelbrot und Adventskalender, von warmer Stube, wenn es draußen friert. *Patria* (Vaterland) jedenfalls trifft es nicht, das schmeckt zu stark nach granitenen Denkmälern, nach von kurzsichtigen Politikern gezogenen Grenzen, nach schlecht ausgerüsteten jungen Burschen, die von alten Generälen zum Sterben hinausgeschickt werden. *Paese* (Land), ja das ist es:

Italien ist mein Land.

Das habe ich mir zuvor noch nie so gesagt. Aber vielleicht ist es kein Zufall, dass ich es ausgerechnet heute tue, während ich dieses lang gestreckte, prachtvolle und verschandelte, sich mit Blumen, Sehenswürdigkeiten und Bauruinen schmückende Land ganz durchquere, um zu dem einzigen Mann zu gelangen, bei dem ich mich jemals zu Hause gefühlt habe. Dem Mann, der nicht mein Vater wurde, aber fast.

Vito.

Es war immer dieselbe Frage.

»Fo wem isch de Letze?« Zu wem gehört dieses Mädchen?

Es konnte sich um die Hochzeit des Sohnes einer Großtante handeln. Oder um die Taufe eines Enkelkinds, bei der die Paten eleganter gekleidet waren als alle anderen Gäste, weil es ihr großer Tag war. Oder auch die gemeinsame Firmung von Vettern ersten, zweiten oder dritten Grades, die im selben Jahre zwölf wurden und zuvor in der Kirche vom Priester die Hostie empfangen hatten, aufgereiht wie junge Hühner in einer Legebatterie. Jedenfalls war es immer eine große Schar von Menschen in Festtagskleidern – mehr als hundert Personen, die Frauen im Dirndl, die Männer jedoch, um nicht altmodisch zu erscheinen, mit Anzug und Krawatte –, die sich auf dem Platz zwischen dem Stall und dem Haus der Familie Schwingshackl für das Festessen versammelte, das auf die Zeremonie in der Kirche folgte. Jeder war mit fast allen anderen blutsverwandt oder verschwägert: Alle waren sie einander Enkelkinder, Neffen oder Nichten, Onkel oder Tanten, Großväter oder Großmütter, Paten, Geschwister, Söhne oder Töchter, Cousins oder Cousinen, Urenkel, Schwäger oder Schwägerinnen, Schwiegereltern, Schwiegersöhne oder Schwiegertöchter. Wie mit unsichtbaren Fäden waren die vielfältigen Bindungen zu einer Decke verwoben. Einer großen Decke, die an manchen Stellen schadhaft sein konnte, weil zwei Brüder nicht mehr miteinander sprachen oder sich Schwiegermutter und Schwiegertochter offenkundig nicht leiden mochten, die sich aber dennoch über alle legte und niemanden ausschloss. Niemanden – bis auf Eva.

Wie eine Boje trieb sie in diesem Meer von Menschen, unter allen die Einzige, die nicht mit den anderen verwandt war, auch wenn Sepp und seine Frau Gerdas Tochter nie anders als ihre eigenen Kinder behandelten. Marias dreizehn Schwangerschaften hatten die Konturen ihres Körpers immer weiter abgeschliffen, sodass er mittlerweile jede klare Form verloren hatte. Auch die Farbe ihrer Augen ließ sich nicht mehr eindeutig erkennen, doch ihr Blick war immer noch so scharf und strahlend wie die Brillanten auf der Brosche, einem kleinen Pfau, die sie sich bei Familienfeiern ans Dirndl steckte. Wie Frau Mayer trug sie ihre Haare geflochten um den Kopf geschlungen, doch war der Zopf der Hotelchefin das Ergebnis von Präzisionsarbeit, so wirkte der von Maria naturgegeben und notwendig wie eine Gerstenähre, ein Baum oder eine Kartoffel. Ihre Hände waren so rau, dass sie Evas zarte Fingerchen fast kratzten, wenn diese sie umschlossen, vermittelten ihr jedoch zugleich eine tröstliche Ruhe, die – fast – alle ihre Ängste vertrieb. Man konnte sich nur wundern, wie Maria bei dreizehn eigenen Kindern und Dutzenden von Enkelkindern noch Zeit fand, Hand in Hand mit einem kleinen Mädchen spazieren zu gehen, das ihr noch nicht einmal »gehörte«. Doch ihr Glaube hatte sie gelehrt, dass es für die Liebe zum Nächsten keine Einschränkungen gab, und sie und ihr Mann Sepp waren sehr gläubige Menschen.

Dennoch kam es immer wieder vor, dass entfernte Verwandte aus einem Nebental, eine halb taube Großtante vielleicht, die Mutter einer Frischverheirateten, die gerade in die Familie gekommen war, sich erkundigten, wer denn dieses kleine Mädchen sei.

»Fo wem isch de Letze?«

Maria, Sepp, Eloise und Ruthi versuchten es zu erklären.

»Die ist von den Hubers, aber nicht von denen vom Hof nebenan, sondern von denen aus Schanghai. Deren Tochter ist in die Klemme geraten und ...«

Was die Neugierigen, die da fragten, aber erfahren wollten, war nicht Evas Geschichte mit all ihren schwierigen Begleitumständen – einer Mutter, die sich allein durchschlug, einem Onkel, der in den Terrorismus abgeglitten war, einem Großvater, bei dem einem eiskalt wurde, wenn man ihm in die Augen sah. Nein, was sie erwarteten, war jene Auskunft, die wie mit ein paar Nadelstichen das tröstliche Gewebe normaler Familienzugehörigkeit zu stopfen in der Lage war. Großmütige Menschen wie Sepp und Maria, die sich an losen Fäden und ausgefransten Stellen nicht störten, waren rar. Und so kristallisierte sich mit der Zeit für solche Fälle eine andere Antwort heraus.

»Fo wem isch de Letze?«

»Fo niamandn.«

Bis sie mit dreizehn in Bozen aufs Internat und in die höhere Schule kam, wohnte Eva in den insgesamt zehn Monaten der Sommer- und Wintersaison bei Maria, Sepp, Ruthi und der ganzen Familie Schwingshackl. Im November und gleich nach Ostern begann Eva von dem Steilhang aus, an dem der Hof klebte, die Autos unten im Tal zu beobachten, die wie fleißige Ameisen auf der Provinzstraße längs des Flusses hin und her wuselten. Die Erfüllung ihrer Vorfreude, so lernte sie von klein auf, saß in einem blauen Bus mit gelben Buchstaben. Schon früh verstand sie es, all die Fahrzeuge, die da unterwegs waren, voneinander zu unterscheiden: Autos, Lastwagen, Traktoren, Touristenbusse, Lieferwagen. Wenn der Autobus aus Bozen aus der Kurve unten im Tal auftauchte, begann ihr das Herz in der Brust zu hüpfen wie eine Grille in der Hand. Ihr Blick folgte ihm, während er an der Kreuzung abbog und die Kehren in Angriff nahm, eine Weile zwischen den Tannen verschwand, wieder auftauchte und schließlich schnaufend auf dem Platz vor der kleinen Kirche anhielt.

Dann ließ Eva alles stehen und liegen, riss sich von Marias Hand los, brach das Spiel ab, das sie gerade mit Ulli gespielt hatte, wand sich aus Ruthis Armen, und auch sich selbst hätte sie zurückgelassen, nur um noch schneller laufen zu können, wobei sie aber niemals stolperte – aus Angst, dadurch Zeit mit Wiederaufstehen zu verlieren. Tagelang rannte sie umsonst zum Platz hinunter: Wie eine Verheißung öffneten sich die Türen des Busses, doch stiegen nur Menschen aus, die sie nicht interessierten, weil sie nicht ihre Mutter waren. Doch jedes Mal in all den Jahren, im Frühling wie im Herbst, geschah es dann wieder, wenn sich in Evas Brust bereits eine traurige Leere auszubreiten begann, ein lähmendes Grau, dass zwei lange Beine auf dem Absatz in der Bustür erschienen, ein vertrautes Gesicht, dessen Schönheit gleichwohl immer wieder überraschte, zwei kräftige Arme, die sie hochhoben und fest an sich drückten, und ein Duft, der das reine Glück bedeutete, der Duft ihrer Mutter. Gerda war wieder da.

Außerhalb der Saison waren die Touristen, die sonst in ihrem Heimatstädtchen Ferien machten, während sie selbst im Meraner Hotel von Frau Mayer arbeitete, fast alle verschwunden. Leere möblierte Zimmer, wo sie mit Eva wohnen konnte, gab es dann reichlich, und es war auch nicht schwer, eines zu mieten. Mittlerweile verdiente Gerda genug, um für sich und ihre Tochter sorgen zu können. Nicht dass Gerda und die anderen Angestellten im Hotel angemessen bezahlt worden wären. Aber niemand lehnte sich auf: Alle kannten sie die Geschichte der »Gewerkschafterin«, wie sie immer noch von allen genannt wurde.

Von dieser italienischen Kellnerin, die einige Jahre bevor Gerda kam, gefeuert wurde, hatte sie durch Nina erfahren. Die junge Frau war sehr viel gebildeter als das übrige Personal gewesen, hatte die elfte und zwölfte Klasse eines Wirtschaftsgymnasiums besucht und stand kurz vor dem Abschluss, als ihr Vater, der sich mit Überstunden in einem Stahlwerk abrackerte, um der Tochter das Diplom und damit den Zugang zu einem besseren Leben zu ermöglichen, von einem hundert Kilo schweren Haken erschlagen wurde. So musste sie die Schule abbrechen, um ihrer verwitweten Mutter zu helfen, die Familie mit den drei jüngeren Geschwistern durchzubringen. Zwei Jahre hatte sie schon im Hotel von Frau Mayer gearbeitet, als ihr eines Tages in ihren Arbeitspapieren auffiel, dass stets nur für einen Monat pro Saison Sozialbeiträge entrichtet worden waren und nicht für fünf, wie es korrekt gewesen wäre. Und dagegen hatte sie sich gewehrt. Aber nicht nur das: Sie hatte es sogar gewagt, noch eine weitere Forderung zu stellen. Der wöchentliche Ruhetag begann um fünfzehn Uhr und endete um elf Uhr am nächsten Tag. Das waren vier zusätzliche Arbeitsstunden, die, so verlangte sie, vergütet werden müssten. Ihr und dem gesamten Personal.

Unerhört. Frau Mayer feuerte sie auf der Stelle und sorgte dafür, dass alle künftigen potenziellen Arbeitgeber des Mädchens von der Sache erfuhren. Und so kam es, dass die ›Gewerkschafterin‹, wie sie mittlerweile von allen genannt wurde, im Hotelwesen nirgendwo mehr eine Stelle fand, obwohl der Fremdenverkehr boomte und überall händeringend Personal gesucht wurde.

Ninas Gesichtsausdruck wirkte ganz sachlich, während sie Gerda diese Geschichte erzählte. Weder das Verhalten von Frau Mayer noch das der jungen Frau kommentierte sie. Gerda sollte sich selbst ihre Meinung bilden.

Und das tat sie. Sie überprüfte ihre Arbeitspapiere und stellte fest, dass die letzten Jahre ihres Lebens scheinbar ein einziger sorgloser Urlaub gewesen waren. Eingetragen waren nicht mehr als eine Handvoll Arbeitsstunden pro Jahr. Und sie begriff, dass Frau Mayer eine Zeitreisende war, die von der Gegenwart in die Zukunft sprang und dort Gerda die Altersrente stahl.

Diebin, hätte sie am liebsten geschrien.

Doch Gerda besaß nur zwei Dinge im Leben: eine Tochter und eine feste Arbeit.

Außerdem hatte Gerda es bereits kennengelernt, das Entsetzen, wenn man plötzlich vor dem Nichts stand.

Also hielt Gerda den Mund.

Täglich wurden die Schmerzen in Herrn Neumanns Beinen heftiger, und immer häufiger musste er die Küche verlassen, um Wasser abzuschlagen: Sein Diabetes wurde schlimmer. An einem Tag im Frühling stand er an seinem Arbeitstisch, und während er das von den Durchblutungsstörungen herrührende dumpfe Pulsieren in den Waden zu ignorieren versuchte, war er damit beschäftigt, mit geschickten Fingern – die einzigen noch feingliedrigen Teile seines Körpers – ein Zicklein auszunehmen und zu zerteilen. Mehr und mehr verlor das Gerippe jede Ähnlichkeit mit einem Tier und wurde zu reiner Materie. Als er fertig war, lag zu seiner Rechten ordentlich sortiert das tote Fleisch, zu seiner Linken ein chaotischer Haufen funktionslos gewordener Eingeweide.

Wie so oft hatte Gerda ihm von der Salattheke aus aufmerksam zugesehen. Jetzt trat sie auf den Küchenchef zu und deutete auf die Leber, deren tiefrote Farbe an eine fleischfressende Pflanze erinnerte. Durch den kleinen, herzförmigen Vorsprung, der wie ein Gaumensegel daran befestigt war, sah sie wie ein von den restlichen Eingeweiden unabhängiges Wesen aus. Ob sie mal etwas damit versuchen dürfe, anstatt sie wegzuwerfen, fragte Gerda schüchtern.

Einen Augenblick lang vergaß Herr Neumann das lästige Pulsieren in den Beinen. Schon lange hatte er auf diesen Augenblick gewartet, denn er hatte immer daran geglaubt, dass Gerda früher oder später den Wunsch äußern würde, etwas ausprobieren, erfinden, experimentieren zu dürfen. Bemüht, ihr seine Genugtuung nicht zu zeigen, nickte er nur. Gerda schnitt die Leber in dünne Streifen, schwenkte sie kurz in der heißen Pfanne, würzte mit Thymian, Majoran, Schalotten, Knoblauch und Zitrone, gab das Ganze in eine mit Portulak gefüllte Schüssel und spritzte zum Schluss noch einige Tropfen Balsamico darüber. Mit stolzer Miene, wie ein kleines Mädchen, das ein gelungenes Bild vorzeigt, reichte sie Herrn Neumann ihre Kreation. Der tauchte drei Finger hinein, angelte sich, während Gerda ihn gebannt beobachtete, eine Handvoll Salat und Leberstückchen heraus und steckte sie sich in den Mund.

Der Geschmack war harmonisch, würzig, gut. Wie Gerda: wunderbar einfach und gelungen.

Von seinem Platz für die ersten Gänge und Beilagen aus hatte Hubert mit duldsamer Miene die Szene beobachtet. Jetzt reichte er Gerda eine Handvoll gehackten Schnittlauch.

»A bissl Schnittla aa ...«

Herr Neumann schüttelte energisch den Kopf. Gerdas Kreation besaß bereits alles, was für ein gelungenes Gericht erforderlich war; jede weitere Zutat wäre zu viel gewesen.

Hubert fuhr auf seinen langen, dürren Beinen herum und wandte sich wortlos wieder seinen ersten Gängen zu. Er hatte gerade eine Portion Schlutzkrapfen in Butter gewendet und warf nun den verschmähten Schnittlauch entschlossen, als stoße er eine Beleidigung aus, in die Pfanne hinein.

Eines Morgens waren Herrn Neumanns Beine nach dem Aufwachen so starr wie zu lange gebratene Schweinekoteletts. Der Arzt, den Frau Mayer eilig herbeirief, verabreichte ihm Insulin und blutverdünnende Mittel und erklärte, dass die Küche einige Tage ohne ihren Chef auskommen müsse.

Noch nicht einmal einen Meter lagen die Arbeitstische für die ersten Gänge und die Fleischgerichte auseinander, doch Herrn

Neumanns Reich war für Hubert immer so unerreichbar gewesen wie für alle anderen in der Küche auch. Jetzt brachte er sich sofort als Ersatz für den Chefkoch ins Gespräch. »Vorübergehend«, wie er noch hinzufügte, aber es war offensichtlich, dass er nun endlich seine Chance gekommen sah. Doch er irrte sich.

Herr Neumann hatte eine Frau und drei Kinder, die in einer netten Wohnung mit Geranien vor den Fenstern im oberen Vinschgau lebten. Wie der kleinste Küchenjunge, wie Gerda, wie das gesamte Personal des Hotels kehrte auch Herr Neumann nur außerhalb der Saison, wenn das Hotel seine Pforten schloss, zu seiner Familie heim. Während der Arbeitsmonate bewohnte er eines der Einzelzimmer, die ausgewählten Angestellten zur Verfügung standen: Außer ihm genoss nur noch der Maître das Privileg, nach Feierabend von den Ausdünstungen und den störenden Schlafgeräuschen der anderen verschont zu bleiben. Vor der Visite des Arztes hatte Herr Neumann nie jemanden in dieses Zimmer gelassen. Nun aber war Gerda da.

Seit diese schöne, wunderschöne, gar zu schöne Frau als Sechzehnjährige in seiner Küche aufgetaucht war, gab es etwas, was er lieber als alles andere mit ihr zu tun wünschte. Und jetzt tat er es: Er machte sich daran, sie in die Geheimnisse des Fleisches einzuweihen.

Elmar musste ihr helfen, ein fünfunddreißig Kilo schweres Rinderviertel zum Zimmer unter dem Dach hinaufzuschleppen. In den Wintermänteln, die fürs Betreten der Gefrierkammer gedacht waren und die jetzt ihre Kleider vor Blut und Fett schützten, waren sie mächtig ins Schwitzen geraten und hatten auf der steilen Holztreppe, auf der Gerda ihre Schwangerschaft hatte abbrechen wollen, noch einmal verschnaufen müssen. Oben musste Gerda das Schreibpult von Herrn Neumann, das am Fenster mit Blick auf die Berge stand, vor sein Bett rücken und eine Arbeitsplatte darüberlegen. Darauf deponierte sie die ganze Messerausrüstung, die sie von der Küche mit nach oben genommen hatte: Tranchiermesser, Entbeiner, Filetmesser, Knochenbeil, Vorlegegabel, Wetzstahl, Messer in speziellen, unverwechselbaren Formen für Braten, Schinken, Wurst oder Wild. Gerda konnte es kaum fassen, all diese mustergültig, perfekt funktional konstruierten Gerätschaften zur Hand nehmen zu dürfen. Sie zu berühren und zu benutzen, ja selbst sie zu reinigen, war das alleinige Vorrecht des Chefkochs gewesen. Der kalte Glanz ihres Stahls ließ die Tristesse des Krankenzimmers noch deutlicher werden.

Herr Neumann schämte sich nicht für die abgestandene Luft, das kleine Fenster, die bescheidene Einrichtung dieser Unterkunft, die er seiner Stellung als Chefkoch zum Trotz bewohnte. Es war ihm leicht ums Herz, und in seinen Beinen pulsierte es auch nicht mehr, oder zumindest merkte er nichts davon. Gerda saß neben ihm auf dem Bett, und er führte ihr die Hand und zeigte ihr, wie man entbeinte und tranchierte, zerlegte und ausnahm.

Das mächtige Rinderviertel, so erklärte er ihr, sei wie der Marmorblock unter den Händen eines großen Bildhauers, und die Kunst bestehe in nichts anderem, als seine natürlichen Formen zur Geltung kommen zu lassen: den langen vollen Zylinder des Filets, das Dreieck der Nuss, die nachlässig geformte Pyramide der Haxe, mit diesem Knochen, der plump daraus hervorrage, aber doch so voller Geschmack sei ...

Querrippe, Entrecôte, Steak, Lende, Kugel, dickes Bugstück, Zungenstück, Hüfte, Hals, Zwerchfell, Schulter, Schulterspitze, Dünnung, Schenkel. Die deutschen Begriffe waren genau und unmissverständlich wie alles in dieser Sprache der Techniker und Philosophen. Die Angestellten aus Venetien, aus Kalabrien oder Sizilien, die im Bozener Schlachthof arbeiteten, wo sich Herr Neumann versorgte, hatten ihm jedoch auch die fantasievolleren Namen des Südens beigebracht: Da hieß es nicht nur Filet, Nuss, Schulter oder Rippe, sondern auch *piccione* (Täubchen), *cappello del prete* (Priesterhut), *campanello* (Glöckchen), *pesce* (Fisch), *lacerto* (Armmuskel), *piscione* (Pisser), *lattughello* (Salätchen), *imperatore* (Kaiser) oder *manuzza* (Händchen) ...

Auf den Schnitt komme es an, erklärte ihr Herr Neumann. Kein punktgenaues Garen, keine Zugabe von Gewürzen, kein Füllsel, keine Marinade, kein Anschmoren oder Salzen könne ein schlecht geschnittenes Stück Fleisch retten. Die Pfanne, der Bräter oder die Kasserolle, worin man es gare, sei wie das Bett, in dem die Ehe zwischen Fleisch und Koch vollzogen werde. Doch das Haus, in dem das Paar dann mehr oder weniger glücklich zusammenwohne, sei das Küchenbrett, auf dem dieser ihm seine Form gebe. Unfachmännisch, hastig, nachlässig geschnitten, verhalte sich das Fleisch wie eine Ehefrau, die tagsüber schlecht behandelt werde: Sosehr sich der Ehemann dann auch nachts im Ehebett bemühe und sie liebkose, sie bleibe taub, träge und abweisend. Wisse man es aber richtig zu nehmen – Herr Neumann blickte Gerda an, ihre Lippen, ihre vollen Brüste, die sich prall unter ihrer blutbespritzten Schürze abzeichneten, die Rundungen ihres Hinterteils, das die Matratze eindrückte und fast, ja fast sein krankes Bein berührte –, sei das Fleisch wie eine glückliche Geliebte, löse sich, werde gefügig, zart, und die Säfte flössen.

Letzteres jedoch sagte Herr Neumann nicht, wagte es vielleicht noch nicht einmal zu denken.

Als der Chefkoch in seine Küche zurückkehrte, wurde Gerda zur Hilfsköchin für Fleischgerichte befördert, und wenn er zu einem seiner immer häufigeren Arztbesuche fortmusste, vertrat sie ihn. Hubert, der nie sehr gesprächig gewesen war, verstummte jetzt ganz. Gerda jedoch machte sich nicht viel daraus: Wie undurchdringlich das Schweigen zwischen Menschen werden konnte, hatte sie schon in der Kindheit erfahren.

So war es also Gerda, die die Wiener Schnitzel, mittlerweile ihre Spezialität, für die Ehrengäste zubereitete, die an einem Sonntag im Jahr 1965 an den Tischen in Frau Mayers Haus Platz nahmen.

Die türkisfarbenen Augen wie eine wahnsinnige Seherin weit aufgerissen, vor Stolz und Aufregung schwer atmend, war die Hotelbesitzerin in die Küche gestürzt, um Herrn Neumann mitzuteilen, dass er anderentags für den Obmann der Südtiroler Volkspartei und dessen Gäste, hochrangige Vertreter der italienischen Regierung, zu kochen habe. Alles in allem, mit weiteren Politikern aus der näheren und ferneren Umgebung, Mitarbeitern, Sekretären und Aktentaschenträgern, würden mehr als fünfzig Personen zu beköstigen sein.

Frau Mayer hatte keinerlei Interesse an italienischer Politik, aber das nicht, weil deren Abläufe so undurchsichtig und für Nichteingeweihte kaum zu verstehen waren. Nein, für sie, wie für fast alle deutschsprachigen Südtiroler, war eben der einzige bemerkenswerte Politiker des Landes, dessen Staatsangehörigkeit sie besaß, eine hagere Gestalt mit eingefallenem Gesicht und glattem Haar, die am Stock ging: Silvius Magnago. Während sich die übrigen Bewohner des italienischen Stiefels allmählich an ihre parlamentarischen Vertreter gewöhnt hatten wie an Verwandte, die man sich nun mal nicht aussuchen konnte, blieben Frau Mayer deren Gesichter völlig fremd. Und so waren ihr auch Magnagos Gäste unbekannt, weckten nicht einmal ihre Neugier. Erst als sich ein obskurer Protokollchef beflissen an sie wandte, erfuhr sie, wer in ihrem Speisesaal Platz nehmen würde, nämlich der italienische Ministerpräsident (vorübergehend auch Außenminister) persönlich, auf dem Weg zu einer Almhütte an der Grenze zu Österreich, um dort den

Außenminister dieses Landes, Bruno Kreisky, zu treffen. Nun gut, das war schon etwas, doch außerordentlicher blieb für sie die Tatsache, ihren Obmann in ihrem eigenen Haus bedienen zu dürfen.

Herr Neumann sollte ein Menü mit typischen Südtiroler Köstlichkeiten zusammenstellen, um den Gästen aus der italienischen Hauptstadt einen Eindruck von der Tradition der heimischen Küche zu vermitteln. Das ließ sich der Chefkoch nicht zweimal sagen.

Als Vorspeise wählte er Speck und Räucherwürstchen, *Kaminwurze* genannt, dazu *Schüttelbrot* aus dem Vinschgau sowie Meerrettichsoße mit Äpfeln; Kräuterziegenkäse als Aufstrich zu *Breatln*, einem mit Fenchel, Kümmel und Koriander gewürzten Roggenmischbrot; *Tirtlan* mit Sauerkraut, Spinat und Kartoffeln. Von diesen Südtiroler Krapfen, heiß und knusprig serviert, konnten einige römische Aktentaschenträger nicht genug bekommen und ließen sich zweimal vorlegen.

Ob sie mit diesem Nachschlag gut beraten waren, fragten sich diese Beamten aus dem Dickicht der italienischen Politik allerdings, als dann auf Tellern, die wie ein Gemälde von Paul Klee garniert waren, verschiedenste Knödel serviert wurden (mit Leber, Speck, Käse, Spinat), ebenso *Spatzlan* und *Schlutzkrapfen* auf Graukäsescheiben und roten Zwiebeln und schließlich eine Weinsuppe.

Es folgten die Hauptgerichte, die *Pièces de résistance* im Küchenfranzösisch, ein passender Begriff, da viele Tischgenossen sich bereits wie an einer Kriegsfront fühlten, wo erschöpfte Verdauungssäfte den unaufhaltsam vorrückenden Nahrungsbataillonen einen heroischen Kampf lieferten: Kalbshaxe aus der Röhre, Lammrippchen im Kräutermantel, *Greastl* mit Lorbeeraroma, Hirschschulter auf Rotkohl und schließlich Gerdas Wiener Schnitzel mit köstlicher Heidelbeersoße.

Die Beilagen sollten die Verdauung erleichtern: Spargel in Bozener Soße, Kresse- und Kohlrabisalat, Wacholdersauerkraut, Rösti aus Pustertaler Kartoffeln. Als man zu den Desserts kam, machte sich im Kreis der italienischen Regierungsbeamten, die in ihrer großen Neugierde nichts ausgelassen hatten, Niedergeschlagenheit breit. Das Fassungsvermögen ihrer Mägen war weit überschritten, und immer noch wurden Platten voller Leckereien aufgetragen. Als da waren: verschiedene Torten und Kuchen (aus Buchweizenmehl, mit Karotten, mit Waldfrüchten oder Nüssen), Linzertorte, *Buchteln*, Apfelpuffer mit Vanillecreme und als Höhepunkt warmer Strudel mit Vanillesoße.

Gerdas deliziöse Wiener Schnitzel (ihr Geheimnis: Bevor sie die Kalbfleischscheiben in Mehl und Semmelbrösel wendete und in überreichlich Butterschmalz briet, hatte sie das Fleisch eine halbe Stunde lang in Zitronensaft mit Majoran mariniert) hatten nicht nur den Gaumen der Mitglieder beider Delegationen entzückt, sondern auch eine Diskussion über ein historisches Thema an zwei Tischen, etwas entfernt von dem der Ehrengäste, entfacht. Dort speisten Vertreter der mittleren Ebene von Regierung, Bozener Christdemokraten und Südtiroler Volkspartei. Die Südtiroler hatten ihre Gesprächspartner mit ihrem vielleicht kantigen, aber fehlerlosen Italienisch überrascht, während es niemand aus der Regierungsdelegation, die für die Lösung des Südtirolkonflikts eingesetzt worden war, für nötig befunden hatte, auch nur ein Wort Deutsch zu lernen. Das Gespräch wurde also auf Italienisch geführt und verlief ungefähr folgendermaßen:

»Wie eigentlich alle Spezialitäten, die man im Norden so kennt, haben sich die Österreicher auch panierte Koteletts in Italien abgeschaut.«

»Wir mussten uns gar nichts abschauen. Auch bei uns wurde Fleisch schon immer paniert. Wie zum Beispiel das Wiener Backhendl, das nicht umsonst auch andernorts *poulet frit à la vien-noise* genannt wird.«

»Aber es ist doch bekannt, dass Radetzky das Wiener Schnit-zel nach Wien gebracht hat. Auch wenn er die Mailänder wäh-rend des Fünf-Tage-Aufstands mit Kanonen beschießen ließ, ihre panierten Koteletts hat er sich hervorragend munden lassen.«

»Ach, das ist doch ein Ammenmärchen! Sowohl in Wien als auch hier in Südtirol wurde Fleisch schon Jahrhunderte auf die-se Art zubereitet.«

»Nun, was soll's? *Cotoletta alla Milanese* oder Wiener Schnit-zel? Das ist doch völlig gleich. Schließlich seid ihr längst auch alle Italiener!«

(Statt einer Antwort: Schweigen, Kaugeräusche, verlegenes Räuspern ...)

Wer weniger als alle anderen aß, war der Obmann Magnago, der am Tisch der Ehrengäste saß. Aber auch der italienische Mi-nisterpräsident neben ihm hielt sich zurück. Ein seltsamer Mann, dachte Magnago, während er beobachtete, wie dieser auf nerv-tötende Art mit den Bissen herumspielte, bevor er sie zum Mund führte: verschlossen, introvertiert, schaute seinem Gesprächs-partner nie in die Augen, und wenn er lachte, wirkte es gequält. Die schweren Lider halb gesenkt, hörte der Ministerpräsident zu und wirkte dabei, als sei er in Gedanken ganz woanders. Er re-dete sehr leise und aufreizend langsam, als fehle ihm Schlaf, und seine Gesten und Bewegungen wirkten schlapp wie die eines Menschen, der schon als Kind beim Laufen ständig hingefallen ist, sich die Finger in der Schublade eingeklemmt und die Schuh-senkel zuzubinden vergessen hat. Alles an ihm ließ ihn träge erscheinen, vielleicht auch schwach, jedenfalls nicht als einen Mann der Tat, sondern – so dachte der Latinist Magnago – eher einen *cunctator*. Dennoch hatte der Obmann bei mehr als einer persönlichen Unterredung feststellen können, dass hinter diesem ausdruckslosen Gesicht ein Gehirn von ausgefeilter politischer Intelligenz arbeitete. Im Gegensatz zu vielen anderen Vertretern des italienischen Staates war dieser Mann neben ihm nicht nur ein erstklassiger Jurist, sondern ein echter Intellektueller. Und vor allem war er jemand, dem, so erschöpft und zerstreut er auch sein mochte, nie ein Gemeinplatz über die Lippen kam.

Magnago wusste nur zu gut, dass der raue deutsche Akzent, mit dem er sich perfekt in der Sprache Dantes auszudrücken verstand, verbunden mit der Tatsache, dass er im Krieg Wehrmachtsangehöriger gewesen war, bei seinen italienischen Gesprächspartnern auf Anhieb Assoziationen zum Nationalsozialismus weckte. Und er hatte auch erfahren, wie zwecklos der Versuch war, ihnen klarzumachen, dass nicht alle deutschen Offiziere Nazis gewesen seien und dass er in der Armee des Deutschen Reiches gedient habe, weil die Südtiroler vor die Wahl gestellt worden waren ... Nein, unmöglich, er konnte nicht jedes Mal aufs Neue einen langen Vortrag über die komplizierte Südtiroler Geschichte halten.

Und so hing das Wort »Nazi« fast immer unausgesprochen im Raum, wenn er sich mit jemandem im italienischen Parlament unterhielt, bedeutungsschwer wie eine freudsche Fehlleistung. Und er war sich dessen bewusst. Hin und wieder wurde die Schmähung auch offen ausgesprochen, vor allem von gewissen Vertretern der Rechten, ausgerechnet jenen Leuten also, die, wenn man schon beim Thema war, als Allererste hätten erklären müssen, was sie nach dem 8. September getrieben hatten, und die sich jetzt nicht schämten, die deutschstämmigen Südtiroler als *austriacanti*, mit dem Namen für die Verräter während des Risorgimento also, zu verunglimpfen. Als wäre die von den Faschisten begonnene Italianisierung Südtirols der »Fünfte Unabhängigkeitskrieg« gewesen. Als wären auch hier in Südtirol die Italiener die Unterdrückten gewesen und die Österreicher die Besatzer, und nicht umgekehrt. Magnago hatte in Bologna gelebt und studiert und besaß dort noch immer viele enge Freunde aus Studienzeiten. Aber eben weil er sie gut kannte, wusste er, dass Italiener, vor die Wahl gestellt, sich stets lieber in der Rolle des Opfers als in der des Täters sahen. Wenn nötig, auch gegen die historische Wahrheit. Für diesen typisch italienischen *vittimismo* gab es in der Sprache Goethes keine direkte Entsprechung, und so kam es, dass auch er, Magnago, bei Bedarf stets dieses italienische Wort benutzte, selbst wenn er deutsch sprach.

Doch der Mann neben ihm war zum Glück geistig nicht so träge, wie es viele seiner Landsleute waren. Gewiss war er nicht der einzige intelligente italienische Politiker. Da gab es auch noch einen Giulio Andreotti, dessen scharfsinniges Differenzieren allerdings in spitzfindige Borniertheit umschlagen konnte. Oder einen Amintore Fanfani, ein Mann von raffinierter Intelligenz, an dem jedoch zugleich ein boshafter Neid fraß, wie er für klein gewachsene Menschen typisch war. Magnago wusste, dass sein eigenes Gardemaß bei dem Christdemokraten eine unüberwindbare Abneigung gegen ihn wachrief, die von etwaigen Verhandlungen mit diesem italienischen Politiker nichts Gutes hätte erwarten lassen. Nein, dachte der Obmann, die Intelligenz dieses Mannes hier neben ihm, der sich zwar mit zerstreuter Teilnahmslosigkeit den Wein eingießen ließ, sich dann aber doch mit einem gemurmelten *»Grazie«* beim Kellner bedankte, war genauso scharf wie die von Andreotti oder Fanfani, jedoch um vieles menschlicher. Als er, Magnago, nach jahrelangen Bemühungen, der italienischen Regierung die Notwendigkeit einer Verhandlungslösung für Südtirol vor Augen zu führen, nach Jahren des Antichambrierens in römischen Barockpalästen mit kurzen, beiläufigen Gesprächen und raschem Händeschütteln für die Fotografen, als er also diesen Mann zum ersten Mal traf, hatte er ihn gefragt:

»Wie viele Minuten geben Sie mir?«

»So viele sie brauchen«, hatte er geantwortet.

Und während er sich jetzt den Mund abtupfte mit einer Leinenserviette, die Frau Mayer persönlich in einer Kunstweberei im Vinschgau ausgesucht hatte, dachte Magnago, dass mit diesem nicht enden wollenden Mittagsmahl nicht nur die Aufnahme echter Verhandlungen über die Zukunft Südtirols gefeiert wurde. Zum Feiern gab zudem die Tatsache Anlass, dass sein Verhandlungspartner genau der richtige Mann dafür war: Aldo Moro.

Als das Mahl beendet war, wuschen sich Herr Neumann, Gerda, Hubert, Elmar und das gesamte Küchenpersonal die Hände, rückten sich die weißen Kochmützen auf dem Kopf zurecht und stellten sich, unter den vor Stolz glänzenden Augen Frau Mayers, in einer Reihe im Saal auf, um die illustren Gäste zu begrüßen.

Von Aldo Moro bekam Gerda kaum etwas mit. Weder begegnete sie seinem Blick, noch vernahm sie seinen Gruß. Später hätte sie nicht einmal zu sagen vermocht, ob seine Hand die ihre gestreift hatte. Als ihr aber Silvius Magnago die Hand gab, erkannte sie jenen hageren Mann wieder, den sie damals als kleines Mädchen auf der Burg Sigmundskron erlebte, wie ein Kapitän sein Schiff die riesige Menschenmenge steuernd. Seitdem waren gerade mal zehn Jahre verstrichen, aber jetzt sah er schon wie ein alter Mann aus. Dabei war es doch nicht der Obmann, dachte Gerda, den das Leben stärker verändert hatte, sondern sie. Und bei diesem Gedanken verspürte sie einen Stolz, der so durch und durch ging wie die scharfen Küchenmesser Herrn Neumanns durch ein großes Stück Fleisch.

Nicht für alle war die Befriedung Südtirols, die sich jetzt abzuzeichnen begann, eine gute Nachricht. Wieder gab es Leute, die den Prozess zu behindern trachteten.

Die Schlagzeilen in den Zeitungen lasen sich wie Kriegsbulletins:

23. Mai 1966

ANSCHLAG AUF DAS REVIER DER GUARDIA DI FINANZA
AM PFITSCHER JOCH. DER POLIZIST BRUNO BOLOGNESI
ERLIEGT SEINEN VERLETZUNGEN.

24. Juli 1966

NÄCHTLICHER MP-ÜBERFALL AUF DREI ZOLLBEAMTE
IN SAN MARTINO IM VAL CASIES.
DIE FINANZPOLIZISTEN SALVATORE GABITTA
UND GIUSEPPE D'IGNOTI STERBEN.
EIN DRITTER, COSIMO GUZZO, WIRD SCHWER VERLETZT.

3. August 1966

SPRENGSTOFFANSCHLAG AUF DAS GERICHTSGEBÄUDE
IN BOZEN.

20. AUGUST 1966

SPRENGSTOFFANSCHLAG AUF DAS BÜRO
DER FLUGGESELLSCHAFT ALITALIA IN WIEN.

Sommer 1966

ENTSENDUNG TAUSENDER SOLDATEN UND OFFIZIERE
SOWIE VON ANTITERROR-SPEZIALEINHEITEN NACH SÜDTIROL.
STRASSENSPERREN, HAUSDURCHSUCHUNGEN
UND FESTNAHMEN SIND AN DER
TAGESORDNUNG.

September 1966

AN EINER STRASSENSPERRE WIRD DER ACHTZEHNJÄHRIGE
PETER WIELAND AUS OLANG GETÖTET. ER WAR
DER AUFFORDERUNG ANZUHALTEN NICHT NACHGEKOMMEN.
SEINE BEERDIGUNG WIRD ZU EINER MASSENDEMONSTRATION
VON MÄNNERN, FRAUEN UND KINDERN.

Es regnete in Strömen und wollte gar nicht mehr aufhören. Der Himmel des Jahres 1966 schien seine Reserven nicht erschöpfen zu können. Als habe er die Wassermassen über Jahre oder Jahrzehnte gespeichert, um sie dann alle auf einmal über die Menschheit zu ergießen. Florenz ging in den Fluten unter, überall in Italien rutschte die Erde zu Tal. Auch der Fluss durch Gerdas Heimatstädtchen war über die Ufer getreten, hatte Schlamm und Müll in den Häusern abgeladen, Teile der Straße fortgerissen, Brücken hinweggespült, Menschen getötet. Überschwemmt wurde auch eine Fabrik für Pralinen und Magenzucker, den speziellen rubinroten, aromatisierten Würfelzucker aus Südtirol, und tagelang schaufelten Helfer nach Zimt, Nelken und Bitterschokolade duftenden Schlamm aus den Hallen.

Danach kam der Schnee. In dichten Flocken fiel er auf die kleine Stadt, und wieder hörte es nicht auf, es schneite und schneite, und durch die Luft schwebten sechseckige Kristalle, so groß wie Schmetterlinge. Es war erst Anfang Dezember, erster Advent, und die Kinder begannen schon zu glauben, dass es jetzt bis in die Ewigkeit schneien würde, bis zum Ende aller Tage, und die Erde dann ein einziger riesengroßer Schneeball wäre, aber wer konnte den noch werfen?

Eine gedämpfte Stille lag über allem, verschluckte alle Geräusche: Die schneidenden Stimmen keifender Ehefrauen klangen stumpfer, das Schreien der Säuglinge war zu einem fast melodiösen Singsang verebbt, und das Grölen und Schimpfen der

Betrunkenen, die aus den Wirtshäusern torkelten, hörte sich weniger schroff und fast schon gesittet an. Selbst das Rattern der mit schweren Schneeketten ausgerüsteten Militärfahrzeuge auf der Staatsstraße klang verhaltener, beinahe beschwörend. In der Nacht des 2. Dezember aber war es ein harter, nicht zu überhörender Knall, der die Stille zerriss: das Krachen einer Explosion.

Von Anfang an hatte niemand so recht daran geglaubt, an die Umwandlung des wiederaufgebauten Alpino-Denkmals zum Symbol der Versöhnung zwischen den Südtirolern und den italienischen Streitkräften. Gerade in letzter Zeit, angesichts der allgegenwärtigen Militärkolonnen auf den Straßen, der Carabinieri in höchster Alarmbereitschaft, der Straßensperren, Durchsuchungen und Festnahmen, war dieser Gedanke in immer weitere Ferne gerückt.

Die Ausbildung bei den Sprengstoffexperten der paramilitärischen Neonazigruppen von jenseits der Grenze hatte sich gelohnt, denn dieses Mal waren die Sprengladungen perfekt angebracht worden, und von dem stämmigen granitenen Wastl, dem glücklosen Botschafter der Humanität Italiens und seiner treuen Alpini, blieb kaum noch etwas übrig.

Die Zeiten hatten sich geändert, seit es ihn das letzte Mal erwischte, und nun konnte niemand mehr den Anschlag als Dumme-Jungen-Streich abtun. Der Täter aus den Reihen des neuen gewaltbereiten BAS, der sich zu dem Anschlag bekannte, wurde zu siebzehn Jahren Haft verurteilt und galt fortan als »Staatsfeind Nummer eins«. Die Verurteilung erfolgte allerdings in Abwesenheit, denn der Mann war flüchtig.

Ein Leben wie auf der Flucht, das war es, was Peter schon als kleiner Junge gesucht hatte, wenn er allein durch die Wälder und über Geröllfelder gestreift war und die Einsamkeit seine wahre

Seele wie einen von der Schale befreiten Nusskern zum Vorschein kommen ließ. Auch später hielt er sich am liebsten fern von den Menschen in der Natur auf, wo ihm alles vertraut war: die perfekt ypsilonförmigen Hasenspuren; die Murmeltiere, die ausgemergelt und unsicher nach dem langen Fasten in die Junisonne blinzelten und dann im September, wohlgenährt nach dem großen Fressen im Sommer, mit Hinterteilen, so rund wie gewindelte Säuglinge, pfeifend und Purzelbaum schlagend herumturnten; die vom Oktoberlicht vergoldeten Lärchennadeln, die der erste Nordwind als Vorbote des Winters von den Bäumen niederregnen ließ; die waagerechten Pupillen des Steinbocks, in dessen Blick Peter keinerlei Vorwurf erkannte, obwohl seine Kugel ihn im nächsten Moment töten würde. Und über all das hinaus galt es nun eine Mission zu erfüllen: Die Heimat hatte ihn gerufen, und er musste eine Antwort geben. Eine Antwort, die auch auf alles andere passte.

Ausrüstung, Lebensstil und Tagesablauf waren nicht anders als zu der Zeit, als er nur Jäger gewesen war. Schuhe bis über die Knöchel, Strümpfe bis zu den Knien, ein Fernglas um den Hals, Schirmmütze, Rucksack, Seil, Gewehr. Seit einigen Wochen nannten er und seine Gefährten eine Aushöhlung im Fels ihr Zuhause, grünliches Granitgestein, das die Feuchtigkeit hatte dunkel werden lassen, die offenen Seiten mit belaubten Zweigen getarnt. In dieser Höhle war es gemütlich. Aus grob behauenen und zusammengebundenen Ästen hatten sie sich Bänke und eine Art niedrigen Tisch gebaut. Nägel in der Wand dienten als Kleiderhaken, der Bach, der in der Nähe floss, war ihnen Badewanne, Dusche und Waschbecken in einem. Eine zuverlässige Frau, die ihre Aktionen guthieß – anders als Leni, die nicht wusste, was wirklich zählte –, stieg hin und wieder vom Tal zu ihnen herauf, auf verschlungenen Pfaden, damit ihr niemand folgte, und brachte ihnen Töpfe mit fertig gekochtem Essen,

Tüten mit Lebensmitteln, Flaschen und Zigaretten. Auf Dauer war dies zu riskant, und so versorgten sie sich größtenteils allein jenseits der Grenze, wo sie nicht verfolgt wurden und sogar im Laden einkaufen konnten.

Einige Zeit zuvor war der Mann aus Bayern wieder bei ihnen aufgetaucht, ein Chemiker mit plumpen Beinen, der um Luft rang nach der Anstrengung, die ihn der Aufstieg gekostet hatte. Seine dicken Schenkel ließen an riesengroße Säuglinge denken, doch seine Finger verrichteten ihre Arbeit leicht und flink. Auch er versorgte sie mit einem überlebenswichtigen Rohstoff, der jedoch nichts mit Nahrung zu tun hatte: Draht, Zündschnüre, Zünder. Geduldig hatte er ihnen noch einmal erklärt, wie das alles funktionierte.

Aber lange geblieben war er nicht. Dem Abenteurerleben konnte der Bayer nichts abgewinnen, da fühlte er sich völlig fehl am Platz – er, ein Mann von Kultur, ein Intellektueller, ein Städter. Und wenn es in Südtirol endlich zum offenen Krieg kam, würden auch diese Hinterwäldler, die wie Ziegen stanken und wie Neandertaler in Höhlen hausten, begreifen, dass er und seinesgleichen, die Alldeutschen jenseits der Grenze, dazu bestimmt waren, die Führung im Kampf zu übernehmen. Bis dahin sollten die Bauern nur brav weiter Unruhe stiften.

Und so kam es, dass Peter, in einer Nacht mit abnehmendem Mond, im Graben entlang der Provinzstraße, sorglos mit Dynamitkerzen und Zündschnüren herumhantierte. Von den Gesichtern seiner Opfer, den jungen, wehrpflichtigen Carabinieri, die in ein paar Stunden an dieser Stelle vorüberfahren würden, entstanden keinerlei Bilder in seinem Kopf. Wenn er doch einmal an seine Ziele dachte, was aber selten geschah, kamen ihm Uniformen in den Sinn, Rangabzeichen, MPs, höchstens noch knappe Sätze in einer Sprache mit zu vielen Vokalen, die zum Anhalten aufforderten.

Auch im Dunkeln arbeitete er mit geschickten Fingern. Seine glanzlosen Augen hatten noch nie viel Licht benötigt, um etwas erkennen zu können, und die Mondsichel, vor der die Wolken wie Figuren einer Laterna magica entlangzogen, strahlte hell genug für ihn. Die Kleeblätter, die er unter seinen Bergschuhen zertrampelte, verströmten einen säuerlich frischen Geruch.

Er pflückte ein Pflänzchen und steckte es sich in den Mund. Ein beißender, scharfer Geschmack explodierte auf seiner Zunge, der Peter glücklicher machte, als er sich jemals in seinem Leben gefühlt hatte. Glücklicher als damals, als die Carabinieri ihn schon eingekreist hatten, er jedoch zu fliehen vermochte. Glücklicher als in der Hochzeitsnacht, als er in Lenis warmen Körper eingedrungen war. Glücklicher als an dem Tag, da er seinen ersten Gamsbock erlegt hatte. Glücklicher als in den Armen seiner Mutter, wenn Johanna ihn gestillt und dabei angelächelte hatte. Glücklicher als zu der Zeit, als er noch nicht geboren und die Welt noch eins war.

Peters Glückseligkeit war strahlend hell, gleißend, vollkommen. Wer weiß, vielleicht sogar ewig.

Wenn ihr sechzehnjähriger Cousin Sebastian, Wastl genannt, lachte, klang das, als würde ein Specht sein Nest in einen Baumstamm picken: t-t-t, t-t-t, t-t-t! Für Eva war dies das lustigste Geräusch auf der Welt, und sobald sie es hörte, schüttelte es sie selbst vor Lachen am ganzen Körper, wobei der Anlass, der ihn erheiterte, völlig egal war. Auch das hatte ihr dieser Cousin beigebracht, genau genommen ihr Onkel und fast schon ein Mann: Ein Grund zu lachen und mit dem Lachen gar nicht mehr aufzuhören fand sich immer, wenn man eben dazu aufgelegt war.

Auf der Wiese zwischen dem Hof der Hubers und dem von Lenis Eltern war Wastl dabei, einen entfernten Verwandten nachzumachen, der dem Schnaps zu innig zugetan war. *»Madoja, oschpele, hardimitz'n«*, grummelte er fluchend und torkelte dabei mit der überraschenden Geschicklichkeit eines Säufers, der im nächsten Augenblick unweigerlich mit dem Gesicht im Dreck landen wird, sich dann aber doch auf den Beinen hält, sich zur anderen Seite verbiegt und gleich hinterrücks fallen wird ...

Mit offenem Mund und glänzenden Augen sah Eva ihm zu, bekam kaum noch Luft und hatte Bauchschmerzen vor Lachen. Bei ihr war Ulli, der andere Cousin, ein Jahr älter als sie, der ebenfalls lachte, zum Teil über Wastls Vorführung, zum Teil auch über Eva, die mittlerweile wie eine kaputte Puppe am Boden lag und nicht aufhören konnte zu lachen, nicht nur weil Wastl so gut den Betrunkenen imitierte, sondern weil sie vom Lachen ganz schlapp wurde und nicht mehr dagegen ankam. Zudem hatten Wastl und Ulli auch noch begonnen, über sie zu lachen, und zu guter Letzt hatte sie einfach noch nicht genug gelacht, und das Lachen wollte immer ganz ausgekostet werden, bis zur letzten Zuckung im Solarplexus, bis zum allerletzten Kitzeln im Hals.

Und so lachten sie immer noch, als Leni auf dem Platz vor dem Heuboden auftauchte. Doch als sie deren Gesicht sahen, verstummten sie schlagartig, alle drei.

Leni trat auf Wastl zu und sagte etwas zu ihm. Eva, die gerade mal vier Jahre alt war, verstand nicht viel von dem, was sie ihm sagte. Sie bekam nur mit, dass es irgendwie um Ullis Papa ging, um den, der immer fort war. Lenis konfusen Worten nach zu urteilen, würde er auch weiterhin nicht da sein, aber auf eine andere Art und Weise als zuvor. Und zum ersten Mal in ihrem Leben begriff sie etwas von der Tatsache, dass ein Vater auf verschiedene Arten nicht da sein konnte und dass eine davon schlimmer noch als die anderen war.

Gerda saß jetzt wieder vor demselben Offizier, der sie damals vorgeladen und über Peter ausgefragt hatte. Nun war er es aber, der ihr von ihm erzählte: Ihr Bruder war beim Deponieren einer Bombe in die Luft gesprengt worden. Seine Stimme klang jetzt nicht mehr entrüstet, sondern steif und verlegen. Aber es war ja auch nicht leicht, der Schwester eines Mannes sein Beileid zu bekunden, durch dessen Tod die geplante Ermordung von fünf Kameraden verhindert wurde. Gerda war, als explodiere in ihrer Brust noch einmal die Bombe, die ihren Bruder zerrissen hatte. Ihr Herzschlag, ihr Atem, selbst das Wachsen der Haare und Fingernägel, alles stockte.

Auch der Soldat, der neben dem Schreibtisch stand, war derselbe wie beim letzten Mal. Bemüht, aber unbeholfen beugte er sich zu ihr hinunter und fragte, ob sie verstanden habe. Gerda schloss die Lider, was er mit Recht als ein Ja deutete. Er bot ihr ein Glas Wasser an, doch sie wandte den Kopf zur Seite: »Nein.«

Wegen der Identifizierung der Leiche brauche sie sich keine Gedanken zu machen, erklärte ihr der Offizier, das habe schon die Ehefrau des Verstorbenen übernommen. Gerda wäre jetzt gerne aufgestanden, aber sie wusste nicht mehr, wo ihre Beine und ihre Hände waren, vorübergehend hatte sie jedes Gefühl für ihren Körper verloren. Als sie ihre Glieder wieder spürte, stand sie auf und ging wortlos hinaus, sich bei jedem Schritt an der Wand abstützend.

Der Carabiniere lief ihr nach, und genau dort auf dem Gehweg, wo er sie beim letzten Mal zum Tanzen eingeladen hatte, erreichte er sie und sagte:

»Mein Beileid.«

Sie blickte ihn an, als suche sie nach etwas. »Einmal hat er mit mir ...«, begann sie auf Italienisch, »einen ..., einen ... *Ausflug* gemacht«, fiel ihr nur das deutsche Wort ein. »Wie sagt man da?«

Der Soldat verstand ein paar Brocken Deutsch, doch dieses Wort, Ausflug, hatte er noch nie gehört. Er schüttelte bedauernd den Kopf.

Starr und kerzengerade wie das Wachhäuschen vor der Kaserne ging Gerda davon. Denn ihr war klar: Nur wenn sie den Kopf nicht senkte und auch die Schultern nicht hängen ließ und ihre Schritte keine Schlangenlinien beschrieben, würde sie es zurück zum Hotel von Frau Mayer schaffen.

Sie war schon fast hinter dem Gebäude verschwunden, da fiel es dem Carabiniere ein.

Gita.

Das italienische Wort für »Ausflug« war *gita*.

Peter wurde nicht auf dem Hauptfriedhof der Kleinstadt beerdigt, sondern auf dem winzigen Kirchhof bei den wenigen Häusern, die sich um den Zwiebelturm am Nordhang des Berges drängten.

Die Lebenden hatten sich den Toten gegenüber großzügig gezeigt und für den von einer niedrigen Mauer eingefassten Friedhof, der sich wie eine winzige Seele in die imposante Weite der Gletscherwelt hineinschob, eine der kostbaren ebenen Flächen dieses steilen, fast senkrecht abfallenden Geländes geopfert. Seit Jahrhunderten war dies die letzte Ruhestätte der Hubers. Hier wurden auch die nachgeborenen Kinder, jene Söhne und Töchter also, die durch das harte Gesetz des »geschlossenen Hofes« vom heimatlichen Anwesen vertrieben worden waren, damit sie anderswo ihr Glück versuchten, nach ihrem Tod wieder aufgenommen. Denn ein Friedhof war kein Weideland, dessen Aufteilung nach wenigen Generationen alle in den Ruin geführt hätte. Auf einem Friedhof wurden Erinnerungen und Identitäten bewahrt, Heugarben, die nicht weniger wurden, auch wenn alle sie teilten. Hier hatte man Hermanns Eltern zur ewigen Ruhe gebettet, nachdem die Spanische Grippe sie gleichzeitig in einer Nacht hinweggerafft hatte. Hier ruhte Johanna, und neben ihr war der Platz für ihren Ehemann frei gehalten. Und hier wurde auch Peter beerdigt.

Die Zeit der großen Trauerfeiern für die »Bumser« war schon eine Weile vorüber. An der Beerdigung des sanften Idealisten Sepp Kerschbaumer, der bald nach dem Mailänder Prozess in der Haft gestorben war, hatten noch Zehntausende von Südtirolern teilgenommen. Diese neue Generation von Terroristen aber, die nicht mehr nur Hochspannungsmasten oder faschistische Denkmäler, sondern auch Menschen in die Luft jagten – selbst wenn es »nur« Uniformierte waren –, konnte kaum noch jemand verstehen. Sie töteten und verwundeten und verschwanden dann über die Grenze, während die Soldaten ihren auf den Höfen zurückgebliebenen Angehörigen das Leben noch schwerer machten, so wie damals vor etwas mehr als zwei Jahren bei der Razzia, die so viel Staub aufgewirbelt hatte.

Von jenem Tag erzählte man immer noch mit einer Mischung aus Schrecken, Fassungslosigkeit und Erleichterung: War das wirklich an jenem Ort geschehen, wo zuvor nur das Auftauchen eines entlaufenen russischen Gefangenen während des Ersten Weltkriegs Aufsehen erregt hatte? Und dann dieser Hubschrauber. Wie ein verkehrter *Deus ex Machina*, eine strahlende Inkarnation des Bösen, war er am Himmel aufgetaucht und dann – wie jedermann wusste, weil jeder Satz des Wortgefechts zwischen den beiden Offizieren unzählige Male nacherzählt worden war – von einem sagenhaften Helden besiegt worden, ausgerechnet vom Befehlshaber dieser Razzia, jenem Mann also, der bis dahin die Rolle des Schurken eingenommen hatte. Es war daher nur passend, dass Peter, dessen Flucht die Ereignisse erst ausgelöst hatte, dort auf dem kleinen Friedhof beerdigt wurde. Sollten sie doch ruhig noch einmal anrücken, die Soldaten, die ihn damals gesucht hatten. Sie würden ihn sogar finden, ganz leicht, ohne noch einmal eine solche »Schweinerei« veranstalten zu müssen.

Für Peter läuteten heute die Glocken, deren Schläge die anrückenden Soldaten seinerzeit als Warnsignal gedeutet hatten. Lukas, der Küster, dessen Härchen auf den starken Unterarmen inzwischen noch ein wenig grauer aussahen, zog an dem dicken Seil, das vom Turm hinabhing. Beschwert durch sein Gewicht, zog das düstere Geläut ins Tal hinunter, der Kleinstadt und der Provinzstraße entgegen, von der hin und wieder das Dröhnen eines einzelnen Motors zu ihnen hinaufdrang.

Außer den engsten Verwandten erwies nur eine kleine Abordnung der Schützen Peter die letzte Ehre, jene Kameraden, mit denen er damals im »Tränenbus« nach Mailand zu dem großen Prozess gefahren war. Diese Kameraden waren seinem Weg nicht mit letzter Konsequenz gefolgt, waren nicht in den Bergen untergetaucht und hatten auch keine Attentate verübt. Nur ihre Paraden am Herz-Jesu-Tag, an dem des heldenhaften Widerstands gegen Napoleon gedacht wurde, hielten sie weiter ab und setzten sich so für die »Erlösung der Heimat« ein. Einmal hatte Maria beim Kartoffelschälen in ihrer Stube leise gefragt, was eigentlich der Herrgott mit alldem zu tun hatte, mit dem Waffengetue, dem Marschieren, dem Brüllen von Befehlen, die schärfer als an einer Kriegsfront klangen. Und Sepp hatte geantwortet, soweit ihm bekannt sei, mache Napoleon schon seit anderthalb Jahrhunderten niemandem mehr Ärger, und selbst dieser Teufel in Menschengestalt habe jetzt endlich mal seine Ruhe verdient.

Es wurden immer mehr, die so über die Schützen dachten. Doch diese Männer in ihren Lederhosen, den grün-rot gestreiften Westen, den Kniestrümpfen mit weißer Spitze und ihren Schuhen mit den Silberschnallen schienen wirklich in jener Ära stehen bleiben zu wollen, als Napoleon ganz Europa mit seinen

Kriegen überzogen hatte. Gern hätten sie zu Peters Ehren auch einige Salven abgefeuert, wie es sich zum Gedenken an einen Helden gehörte. Doch in diesen Zeiten der Attentate und Straßensperren war ihnen seitens der Behörden die Benutzung ihrer Waffen untersagt. Selbst diese lächerlichen Vorderlader mit den trompetenförmigen Läufen, die so ungenau schossen, dass es schon ein Wunder war, wenn man sich nicht ins Gesicht traf, mussten stumm bleiben. Keine Gewehrschüsse also gab es für Peter, nur einen Kranz mit einer Schleife, auf der in gotischen Buchstaben *Im Schoß der Heimaterde* stand.

Leni starrte auf den Sarg. Sie hatte als Einzige gesehen, was er enthielt. Mit eigenen Augen die leblose Materie zu betrachten, zu der ihr Mann geworden war (identifiziert hatte sie ihn anhand einer Narbe auf einem Stück seines Knöchels), hatte weder Schmerz noch Ekel oder Wut bei ihr hervorgerufen, sondern nur eine allumfassende Ratlosigkeit. Wie kleine, unreife Früchte hingen Ulli und Sigi an ihrem Arm, mit verwirrten Gesichtchen, die zu fragen schienen: Würde dieser Sturm sie am Ast hängen lassen oder früher oder später auch zu Boden reißen?

Hermann sah einigermaßen vorzeigbar aus. Er hatte sich gewaschen und rasiert, und sein Sonntagsanzug war sauber, nur an manchen Stellen von Motten zerfressen. Die letzten Hände, die diese Kleidungsstücke eingeseift, ausgewaschen, aufgehängt, gebügelt und zusammen mit einigen Reiskörnern gegen die Feuchtigkeit in den Schrank gelegt hatten, waren die von Johanna gewesen – zu deren Beerdigung Hermann in Arbeitskleidung erschienen war, den Laster voller Holz, vor dem Friedhof geparkt. Als man jetzt aber den Sarg mit seinem Sohn darin in den rechteckigen Schacht hinunterließ, wirkte sein Schmerz so entblößt, dass es fast obszön war. Seine Augen waren wie Genitalien auf einem Pornofoto: roh und unpersönlich, reines, lebendiges Fleisch.

Der Bus aus Bozen hatte unterwegs eine Reifenpanne, und so traf Gerda mit einer halben Stunde Verspätung ein. Außerdem hatte sie auch noch bei den Schwingshackls vorbeigehen müssen, um Eva dort abzuholen. Die war begeistert von dem unerwarteten Besuch, aber auch besorgt, während sie jetzt an Gerdas Hand ging, die sich schwielig anfühlte. Sie hatte Schwierigkeiten, mit den ausgreifenden Schritten ihrer Mutter mitzuhalten. Was sie verwirrte, waren das schöne, zugleich ungewohnt angespannte Gesicht ihrer Mutter, die heute noch kein einziges Mal gelächelt hatte, die betretenen Mienen, mit denen die anderen sie begrüßt hatten, vor allem aber die Erklärung, die man ihr, Eva, gegeben hatte: Die Mutter sei gekommen, um sich mit einem letzten Gruß von Onkel Peter zu verabschieden. Nicht nur, dass sie an diesen Onkel Peter keinerlei Erinnerungen hatte, sie verstand auch nicht, was das bedeuten sollte, dieser »letzte Gruß«. Was, wenn man denjenigen, den man zum letzten Mal grüßte, dann später noch einmal traf? Eva hatte Ulli um Rat gefragt, aber der hatte auch nicht weitergewusst. Deshalb waren sie zusammen zu ihrem Onkel Wastl gegangen, der ihnen die Sache ein für alle Mal erklärt hatte.

»Wenn man denjenigen, von dem man sich mit einem ›letzten Gruß‹ verabschiedet hat, später noch einmal trifft und der ›Grüß Gott‹ zu einem sagt, muss man sich sofort wegdrehen und so tun, als wenn man es nicht gehört hätte. Wie das Wort ›letzter‹ schon sagt, ist es streng verboten, diesem Gruß noch weitere folgen zu lassen.«

Im Grunde sei das gar nicht so schwierig, hatte Wastl hinzugefügt, man müsse nur ein wenig aufpassen. Man dürfe sich auch noch mit dem betreffenden Menschen unterhalten und ihn sogar fragen, wie es ihm geht, aber dabei immer achtgeben, dass man weder *»Griasti«* noch »Servus« oder *»Pfiati«* und vor allem aber nicht *»'fwiedersehaug'n«* zu ihm sagt.

Nein, »Auf Wiedersehen« zu sagen, das gehe nun wirklich nicht mehr.

Als sie den Friedhof erreichten, war der Sarg aus Zirbelkiefernholz bereits in der Erde. Gerda blieb etwas abseits stehen und sah den Totengräbern zu, die das Grab zuschaufelten. Ein Schützenkamerad von Peter, so um die dreißig, trat auf sie zu.

»Dein Bruder war ein Held«, sagte er leise. Aber nicht zu ihr, sondern zum Ansatz ihrer Brüste, die aus der weißen Bluse unter ihrem Trauerkleid hervorschauten. Dann lächelte er ihr zu, als sei zwischen ihnen bereits alles abgemacht, und Gerda schlug die Augen nicht nieder.

Eva hingegen war verstört. Weil sie zu spät gekommen waren, war dieser Onkel Peter, von dem sie sich mit einem letzten Gruß verabschieden wollten, schon nicht mehr da, und sie hatte sein Gesicht gar nicht sehen können. Wie sollte sie ihn jetzt wiedererkennen, wenn sie ihn noch einmal traf? Wie sollte sie da vermeiden, dass sie ihn versehentlich grüßte oder gar »Auf Wiedersehen« zu ihm sagte?

Als sie ein wenig später den Friedhof wieder verließen, sagte Gerda zu ihr: »Der da ist dein Opa.«

Sie hatten noch auf Johannas Grab einen Blumenstrauß in eine Zinnvase gesteckt, auf die ein Herz, das die Buchstaben IHS umschloss, eingraviert war. Während sie sich entfernten, war ein Mann, hochgewachsen, aber zu mager für seinen von Motten zerfressenen Anzug, an das Grab getreten.

Ohne sich umzudrehen, hatte Gerda den Satz gesagt: Offenbar war sie selbst von dem Verwandtschaftsverhältnis ihrer Tochter zu »dem da« nicht betroffen. Eva blieb stehen und sah, wie der Mann die Blumen, die sie und Gerda aufs Grab gestellt hatten, aus der Zinnvase nahm und auf den schmalen Weg zwischen den Gräbern warf, auf jenes Niemandsland, das die Toten voneinander trennte. Er hob den Blick und traf den ihren. Da ging sie weiter, das Gesicht zurückgewandt, um ihn beobachten zu können, sodass sie fast über einen Grabstein aus schwarzem Marmor gefallen wäre. Aber sie blieb an der sicheren Hand der Mutter, die unbeirrt auf das schmiedeeiserne Friedhofstor zuging.

So lernte Eva, was ein Opa war: Ein alter, ausgemergelter Mann, bei dem man, wenn er einen ansah, so traurig wurde, dass man gar nicht mehr leben wollte.

In dem kleinem Zimmer im Erdgeschoss, in dem Gerda mit Eva außerhalb der Saison wohnte, konnten sie übernachten. Es war zwar Sommerhochsaison, doch in diesem Jahr der Anschläge und Attentate waren weit weniger Touristen als üblich gekommen und viele Gästezimmer leer geblieben. Eva lag auf dem Bett neben ihrer nur mit einem Unterrock bekleideten Mutter, deren Körper sie wieder so für sich reklamierte wie zu der Zeit, als sie noch ein Säugling war. Dabei wusste sie schon, dass sie mit ihren vier Jahren eigentlich zu alt für die Brust war, doch an diesem Abend war Gerda geduldiger als gewöhnlich. Und Eva gedachte dies für sich zu nutzen.

Da klopfte es an der Tür. Weil man Unangenehmes, das nicht sein durfte, am besten gar nicht wahrnahm, vergrub Eva ihr Gesicht noch etwas tiefer unter der Achselhöhle ihrer Mutter. Doch die richtete sich ein wenig auf, stützte sich auf die Ellbogen und lauschte. Das Klopfen wiederholte sich, begleitet von einer Männerstimme: »Gerda? *Bische do?*«

Sie streifte sich den Musselinunterrock bis zu den Knien hinunter und ging zur Tür. Es war der Schütze vom Friedhof, der Peter als Helden bezeichnet hatte. Statt der Andreas-Hofer-Tracht trug er jetzt normale Bauernkleidung. Seine Augen glänzten, offenbar hatte er etwas getrunken, aber nur ein wenig, gerade genug, um sich Mut zu machen.

»Schläft sie?«, fragte er, indem er Gerda eine Hand auf die nackte Schulter legte.

Die drehte sich zu Eva um, die jetzt vom Bett aus den Eindringling mit stummer Abneigung betrachtete, und schob die Hand des Mannes von ihrer Schulter.

»Nein«, sagte sie und machte ihm die Tür vor der Nase zu.

Auch das war etwas, was Eva an diesem Tag lernte: Nicht zu schlafen konnte die Rettung bedeuten.

Ich stelle mir zwei Reisende vor. Sie kommen von weit her, vielleicht von einem anderen Erdteil. Wie die Inder im Nebenabteil, die unablässig in ihre Handys reden, oder die amerikanischen Mädchen. Einer dieser beiden Reisenden betrachtet jenes Italien, das rechts am Fenster entlangzieht, der andere richtet seine Augen auf das Italien zu ihrer Linken.

Es sind zwei verschiedene Welten. Rechts des Zuges ragt, wie ein mythischer Walfischkopf, das Kap von Gaeta aus dem Mittelmeer hervor. Oliven- und Zitronenhaine, gelbe, pinkfarbene und rote Felder fallen zum glitzernden Wasser hin ab. Farben, die von Üppigkeit und Fülle, vom guten Leben künden. Links dagegen, in Richtung Landesinnere, ziehen schroffe, grimmig abweisende Bergketten entlang. Obwohl um einiges niedriger, wirken sie ähnlich einschüchternd wie unsere Gletscherriesen. Sogar das Klima ist unterschiedlich. In der Ebene und über dem Meer strahlt das junge Licht des Frühlings; die Gipfel im Hinterland sind dagegen von schweren, dunklen Wolken eingehüllt.

Was für ein sonniges, fruchtbares, lebensfrohes Land, sagt der erste Reisende.

Wie trostlos, karg, menschenfeindlich ..., sagt der zweite.

Würden die beiden erzählen, was sie gesehen haben, würde niemand für möglich halten, dass sie denselben Landstrich Italiens durchfahren haben.

Auf der vier-, höchstens fünfstündigen Strecke zwischen dem Brenner und Bologna findet man fast immer einen Bistro- oder

Speisewagen. Im Zug von Rom bis ganz hinunter nach Reggio Calabria sollte man das umso eher erwarten. Aber dem ist nicht so.

»Ja, den gab's früher auch, aber der Service wurde eingestellt«, erklärte mir der Snackverkäufer, der, vom Rattern seines Wagens angekündigt, in der Tür unseres Abteils aufgetaucht ist. Er hat Wasser und Erfrischungsgetränke dabei, Salzgebäck und eingeschweißte Snacks. Den Grund, weshalb es in diesem Zug nichts als Junkfood zu essen gibt, hat man mir bereits in der Schule beigebracht. Er trägt einen pompösen Namen: das sogenannte Süditalienproblem.

Die beiden Amerikanerinnen versorgen sich mit Chips.

»Und für Sie, Signorina, was darf ich Ihnen geben?«

»Die da.« Ich deute auf eine Schachtel Schokoladenplätzchen.

»Zwei Euro zehn. Haben Sie es vielleicht passend, Signora?«

Ich zähle ihm das Kleingeld auf den Cent genau in die Hand.

»Danke, gute Weiterfahrt, Signorina.«

Signorina, Signora, Signorina. Daran bin ich gewöhnt: Die Einschätzung meines Alters durch Fremde schwankt wie eine Seilbahngondel im Sturm. Ich lächele dann nur, als seien beide Anreden zutreffend.

Dieser Snackverkäufer ist ein hübscher Junge, auf fast schon übertriebene Weise südländisch: offenes Lächeln, zusammengewachsene Augenbrauen, schmale Hüften wie ein Tänzer. Die Strategie der Bahngesellschaft *Trenitalia* ist klar: Wenn man schon die Speisewagen streicht, müssen wenigstens die Snackverkäufer etwas hermachen. Schade, aber die Bewegungen seiner Hände lassen keinen Zweifel zu, dass er homosexuell ist. Was für ein Verlust, denke ich.

Nicht für alle, entgegnet Ulli. Gerade so, als säße er neben mir, in diesem Zug auf dem Weg nach Süden.

Als Kind habe ich mich gefragt, warum Ulli mich nie anfasste. Alle Jungs in unserem Alter taten es, hatten es zumindest schon mal versucht oder hofften den Mut zu finden, es zu tun. Nur er nicht. Nie. Weil wir zusammen aufgewachsen waren? Weil wir verwandt waren? Ach was! Das Betatschen junger Cousinen ist ja ein bewährter Übergangsritus, ein fast schon gesellschaftlich geforderter Entwicklungsschritt. Das war es also nicht. Aber was dann? Ich hatte keine Ahnung.

Ullis Pubertät kam spät und dauerte lang. Als seine Stimme endlich dunkler zu werden begann, starrten mir die anderen Jungen längst häufiger in den Ausschnitt als in die Augen. Während die Gleichaltrigen bereits mit lässiger Ungeniertheit ihre Sehnsucht nach sexuellen Kontakten überspielten, hatte er noch kein einziges Haar am Leib. Dann, eines Tages, da war er schon fast zwanzig, erzählte mir Ulli, dass er mit einer Frau zusammen gewesen sei. Einer altbewährten Tradition folgend, hatte er sich für seine sexuelle Initiation eine Touristin aus Deutschland ausgesucht.

»Hübsch?«, fragte ich.

»Erfahren«, antwortete er, und ich verstand, dass ich nichts zu befürchten hatte.

Er erzählte davon wie von einer erledigten Aufgabe, einem Ziel, das erreicht worden war. Eigentlich nichts Ungewöhnliches: Alle Jungs redeten so über den Verlust ihrer Jungfräulichkeit. Doch ein Mädchen zu finden, das alles zuließ und an dem sie sich wenigstens beim ersten Mal unsicher und unbeholfen festklammern konnten, war für sie bloß der Einstieg, um es dann immer und immer wieder zu tun. Ulli hingegen wirkte wie ein Bergsteiger, der den Everest bestiegen hat: Nachdem der Gipfel nun mal erreicht war, gab es kein Verlangen mehr, es noch einmal zu versuchen.

Als er mir von seiner ersten Nacht mit einem Mann erzählte, war das völlig anders. Da waren seine Augen aufgerissen vor Schreck und Begeisterung, von der Ungeheuerlichkeit dieser Entdeckung.

»Das bin ich«, sagte er zu mir, als habe er endlich nach langer Suche seinen eigenen Namen gefunden. Von diesem deutschen Mädchen, der ersten und letzten Frau für ihn, hatte er dagegen gar nicht mehr gesprochen.

Erst viele Jahre später, nachdem er sich hatte anhören müssen (von Männern, niemals von Frauen, auch den verklemmtesten nicht), Hitler hätte mit Leuten wie ihm kurzen Prozess gemacht, nachdem seine Mutter ihm versichert hatte, sie habe ihn natürlich immer noch lieb, er brauche doch nur zu einem Arzt zu gehen, heute könne man doch alles heilen und seine Krankheit bestimmt auch, Jahre nachdem er in London gewesen war und in Berlin, wo er sich, wie er erzählte, wie ein Mann unter vielen gefühlte habe, wie ein ganz normaler Homosexueller, und auch nachdem ich ihm schon viele Male mein Bett zur Verfügung gestellt hatte, damit er und seine Freunde nicht wie läufige Kater durch die Wälder streifen mussten, erst nachdem all das passiert war, erzählte er mir, gestand er mir, dass er, um in das blonde Mädchen eindringen zu können, die Augen hatte schließen und sich vorstellen müssen, dass sie ein Mann sei.

Wie immer in solchen Augenblicken saßen wir zusammen in Marlenes warmem Führerhaus. Es war wenig Schnee gefallen, und Schneekanonen, um auch in den wärmsten Wintern die Pisten mit einem geschlossenen Weiß zu überziehen, gab es noch nicht. Wie jede Nacht kämpfte Ulli gegen die braunen Flecken, die sich wie Melanome auf der Haut des Berges ausbreiteten, indem er den Schnee zusammenschaufelte, neu verteilte, von den Pistenrändern weiter in die Mitte schob. Er hatte mir immer alles erzählt, oder zumindest kam es mir so vor: von den

Bahnhofstoiletten, von seinem Wehrdienst in Venetien (»Glaub ja nicht, dass alle Soldaten hinter Frauen her sind, erst recht nicht die Offiziere«), von Begegnungen in Stadtparks, von fast gesichtslosen Körpern, von fast körperlosen Genitalien. Doch dass er sich heimlich einer Fantasie hatte bedienen müssen, um diese einzige Frau in seinem Leben nehmen zu können, dafür schämte er sich so sehr, dass er es mir jahrelang verschwiegen hatte. Weil ich das nicht verstehen konnte, bat ich ihn, es mir zu erklären.

Ulli war damit beschäftigt, die große Schaufel vor Marlenes Schnauze auf und ab zu manövrieren. In seinen Augen glänzte der Widerschein des Schnees, der im Scheinwerferlicht funkelte.

»Du hast ja keine Ahnung, wie vielen Frauen dies Nacht für Nacht passiert. Ich schon, ich kenne ihre Ehemänner.«

Mit dem Hebel neben dem Steuer blockierte er die schneegefüllte Schaufel auf halber Höhe. Dann drehte er sich zu mir um und schaute mich an. Er hatte immer noch diese Rehaugen wie als kleiner Junge; seine Wimpern waren fast zu lang für einen erwachsenen Mann:

»Nein, Eva. Das hat keine Frau verdient.«

Und er streichelte mir übers Gesicht. Ganz kurz, sanft, beschützend.

Frage: Wenn ein Mann, der Männer liebt, auch eine Frau lieben könnte, würde sich diese Frau dann endlich geliebt fühlen?

Eine sinnlose Frage. Ulli ist tot, und die Antwort werde ich niemals erfahren.

Die Ebene hat sich verbreitert. Nun ist mehr Raum zwischen dem Meer und den Bergketten. Die Extreme haben sich ein wenig angenähert; die Erde in der Ebene ist weniger rot, nicht mehr ganz so schamlos fruchtbar; die Berge im Hintergrund wirken weniger schroff und karg. Wir fahren durch einen winzigen Bahnhof, ein blaues Schild huscht draußen am Fenster vorbei, ich lese es rasch, bevor es verschwunden ist: MINTURNO SCAURI.

Dann hält der Zug kreischend vor einer Fabrikhalle, die wie ein Raumschiff aus der Landschaft ragt. Eine Schrift in riesigen Lettern: MANULI FILM. Genau vor meinem Fenster erläutert ein Schild das Geschäftsfeld des Unternehmens und die Einsatzbereiche seiner Folien. Der Zug steht noch, und ich habe Zeit, es zu lesen.

PRODUKTE: *Mineralwasser, Erfrischungsgetränke, Kakao, Kaffee, Tees, Kräutertees, Fleisch und Fleischprodukte, Reinigungsmittel, Tabakwaren, Druckerzeugnisse, Frischnudeln, Trockennudeln, Reis, Fertiggerichte, Backwaren, Süßwaren, Fischprodukte, Gemüse- und Obstwaren, Tiefkühlprodukte, Parfümeriewaren, Soßen, Würzmittel, Gewürze, Salz, Softdrinks.*

VERPACKUNGEN: *Bag in box, Plastikflaschen, Flowpack-Taschen, Tragetüten, Kissentaschen, Aufkleber (als Hülle, Dekoration oder Verschluss), mehrschichtige und koextrudierte Kunststofffolien, einschichtige Kunststofffolien, hitzebeständige Folien, Einwickelfolien, Klebebänder.*

Kein Zweifel, die Liste ist vollständig. Schade nur, dass die Lagerhalle der Firma MANULI FILM völlig leer ist, dass sich Unkraut durch den aufgerissenen Zementfußboden gekämpft hat, dass Fenster hier wohl niemals eingebaut wurden. Auf dem ungepflasterten Boden hinter dem Schild liegt ein Hund mit weißlichem Fell.

Als der Zug mit lautem Quietschen wieder anfährt, lässt er sich nicht stören und bleibt ruhig in der Sonne liegen.

Kurz hinter Sessa Aurunca unterbrechen die beiden Chips knabbernden Amerikanerinnen ihre Lektüre und schauen hinaus. Es ist wahrscheinlich keine Absicht, aber genau in diesem Moment fahren wir in einen Tunnel ein, und so bietet sich ihren Blicken eine der großen Sehenswürdigkeiten Italiens, ein Schatz, um den uns die ganze Welt beneidet: der weiße Streifen an der Tunnelwand, der in Zickzacklinie neben uns herrast.

Die alte Frau war um die sechzig, aber in zehn oder zwanzig Jahren würde sie auch nicht viel anders aussehen. Sie trug ein Kopftuch, das unter dem Kinn verknotet war, und auf ihren Wangen zeichnete sich ein Geflecht purpurner Äderchen ab. Ihr Rücken war krumm, eine Schulter hing ein wenig herab, und sie stützte sich mit beiden Händen auf den Knauf eines Stockes, den sie gerade vor sich hielt. Sie trug einen langen Rock, wie auch schon ihre Mutter und ihre Großmutter: Das 20. Jahrhundert, das jetzt schon zu zwei Dritteln vorüber war, hatte ihr sehr viel genommen, aber immerhin genügend Stoff für Röcke und Kleider gelassen. Über dem Rock hatte sie den enzianfarbenen Bauernschurz an und an den Füßen Babuschen aus grauem Walkloden.

Vor ihr waren vier mit weißen Tüchern bedeckte Särge aufgestellt, darum herum Blumen, hohe Kerzen ... Die *Alpini* der Ehrenwache waren ebenso jung wie die, die bis gestern noch ihre Kameraden waren und nun in den Särgen lagen. In wachsamer Ruhestellung, die Arme auf dem Rücken, standen sie da, und ihre Blicke wirkten traurig, aber gefasst, wohl wissend, dass sich an dem Unglück, das geschehen war, nichts mehr ändern ließ und das, was nun kommen würde, noch nicht eingetreten war.

Wenige Stunden zuvor hatte Ministerpräsident Aldo Moro den vier Terroropfern die letzte Ehre erwiesen. Lange hatte auch er vor den Särgen gestanden, die Hände gefaltet, die Schultern gesenkt, im Gesicht die Verlegenheit, die das Mitleid hervorrief. Neben ihm, das Monokel im rechten Auge, General De Lorenzo, der das Blitzlichtgewitter der Fotografen auf sich zog.

Durch eine Sprengstoffladung war an der Cima Vallona, der Porzescharte, wie sie auf Deutsch hieß, an der Grenze zwischen Osttirol und der italienischen Provinz Belluno ein Strommast gefällt worden. Eine Falle: Die zum Tatort ausgesandten Soldaten erwartete ein Minenfeld, und so waren Armando Piva, Francesco Gentile, Mario Di Lecce und Olivo Dordi, kaum beim umgestürzten Mast angekommen, in ihrem Mannschaftswagen in die Luft gesprengt worden.

Neben Politikern und Generälen besuchten Tausende einfacher Bürger die Aufbahrungshalle. Deutschsprachige Südtiroler, Italiener aus Alto Adige, aus dem Comelico und dem Cadore, Soldaten, Touristen … Das Verständnis für die Attentäter war mittlerweile völlig aufgebraucht. Die Erfahrungen der Menschen aus Innichen, wo die Leichen aufgebahrt waren, gaben nichts her, was dieses Blutvergießen gerechtfertigt hätte. Ein Bauer, noch jung, aber schon mit wettergegerbter Haut, mit der traditionellen blauen Schürze über dem weißen Hemd, blieb einige Augenblicke mit gesenktem Haupt vor den Särgen stehen. Dann war die Alte an der Reihe.

Die Namen der vier Alpini kannte sie nicht. Vielleicht hatte man sie ihr genannt, aber es waren italienische Namen und daher nicht leicht zu merken. Aber sie bedeuteten ihr auch nichts, diese Namen, sie waren das, was am wenigsten zählte. Sanft fuhr sie mit der Hand über jeden einzelnen Sarg. Sie waren verschlossen: Minen kennen keine Rücksicht mit den Körpern, die sie berühren.

Mehr als ein Vierteljahrhundert zuvor hatte der Krieg der Frau alle vier Söhne genommen, die ungefähr das Alter der vier Gebirgsjäger in den geschlossenen Särgen hatten. Von diesen Söhnen hatte die Frau niemals Abschied nehmen können; um sie zu beweinen, hatte sie nur die Briefe der Kommandantur, in denen man ihr deren Tod mitgeteilt hatte. Ihre Namen, ja, die gab es noch, eingemeißelt in die Marmorplatte am Friedhofseingang, zusammen mit denen der anderen Gefallenen aus ihrem Ort. Doch Namen nützten einem nichts mehr, ein Name konnte kein Heu mehr mähen, keine Schindeln auf dem Dach reparieren, einem nicht die Freude eines Enkelkindes schenken. Namen waren wirklich das, was am wenigsten zählte.

Die vier jungen Männer waren getötet worden, genau wie ihre Söhne. Was machte es da, dass sie nicht Sepp, Gert, Manfred und Hans hießen, sondern Francesco, Mario, Olivo und Armando? Auch der Name des Ortes, wo sie gestorben waren, zählte wenig: Porzescharte oder Cima Vallona, hatte das irgendeine Bedeutung? Die vier waren tot, ihre Söhne waren tot, und für die Toten konnte man nur noch beten.

Die alte Frau nahm den Rosenkranz aus der Schürzentasche und begann.

Silvius Magnago spreizte die Ellbogen, beugte den Nacken und legte die Stirn in die auf der Schreibtischplatte verschränkten Hände. Dabei hoben sich die für seinen schmächtigen Körper stets zu breiten Anzugschultern wie Flügel hinter seinem Kopf. Die Brille mit dem dicken schwarzen Gestell lag vor ihm neben dem Federhalter, die Krücken lehnten an der holzverkleideten Wand. In dieser Haltung saß er lange da, den Rücken gebeugt, die Stirn auf dem Schreibtisch, die Augen geschlossen. Er war erschöpft.

Im Juni waren auf der Porzescharte vier Soldaten durch ein heimtückisches Attentat ums Leben gekommen. Im Juli hatten Neofaschisten in Bozen »für ein italienisches Alto Adige« demonstriert. Im September explodierte am Bahnhof in Trient eine Bombe in den Händen der Polizeibeamten Filippo Foti und Edoardo Martini. Beide waren auf der Stelle tot. Dies war der letzte tödliche Anschlag des Südtiroler Terrorismus, aber das konnte

Silvius Magnago damals noch nicht wissen. In den Fernsehnachrichten war eine an diesem Schreibtisch aufgenommene Erklärung des Vorsitzenden der SVP gesendet worden.

»Die jüngsten Sprengstoffanschläge haben bei der Südtiroler Bevölkerung, gleich welcher Sprache, große Bestürzung ausgelöst. Die Probleme lassen sich nur mit demokratischen Mitteln lösen. Wir verweigern uns dem Irrglauben, eine Lösung ließe sich herbeibomben.«

In seinem wie immer tadellosen Italienisch hatte er diese Worte gesprochen, doch diesmal klang sein deutscher Akzent noch härter als gewohnt. Der Ansager der RAI hatte ihn folgendermaßen vorgestellt: Silvius Magnago, der Vorsitzende der Südtiroler Volkspartei und früherer deutscher Wehrmachtsoffizier.

Magnago fühlte sich so erschöpft wie seit den Kriegsjahren nicht mehr.

Und zudem spürte er neuerdings eine veränderte Atmosphäre, wenn er im Schlafwagen nach Rom unterwegs war. Die anderen mitreisenden Abgeordneten und Senatoren der Südtiroler Volkspartei, deren Chef er trotz allem immer noch war, schauten nicht mehr bei ihm im Abteil vorbei, um vor dem Zubettgehen noch gemeinsam ein Schlückchen zu trinken. Eiskalt wünschten sie ihm eine gute Nacht, und dann verschwand jeder in seinem Abteil. Magnago wusste, dass sie hinter seinem Rücken davon sprachen, er habe sich an die Italiener verkauft, dass sie sein geduldiges Aushandeln kleiner Lösungen mit der Regierung in Rom, mit österreichischen Behörden und Vertretern der italienischen Südtiroler für das typische Geschachere von Politkarrieristen hielten; dass sie etwas vom Ausverkauf der Heimat murmelten, von einem Übermaß der »Realpolitik« und, als schlimmsten Vorwurf, das Wort »Kompromiss« zischten.

Magnago wusste aber: Die einzige Alternative zu einem Kompromiss waren Helden, und Helden, angefangen bei Andreas Hofer bis zu Sepp Kerschbaumer, hatte Südtirol schon zu viele erlebt. Wahrscheinlich hielten sich sogar diese gewissenlosen Bombenleger, die gerade wieder getötet hatten, für Helden. Magnago war sich darüber im Klaren, dass er als Einziger von der italienischen Regierung jene Garantie sprachlicher und administrativer Eigenständigkeit erhalten konnte, auf die die Südtiroler seit einem halben Jahrhundert warteten, und das gerade deshalb, weil er selbst überhaupt nicht zum Helden taugte.

Jetzt hob er sein von tiefen Falten durchzogenes Gesicht. Vor ihm, auf dem Schreibtisch aus Nussbaum, lag ein Stapel Blätter: der erste Entwurf eines Statuts der künftigen Autonomen Provinz Bozen. Weitere anstrengende Fahrten nach Rom, langwierige Verhandlungen und Kompromisse waren noch nötig, bis dieses Statut seine endgültige Fassung erhalten würde: 137 Artikel, 25 Unterartikel, 31 Erläuterungen. Es gab noch viel zu tun.

Silvius Magnago rieb sich die Augen, setzte die Brille auf und nahm das erste Blatt zur Hand.

Wenn sie zusammen waren, nahm Gerda ihre Tochter zu sich in das breite Bett in ihrer Kammer im Erdgeschoss. Dann klammerte Eva sich an sie, und der Körper der Mutter war ihr sowohl ein Rettungsboot als auch der Ozean, auf dem es trieb. Gerda ließ sie gewähren.

Eva hatte anfangen, sich darüber klar zu werden, dass sie keinen Vater hatte. Da war sie nicht die Einzige: Ulli und Sigi zum Beispiel hatten auch keinen. Doch die beiden hatten keinen mehr, sie dagegen hatte noch nie einen gehabt. Sie war sich nicht sicher, ob sie den Unterschied richtig verstand, doch dass es einen gab, war nicht zu leugnen.

Etwas anderes noch hatte Eva nie besessen: neue Schuhe. Sie hatte immer die alten von Ruthi oder deren Schwestern aufgetragen, sogar die von Ulli, der doch ein Junge war. Jetzt allerdings war Gerda zur Köchin befördert worden, erhielt mehr Lohn, und so hatte sie beschlossen, ihrer Tochter ein Paar neue Schuhe zu kaufen. Eva saß auf einem Schemel in dem Schuhgeschäft unter den Arkaden ihres Städtchens und konnte kaum fassen, welche Schmuckstücke sie da an den Füßen hatte. Zwar waren es robuste Schuhe mit einer Kreppsohle, aber ihr kamen sie noch schöner vor, als wenn sie aus schwarzem Lack gewesen wären.

Draußen auf der Straße hielt Eva den Blick gesenkt, um das Schauspiel zu genießen, wie die neuen Schuhe jeden ihrer Schritte mitmachten.

»Das ist dein Vater.«

Eva zögerte aufzuschauen, doch der Satz, der ihrer Mutter da über die Lippen gekommen war, zählte nicht zu denen, die man alle Tage hörte. Sie zum Beispiel hatte ihn in ihren fünf Lebensjahren noch kein einziges Mal gehört.

»Der in dem dunklen Anzug.«

Jetzt hob sie den Blick. Auf der Straße und dem Gehweg war nicht nur ein Mann im dunklen Anzug zu sehen.

»Welcher denn?«, fragte sie.

»Der da hinten. Der uns gerade anschaut.«

Viele Männer schauten Gerda an, aber nicht, weil sie der Vater ihrer Tochter gewesen wären.

»Giamo«, sagte Gerda, die es plötzlich eilig zu haben schien. Sie nahm die Tochter bei der Hand und zog sie mit großen Schritten mit sich fort.

Eva versuchte, an den Männern, die an ihnen vorübergingen, eine Ähnlichkeit festzustellen, ein eindeutiges Zeichen gemeinsamer Abstammung. Aber bei keinem konnte sie auch nur die Spur davon entdecken. Denn als er Gerda und *dieses* Kind an ihrer Hand sah, war Hannes Staggl so rot angelaufen wie die Geranien auf dem Balkon über ihm und hatte sich eilig entfernt.

Die junge Dame an seinem Arm, schmächtig und elegant, in einem Mäntelchen, das auch Audrey Hepburn hätte tragen können, fragte ihn:

»Wer war denn die Frau?«

»Welche Frau?«

»Die mit dem kleinen Mädchen?«

Und Hannes antwortete:

»Ich habe kein kleines Mädchen gesehen.«

3 Uhr 45.

Auf einem Kontrollgang zu den um das Gebäude herum eingerichteten Wachposten erreichte ich um 3 Uhr 25 auch den Posten 6 Nordwest, der nach Wachplan ...

Sein Federhalter schrieb nicht mehr, offenbar war die Tinte hart geworden. Wie ein Fieberthermometer steckte er ihn sich unter die Achselhöhle. Es würde einige Minuten dauern, bis sich die Tinte so weit erwärmt hatte, dass er weiterschreiben konnte. Trotz Wollhandschuhen konnte er seine Finger kaum noch bewegen.

Der Vicebrigadiere hatte kein Holz nachlegen wollen. Zum einen war der Holzstapel an der Außenmauer des alten Kastens der Finanzpolizei schon merklich abgeschmolzen, und zum anderen, und das war der Hauptgrund, hätte er beim Raus- und Reingehen Lärm gemacht, und er wollte seine schlafenden Männer um keine einzige Minute der Viertelstunde Schlaf bringen, die ihnen zustand. Aber Herrgott, war das kalt! Eine Kälte, die sich kein Mensch vorstellen konnte, der sie nicht selbst erlebt hatte. Wie sollte man jemandem, der in Reggio Calabria lebte, diese Kälte beschreiben?

Zum ersten Mal hatte er es versucht, als er auf Urlaub zu Hause war (achtundvierzig Stunden Hin- und Rückfahrt im Zug, zweiundsiebzig Stunden im Kreis der Familie):

»Die Finger, die Füße, das Gesicht, alles fühlt sich wie verbrannt an, aber nicht von Hitze, sondern durch diese Kälte.«

»Verbrannt?«, hatte seine Mutter verwundert nachgefragt.

Es war zwecklos. Hier oben im Norden war der Winter wie das Meer, das man auch niemandem beschreiben konnte, der es nicht selbst kannte. In der vorigen Nacht war das Thermometer auf minus dreiundzwanzig Grad gefallen. Aber am schlimmsten waren nicht die Stunden in tiefster Nacht. Auch wenn der Wind einen draußen vor der Tür so brutal wie ein Tritt mit einem Bergschuh im Gesicht traf und das Heimweh durch die Dunkelheit verstärkt wurde, war die Nacht mit den Sternen, die wie Edelsteine glitzerten, und dieser Stille, die alles überwölbte wie die Kuppel einer Kirche, gar nicht so unerträglich. Schlimm war das Morgengrauen, das das Versprechen von Sonne und Wärme mit sich brachte, es dann aber nicht hielt, dieses feuchte graue Licht, das tiefer noch als zuvor in die Knochen kroch und die Glieder zusammenzog.

Schlimm war es, einem neunzehnjährigen Aushilfscarabiniere, der vor Einsamkeit keines klaren Gedankens mehr fähig war, dazu zwingen zu müssen, sich in der Kälte das Gesicht zu waschen. Er selbst war Unteroffizier der Carabinieri, hatte die entsprechende Schule besucht und war vorbereitet worden. Doch diese jungen Kerle nicht, diese süditalienischen Wehrpflichtigen aus Salemi, Sibari oder Bisceglie, die hielten es nicht aus, monatelang auf zweitausend Metern zu leben, ohne auch nur einmal ins Tal hinunterzukommen.

Gewiss, auch für ihn war es hart gewesen, als er nach Alto Adige kam.

Den Deutschkurs für Unteroffiziere hatte er freiwillig besucht. Es reizte ihn, eine fremde Sprache zu lernen, ihn, der noch nicht einmal Italienisch, nur Kalabrisch sprach, als er eingeschult wurde. Und es war ihm noch nicht einmal allzu schwergefallen;

jedenfalls hatte er die Lehrerin nicht derart zur Verzweiflung gebracht wie dieser Kamerad aus Bari, der auf die Frage »Wie alt bist du?« wie aus der Pistole geschossen »Ein Meter dreiundsechzig« antwortete. Alto Adige war der richtige Ort, um dem in Gefahr geratenen Vaterland zu dienen, davon war er überzeugt und am Ende der zweijährigen Ausbildung, nach der Vereidigung, stolz darauf, nun zu seinem ersten Einsatz aufzubrechen.

Die erste Enttäuschung erlebte er in der Kaserne in der Nähe von Meran. Nichts funktionierte, weil man auf einen solchen Ansturm von Soldaten nicht vorbereitet war. Im Hof wucherte das Unkraut, die Gemeinschaftssäle waren verdreckt, und der Putz blätterte von den Wänden. Und dann hundert Männer mit all ihren Ausdünstungen in einem Raum zusammengedrängt und nur ein Vorhang, der ihn und die anderen Carabinieri von den Alpini trennte. Eine Küche gab es nicht, das Essen wurde auf großen Feldkochherden zubereitet, die nach Diesel stanken, auch von einer Kantine keine Spur, man aß im eiskalten Flur aus denselben Blechnäpfen, in denen man sich auch wusch.

Und die Qualität der Truppe? Man hatte die jungen Wehrpflichtigen, die Aushilfscarabinieri und Carabinieri, zwar eigens ausgewählt, aber nach einem anderen Kriterium als der Leistungskraft: Der Dienst in Alto Adige war eine Bestrafung, und viele Männer waren halbe Analphabeten, deren Sinn für Disziplin und Ordnung, um es vorsichtig auszudrücken, nicht sehr ausgeprägt war. Mehr als einmal hatte der Vicebrigadiere in Meran morgens um sechs beim Weckdienst nur mit knapper Not einem Fußtritt ins Gesicht ausweichen können. Solche rüden Burschen waren es dann aber auch, die nach einem Monat des Marschierens über Pässe und Geröllfelder wie kleine Kinder in Tränen ausbrachen, wenn man sie nach ihrem Heimatdorf fragte.

Und dann diese Kälte! Was wusste ein Kalabrese schon von Kälte? Eine Kalabrese kannte schwüle Hitze und den Scirocco, kannte die Dürre, kannte die kannibalische Sonne, die sich im Kopf festbiss, kannte den Wind, der einem den Verstand raubte, der einen euphorisch machte oder ohnmächtig werden ließ. Aber solch eine Kälte, nein, die kannte ein Kalabrese nicht. Zum ersten Mal hatte er sie im Hof der Kaserne gespürt, als er, wie ein Bettler mit gekreuzten Beinen auf dem Boden sitzend, seine Suppe essen wollte, die aber schon kalt war, bevor er seinen Löffel hineingetaucht hatte. Aber das war noch gar nichts, verglichen mit der Eiseskälte, die bei den Patrouillen oben auf den Passhöhen auszuhalten war. Nur hatte er das damals noch nicht gewusst.

Der einzige Trost in jenen ersten Monaten in Alto Adige war die *Pasta al peperoncino* in einer Trattoria beim Ponte Druso, die von Süditalienern betrieben wurde und wo er gern mit seinen Kameraden essen ging. Und dann natürlich die einheimischen »Fräuleins«.

Deutsche Mädchen hatte er sich immer wie die Kessler-Zwillinge vorgestellt, wenn sie *La notte è piccola* sangen: endlos lange Beine, von Strass glitzernde Oberteile, hochtoupierte blonde Haare. So elegant waren die Südtirolerinnen nicht, obwohl sie auch blond waren, aber sie trugen die Haare nicht toupiert, sondern zu einem dicken Zopf geflochten und wie ein Reserverad am Hinterkopf zusammengerollt. Aber ihre Beine, ja, das musste man zugeben: Die Südtirolerinnen hatten durchweg sehr viel schönere Beine als die Kalabresinnen.

»Bei den Frauen hier«, hatte ihm dieser verrückte Sottotenente Genovese einmal erklärt, »liegt der Schwerpunkt ziemlich hoch.«

Das erste Jahr hatte er mit Patrouillen längs der Staatsgrenze zugebracht, als einziger Carabiniere in einem Kommando von achtzig oder hundert Alpini. Ihr Auftrag: das Eindringen von Terroristen auf italienisches Territorium zu verhindern. Oder besser noch, sie festzunehmen, damit er, der mit Polizeiaufgaben betraut war, sie der Justiz übergeben konnte. So stiefelten sie die Pässe zwischen Italien und Österreich hinauf und hinunter – Passo di Resia, Vetta d'Italia, Val Passinia ..., mit einem Rucksack, der mehr als vierzig Kilo wog, Handfeuerwaffen, Schlafsack, Zelt und Überzelt, Konserven, Blechnapf mit einem kleinen Kocher, um etwas aufzuwärmen, Schaufel, Pickel: alles auf dem Rücken. Es ging ja eben darum, dort nach dem Rechten zu sehen, wo kein Fahrzeug mehr hinkam. Wie Schildkröten sahen sie aus mit ihren schweren Rucksäcken auf dem Buckel, aber Schildkröten hatte noch niemand befohlen, Stunde um Stunde durch hüfthohen Schnee zu stapfen.

Wochenlang kehrten sie nicht in ihre Unterkunft zurück.

Tagsüber marschierten sie den Bergkamm entlang, und wenn es dunkel wurde, gruben sie sich ein Loch von vielleicht zwei Metern Länge, legten es mit der Plane des Überzeltes aus, tarnten es ringsum mit ein wenig Schnee, und dann hinein. Zwei Stunden Schlaf, anschließend zwei Stunden Wache. Ein höllischer Sturm fegte über die Grenzsättel hinweg – Pässe, so hatte man ihm beigebracht, waren wie Häuser mit zu beiden Seiten geöffneten Fenstern: Es gab Durchzug. Deswegen wäre es gefährlich gewesen, die Zelte aufzubauen. Hätte es nachts einen Schneesturm gegeben, wären sie, todmüde wie sie waren, ohne überhaupt etwas davon zu merken, weggefegt worden.

Bereits nach der ersten Woche sorgten Kälte, Müdigkeit und Erschöpfung bei manch einem für Halluzinationen. Wer unter Verstopfung litt, war dafür besonders anfällig, weil die nicht ausgeschiedenen Giftstoffe bei einem geschwächten Körper aufs Hirn schlugen. Immer wieder begann einer, irres Zeug zu reden. Und irgendwann riefen sie alle nach ihrer Mama.

Manchmal fragte sich der Vicebrigadiere nach dem Sinn dieser Operationen. Hundert Soldaten, die einen verschneiten Steilhang hinaufkraxelten, waren leichter zu erkennen als eine Kolonne von Panzerspähwagen. Die Terroristen dagegen bewegten sich flink über die Pfade, zu zweit, höchstens zu dritt, kannten jedes Geröllfeld, jeden Hof, jedes Felsband dieses Granitgebirges, schlichen mal diesseits, mal jenseits der Grenzsteine herum wie Gämsen, ohne Spuren zu hinterlassen.

Und in der Tat hatten sie noch nie einen aufspüren können.

Aber: *Usi obbedir tacendo* – daran gewöhnt, schweigend zu gehorchen. Er hatte noch nie daran gedacht, einen Befehl infrage zu stellen. Sonst hätte er auch nicht Carabiniere werden können.

Ein weiterer Trost war es, hin und wieder mal zu einem Hof zu gelangen. Auch in großer Höhe fand man noch welche, vor allem in den Seitentälern des Val Venosta unterhalb der Gletscher. Es war ganz normal, dort von zehn, zwölf Kindern empfangen zu werden. Die Bauern waren arm mit ihren vielen Söhnen und Töchtern, aber zu essen hatten sie immer genug. Fünfzigtausend Lire reichten ihnen, und sie brachten ein warmes Essen für die ganze Truppe auf den Tisch. Die Frauen bedienten sie und beobachteten sie während der Mahlzeit, schweigend, aber nicht feindselig. Das war anders als bei so manchem Kellner in den Gasthäusern der Stadt, die so taten, als sprächen sie kein Italienisch, und die einem, wenn man einen Kaffee bestellte, »Nichts verstehen« antworteten oder auch »Wiederholen Sie auf Deutsch«. Und so sagte er eben, laut und deutlich: »Bringen Sie mir bitte einen Kaffee«, und dann mussten sie ihm, deutsch oder nicht deutsch, den Kaffee schon bringen. Diese Bergbauern aber sprachen tatsächlich kein Italienisch, und wenn er versuchte, sich auf Deutsch verständlich zu machen, dann hellten sich ihre Gesichtszüge auf. Später scheuchten sie die Kinder die Treppe hinauf und ließen sie ihre Federbetten den Offizieren und Unteroffizieren bringen, die sich damit in der Stube auf die Tische legten, im Warmen. Er hingegen suchte mit seinen Männern den Heuboden auf, und er bereute es nie: Im duftenden Heu ausgestreckt, im warmen Atem der Kühe, der vom darunterliegenden Stall aufstieg – besser hätte ein König auch nicht schlafen können.

Hier dagegen, in diesem von der Finanzpolizei aufgegebenen Gebäude, machte er nachts kein Auge zu. Daher legte er sich tagsüber noch mal für ein paar Stunden auf die Pritsche, und manchmal gelang es ihm sogar, ein Nickerchen zu machen. Aber wenn es dunkel war – ausgeschlossen. Um sich wach zu halten, schrieb er. Er hatte sich einen Stapel Notizblöcke besorgt, kariert, oben zusammengeheftet, wie sie Reporter in Comicheften benutzten. Er hatte auch einige Federhalter dabei, aber jetzt wusste er, dass er sich besser mit Bleistiften ausgestattet hätte. Im Gegensatz zu Tinte konnten Bleistiftminen nicht einfrieren. Er hatte eine saubere, ordentliche Handschrift, in der er ebenso klare Fakten festhielt: dass das Magazin einer MP defekt sei, wie viele Konservendosen verbraucht wurden, dass er einen Auerhahn gesehen habe. Und Vorkommnisse beim Wachdienst natürlich.

Er schrieb an einem wackligen Tisch, schaute immer mal wieder nach den schlafenden Kameraden, trat hinaus, um ein paar Worte mit dem wachhabenden Soldaten zu wechseln. Sein immer schon scharfes Gehör hatte sich noch weiter verfeinert. Kein nächtlicher Laut entging ihm: kein Rauschen in den Bäumen, kein Lockruf nächtlicher Raubvögel, kein Prasseln von Steinen in einem Geröllfeld, kein Knirschen und Knacken vom Gletscher her. Manchmal kam es ihm so vor, als könne er sogar die Sternbilder summen hören, die ihr hartes Licht ins kosmische Dunkel schleuderten. Daran merkte er, wie erschöpft er war.

Er war vierundzwanzig, vier Jahre älter als der älteste seiner Männer, und er wachte über sie wie eine Mutter über ihre schutzlosen, geschwächten Kinder. Ein wenig kränklich waren sie ja auch, krank von der Angst und der Einsamkeit, von der Kälte und dem Heimweh. Auch von der Stille. Von diesem so fremden, starr daliegenden Gebirge, das Söhne gebar, die kein Gesicht besaßen, die wie aus dem Nichts auftauchten, die Kameraden in Stücke rissen und dann rasch wieder in seinem Schoß verschwanden.

Genau hier hatten die Terroristen vor einiger Zeit drei Zollbeamte getötet. Die Grenze verlief in weniger als zehn Metern Entfernung, und mithilfe einer Seilvorrichtung hatten sie von österreichischem Boden aus einen Sprengsatz bis unter die Fenster dieses Gebäudes laufen lassen. Die drei Männer waren im Schlaf zerfetzt worden, ein vierter verlor sein Augenlicht.

Für diese *Finanzieri* war es dort oben zu brenzlig geworden. Also hatte der Vicebrigadiere die Aufgabe übernommen, in dem alten Gebäude einen Trupp von dreißig Männern zu befehligen – nun ja, Männer, so konnte man sie schlecht nennen, eher einen Haufen verschreckter Jungen. Sie hatten um das Haus herum gut ein Dutzend Gruben ausgehoben, und wer Wachdienst hatte, kroch hinein, sodass nur noch die Schultern herausschauten, und hockte dann da wie ein Stößel in einem Mörser. Nachts teilte der Vicebrigadiere für jedes Loch einen Soldaten ein, tagsüber reichte es, wenn zwei oder drei besetzt waren. Ringsherum hatte er als Barrikade Nato-Stacheldraht ausrollen lassen, und sobald sie eine Büchse Tomatensoße oder andere Konserven geleert hatten, banden sie diese dort fest, sodass man nur irgendeine Stelle des Stacheldrahts zu berühren brauchte, und schon bimmelten sie wie Kuhglocken. Niemand hätte sich ihrem Quartier nähern können, ohne einen Höllenlärm zu verursachen.

Nur wenige Meter jenseits des Niemandslandes lag eine alte österreichische Zollstation, die sehr viel kleiner als die italienische auf der anderen Seite war. Von dort aus war der Anschlag auf die Zollbeamten geführt worden. Der Vicebrigadiere ließ das Häuschen ständig, Tag und Nacht, beobachten. Hielt sich dort jemand auf? Sollte von dort aus auch der nächste Anschlag geführt werden? Manchmal konnte er ein Stück hinter der Zollstation Personen ausmachen, die mit Ferngläsern den Horizont absuchten. Sie kamen aber nie so nahe heran, dass man sie hätte genauer erkennen können. Es war schwer, dem Drang zu widerstehen, hinüberzugehen und sich die Papiere zeigen zu lassen. Doch sie hatten den strikten Befehl, nicht auf die andere Seite zu wechseln. Die Terroristen belasteten die Beziehungen zwischen Österreich und Italien schon mehr als genug, so ein Grenzscharmützel hätte gerade noch gefehlt.

Er war Soldat, um Politik kümmerte er sich nicht. Früher hatte er in den Südtirolern, und zwar in allen, nichts als undankbare Verräter an der Einheit des Vaterlands gesehen. Dann war er nach Alto Adige versetzt worden, und kaum hatte er die Stadt unten im Tal mit ihren Fabriken, in denen viele Süditaliener arbeiteten, hinter sich gelassen und die ersten Bauern getroffen, war ihm aufgegangen: An diesen Leuten war tatsächlich nichts italienisch. Doch die Terroristen waren und blieben gewissenlose, feige Mörder, die nicht einmal mit offenem Visier kämpften.

Nach den jüngsten Attentaten herrschte in der Carabinieri-Kaserne eine angespannte Atmosphäre. Es hieß, ein Offizier der Alpini, ein Mann, der Bomben und Granaten als Briefbeschwerer benutzte und hinter dessen Schreibtisch nicht das Bild des Staatspräsidenten, sondern das des Duce hing, habe erklärt: »Jetzt ist ein Südtiroler dran!« Von solchen Äußerungen wollte der Vicebrigadiere nichts hören, auch nicht im Spaß. Einige Tage später war dieser junge Südtiroler aus dem Val Pusteria bei einer

Straßensperre erschossen worden. Die Männer, die die Schüsse abgegeben hatten, waren junge Wehrpflichtige gewesen: offenbar ein tragisches Versehen, der allgemeinen Nervosität geschuldet. Und doch hatte er, als er davon hörte, sofort an die Worte dieses Offiziers der Gebirgsjäger denken müssen, und einen Moment lang stockte ihm das Blut in den Adern.

Nun hatte er diesen neuen Befehl erhalten: Bei den Grenzsteinen sollte die italienische Fahne flattern. Und jeden Morgen beim Fahnenappell war er stolz, dieser Pflicht nachzukommen. Aber da gab es auch noch einen anderen Befehl, an den er sich strikt hielt, denn er hatte ihn sich selbst erteilt: dafür zu sorgen, dass jeder dieser jungen Männer unter seinem Kommando heil zu seiner Familie zurückkehrte.

Mindestens einmal in der Nacht wurde falscher Alarm gegeben. »Ich habe jemanden husten hören«, erklärte dann einer seiner Männer vielleicht, oder: »Zwischen den Bäumen ist ein Licht aufgeblitzt.« Und sogleich bestätigten die anderen Wachen, ja, auch sie hätten ein verdächtiges Geräusch gehört, ein Licht gesehen, das Knirschen von Schritten im Schnee vernommen. Sie steigerten sich in ihre Fantasien hinein und plusterten sich auf wie junge Tauben. Oder er schoss mit seinem Garand eine Leuchtrakete ab, und in den acht Sekunden, die zwischen dem Abschuss und dem Erscheinen des strahlenden Kometen vergingen, brüllte einer entsetzt auf: »Sie greifen an!«, und begann vielleicht sogar, mit dem Maschinengewehr blind draufloszuballern. Am Morgen fanden sie dann die Lärchen und Tannen wie Zahnstocher niedergemäht vor: Nicht umsonst wurde das MG 42/59 auch »Hitler-Säge« genannt. Es war ein Wunder, dass sie sich nicht gegenseitig verwundeten. Und ein Glück, dass er seinen Vorgesetzten gegenüber keine Rechenschaft über den Munitionsverbrauch ablegen musste.

Als zufällig mal ihr Funkgerät funktionierte, hatte er flehentlich um Verstärkung gebeten: Seine Männer seien mit den Kräften am Ende, hatte er seinen Vorgesetzten erklärt, sie könnten nicht mehr und seien vor allem zu wenige, um einen effizienten Kontrolldienst aufrechtzuerhalten. Er könne weder eine verantwortliche Dienstausübung noch die Unversehrtheit seiner Männer garantieren.

Sogar einen offiziellen Bericht hatte er verfasst. *Ein Austausch der Soldaten, die seit über einem Monat hier Dienst tun, ist dringend geboten* – hieß es da. *Unter diesen Bedingungen kann ich, der befehlshabende Unteroffizier, die Verantwortung für meine Untergebenen, die sich in solch prekärer körperlicher und seelischer Verfassung befinden, nicht länger tragen.* Dann hatte er den Umschlag in den Korb gesteckt, der an einem Seil vom Rumpf des Hubschraubers herunterhing, der sie mit Proviant und Munition versorgte.

Ein weiterer Monat war verstrichen und Verstärkung nicht in Sicht und auch keine Ablösung. Selbst der Hubschrauber war wegen des Sturms schon seit Tagen nicht mehr geflogen. Die Konserven waren fast alle aufgebraucht, und nur noch ein wenig Mehl war übrig geblieben. Wer sich aufs Schießen verstand, hatte von ihm die Erlaubnis erhalten, auf die Jagd zu gehen, und den einen oder anderen Hasen hatten sie schon zu essen bekommen. Doch das reichte nicht für alle, und so langsam machte sich der Hunger bemerkbar. Abends saßen sie um das Radio versammelt, um aus dem rauen Krächzen, das es von sich gab, die Wärme menschlicher Stimmen herauszuhören. Wie Bergleute, die in einen düsteren, schlammigen Schacht vordrangen, um nach Rubinen zu suchen.

Jetzt zog er den Füllhalter unter seiner Achselhöhle hervor, die offenbar sehr viel mehr Wärme abgeben konnte, als er in sich spürte. Flüssig lief die Tinte wieder übers Papier.

3 Uhr 45.

*Auf einem Kontrollgang zu den um das Gebäude herum ein-
gerichteten Wachposten erreichte ich um 3 Uhr 25 auch den
Posten 6 Nordwest, der nach Wachplan bis um 4 Uhr früh dem
Aushilfscarabiniere Ciriello Salvatore zugewiesen war.*

Ich fand ihn leer vor.

Der Vicebrigadiere hielt inne. Strich etwas durch, verbesserte es.

Ich fand ihn verlassen vor.

*Zurück im Gebäude begab ich mich zum Schlafsaal, wo ich,
obwohl sein Wachdienst erst fünfunddreißig Minuten später endete, den Aushilfscarabiniere Ciriello Salvatore schlafend auf
seiner Pritsche liegend vorfand.*

Der Vicebrigadiere las noch einmal durch, was er geschrieben hatte.
Er seufzte tief und hob den Blick zu der Wand, von der der Putz
abblätterte. Dann steckte er sich wieder den Füllfederhalter unter
die Achselhöhle, um in Ruhe nachzudenken und ohne die Sorge,
dass die Tinte wieder einfrieren könnte. Doch die Denkpause dauerte nicht lange. Er setzte wieder an und schrieb jetzt, ohne innezu-
halten, in sein Notizbuch, als müsse er unbedingt etwas loswerden.

*Ich entschloss mich jedoch, über den Vorfall keinen Bericht zu
erstatten und den Verantwortlichen keiner Strafe zuzuführen,
denn er ist ja nur ein junger Bursche, der Schlaf braucht, seit
einem Monat schläft er schon nicht mehr richtig, und jetzt
kommt auch noch der Hunger dazu und dieser eiskalte Wind,
dass man die Augen nicht offen halten kann, da ist es schließlich
kein Wunder, dass sie am Ende sind und durchdrehen, so kann
man doch nicht leben, denen da unten im Tal ist das überhaupt
nicht klar, die haben ja keine Ahnung ...*

Er hielt wieder inne wie ein Läufer, der ruckartig stehen bleibt, aber durch den Schwung fast ins Straucheln gerät.

Seine privaten Aufzeichnungen würde er zwar niemandem zeigen, am allerwenigsten seinen Vorgesetzten, dennoch begann er jetzt, mit dicken Federstrichen die Worte »Ciriello« und »Salvatore« durchzustreichen. Und so verschwand unter einem dunklen Fleck der Name des Aushilfscarabiniere, der seinen Posten verlassen hatte.

Man konnte ja nie wissen.

Unter die Eintragung setzte er allerdings einen anderen Namen, seinen eigenen, als handele es sich bei den Bemerkungen auf dem karierten Blatt seines Notizbuchs um einen offiziellen Bericht, um ein Dokument, für das er die volle Verantwortung übernahm, als Soldat und als Unteroffizier.

Und er schrieb: *Vicebrigadiere Anania Vito.*

Die Treibhäuser von Villa Literno ziehen in der Ferne vorbei, und so ist weder etwas von den Tomaten zu erkennen noch von den Arbeitssklaven aus den Nicht-EU-Ländern, ohne deren Plackerei das ganze Gemüse dort verfaulen würde. Ein langer Tunnel bringt uns nach Bagnoli, eine einzige, ununterbrochene Reihe von Industrieruinen. Umgeben sind sie von verfallenden Wohnhäusern, die mit einem blätternden Putz von unverwechselbarer Farbe verkleidet sind, einer Farbe, für die es bei uns früher einen eigenen Namen gab: *fascistagrau*.

Es ist die Farbe der Häuser, die während des Faschismus in Südtirol für die Scharen von Beamten und Angestellten gebaut wurden, die das Land italianisieren sollten: Lehrer, Funktionäre, Straßenarbeiter, vor allem aber Eisenbahner schickte man zu uns hinauf. Es ist die Farbe einer Epoche und einer Ideologie, für mich aber auch ein Zusammenspiel verschiedener Gerüche. Wenn ich als Kind an den Häusern beim Bahnhof mit den Buchstaben ANNO IX EF unter dem Kranzgesims vorüberkam, drangen aus den Fenstern Düfte, die in der Küche der Familie Schwingshackl unbekannt waren: der säuerliche Geruch von passierter Tomatensoße, von Gemüsesuppe mit Parmesan. Einladende Düfte, aber doch kein Grund stehen zu bleiben, denn die Häuser der *Walschen* gingen mich nichts an.

Das Verhältnis von uns *daitschen* Kindern zu den italienischen war einfach: Es gab keines. Sie waren eben die *Walschen*, und wir waren für sie die *crucchi* oder auch die *tralli* in Erinnerung an die Strommasten (*tralicci*), die »unsere« Terroristen in die Luft jagten. Es gab abgesteckte Gebiete, Einflusszonen, Territorien. Für uns war es ratsam, an den Eisenbahnerhäusern schnell vorüberzugehen und ebenso an den Sozialwohnungen hinter den Kasernen, wo die Armeeangehörigen mit ihren Familien lebten. Die Kinder, die dort wohnten, kamen mir undurchschaubar und roh vor, aber wenn ich es mir heute überlege, müssen die ihrerseits nicht weniger Angst vor uns Südtirolern gehabt haben: Schließlich waren wir ihnen zahlenmäßig weit überlegen. Doch egal wie, jedenfalls haben wir nie miteinander gespielt. Niemals.

Als ich dann auf dem Internat in Bozen die Oberstufe besuchte, saß ich in einer Bank, Ellbogen an Ellbogen, mit anderen Kindern aus faschismusgrauen Häusern. Jetzt, da sie herangewachsen waren, hatten sie für mich gar nichts Undurchschaubares mehr. Ganz im Gegenteil. Während die Südtiroler Jungen den Mädchen mit Sprüchen so ungehobelt wie Brennholz kamen, musterten mich die italienischen ungeniert mit samtäugigen Blicken. Man kann sich denken, welchen Annäherungsversuchen ich den Vorzug gab.

Ulli war da mit mir einer Meinung, ja, er war es ganz und gar, voller Leidenschaft. Als er zum Wehrdienst eingezogen wurde, erlebte er die Blicke der jungen Italiener als eine Offenbarung. Und die Traurigkeit, die in ihm heranreifte und der er später erlag, hing auch damit zusammen, dass er bei uns nur auf Männer traf, die ihre Sexualität als ein rein körperliches Bedürfnis betrachteten und praktizierten, einen Vorgang, über den man, nach alter Sitte, nicht sprach und für den man sich den hintersten, schäbigsten Winkel des Hauses aussuchte. Auch Ulli hatte es so gehalten, jahrelang, aber nur, weil er nichts Besseres fand. Und so war es kein Zufall, dass es ein Junge aus dem Süden war, in den er sich verliebte.

Eines Nachts, als wir wieder mal zusammen in Marlenes Führerhaus die Pisten hinauf- und hinunterrasselten, sagte er es mir:

»Ich hab mich verliebt.«

Er hieß Costa, war Grieche, hatte schmale Hände und dunkle Augen und arbeitete in Innsbruck in einem Pub. Nach der Wintersaison wollten die beiden zusammenziehen. Costa, Costa, Costa. Unablässig kam Ulli dieser Name über die Lippen. Und er sagte auch:

»Ich bin sein, und er ist mein.«

Und:

»Wenn wir zusammen sind, verstehe ich erst, warum ich auf der Welt bin.«

Und:

»Unsere Liebe ist größer als wir selbst.«

Worte, süßer als eine Schachtel Pralinen.

Ich hätte mich sehr für ihn freuen müssen. Aber es wollte mir nicht gelingen. Überhaupt nicht. Ulli erlebte jetzt das, worüber alle Welt sprach, sang, schrieb. Jenen Zustand, der allein, so heißt es, das Leben lebenswert macht, jenes Gefühl, das den Zugang zum Himmel verspricht und zur Hölle und zu den großen Geheimnissen, neben denen alles andere bedeutungslos ist.

In jener Nacht fühlte ich mich, als habe mir mein bester Freund, mein Beinahebruder, plötzlich eröffnet, dass er in Wahrheit der Sohn eines Kaisers sei und Schätze, Paläste und Diener ohne Ende sein Eigen nenne und dass er bislang nur deshalb mit mir Graubrot und Zwiebeln geteilt habe, um mal etwas anderes kennenzulernen.

Ja, so fühlte ich mich: arm.

»Das ist ja toll. Ich freue mich so für dich.«

Ich durfte nicht hoffen, dass Ulli mir glauben würde. Dafür kannte er mich zu gut. Und in der Tat blickte er mich aus den Augenwinkeln an, sagte aber kein Wort. Vielleicht honorierte er die Anstrengung, die es mich kostete, ihm zum ersten und einzigen Mal etwas vorzulügen.

Es war ein Winter mit ständigen Schneefällen, nicht nur bei uns in den Bergen, sondern auch im südlichen Italien. In den Fernsehnachrichten wurden Bilder vom weißen Petersplatz gezeigt, die Brunnen seitlich des Obelisken waren mit Eiszapfen geschmückt. In jenem Winter waren die Pisten leicht zu präparieren, die Skifahrer begeistert, die Hotels voll. Mit anderen Worten, es war ein Jahr des Überflusses. Nur nicht für mich.

Und während ich jetzt hinausblicke, fühle ich mich wie einer dieser Reisenden, die aus den gegenüberliegenden Zugfenstern schauen und so gegensätzliche Landschaften sehen. Durch sein Fenster hat Ulli zumindest einmal im Leben den weiten Horizont der Liebe wahrgenommen. Wie meine Mutter von ihrem Fenster aus auch. Ich dagegen bin geheiratet, geschieden, hofiert worden. Habe Männer gehabt, die nur auf ein Zeichen von mir warteten, habe Männer begehrt und zu schätzen gelernt. Auch Zuneigung habe ich entwickelt – zu Carlo zum Beispiel. Aber ich erinnere mich noch zu gut an meine Mutter, als sie mit Vito zusammen war, oder an Ullis Augen, der immer wieder »Costa«, »Costa« sagte, um den Unterschied zu verkennen.

Ich scheine mich ans falsche Fenster gesetzt zu haben.

Carlo lernte ich in einer herrlichen Villa ein wenig außerhalb von Bozen kennen, und zwar bei der Einweihung eines großen privaten Planungsbüros, die ich organisiert hatte. Der Abend war schon fast vorüber und alles gut gelaufen, die zahlreichen Gäste kamen auf ihre Kosten, und ich konnte mich endlich ein wenig entspannen. Vielleicht überflüssig zu erwähnen, dass Carlo ohne seine Frau gekommen war. Von unserem ersten Gespräch habe ich in Erinnerung, dass er irgendwann zu mir sagte:

»Die meisten italienischsprachigen Altoatesini denken, dass ihr deutschsprachigen Südtiroler alle Nazis seid.«

Und ich antwortete ihm:

»Und die meisten deutschsprachigen Südtiroler denken, dass ihr italienischsprachigen Altoatesini alle Faschisten seid.«

»Die könnten sich verbünden und dem Rest der Welt den Krieg erklären. Ich bin aber kein Faschist. Bist du ein Nazi?«

»Nein.«

»Dachte ich mir's doch. Ich bin übrigens in Bozen geboren, als Sohn eines Eisenbahners aus Isernia und einer Lehrerin aus Salerno, und ich lebe immer noch gern hier, weil es der einzige Ort Italiens ist, wo sich Italiener nur als Italiener fühlen und nicht als Sizilianer, Neapolitaner, Veneter oder Piemonteser. Wenn nicht gar als Einwohner von Acitrezza oder irgendeines anderen Dörfchens, nicht zu verwechseln mit Acireale – ein Riesenunterschied, nein, mit den Leuten dort wollen sie keinesfalls in einen Topf geworfen werden.«

»Aber wenigstens wird dir«, sagte ich, »südlich von Verona nicht stets die gleiche berühmte Frage gestellt, die ich so oft höre.«

»Ich kann mir denken, was das für eine Frage ist: ›Darf ich dich zum Essen einladen?‹«

»Nein. ›Fühlst du dich eher als Italienerin oder als Deutsche?‹«

»Und das wirst du tatsächlich gefragt?«

»Immer wieder. Von allen.«

»Das ist bestimmt sehr lästig. Aber darf ich dich mal was fragen: Fühlst du dich eher als Italienerin oder als Deutsche?«

»...«

»Okay. Dann frag ich dich was anderes: Darf ich dich mal zum Essen einladen?«

Napoli Campi Flegrei, Napoli Mergellina. Wir sind in den Bauch der Stadt am Vesuv, in seine Eingeweide eingetaucht, fahren jetzt durch U-Bahn-Tunnel.

Ohne Halt passieren wir die unterirdischen Bahnhöfe Piazza Amedeo, Montesanto, Piazza Cavour. Sie schießen vorbei, voneinander getrennt durch stockdunkle Stollen, zucken auf wie Blitze, die man sich mit geschlossenen Augen vorstellt. In hohem Tempo rasen wir über das mittlere Gleis, während auf den Bahnsteigen der Nebengleise, wie an einem Werktag, Menschen warten, die vielleicht zur Arbeit müssen, zum Zahnarzt, eine Freundin besuchen wollen. Im Kontrast zu dieser Alltäglichkeit wirkt unser Zug wie ein Supertanker in einem Flüsschen, ein Lkw auf einem Radweg. Ein Gefühl, als würden wir ratternd in die Privatsphäre der Stadt eindringen. Fast so wie in meinem Traum! Mit umgekehrten Rollen allerdings. Nun bin ich der Passagier, der durchs Zugfenster in die Schlafzimmer anderer Leute schaut.

Am Bahnhof Piazza Garibaldi halten wir. In bläuliches Neonlicht getaucht, mit Kacheln wie im Leichenschauhaus und den verlassenen Bahnsteigen vermittelt er den Eindruck, als könne jemand, der hier aussteigt, im Nichts verschwinden und nie mehr auftauchen.

»Orangensaftmineralwassercolapizzabelegtebrötchen!«

Sie müssen in der Totenstille dieses an den Kalten Krieg erinnernden Bahnhofs eingestiegen sein und preisen jetzt, wie zum Ausgleich, brüllend und ohne Erbarmen mit ihren Stimmbändern ihre Waren an. Sie schleifen riesengroße Plastiktüten durch die Gänge und blaue Fensterputzereimer, in denen sie kalte Getränke aufbewahren. Es sind alte und junge Männer, Bübchen, aber keine einzige Frau. Ein dunkelhäutiger Mann mit fetten Armen steckt den Kopf in unser Abteil, und die beiden Amerikanerinnen starren ihn erschrocken an, als wäre er ein Mörder und seine Tüte voller Brötchen eine tödliche Waffe. Ich verneine mit einem Kopfschütteln, und der Mann zieht weiter und lässt eine Spur von Wasserspritzern aus seinem übervollen Eimer hinter sich zurück.

Die Männer, die hier schwarz Essen und Getränke verkaufen, sorgen für einen dringend notwendigen Service, weil in dem

Fernverkehrszug Speise- und Bistrowagen abgeschafft wurden. Da wir uns in Neapel befinden, einer Stadt, wo sich Politik und Kriminalität durchdringen, könnte man auf den Gedanken kommen, dass dies vielleicht kein Zufall ist.

Endlich wieder die Sonne. Neapel hatte den Zug verschluckt, ihn im Mund hin und her gewendet und wieder ausgespuckt wie einen Olivenkern.

Ich sehe die blauen Schilder des Hauptbahnhofs Napoli Centrale, den Bahnhof selbst aber nicht. Unmittelbar neben den Gleisen erheben sich hautfarbene Wohnblöcke, Würfel und Quader, denen jede Schönheit abgeht. Dann tauchen die Kräne am Hafen auf. Darunter Hunderte, Tausende, Zehntausende von Containern, fast alle riesengroß mit HANJIN, CHINA SHIPPING oder Ähnlichem beschriftet. Man könnte glauben, Italien unterhalte ausschließlich mit China Handelsbeziehungen.

Jetzt sind wir nur noch wenige Meter vom Meer entfernt, durch das Zugfenster meint man fast, es berühren zu können; seit wir Rom verlassen haben, sind wir ihm nicht mehr so nahe gekommen. Klippen, in der Sonne glitzernde Wellen, Angler mit ihren Ruten und hellen Hüten auf dem Kopf, aber auch Leute in dicken Mänteln. Jeder begegnet dem Frühling auf seine Weise. In Torre del Greco dient eine Mauer als vertikale Müllhalde, ein Berg aus Abfallsäcken hat sich aufgebaut, der sogar bestiegen wird. Aber nicht nur das. Obendrüber, wo der Müll noch etwas vom Putz frei gelassen hat, haben Menschen zarten Gefühlen Ausdruck gegeben. VERZEIH MIR, GELIEBTE, steht da, und SÜSSE, ICH LIEBE DICH, ICH SEHNE MICH NACH DIR.

Als ich von der Toilette zurückkomme, werfe ich einen Blick in das Abteil mit den indischen Handyenthusiasten. Es sind vier Männer und zwei Frauen, von denen eine ein kleines Kind im Arm hält. Sie liegen auf den ausgezogenen Sitzen und schlafen tief und fest.

Mittlerweile befinden wir uns südlich des Vesuv, sein Krater ist deutlich auszumachen. Meine Mutter träumt davon, einmal Pompeji und Herculaneum zu besuchen und dann ein paar Tage an der Küste bei Amalfi zu verbringen. Ich habe ihr versprochen, sie zu begleiten. Dieses Versprechen sollte ich endlich mal einlösen.

Ich weiß auch nicht, warum mir ausgerechnet jetzt einfällt, wie ich ihr damals erzählte, dass ich nach Australien auswandern wollte, und sie mir antwortete: »Fein, dann kann ich endlich mal die Kängurus sehen, das hab ich mir immer schon gewünscht.«

Moment mal. Ich war doch auf dem Sprung nach Australien. Nicht sie.

Das ist schließlich etwas anderes. Wir sind ja nicht eins.

Evas Cousin Wastl war zum Militär gegangen. Nachdem er schon
Jahre in der Musikkapelle ihres Städtchens Klarinette gespielt
hatte, wurde er in den Spielmannszug der Alpini in Rom aufgenommen. Die Hauptstadt gefiel ihm sehr, und viel mehr noch
gefielen ihm die Römerinnen. Als er Ende Juni zum ersten Mal
auf Urlaub nach Hause kam, war er bester Stimmung. Gleich am
nächsten Tag sollte zu Füßen seines Namensvetters aus Granitgestein, des Alpinos auf seinem Sockel, eine abermalige Einwei-
hungszeremonie stattfinden. Das Denkmal war wieder einmal
rekonstruiert worden, sollte jetzt wieder wie früher aussehen.

Es waren seltsame Zeiten.

Eine Schar von Schützen hatte sich zusammengefunden, um
gegen die Einweihung zu protestieren. Dies war zwar nicht ungewöhnlich, denn die Missfallensbekundungen dieser Männer in
ihren Trachten gegen Symbole des italienischen Staates waren
längst Routine. Nein, bizarr wirkte eher die Gruppe junger Leute,
die sich vor dem steinernen Wastl versammelt hatten, um nicht
nur gegen das Denkmal, sondern auch gegen die Schützen zu
protestieren.

Es war verwirrend. Nicht zuletzt für Eva und Ulli, die ihren
Onkel-Cousin in der Soldatenuniform begleiteten, um die Feier
mitzuerleben.

Die Studenten reckten die Fäuste in die Höhe und riefen in
zwei Sprachen Parolen gegen den »Nationalismus, gleich von
welcher Seite«. Auch das war etwas, was man noch nie erlebt
hatte: eine gemeinsame Demonstration junger italienischer und
deutscher Südtiroler.

Dieses Wort »Nationalismus« hatte Eva noch nie gehört, und ratlos blickte sie zu Wastl hoch, dem aus Fleisch und Blut, der sie an der Hand hielt. Es tat ihr weh, dass da Leute etwas an dem Denkmal auszusetzen hatten, das man extra für ihn errichtet hatte. Sogar in Rom wollte man den geliebten Onkel-Cousin spielen hören, und ihrer Meinung nach hatte er sich so ein Denkmal mehr als verdient.

Obwohl sie inzwischen auf die sechzig zuging, wies der blonde Zopf, den Frau Mayer als Kranz um den Kopf trug, noch kein einziges graues Haar auf. Jeden Morgen verwandte die Hoteldirektorin fast eine halbe Stunde darauf, ihre Frisur exakt wie die ihrer Mutter und der Mutter ihrer Mutter aussehen zu lassen. Auch wenn der Rest der Welt dazu übergegangen war, die Haare flattern zu lassen.

Schon seit einem Jahr rumorte es, und in diesem Herbst 1969 fanden die Streiks in den Bozner Stahlwerken noch größeren Zulauf. Aber nicht nur die Metallarbeiter verschafften sich Gehör. In fast allen Branchen begannen sich die Beschäftigten bewusst zu werden, dass sie gemeinsam stark waren, und gestern noch Unerhörtes schien plötzlich möglich zu sein: dass sich Tellerwäscher, Hilfsköche und Köche eines großen Hotels zusammentaten und für einen gerechten Lohn streikten war keine verrückte Idee mehr, sondern ein Szenario, mit dem man rechnen musste, bedrohlich oder begeisternd, je nachdem, von welcher Seite man es betrachtete.

Das Personal in Gerdas Küche brauchte nur mit einem Streik zu drohen. Es war Ende Dezember und das Hotel voll. Schon nach wenigen Stunden gab Frau Mayer ihren Widerstand auf.

Von nun an entsprach der ausgezahlte Lohn den tatsächlich geleisteten Arbeitsstunden, bei allen, auch beim untersten Küchenjungen. Und die vier zusätzlichen Arbeitsstunden, die vom freien Tag abgingen, wurden nun auch bezahlt. Was Frau Mayer jedoch in den zurückliegenden Jahren an Sozialbeiträgen eingespart hatte, bekam niemand ersetzt. Als Gerda mit sechzig nach fast fünfundvierzig Arbeitsjahren in den Ruhestand ging und Ende des Monats auf dem Postamt ihre Rente abholte, rechnete sie sich immer die Differenz aus zwischen dem ausgezahlten Betrag und dem, was sie bekommen würde, wenn Frau Mayer sich damals nicht jahrelang an ihrem Altersgeld bereichert hätte. Und nachdem sie dann zu Hause den Umschlag mit der bescheidenen Summe auf das Häkeldeckchen beim Fernseher gelegt hatte, holte sie jedes Mal eines der schönen bunten Gläser aus der Anrichte, die Eva ihr einmal Weihnachten geschenkt hatte, schenkte sich ein Gläschen ihres geliebten Limoncellos ein und trank auf diese mutige junge Frau, die sie nie kennengelernt hatte: jene Kellnerin, die es damals in jungen Jahren als Einzige gewagt hatte, sich gegen die Ausbeutung zu wehren, und dafür mit dem Schimpfnamen »Gewerkschafterin« belegt und entlassen worden war.

Mittlerweile war Vito Anania drei Jahre in Alto Adige, die er größtenteils unter extremen Bedingungen patrouillierend und wachend an der Staatsgrenze verbracht hatte. Durch seine Beförderung vom Vicebrigadiere zum Brigadiere hatten ihn die Vorgesetzten nun wieder »ins Warme«, wie man sagte, zurückgeholt und mit der Aufgabe betraut, sich um die Lebensmittelversorgung der Garnisonskaserne unten im Tal zu kümmern. Man glaubte, ihm damit einen Gefallen zu tun. Aber dem war nicht so. Vito stellte bald fest, dass er sich nach der Zeit in der unverfälschten, rauen Natur in einer aufs Elementare konzentrierten Gemeinschaft mit seinen Männern zurücksehnte. Doch er war Carabiniere und daran gewöhnt, die ihm übertragenen Aufgaben nach bestem Können zu erfüllen. Und das tat er auch.

Nach seinem ersten Tag und den ersten Erfahrungen mit den Lieferanten hatte er gedacht: Auf den Höfen oben in den Bergen haben sie einem immerhin »Grüß Gott« gesagt.

Mit einem freundlichen *»Buon Giorno«* und seinem offenen Lächeln hatte er die Metzgerei betreten, die seit Jahren die Kaserne mit Fleisch belieferte. Doch der Metzger hatte seine ausgestreckte Hand nur angesehen wie einen Haufen Eingeweide und geantwortet:

»Wie viel?«

Und so erging es ihm auch beim Bäcker und bei den Bauern, die die Kaserne mit Milch und Butter versorgten, und selbst der Obsthändler, der ein halber Trentino war, wollte seine Begrüßung nicht erwidern. Nun, an die Abneigung der Einheimischen gegen Italiener und vor allem gegen italienische Soldaten war er ja gewöhnt. Als er sich dann aber die Bücher anschaute, wurde ihm einiges klar.

Über Jahre hatten seine für die Proviantbeschaffung zuständigen Vorgänger in die eigene Tasche gewirtschaftet. Hatten überall anschreiben lassen, ohne jemals die Schulden zu begleichen. Und für die heimischen Kaufleute stand fest: Die *Walschen* sind nicht ehrlich, sie benutzen ihre Machtposition, um kleine Leute zu betrügen. Metzger, Bäcker, Bauern, sie alle waren auf die Lieferungen für die Kaserne angewiesen. Zweihundert Kilo Fleisch am Tag, dreihundert Kilo Brot: Wer konnte es sich schon leisten, auf solch eine Kundschaft zu verzichten? Was sie aber konnten, das war, nicht zu grüßen.

Und so beschloss er, jedem Einzelnen zu beweisen, dass nicht alle Italiener Betrüger waren. Auch auf diese Weise, so dachte er, konnte man dem Vaterland dienen.

Seit Monaten sparte er nun bei den Bestellungen und hatte auf diese Weise bereits etwas Geld zur Seite legen können, um die Schulden seiner Vorgänger bei den Kaufleuten in der Stadt zurückzuzahlen. Im Frühling, so schätzte er, würde die letzte Schuld endlich beglichen sein.

Und schließlich wurde er gegrüßt, wenn er ihre Läden betrat.

Ein neuer Wind, der Veränderungen brachte, wehte auch innerhalb der mit Stacheldraht gesicherten Kaserne.

Für die in Alto Adige stationierten Carabinieri war das Leben immer hart gewesen, auch wenn sie nicht auf den Bergkämmen längs der Staatsgrenze zu patrouillieren hatten, sondern »im Warmen« Dienst taten. Ein freier Tag in der Woche war eine Chimäre: Es gab ihn, aber niemand bekam ihn zu fassen. Der Kommandant trug ihn zwar in die Kladde mit den Dienstplänen und Ausgangsgenehmigungen ein, aber nur um der Bürokratie Genüge zu tun, denn gearbeitet wurde trotzdem. Wer sich beschwerte, lief Gefahr, dass seine Beurteilungen in der Personalakte plötzlich schlechter ausfielen.

Seit einigen Monaten aber genoss Vito Anania tatsächlich, wie seine Kollegen auch, einen echten Ruhetag in der Woche. Schon allein um etwas Schlaf nachzuholen, kam dem Brigadiere der freie Tag gerade recht, denn seit Jahren schlief er zu wenig. Man gestand den Soldaten außerdem einige andere Rechte und Vergünstigungen zu, wofür sich besonders ein gewisser Giorgio Almirante, der Chef der neofaschistischen MSI, eingesetzt hatte, was viele Carabinieri nicht vergaßen, als sie später in der Wahlkabine standen.

Mit diesen Neuerungen in ihrem Soldatenleben war Vito Anania mehr als einverstanden. Mit anderen aber absolut nicht.

»Ja, du kannst dich drauf verlassen. Ich bring es dir vorbei, sobald ich es fertig habe«, hörte er eines Tages auf dem Weg durch den Gang einen Sergente zu einem Offizier sagen. Er wusste, dass sich die beiden Männer seit Langem kannten, da sie zur gleichen Zeit die Militärschule besucht hatten. Aber einen Vorgesetzten zu duzen war für Vito einfach undenkbar und würde es auch immer bleiben. Doch mehr als Empörung spürte er, als er dieses »Du« hörte, eine tiefe Scham. Er schämte sich für den Offizier, für den Sergente, ja sogar für sich selbst.

Da sie nun weniger zu arbeiten hatten, kam es allerdings auch vor, dass sich der Brigadiere Anania langweilte. Er war eben nicht so ein Typ wie etwa Sottotenente Genovese aus Neapel, der ewig auf der Jagd nach »Fräuleins« und Abenteuern war. Er fand ihn zwar ganz sympathisch, diesen Genovese, hielt es aber für besser, sich ihm nicht allzu oft anzuschließen. Zum 4. November, dem Jahrestag der Beendigung des Ersten Weltkriegs, organisierte Genovese im Hotel Marlinderhof ein Fest, eine *»Sottufficial-Party«*, wie er es nannte, als handele es sich um ein Filmfest. Er lud zwar auch Offiziere und Kommandanten ein, allerdings unter der Voraussetzung, dass sie in holder Begleitung erschienen, womit, wie er ausdrücklich klarstellte, eben *nicht* die Ehefrauen oder Verlobten gemeint waren. Mit anderen Worten, ungebundene Frauen. Und wenn ihr Schwerpunkt weit oben lag, umso besser.

Über hundert Angehörige der Carabinieri mit ihren Begleiterinnen erschienen. Auch Vito war darunter, begleitet von der Tochter des Metzgers, der ihr bis Mitternacht freien Ausgang gegeben hatte. Von einem Mann, der sparte, um die Schulden anderer zu begleichen, glaubte er erwarten zu dürfen, dass er ein Mädchen pünktlich nach Hause brachte. Und in der Tat überschritt seine Tochter um eine Minute vor zwölf die Schwelle ihres Hauses. Vito ging danach schlafen, obwohl das Fest da gerade erst in Fahrt kam. Das war ihm egal. Er hatte beobachtet, wie Genovese die Gäste in seiner Rolle als Zeremonienmeister zum Grappakonsum anhielt, dabei aber selbst keinen Tropfen trank. Er führte etwas im Schilde, da war sich Vito sicher, denn er kannte ihn gut, diesen Genovese, zog es aber vor, nicht dabei zu sein, wenn er seinen Plan in die Tat umsetzte. Von den Abenteuern des Sottotenente Colonnello mit dem zu langen Haar und der bedenklich nachlässig zugeknöpften Uniformjacke ließ man sich gern erzählen, aber daran teilnehmen, nein, das war nichts für ihn.

Vito war also nicht dabei, als Genovese, nachdem er sich überzeugt hatte, dass die von den Offizieren konsumierte Alkoholmenge ausreichen würde, um eine Leprastation zu desinfizieren, nun nicht mehr mit einer Schnapsflasche in der Hand zwischen den Gästen herumspazierte und auch nicht am Arm eines schönen Mädchens, sondern mit einem Fotoapparat mit eingebautem Blitzlichtgerät in der Hand.

»Komm, gib dem Hauptmann einen Kuss«, forderte er die holde Begleitung eines Offiziers auf. Das Mädchen beugte sich zum schweißnassen Gesicht ihres Kavaliers vor und berührte es mit dem Mund, woraufhin Genovese den Auslöser betätigte wie den Abzug eines Gewehrs. Klick.

»Gib dem Major einen Kuss ..., gib dem Oberleutnant einen Kuss ..., gib dem Oberst einen Kuss ...«

Die jungen Damen legten die knallroten Lippen auf die Stirn oder die Wangen der Offiziere, und »klick« machte es, »klick«, Genovese drückte ab.

Am Morgen darauf ließ er Abzüge machen.

Seine Vorgesetzten bekamen diese Fotos nie zu Gesicht. Das war nicht mehr nötig. Es reichte die Bekanntmachung, dass es solche Fotos gab. Fortan führte Genovese ein angenehmes Leben in der Kaserne.

Auf einem der Fotos war auch Gerda zu sehen, aufgenommen in Begleitung eines vielleicht vierzigjährigen Obersten, der ihr gerade einen Kuss aufs Ohrläppchen gab. Sie ließ es geschehen, und ihre hohen Wangenknochen reflektierten das Licht wie poliertes Holz. Vielleicht würde sich Vito, wenn er das Bild gesehen hätte, bereits damals in sie verliebt haben. Aber er sah es nicht, weder er noch sonst jemand, auch nicht die Ehefrau. Tatsächlich hatte Genovese auch keinen Grund, es ihr zukommen zu lassen, denn von diesem Vorgesetzten wurde er künftig stets mit besonderem Feingefühl behandelt.

Als Herr Neumann wegen verschiedener gesundheitlicher Probleme in Frührente ging, war er ganz beruhigt: Eine würdige Nachfolgerin stand bereit.

Gerda rauchte stärker als ein defekter Dieselherd und arbeitete mit mehr Energie als jeder Mann. Die Küchenjungen würden alles für sie tun, die Hilfsköche nicht ganz so uneingeschränkt: Sie waren es nicht gewohnt, sich von einer fünfundzwanzigjährigen jungen Frau, einer »Exmatratze«, etwas sagen zu lassen. Aber das war eben das Schöne an diesen seltsamen Zeiten: Sie waren voller Überraschungen. Nach den zwölf Stunden täglich in der Küche ging Gerda abends noch tanzen.

In ihren Briefen an ihre Tochter erzählte sie von »schmucken jungen Männern«, die sie zum Tanz ausführten. Eva hatte von Ulli lesen und schreiben gelernt, und weil sie so aufgeweckt war, wurde sie schon mit fünf eingeschult. Wenn sie dann abends in ihrem Bett lag, das sie mit Ruthi teilte, stellte sie sich das Nachtleben ihrer Mutter vor. So, als säße sie im dunklen Pfarrsaal, lief vor ihrem geistigen Auge im Zeitraffer der Film ab mit all dem, was ihre Mutter in ihrer Fantasie mit ihren männlichen Begleitern so alles trieb: kiloweise Eis verdrücken, tagelang Karussell fahren, ohne dafür bezahlen zu müssen, sich mit Torten bewerfen.

Teixel, ist das wenig!

Das war sein zweiter Gedanke: Ja, das war wirklich verflucht wenig.

Silvius Magnago hielt sich nun schon seit siebzehn Stunden im Meraner Kursaal auf: Am Vortag um Punkt zehn Uhr war die außerordentliche Vollversammlung der Südtiroler Volkspartei zusammengetreten. Anerkennung für die Delegierten: Klaglos hatten sie die Holzstühle aus der Reformationszeit ertragen, und jetzt, mitten in der Nacht, waren sie sogar noch zahlreicher erschienen als am Nachmittag. Da saßen sie vor ihm, die Befürworter und die Gegner des Pakets, die »Paketler« und »Antipaketler«, wie sie genannt wurden, und schauten ihn an. Wie lange arbeitete er schon an diesem Entwurf? Schon immer, so kam es Magnago vor. Nur die Kriegserinnerungen hinderten ihn daran, zu glauben, dass er sein ganzes Leben über nichts anderes getan hatte. Eben dies war auch sein letztes, stärkstes Argument gewesen bei seinem Appell an die Delegierten und der Erklärung, wie er abstimmen würde.

»Zwanzig Jahre habe ich an diesem Paket gefeilt. Glauben Sie wirklich, meine Damen und Herren Delegierten, ich würde Sie auffordern, für das Abkommen zu stimmen, wenn ich jetzt nicht der festen Überzeugung wäre, dass wir mehr nicht erreichen können?«

Und wieder einmal hatte er dargelegt, was für eine Katastrophe es wäre, wenn die Delegierten dem Paket – all den Maßnahmen, mit denen der italienische Staat der Provinz Bozen eine weitgehende Autonomie garantierte – die Zustimmung verweigerten. Er selbst würde als Parteiobmann sofort zurücktreten, aber das wäre nicht die gravierendste Konsequenz. Diejenigen jedoch, die ihn jetzt als »gekauft«, »Tolomei« und »Totengräber der Heimat« beschimpften, würden die Verhandlungen mit den Italienern auch wieder aufnehmen, allerdings ganz von vorn, von null anfangen müssen. Und er würde mit bitterer Befriedigung verfolgen, wie sie sich die Köpfe an der Tatsache einrannten, dass es ohne Kompromiss keine Lösung geben konnte. Früher oder später würden sie das erkennen, sie waren ja nicht dumm und handelten in guter Absicht. Doch in der Zwischenzeit verlöre man Jahre, Jahrzehnte. Wer könne schon sagen, wann es wieder einmal in der italienischen Politik, in der die Regierungen wie Kegel aufgestellt wurden und gleich wieder fielen, einen Mann gäbe, der bereit wäre, die Verantwortung für ein verbindliches Abkommen mit den Südtirolern zu übernehmen? Einen Verhandlungs- und Gesprächspartner wie Aldo Moro, der in den Artikel vierzehn die Feststellung geschmuggelt habe, dass der Schutz von Minderheiten im nationalen Interesse liege, natürlich ohne viel Aufhebens davon zu machen, wie er ihm unter vier Augen gestand, denn sonst hätten ihn seine eigenen Leute darüber stolpern lassen?

Dies war der Tag der Entscheidung, oder besser die Nacht, denn schließlich ging es schon auf drei Uhr in der Frühe zu. Wenn die Südtiroler Volkspartei heute dem Paket zustimmte, wollte es die italienische Regierung im Parlament beraten lassen, wo es mit Sicherheit angenommen würde. Und dann könnten die Außenminister Italiens und Österreichs ihre Unterschriften daruntersetzen und damit die Befriedung ihrer Heimat Südtirol Wirklichkeit werden lassen.

Würde jedoch die Vollversammlung seiner Partei das Paket ablehnen ...

»Vogel, friss oder stirb!« Klarer hatte es Magnago vor den Parteimitgliedern nicht ausdrücken können.

Jetzt fühlte er sich erschöpft. Dabei war er sehr viel widerstandsfähiger, als seine ausgezehrte Erscheinung vermuten ließ, denn sonst wäre er schon längst zusammengebrochen. Die Mageren waren zäh, sagte man, und Magnago schien das zu bestätigen. Je mehr Stunden verstrichen, je länger die Debatte andauerte, desto kämpferischer wurde er. Er wusste, dass seine Leute sehr unentschlossen waren. Seit fünfzig Jahren wurden sie von den Italienern »über den Tisch gezogen«, wie es hieß, und groß war die Furcht bei den Delegierten, jetzt vielleicht das Falsche für die Heimat zu tun. Nein, jeder Einzelne musste überzeugt, jede einzelne Stimme erkämpft werden.

Doch er hatte keine Kraft mehr. Daher pochte er auf eine Entscheidung: Es ist halb drei, lasst uns abstimmen.

Die Entschlossenen hatten bereits am Nachmittag ihren Stimmzettel in die Urne gesteckt. Aber die vielen Zweifelnden, die alle Redner hören wollten, um sich zu einer Meinung durchzuringen, hielten ihren noch in der Hand. Delegierte aus Schnals, Unteretsch, Gries und Pfitschtal. Aus Sexten, Bruneck, Wolkenstein, Latsch, Kasern und Burgum. Leute, die um diese Zeit daheim auf ihrem Hof auch immer wach waren, weil sie die Kühe im Stall melken mussten. Von ihnen hing es jetzt ab, wie die Abstimmung ausging. Fresst, Vögel, fresst!

Einer nach dem anderen steckten sie die gefalteten Zettel in die Wahlurne.

Sie wurden entnommen und ausgezählt.

In ein Register eingetragen.

Und der Parteitagspräsident las das Resultat vor.

»Abgegebene Stimmen: 1104.

Für die Annahme der Resolution von Doktor Magnago: 583 Stimmen.

Gegen die Annahme der Resolution von Doktor Magnago: 492 Stimmen.

Ungültige Stimmen oder Enthaltungen: 29.

Damit ist die Resolution von Doktor Magnago mit 52,8 Prozent der Stimmen angenommen.«

52,8 Prozent.

Teixel, ist das wenig! Das war sein zweiter Gedanke.

Doch sein erster war: *Du hast es geschafft.* Es war wirklich geschafft.

Auch Paul Staggl hätte gerne ein Mannequin im Bikini gehabt. Das heißt: Er hätte gerne ein Foto von einem Mannequin im Bikini gehabt. Oder genauer: Er hätte zwar auch gerne ein Mannequin im Bikini gehabt, aber vor allem das Foto. Oder umgekehrt.

Ja, das Konsortium, dem er vorstand, hätte doch auch ein Skiweltcup-Rennen veranstalten können. So wie Val Gardena. Dieses Werbefoto im *Time Magazine* hatte die anderen Konsortiumsmitglieder mächtig erzürnt. Ihn selbst nicht. Paul Staggl war in ärmlichsten Verhältnissen auf einem Hof ohne Sonnenlicht geboren: Hätte er Zeit und Energien damit vergeudet, andere um etwas zu beneiden, wäre er nicht dorthin gelangt, wo er jetzt war. Seine Gedanken kreisten wie das Rad in der Talstation einer Seilbahn, gut geölt, unaufhörlich, mit dem einzigen Ziel, ihn nach oben zu bringen.

So hatte er sich also das Foto dieses hübschen Mädchens, das nur in Unterwäsche, BH, Wollstrümpfen und Skischuhen, einen Ski am Boden, den anderen senkrecht vor sich in den Schnee gesteckt, vor dem Hintergrund der verschneiten Dolomiten posiert hatte, sehr genau angesehen. Und das nicht nur, weil man sich gewisse Formen einfach gern ansah, sondern auch weil ihm beim Betrachten eine Reihe von Gedanken durch den Kopf schwirrten. Der erste und nächstliegende war, dass sein Heimatstädtchen nicht in den Dolomiten lag. In den dreißiger Jahren waren Postkarten gestaltet worden, die seine mittelalterliche Burg vor den rosa schimmernden Gipfeln der »Bleichen Berge« zeigten, wie die Dolomiten früher genannt wurden. Eine glatte Fälschung, wie sie in der Steinzeit des Tourismus noch möglich war, inzwischen aber nicht mehr. Heutzutage hatten die Touristen Fernsehen, sie waren informiert, man konnte sie nicht mehr so leicht an der Nase herumführen.

Auch vom Gipfel des Hausberges, an dessen Hängen seit mittlerweile sieben Jahren die Masten der von seinem Konsortium gebauten Seilbahn aufragten, genoss man einen großartigen Panoramablick, doch die Dolomiten lagen nun einmal ein ganzes Stück entfernt. Alle Welt war vernarrt in dieses korallenfarbene Gebirge, und die Hotelbesitzer der ladinischen Täler brauchten allein schon dieser Lage wegen keine großen Mittel in Fremdenverkehrswerbung zu investieren. Sie selbst schon. Nein, ohne Dolomiten mussten sie eben auf andere Weise die Scharen englischer, holländischer oder schwedischer Skifahrer anlocken, die nun zu umwerben waren, nachdem man mit den Italienern und Deutschen, selbst mit den Amerikanern mittlerweile jedes Jahr sicher rechnen konnte. Und er hatte da schon eine genaue Vorstellung. Er musste ›seinen‹ Berg zu einem großflächigen und besonders vielfältigen Skigebiet ausweiten, das für jeden Geschmack etwas zu bieten hatte. Lange betrachtete Paul Staggl den nackten Bauch des Mädchens und ihre anregenden Rundungen.

Und das war seine Vision: ein Netz von Seilbahnen, Skiliften und Pisten, das sich sternförmig in alle Richtungen verzweigte und so sehr ausdehnte, dass echte Skifreunde tagelang unterwegs sein konnten, ohne zweimal dieselbe Piste zu fahren. Die Technologie der Anlagen würde auf dem allerneuesten Stand sein, die Instandhaltung der Pisten ihrer Zeit voraus, das Investitionsvolumen gesichert und eines großen Unternehmens würdig. All das würde dafür sorgen, dass sein »Baby« immer *state of the art* war, wie seine Kollegen aus Colorado es nannten.

Paul Staggl hatte sein ganzes Leben lang im großen Stil gedacht und geplant. Und damit würde er auch jetzt nicht aufhören, nur weil er die sechzig schon überschritten hatte. Der Wintersport brachte Reichtum. Ihm, seiner Familie, seinem Tal, Südtirol, ja den gesamten Alpen. Für ihn gab es keinen Zweifel: Die Zukunft strahlte wie eine verschneite Piste in der ersten Morgensonne. Und nun hatte sogar Hannes, auf der Schwelle zum dreißigsten Lebensjahr, endlich zu heiraten beschlossen und würde ihm vielleicht bald Enkelkinder schenken. Gewiss, auch an den Kindern der Töchter hatte man seine Freude, aber wenn der einzige Sohn Vater wurde, war das doch etwas ganz Besonderes.

Der Wintersport brachte Reichtum.

Paul Staggl war nicht mehr der Einzige, der das begriffen hatte. Wie Gerda kauften auch viele Bauern in jenem Jahr ihren Kindern zum ersten Mal neue Schuhe. Dafür mussten diese allerdings im Winter und im Hochsommer im Keller oder in der Kammer unter der Treppe schlafen. Denn ihre Zimmer waren Gold wert: In den wenigen Wochen der Hochsaison an Touristen vermietet, brachten sie mehr ein als Kühe, die ein ganzes Jahr lang gemolken wurden. Die Zeit der Bomben und Attentate war vorüber, und immer mehr Gäste waren Italiener.

Deren Verhältnis zu den Einheimischen gestaltete sich nicht immer ganz einfach. Häufig deuteten sie schon das Ausbleiben von Katzbuckeleien vonseiten mancher Vermieter, die ihnen mit der etwas raueren Freundlichkeit von Bauern begegneten, als Feindseligkeit. Kam eine Antwort auf Italienisch nur zögerlich oder war eine Speisekarte nur deutsch geschrieben, beklagten sich die italienischen Touristen.

»Wir sind hier aber in Italien!«

Umgekehrt zeigte manch ein Busfahrer auch seine ganze Empörung über die ungerechte Abtretung Südtirols nach dem Ersten Weltkrieg, indem er auf ein verbindliches *Buon giorno* nur mit einem ruppigen Knurren antwortete.

Allerdings irrten die Italiener, wenn sie glaubten, sie würden von manchen Südtirolern grantig behandelt: Tatsächlich verspottete man hier auch die Bayern als Saufbrüder, die Wiener als Schnösel und die Preußen als Angeber. Doch egal wie, Fakt blieb, und nur darauf kam es an: Die Touristen brachten das Geld, und Geld scherte sich nicht um Sprachen, um Grenzen, um die Historie.

Und offenbar auch nicht um Kleiderordnungen. Viele italienische Gäste hatten es sich zur Gewohnheit gemacht, in Südtirol die typische Landestracht zu tragen und auch den Nachwuchs damit auszustatten. Scharen von Müttern und Töchtern aus Rom, Vercelli oder Florenz zeigten sich nun mit Dirndl und geblümter Schürze darüber und wirkten damit so uniform wie noch nicht einmal die Musikkapelle. Mailänder Kleinkindern wurden als Lätzchen Miniaturausgaben des traditionellen blauen »Bauernschurzes« um den Hals gebunden, dessentwegen Hermann in Mussolinis Zeiten noch verprügelt worden war.

Zunächst staunten die Südtiroler nicht schlecht über diese Maskerade (abgesehen von den Händlern natürlich, die mit Trachtenmode einträgliche Geschäfte machten), aber mit der Zeit gewöhnten sie sich daran. Für alle, die sie damals sahen, blieb aber jene neapolitanische Familie unvergesslich – Mutter, Vater und vier Kinder zwischen sechzehn und drei –, die eines schönen Tages im August lärmend die Hauptstraße des Städtchens entlangspazierte. Sie bot den Anblick von zwölf nackten, durch Makkaroniauflauf und *Sartù* wohlgenährten Oberschenkeln, die unter Lederhosen hervorquollen.

Auch Ulli blieb es nicht erspart, sein Zimmer in der Hochsaison für Touristen zu räumen und auf dem Speicher zu schlafen. Mit dem Geld, das dadurch hereinkam, konnte Leni den Eltern eine neue, resopalverkleidete Küche kaufen, wie man sie jetzt häufig im Fernsehen sah. Endlich konnte sie auch viele alte Möbel loswerden. Ein Mann aus Bozen war so freundlich, sie abzutransportieren und ihnen sogar noch ein wenig Geld dafür zu geben. Leni begriff wirklich nicht, was der Mann an dieser alten Truhe fand, die seit Generationen schon in ihrer Küche stand, oder an dem sperrigen, bemalten Schrank, der die Stube verdüsterte. Dass dessen Zeit vorüber war, erkannte man doch schon an dem Datum, das in der Mitte unter dem Fries zu lesen war: 1773. Das Geld des Mannes nahm Leni dennoch gern an, denn schließlich war es nicht ihre Schuld, dass manche Leute keinen Geschäftssinn besaßen.

Unter den italienischen Gästen, die Jahr für Jahr wiederkamen, war auch eine Mailänder Familie mit drei Kindern. Sie schwärmten von dem herrlichen Blick auf die Gletscher, den der Hof ihnen bot, aber auch von der Gastfreundschaft Lenis und der ihrer Eltern. Mochten ihre Zimmervermieter vielleicht auch nicht sehr gesprächig sein und sich ihr mit *Preco* und *Puongiorno** gespicktes Italienisch wie aus einer Karikatur anhören, so waren sie doch ehrliche, rechtschaffene, auf ihre Art sogar liebenswürdige Leute. Dass sich der Ehemann dieser jungen Witwe bei einem Attentat gegen den italienischen Staat selbst in die Luft gesprengt hatte, hätte die Mailänder Familie wohl niemals für möglich gehalten.

Die jüngste Tochter dieser Mailänder Familie war in Evas Alter und hatte krause schwarze Locken, die ihren Kopf wie ein aufgeladener Heiligenschein umgaben. Dass sie eigentlich ein italienisches Stadtkind war, schien sie hier völlig zu vergessen. Sie hatte sich Ulli und Eva auf eine derart selbstverständliche Weise angeschlossen, dass die beiden gar nicht anders konnten, als sich darauf einzulassen. Mit italienischen Kindern aus ihrem Städtchen hätten sich Ulli und Eva nie im Heu getummelt oder Staudämme am Bachufer im Wald gebaut. Mit diesem Mailänder Mädchen schon. Aber vielleicht musste man auch nur bei den Nachbarn auf der Hut sein und konnte sich Bewohnern ande-

---

*   »Preco« und »puongiorno« von ital. *prego* (bitte) und *buon giorno* (guten Tag).

rer Welten gegenüber neugierig zeigen. Hätte sich dieses Mädchen allerdings als ihre Freundin bezeichnet, wären die beiden schon stutzig geworden, denn ein Freund verschwand ja nicht elf Monate im Jahr irgendwo in einem schwarzen Loch. Aber dieses Mädchen war klug, und deshalb nannte sie die beiden nie »Freunde«.

Ulli dagegen war immer schon Evas Freund gewesen.

Oder vielleicht war er zunächst auch nur ein Spielkamerad gewesen bis zu dem Tag, als ein anderer Junge nach der Messe auf dem Kirchplatz zu ihnen sagte, dass Ullis Vater den Tod verdient habe, weil er ein Verbrecher sei, und dass Evas Vater zwar lebe, aber nichts mit ihr zu tun haben wolle. Wie gar zu oft in seinem späteren Leben blieben Ulli die Worte, mit denen er sich hätte verteidigen können, im Halse stecken, verfaulten innerlich und vergifteten nur ihn allein. Und so war es nur Eva, die reagierte und dem Jungen zwei Finger ins Auge steckte. Seit diesem Tag waren Ulli und Eva unzertrennlich.

Im Gegensatz dazu war und wurde Sigi nie Evas Freund. Ullis Bruder gehörte für sie stets zu jenen unangenehmen Dingen des Lebens, die man nur ignorieren konnte: wie einen Splitter, der zu tief saß, um herausgeholt zu werden, wie einen Zahn, der wackelte, aber nicht ausfallen wollte, wie einen Vater, der nie da war. Und falls Eva überhaupt jemals in Versuchung war, Sigi sympathisch zu finden, so wurde diese Gefahr für immer an jenem Tag gebannt, als sie ihn dabei überraschten, wie er Trophäen anfertigte.

Leni hatte im Stall zu tun, und Eva und Ulli fanden Sigi, der fünf Jahre alt war, in der Stube vor. Er saß auf dem Holzfußboden, umgeben von Nägeln, Holzstückchen, einem Küchenmesser und einem Hammer. Und dann lagen da die enthaupteten Leiber verschiedener Stofftiere: eine Gans mit rot-weißem Gefieder, ein brauner Bär mit einem rotem Tuch um den Hals, ein Spürhund mit langen schwarzen Ohren. Die Köpfe dieser Stofftiere aber hatte Sigi auf Holzbrettchen genagelt.

Schweigend betrachteten sie die Szene, die zu bizarr war, als dass sie darauf prompt hätten reagieren können. Selbst Leni, die kurz darauf hinzutrat und die sonderbaren Jagdtrophäen entdeckte, verlangte keine Erklärung von ihrem Sohn. Sie hob nur den Blick zu den Holztafeln an der Wand, auf denen die einzigen Spuren befestigt waren, die ihr Mann, neben den beiden Kindern, auf Erden hinterlassen hatte: die Köpfe von Hirschen, Steinböcken und Gämsen, mit Geweihen, so spitz wie an dem Tag, da Peter sie geschossen hatte.

Hin und wieder suchten die Schützenbrüder die Witwe ihres früheren Kameraden auf, um sich zu erkundigen, ob sie irgendetwas brauche. »Nein, danke«, antwortete Leni nur, und ihre Gesichtszüge entspannten sich nicht mehr, bis die Männer endlich gegangen waren.

Auch Ulli verdrückte sich bald aus der Stube, wenn die Schützen zu Gast waren.

»Dein Vater hat sein Leben für dich geopfert«, bekam er häufig von den Schützen zu hören, und diese Worte lösten bei ihm eine Mischung aus Sehnsucht, Widerwillen und Ratlosigkeit aus. Wie sollte er sich jemals für ein solch übertrieben großes Geschenk angemessen bedanken können? Und welche Vorteile hatte es ihm überhaupt gebracht?

Sigi hingegen begleitete die Männer beim Abschied noch bis zur Straße hinaus. Er fand sie in ihren Trachten äußerst beeindruckend. Bald schon, noch bevor er eingeschult wurde, durfte er bei ihren Übungen dabei sein. »Dein Vater hat sein Leben für dich geopfert«, sagten sie auch zu ihm, doch im Gegensatz zu Ulli fühlte er dabei, wie sich endlich in seinem Innern diese erinnerungslose Leere füllte, die sein Vater dort hinterlassen hatte.

Leni sah es nicht gern, dass Sigi mit den Schützen verkehrte. Aber was hätte sie dagegen unternehmen können? Auch die Schwingshackls betrachteten die Sache so wie sie. Evas Adoptiveltern empfanden Mitleid für Leni und ihre Kinder und selbst für Hermann, diese kranke Seele, der seinen einzigen Sohn verloren und seine Tochter verstoßen hatte. Aber nie und nimmer hatten sie Peter für einen Helden gehalten. Für sie gab es viele Möglichkeiten, anderen Menschen Gutes zu erweisen, und einige davon verlangten Mut und Opferbereitschaft, aber was so heroisch daran sein sollte, sich selbst und andere in die Luft zu sprengen, wollten und konnten Sepp und Maria einfach nicht verstehen.

Etwas Neues kam auf, Open Air – ein Begriff, der ganz und gar nach Zukunft klang.

Es war nicht einfach Musik. Es war etwas Festes, das einen packte und das man nicht mit den Ohren hörte, sondern mit den Füßen, dem Bauch, den Haaren. Die Härchen an den Armen stellten sich auf, die Knie wurden weich, und der eigene Wille erlahmte. Und dann der Rhythmus! Wo hatte man schon mal solch einen Rhythmus gehört? Der Schlagzeuger schüttelte seine lange Mähne, dass die Haarsträhnen wie Schlangen durch die Luft flogen und die Schweißtropfen spritzten, und niemand hätte es für möglich gehalten, dass das Instrument, auf dem er sein Solo hämmerte, mit den Trommeln der Musikkapelle verwandt sein könnte. Und das war es auch nicht. Es war völlig anders. Alles war völlig anders. Sogar die Burg auf der Anhöhe über dem Städtchen, wo Eva, Ulli, Ruthi und Wastl sich jetzt aufhielten, war nicht mehr das, was sie eben noch gewesen war. Noch nicht einmal die Belagerungen im Mittelalter hatten die uralten Bastionen derart in ihren Grundfesten erschüttert wie jetzt dieses Ereignis: ein Rockkonzert.

Nie zuvor hatte es das gegeben, dass so viele Menschen auf der Wiese und unter den Lärchen vor der Burgmauer lagerten: junge Mädchen mit nackten Beinen und langen Haaren, in die Lederbänder geflochten waren, junge Männer in bunten Hemden und mit Tüchern auf dem Kopf, Pärchen, die eng umschlungen im Gras lagen und sich überall berührten und auf den Mund küssten. Und über allem und um alles herum, wie eine zähe Flüssigkeit, in der Eva, ihre Cousins, die verliebten Pärchen und die ganze Burg trieben, diese Musik wie von heiligen Teufeln. Evas Augen und Ohren, ihre Haut, konnten gar nicht alles fassen, was um sie herum geschah.

Ruthi hingegen war traurig. Jenes Mädchen, das Eva einst wie eine geschenkte Puppe empfangen und angenommen hatte, war inzwischen fünfzehn Jahre alt, immer noch strohblond und ein wenig zu dünn, doch der Blick ihrer Augen unter den hellen Wimpern wirkte sonst so offen und freundlich, dass ihre Gesellschaft von allen geschätzt wurde. Auch von Wastl. Sehr sogar. Sie ihrerseits hatte gemerkt, dass sie seine Gesellschaft nicht nur als angenehm, sondern fast unverzichtbar empfand. Aber soeben hatte Wastl ihr eröffnet, dass er nach Ende seines Wehrdienstes bei der Weinernte im Etschtal ein wenig Geld verdienen und zur Seite legen wolle, um dann nach Marokko zu fahren.

Marokko. Das klang nach einem sehr, sehr weit entfernten Land, vielleicht in Amerika, dachte Eva. Ja, so musste es sein. Bei Ulli zu Hause hatte sie in dem neuen Fernseher vor Kurzem erst von einer Stadt dieses Namens reden hören: Marokko-City. Wie kam man da wohl hin? Mit dem gleichen Bus, der ihre Mutter immer fortbrachte? Vielleicht lag Marokko in derselben Richtung wie die Küche, in der Gerda arbeitete, nur ein wenig dahinter noch.

Nein, er fahre nicht mit dem Bus, erklärte ihr Wastl. Nach Marokko werde er trampen. Er fragte Ruthi nicht, ob sie mit ihm kommen wolle. Sie bemühte sich, die Tränen zu unterdrücken, doch die Band auf der Bühne mit dem unaussprechlichen Namen *The We* machte ihr das nicht leichter: Sie hatte gerade mit einem langsamen, sehr traurigen Stück begonnen, und die elektrische Gitarre heulte auf wie ein verletztes Tier.

Trampen.

Noch so ein lustiges Wort. Eva war sich nicht ganz sicher, ob sie richtig verstanden hatte, was es bedeutete, doch wenn sie groß wäre, wollte sie das auf alle Fälle auch tun.

Wir sind wieder ein ganzes Stück vom Meer entfernt, die Halbinsel von Sorrent hat sich dazwischengeschoben. Seit wir Angri
hinter uns gelassen haben, verbreitet sich, immer wenn der Zug
die Fahrt verlangsamt, ein entsetzlicher Gestank nach verbrann-
tem Gummi im Abteil. Es wird wohl an den Bremsen liegen.

Je südlicher wir kommen, desto weiter ist der Frühling vor-
angeschritten: Hier haben die Obstbäume schon keine Blüten
mehr, sondern nur noch frisches Grün. An der Kreuzung zweier
Schnellstraßen steht inmitten der Fahrbahnen eine Jugendstil-
laube aus Glas und Schmiedeeisen, filigran wie ein Pavillon in
einem italienischen Garten. Ein der Schönheit geweihtes Tem-
pelchen in der Einöde.

Die Gleise im Bahnhof von Salerno schimmern weiß von
Desinfektionsmitteln oder vielleicht auch Kalk. Man scheint hier
sehr darum bemüht, die Hinterlassenschaften der Flegel, die bei
stehendem Zug die Toilette benutzen, unschädlich zu machen.
Der Hügel, der sich über den Schutzdächern erhebt, ist mit Reihen völlig gleichförmiger Wohnhäuser überzogen.

Aber einen schönen Blick aufs Meer haben deren Bewohner
immerhin.

Die beiden Amerikanerinnen steigen aus, mit dem Ziel Amalfiküste, vermute ich. Wieder wuchtet allein die Dicke beider Gepäck von der Ablage, die andere bleibt sitzen und sieht ihr mit
unbeteiligter, verschlossener Miene zu. Dieses Mal habe ich keine Lust, ihr meine Hilfe anzubieten. Das korpulente Mädchen
schnauft unter der Last ihres Rucksacks mit dem rosafarbenen
Bärchen.

Dreh ihn doch einfach um, deinen Bären, würde ich ihr am liebsten zurufen, so kannst du doch nicht herumlaufen, mit einem kopfüber gehenkten Stofftier! Aber dazu fehlt mir der Mut. Es ist auch besser so, dergleichen macht keinen guten Eindruck, und auf Reisen ist man auf das Wohlwollen fremder Menschen angewiesen ...

Vielleicht bin ich auch so empfindlich, was zweckentfremdete Stofftiere angeht, weil mich damals Sigis Enthauptungen zu sehr schockierten. Außerdem haben die beiden Amerikanerinnen das Abteil ohnehin schon verlassen, und zwar grußlos. Fast drei Stunden sind wir zusammen gereist, ohne ein Sterbenswörtchen miteinander zu wechseln.

›Aber glaub mir, irgendwann wirst du dieser magersüchtigen Schinderin noch ihren verdammten Rucksack ins Gesicht schleudern ...‹

Bevor der Zug wieder anfährt, werden die freien Plätze neu belegt, von einem älteren Paar so um die sechzig sowie von einer jungen Frau von vielleicht fünfundzwanzig, höchstens dreißig Jahren in Bluse und Jeans. Sie hat schöne große Zigeuneraugen, aber eine ein wenig picklige Haut, worunter sie bestimmt leidet. Die ältere Dame, vermutlich ihre Mutter, sitzt mir gegenüber. Ihre Handtasche, die Jacke sowie eine pralle Einkaufstüte hält sie auf den Knien. Sie stellt nichts ab, obwohl neben ihr und mir noch zwei Plätze frei sind.

Von den Indern im Nebenabteil dringt lautes Schnarchen zu uns, das mindestens ebenso ausdrucksstark ist wie das »Hallo, hallo!« nicht lange zuvor.

Von Battipaglia an wieder Gewächshäuser, so weit das Auge reicht. Violett (Endiviensalat), hellgrün (Kopfsalat) oder rot (Tomaten) schimmert es unter dem Glas bis zu den ersten Häusern am Hang. Zwischen den Wohnblöcken sieht man sogar Zitronenhaine. Ein brachliegender Acker ist mit gelben, pinkfarbenen, violetten und blauen Blumen übersät, und auf dem Feld daneben glitzert das Grün des Weizens. Welche Farbenpracht dieses Land doch bietet.

Aus sattroten Backsteinen gebaut sind hingegen die elegant geschwungenen Bögen der Brücke, die zu einer stillgelegten Bahnlinie gehört. Die Spurweite ist extrem schmal, und so sehen die Gleise wie die einer Spielzeugeisenbahn aus. Möglich, dass sie noch aus der Zeit der Bourbonen stammt, als Neapel eine der modernsten Städte der Welt war.

Wir durchqueren einige kleine, unbewohnte Täler und dann das Städtchen Vallo di Lucania, bevor plötzlich die Backsteine der alten Eisenbahnlinie wieder auftauchen, eine weitere Brücke in dieser schönen, warmen Farbe, die anmutig eine Schlucht überspannt. Die Trasse des Gleisbetts zieht sich weiter, bis sie ... gegen ein Haus stößt. Ob sie dort drinnen weiterverläuft? Wer weiß. Vielleicht verhält es sich wie bei diesen Häusern in Rom, die um antike Aquädukte herumgebaut wurden. Ein Bogen, über den vor zweitausend Jahren Wasser in die Ewige Stadt geleitet wurde, dient heute als Architrav. Auch nicht schlecht, denke ich, wenn eine der historischen Eisenbahnlinien des Landes durchs eigene Wohnzimmer verläuft.

Manche Dinge gibt es eben nur in Italien.

Mittlerweile ist es noch schlimmer geworden mit dem penetranten Gummigeruch, der einem, sobald der Zug bremst, in die Nase steigt.

»Was stinkt denn da so?«, stöhnt die Frau mir gegenüber.

Obwohl seit ihrem Einstieg jetzt schon eine Stunde verstrichen ist, hält sie weiter Handtasche, Plastiktüte und Jacke an die Brust gepresst, als säßen wir in einem überfüllten Zug in Indien und nicht in einem Waggon, der wegen des Feiertags halb leer ist. Sie hat sogar noch ihre Fahrkarte in der Hand, jederzeit bereit, sie dem Schaffner vorzuzeigen. Nach dem üblichen Hin und Her mit Signora/Signorina haben wir im Abteil ein wenig zu plaudern begonnen.

Die Familie stammt aus Messina. Der Ehemann ist ein pensionierter Polizist, wie ich an seinem grau melierten Schnurrbart und seinem immer noch athletischen Körperbau hätte erkennen können. Die Tochter hat ein literaturwissenschaftliches Studium abgeschlossen und erwirbt jetzt an einem pädagogischen Seminar ihre Unterrichtsbefähigung. Ihre Empörung ist groß.

»Was da für Leute aufgenommen werden! Manche sind verhaltensgestört und dürften niemals auf junge Menschen losgelassen werden. Andere haben gar nicht studiert und sind nur über Beziehungen reingerutscht.«

Sie fragen mich, woher ich stamme. Und ich sage es ihnen.

Hinter der Barriere ihrer Besitztümer hat die Mutter aufmerksam zugehört. Eigentlich müssten ihr längst die Arme schmerzen. Um das alles besser halten zu können, hat sie die Fersen angehoben.

»Wir waren mal in Ortisei in Ferien, als die Kinder noch klein waren. Sehr schön, Alpe di Siusi, nicht wahr, Mario?«

»Ja, herrlich, ein Paradies.«

Die Eheleute lächeln. Vielleicht erinnern sie sich an einen ganz besonderen Moment auf der Seiser Alm.

»Und bei Ihnen in Alto Adige ist das auch anders als bei uns auf Sizilien. Sie haben eine echte regionale Autonomie. Wir sind zwar ebenfalls autonom gegenüber dem italienischen Staat, werden dafür aber von der Mafia beherrscht. Hätte ich meine Karriere noch mal zu beginnen, würde ich mich nach Norditalien versetzen lassen und dort meine Kinder großziehen, ohne all diese Leute, die es nur über verdächtige Beziehungen zu was bringen.«

Seine Frau blickt mich an und fragt dann plötzlich, wie aus dem Hinterhalt:

»Entschuldigen Sie die Frage …, aber fühlen Sie sich eher als Deutsche oder als Italienerin?«

Noch nicht mal die Tasche hat sie abgestellt, bevor sie mich das fragt!

Ich hole Luft. Natürlich ist meine Antwort wohldurchdacht und hat sich oft bewährt.

»Mein Reisepass ist italienisch, meine Sprache Deutsch, meine Heimat ist der südliche Teil Tirols, dessen übrige Teile, Nord- und Osttirol, allerdings in Österreich liegen. Für uns heißt dieser Teil Südtirol, doch im Italienischen sagt man ›Alto Adige‹, oberes Etschland, denn das ist ja der eigentliche Unterschied: Entscheidend war immer, von wo aus man das Land betrachtet, von oben oder von unten.«

Meine Antwort lässt die Frau verstummen. Sie blickt zu ihrem Ehemann.

»Aber in Ortisei haben sie doch ladinisch gesprochen, nicht wahr?«, fragt sie ihn.

»Ja.«

»Das sich allerdings«, werfe ich ein, »von jenem Ladinisch unterscheidet, das im Val Badia, für uns Gardertal, gesprochen wird.«

»Eine komplizierte Gegend.«

»Das können Sie laut sagen.«

Bis vor einigen Jahren wurde man noch für eine Terroristin gehalten, wenn man angab, eine deutschsprachige Südtirolerin zu sein. Oder zumindest wurde man gefragt: Warum hasst ihr die Italiener eigentlich so?

Das hat sich mittlerweile geändert. In der Wochenendbeilage meiner Tageszeitung ging es vor einigen Monaten in der Titelgeschichte um separatistische Bestrebungen von Volksgruppen in Europa. Aufgezählt wurden:

Korsika,

die Slowakei,

Schottland,

Katalonien,

das Baskenland,

der Kosovo,

Montenegro,

Slowenien,

Kroatien,

Bosnien

und

Padanien.

Padanien!

Von Südtirol keine Spur.

Als ich einmal Zhou heimbrachte, die mich besucht hatte, traf ich auf Signor Song, der zufällig zu Hause war. Was selten vorkommt, denn er ist ständig unterwegs, seiner Geschäfte wegen, die er im ganzen nordöstlichen Italien betreibt. Er bat mich herein und führte mir seine Kiste für die Kampfgrillen vor, die einzige Habe, die er aus China mitnehmen durfte. Darin befanden sich: zwei winzige, mit filigranen Emailleornamenten verzierte Schälchen, eines für Wasser, das andere für Futter; des Weiteren ein Miniaturkäfig, eine Art eheliches Schlafgemach, in dem die rassigsten Kämpfer mit den fruchtbarsten Grillen gepaart werden; eine mikroskopisch kleine Waage, um die Grillen zu wiegen, damit man gleich starke und schwere Tiere gegeneinander antreten lassen kann; und schließlich eine Art Pinselchen mit nur einer Borste, das dazu dient, wie mir Signor Song erklärte, die Grillen vor dem Kampf anzustacheln und aggressiver zu machen. Nun aber war dieses winzig kleine Puppenhaus leer, und das Fehlen der Grillen verbreitete eine Atmosphäre von Verlassenheit und Exil.

»Warum fangen Sie sich nicht zwei Grillen hier irgendwo auf einer Wiese und versuchen, sie gegeneinander kämpfen zu lassen?«, fragte ich ihn.

Signor Song blickte mich aus freundlichen Augen an und antwortete, ohne einen Anflug von Ungeduld:

»Nur eine chinesische Grille kann auf chinesische Art kämpfen.«

Wie ich mich erinnere, schien mir das ein Satz von enormer Weisheit zu sein, und ich schwieg.

Jetzt frage ich mich, ob das wirklich stimmt.

1981 haben Ulli und ich uns auf einer Brücke in Bozen zusammen mit vielen anderen jungen Leuten in Käfige eingeschlossen, um gegen die vom neuen Autonomiestatut vorgesehene Volkszählung zu protestieren.

Das war sieben Jahre vor seinem, nun, Arbeitsunfall – nennen wir es einmal so. Ulli war fast zwanzig, er konnte schon wählen, und auch ich würde bald volljährig werden. Jeder erwachsene Einwohner Südtirols sollte erklären, welcher Volksgruppe er angehöre: der deutschen, der ladinischen oder der italienischen. Wer diese Erklärung nicht ausfüllte, sollte an keiner Schule unterrichten, keine Sozialleistungen beantragen und nicht im öffentlichen Dienst arbeiten können. Das eigentliche Problem: Es war nicht möglich, sich als multiethnisch zu erklären. Für diese *Sprachgruppenzugehörigkeitserklärung* hatte sich der alte Magnago so sehr eingesetzt, ausgerechnet er, der Sohn einer Deutschen und eines Italieners vertrat nun die Ansicht: »Nicht Knödel mit Spaghetti mischen«, wie er sagte. Schulen, Bibliotheken, Behörden, Kulturinstitute, alles sollte dieser Auffassung nach getrennt werden.

Meine Mutter behauptete, sie sei überzeugt, dass dies die richtige Lösung sei.

»Eine Ehe zwischen einem Italiener und einer Deutschstämmigen kann niemals gut gehen«, behauptete sie. Damals war Vito schon acht Jahre fort.

Im Übrigen hat meine Mutter Magnago immer verehrt, seit sie ihn als kleines Mädchen auf Schloss Sigmundskron erlebte. Und unermüdlich erzählte sie davon, wie sie dem Vater der Südtiroler Autonomie in dem Hotel, in dem sie arbeitete, einmal die Hand drücken durfte. Wir Jüngeren hegten nicht so große Sympathien für ihn. Die Grünen *(Verdi)* hatten die Protestaktion organisiert, angeführt von Alexander Langer, einem koboldhaften Mann mit Kaninchenzähnen und großen Visionen, der sich unsere mittlerweile autonome und immer reicher werdende Heimat anders erträumte, weniger engherzig, weniger spießig, und sich gegen eine hinterwäldlerische Apartheid wandte. Viele brave Südtiroler hassten ihn dafür, Silvius Magnago an erster Stelle. An den beiden Käfigen auf der Talferbrücke waren Schilder angebracht. Auf dem einen stand DEUTSCHE, auf dem anderen ITALIANI. Wer vorüberging, wurde aufgefordert, sich in den Käfig mit seiner Volksgruppe einschließen zu lassen. War die Gittertür geschlossen, durfte man mit den Leuten in dem anderen Käfig nicht mehr kommunizieren. Gerade so, wie es die Chefs der SVP für die *Daitschen* und *Walschen* wünschten.

Es war ein warmer, sonniger Tag, und die aneinanderklebenden Leiber der Demonstranten im Käfig der *Daitschen* rochen nach Wolle und Schweiß. In dieser Situation war es, dass Ulli zu mir sagte:

»In solch einem Käfig lebe ich, seit ich auf der Welt bin.«

Ich konnte mich nicht zu ihm umdrehen, dazu war es zu eng.

»Wie meinst du das?«, fragte ich ihn.

Und er antwortete:

»Ja, seit die Hebamme zu meiner Mutter ›Es ist ein Junge‹ gesagt hat.«

Wir durchqueren immer noch eine zeitlose Landschaft: Bäche mit klarem Wasser, im Sonnenlicht strahlende Forsythiensträucher, Feigenkakteen mit wie Korallenkolonien angeordneten Früchten, Olivenbäume mit ausladenden Kronen, unter denen ganze Familien Platz finden würden. Unter einem blühenden Mandelbaum sitzt eine junge Frau und stillt ihr Baby. Und erneut spannt sich über eine tiefe Schlucht eine Brücke der alten Eisenbahnlinie aus warmrotem Backstein. Nur dort, wo sie durch die Luft führt und deshalb nicht im Weg war, hat sich die Bahnlinie erhalten können, oder wo sie einer neueren Konstruktion einverleibt wurde.

Vielleicht verhält es sich ähnlich mit der eigenen Identität, die für den Menschen ja offenbar so wichtig ist: Nur wenn sie sich dem Lauf der Dinge entzieht, kann sie sich unverändert erhalten, sonst muss sie sich wandeln, oder sie stirbt.

Abwechselnd Tunnel und Blick aufs Meer und noch ein Tunnel und wieder ein Tunnel. Hinter Policastro mit seiner mittelalterlichen Stadtmauer aus grauem Stein in nächster Nähe zum Meer verlassen wir Kampanien.

Weißer Schleier, langes weißes Gewand, Überwurf aus weißem Samt: Abgesehen von ihrer kindlichen Figur, sah Eva wie eine Novizin aus.

Gerda nicht.

Sie trug ein Kleid aus Chiffon mit aquamarinfarbenen Mustern, das nicht ganz so kurz war wie die Kleider, die sie zum Tanz anzog, aber fast. Über dieses »Fast« hatte sie sich viele Gedanken gemacht, lange überlegt, wie viel Bein sie anlässlich der Erstkommunion ihrer Tochter zeigen durfte. Nicht zu viel natürlich, um niemanden zu verletzen. Aber auch nicht zu wenig, damit niemand auf den Gedanken kam, sie wolle etwas verbergen. Gerda lag daran, offen zu zeigen, dass sie sich nicht schämte, eine freie Frau zu sein. Das Geld, mit dem sie Brot und Milch für sich und ihre Tochter kaufte, verdiente sie selbst und musste niemanden darum bitten. Und daher konnte sie auch selbst darüber entscheiden, wen sie in ihr Bett ließ und wen nicht.

Dennoch.

Sie musste sich sehr konzentrieren, um niemanden daran zu erinnern, vor allem sich selbst nicht, dass von den Müttern der Kommunionkinder nur eine nicht verheiratet war. Die ganze Messe über hielt sie daher den Blick auf die Kirchenfenster hinter dem Altar gerichtet, durch die das Licht auf die hässlichen Wandmalereien aus dem 19. Jahrhundert mit der Darstellung der armen bärtigen Heiligen fiel. Nur hin und wieder senkte sie ihn kurz, und nur ein-, zweimal betrachtete sie die Kommunionkinder, darunter auch Eva, die in Erwartung des Sakraments in der ersten Bank vor dem Altar saßen. Die Mädchen wie Nonnen oder Bräute gekleidet, die Jungen wie kleine Zeremonienmeister mit Samtwesten und weißen Hemden darunter, die sauber, aber häufig von älteren Brüdern vermacht waren und daher abgetragen wirkten. Gerda drehte sich nicht ein einziges Mal zum Rest der Festgesellschaft um.

Auch Eva sollte sich später immer an den Tag ihrer Erstkommunion erinnern, allerdings aus einem anderen Grund, nämlich wegen der Skier.

Als sie damals nach der Feier heimkamen, standen diese vor der Tür des Hauses, in dem sie beide außerhalb der Saison in einem möblierten Zimmer lebten. Die Bretter waren länger als sie selbst, zitronengelb und sehr schwer. Noch in ihrem Novizinnengewand wollte Eva sie anprobieren, obwohl das kompliziert zu werden drohte. Vor allem die Bindungen machten ihr Kopfzerbrechen, denn obwohl sie den Fuß noch nicht hineingestellt hatte, schienen ihr diese Doppelzangen furchtbar beengend zu sein.

Gerda wurde sofort misstrauisch, als sie die Skier sah. Ihr Zimmer befand sich im Erdgeschoss des zweistöckigen neuen Hauses, dessen Etagen mit Wohnungen für Touristen eingerichtet waren, die jetzt im Mai leer standen. Das Haus lag am Rand des Städtchens, nicht weit von dem steilen Weg, der zu der Kapelle und den Höfen von Ulli, Wastl, Sepp und Maria führte. Neben dem Wohnhaus breitete sich ein in diesem Jahr brachliegender Kartoffelacker aus, und dazwischen zog sich ein weißer Kiesweg entlang, von Fliedersträuchern gesäumt, dessen weiße, rosa- und lilafarbenen Blüten ihren durchdringenden Duft verströmten. Und dort stand auch der cremefarbene 190er Mercedes. Hannes lehnte am Kotflügel, die Beine gekreuzt und mit dem Blick eines Menschen, der schon eine ganze Weile in die gleiche Richtung starrt: auf Gerda.

Die schlug die Augen nicht nieder, sondern hob den Blick ein wenig, sodass er gelassen hinwegglitt über diese Gestalt, den Vater ihrer Tochter, und sich auf die Gletscher am Horizont richtete.

Eva wusste auf Anhieb, wer das war.

Hannes trat auf sie zu. Gerda zündete sich eine Zigarette an und begann zu rauchen, indem sie mit einer Hand den Ellbogen des anderen Armes stützte. Ihr Blick verlor sich in der grenzenlosen Weite.

»Gefallen sie dir?«, fragte der Mann mit den gelblichen Haaren.

»Die sind schwer«, antwortete Eva.

»Das ist eben gute Qualität. Du wirst sehen, mit denen saust du wie Gustav Thöni.«

»Ich kann aber nicht Ski fahren.«

Ein Schweigen folgte. Die Tochter des Mannes, dessen Vater König des Skikarussells war, hatte noch nie ein Paar Skier an den Füßen gehabt. Diese Eröffnung schien Hannes Staggl ein wenig aus der Fassung zu bringen.

»Ich bin Köchin und keine feine Dame, die das Geld zum Fenster rausschmeißen kann.«

Obwohl Gerda höchstens einen Meter von Eva entfernt stand, schien ihre Stimme aus weiter Ferne zu kommen.

Hannes drehte sich nicht um, zu dieser immer noch wunderschönen Frau, die er einige Jahre zuvor geschwängert hatte, sondern wandte sein Gesicht weiter der weißen Nonne im Kleinformat zu.

»Hätte deine Mutter mich heiraten wollen, müsste sie jetzt nicht in einem Hotel arbeiten, sondern würde eines besitzen.«

Gerda sog an der Zigarette und behielt den Rauch eine Zeit lang, die Eva ewig vorkam, im Mund. Dann blies sie ihn heraus, in perfekten runden blauen Ringen, die wie kleine, abenteuerlustige Raumschiffe auf die Fliederbüsche zuschwebten. Doch das Unternehmen misslang am Ende, denn eins nach dem anderen löste sich auf, bevor es landen konnte.

»Als ich schwanger war, hat niemand um meine Hand angehalten.«

Die Zigarette war noch nicht zu Ende geraucht, aber Gerda ließ sie zu Boden fallen und trat sie mit dem Absatz aus. Sie nahm Eva bei der Hand, ging mit ihr ins Haus und zog die Tür hinter sich zu. Ganz sanft.

Hannes' Geschenk erwies sich schon bald als unvollständig: Skischuhe waren nicht inbegriffen. Nach einem Versuch, die mit Gummistiefeln bekleideten Füße in die Bindung zu klemmen, gab Eva es auf.

Es war Sepp, der schließlich eine Lösung fand. Er bastelte zwei schmale Holzschemel und nagelte sie auf die Skier, die er einen halben Meter unterhalb der Spitze abgesägt hatte. Dann brachte er noch eine Art Lenkstange an, und als es Winter wurde, sausten Eva und Ulli auf ihren *Böckl* unermüdlich, Hunderte, ja Tausende Male, den Abhang hinter dem Heuboden hinunter. Das hätte sogar Gustav Thöni Spaß gemacht.

Einige Monate später lud Sottotenente Colonnello Genovese Gerda mehrere Male zum Tanzen ein. Der Carabiniere hatte sie bereits bei seiner »Sottufficial-Party« bemerkt, war aber mit anderen weiblichen Bekanntschaften, die fast selbst für ihn zu viel waren, zu sehr in Anspruch genommen gewesen, um noch eine weitere Dame unterzubringen. Nun hatte sich aber eine dieser jungen Frauen kürzlich für immer von ihm verabschiedet, indem sie ihm im Foyer des Hotels Greif in Bozen einen eisgekühlten Drink ins Gesicht schüttete, was Genovese sogar freute, denn ihm lag viel an seinem besonderen Ruf. Jedenfalls fand er, mehr als ein Jahr später, nun endlich Zeit, sich auch um Gerda zu kümmern.

Der Umgang mit diesem Neapolitaner, der ihr nur bis zur Schulter reichte und keinen Augenblick lang den Mund hielt, missfiel Gerda ganz und gar nicht. Im Tanzlokal war ein solcher Größenunterschied kein Drama, da mittlerweile – die Zeiten hatten sich geändert – die Taille der Dame nicht mehr unter der des Herrn liegen musste. Der Tuca Tuca, ein Tanz, bei dem die Arme auszustrecken und die Partnerin im Rhythmus der Musik abzutasten war, schien für Genovese derart geschaffen, dass er, und nicht Raffaella Carrà, ihn hätte erfunden haben können. Auch im Bett kam er gleich zur Sache und war nicht unbedingt das, was man einen einfühlsamen Liebhaber nennt. Aber das erlebte Gerda nicht zum ersten Mal. Immerhin war er danach entspannt, geradezu liebenswert. Er erzählte Gerda von seiner wunderschönen, vom Mond über dem Golf erhellten Heimatstadt, und der Blick seiner unruhigen Frettchenaugen wurde noch sanfter, als er hinzufügte:

»Irgendwann fahre ich mal mit dir hin.«

Es wurde nicht erwartet, dass sie ihm das abnahm, aber sie wusste es zu schätzen, dass er sich verpflichtet fühlte, ihr etwas vorzumachen. Vor allem aber brachte er sie zum Lachen.

»*Si accussì bella ca si faciss' nu pireto m' 'o zucass\!*«, hatte er einmal, während er neben dem Bett stand und sich ankleidete, in seinem neapolitanischen Dialekt zu ihr gesagt.

Sie lag auf der Seite, ihr nackter, üppiger Körper mit der glatten Haut sinnlich zu einem S auf dem Betttuch geschwungen, und blickte ihn jetzt verständnislos an.

Unter seinem Hemd schaute sein hängendes Geschlecht hervor, seine kurzen, mit gelockten schwarzen Haaren übersäten Beine steckten in Socken, die er die ganze Zeit nicht abgelegt hatte und von denen eine ein Loch aufwies.

Er nahm die Schultern zurück, drückte den Rücken durch, reckte das Kinn, deklamierte in einem Italienisch, das eines Mitglieds der *Accademia della Crusca* würdig gewesen wäre, die Übersetzung: »Du bist so schön, dass ich, sollte dir eine Flatulenz entweichen, sie ganz in mich aufsaugen würde.«

Sie fragte ihn nach der Bedeutung des Wortes Flatulenz, und als er es ihr erklärte, brach sie in Gelächter aus und lachte immer noch, als er bereits gegangen war.

Das war auch der Grund, weshalb Genovese bislang ungeschoren davongekommen war. Weder war ein eifersüchtiger Ehemann mit dem Messer auf ihn losgegangen, noch war er von einem Kameraden, dem er sein Südtiroler Fräulein ausgespannt hatte, zusammengeschlagen oder von seinen Vorgesetzten degradiert worden, denen er eigentlich ständig neue Gründe eben dafür lieferte. Denn so vulgär, verlogen, treulos und faul er auch sein mochte, so verstand er es doch bestens, seine Mitmenschen in gute Laune zu versetzen. Und deshalb war auch Gerda an diesem Morgen vergnügt, wenn sie daran dachte, dass Genovese sie abends wie so oft mit seinem Fiat Cinquecento zum Tanz abholen würde, einem Auto, das eher zu seinen als zu ihren Beinen passte.

»Mi piaci, ah!, Tuca, Tuca ...«*, trällerte sie vor sich hin und swingte dabei mit Schultern und Hüften, während sie die Treppe zu den Speisekammern hinabstieg. Vor der Kühlkammer angekommen, warf sie sich den dicken Wintermantel über, betrat den Raum und nahm, immer noch singend, den halben Lammrumpf vom Haken, mit dem sie das *Plat du jour* zubereiten würde: Lammrippchen im Kräutermantel.

»Mipiàcimipiàcimipiàcimipiàcimipiàci« – in dem eiskalten Kühlraum wurde der Rhythmus des Liedchens sichtbar mit jedem Hauch, der vor Gerdas Mund gefror.

Ja, an diesem Tag war Gerda bester Stimmung.

---

* »Du gefällst mir ah! Tatsch, tatsch.«

Zum gleichen Zeitpunkt stand in einem Flur der Carabinieri-kaserne Genovese mit Vito zusammen und unterhielt sich mit ihm. Am Abend sei er verabredet, erzählte er ihm, doch habe sich jetzt gerade etwas Neues für ihn ergeben, etwas Neues namens Waltraud, auf das er ungern verzichten würde.

»Willst du mich nicht vertreten? Gerda ist ein sehr schönes *froilèn*, und du wirst mir noch danken, da kannst du sicher sein.«

Eigentlich hatte Vito keine Lust, an diesem Abend noch auszugehen, denn für den nächsten Morgen war er sehr früh zu einer Patrouille eingeteilt. Doch Genovese ließ nicht locker, so ein schönes blondes Mädchen könne man doch nicht ohne Verehrer sitzen lassen, erklärte er, das wäre eine Todsünde, und so kam es, dass Vito, fast schon aus Pflichtgefühl, sich schließlich einverstanden erklärte.

Wenn Gerda und Vito sich später gemeinsam daran erinnerten, wie sie sich zum ersten Mal gesehen hatten, und ihre ersten Eindrücke voneinander verglichen, merkten sie, wie unterschiedlich sie diese Begegnung wahrgenommen hatten.

Als Vito sie sah, war sein erster Gedanke, das Weite zu suchen. Gelegenheit dazu hätte er gehabt, denn sie hatte ihn noch nicht als Genoveses Vertreter ausgemacht, ja sie wusste nicht einmal, dass er einen Ersatzmann geschickt hatte. Die ist zu schön für mich, dachte Vito. Nicht schön in dem Sinne, wie ein gesundes Mädchen mit einem wohlgestalteten Körper und einem ansprechenden Gesicht eben als schön gilt. Sondern so schön, dass es schmerzte, dass man sich nach ihr sehnte, selbst wenn sie direkt vor einem stand, so schön, dass man die Arme um sie legen und es einfach nicht zulassen wollte, dass ihr irgendetwas oder irgendjemand auf der Welt etwas zuleide tat.

Als Gerda ihn hingegen sah, oder genauer, den fremden Carabiniere in Uniform, der am Personalausgang auf sie wartete, verspürte sie einen Krampf im Magen. Sicher war wieder etwas Schlimmes geschehen, und der Mann kam, um ihr die traurige Nachricht zu überbringen. Mit Peter konnte es diesmal nichts zu tun haben. Der war tot. Aber mit Eva. Was konnte geschehen sein?

Unterdessen hatte Vito dem Drang davonzulaufen widerstanden. Der Sottotenente Colonnello Genovese, sagte er zu ihr, lasse sich vielmals entschuldigen, er bedauere unendlich, die Verabredung nicht wahrnehmen zu können, aber er sei verhindert. Sollte sie jedoch mit einem Ersatz für eventuelle Abendbelustigungen vorliebnehmen wollen, so erkläre er sich höflichst dazu bereit. Er benutzte die steifen Formulierungen eines Offiziersrapports, aber in seiner Brust herrschte Aufruhr. Während er sprach, schlug sein Herz im Brustkorb so aufgeregt wie die Flügel eines frisch gefangenen Paradiesvogels im Käfig.

Erst jetzt nahm Gerda zum ersten Mal an Vito Eigenschaften wahr, die über die Erkenntnis, dass er nicht Genovese war, hinausgingen. Seine Figur war ganz ähnlich wie die des Neapolitaners: Auch er war klein, dunkelhaarig und besaß die ausgeprägte Nase antiker Seefahrervölker. Doch vom Charakter her hätten sie von verschiedenen Kontinenten stammen können. So laut und exaltiert Genovese war, so ernsthaft und zurückhaltend schien dieser Mann, dessen Blick im Übrigen auf ihrem Gesicht ruhte und nicht auf ihren Brüsten oder ihren Hüften unter dem eng anliegenden Kleid.

Sehr enttäuscht war Gerda nicht. In gewissem Sinne war es abgemacht, dass Genovese irgendwann wieder aus ihrem Leben verschwinden würde, und eigentlich war er sogar schon länger als erwartet bei ihr geblieben. Sich den Abend verderben zu lassen passte nicht zu ihr, und so willigte sie ein, sich von Vito ausführen zu lassen.

Auch was diesen Abend betraf, stimmten ihre Wahrnehmungen später nicht überein. Vito behauptete, er habe sie noch zum

Essen in die Trattoria beim Ponte Druso eingeladen; Gerda war sich dagegen sicher, dass sie sofort tanzen gegangen seien. Tatsächlich blieben nicht viele Bilder von diesen ersten Stunden ihres Zusammenseins in ihrem Kopf zurück. Sie wusste weder, welche Stücke die Tanzkapelle gespielt hatte, noch, wie ihr erster Tanz verlaufen war. Wahrscheinlich trat er ihr dabei auf die Füße, aber das war keine Erinnerung, sondern eine Schlussfolgerung: Ein guter Tänzer war Vito nie gewesen. Jedenfalls behielt Gerda nicht viel in Erinnerung von den Dingen, die der Carabiniere tat oder sagte. Was sie aber umso mehr beeindruckte, war das, was er unterließ.

Seine Hände, die sie bei den langsamen Tänzen umfingen, verzichteten darauf, Zentimeter um Zentimeter ihren Rücken hinunter in Richtung Pobacken zu wandern. Und nach dem dritten Bier versuchte er auch nicht, ihren Busen zu berühren. Nein, er trank es gar nicht, dieses dritte Bier, sondern beließ es bei einem. Als er sie nach Hause brachte, erwartete Gerda, dass er sie an der Tür küssen würde, doch dann stand er nur da, steif wie ein Wachsoldat, und ließ die Arme an den Seiten herunterhängen. Und tatsächlich war Vito den ganzen Abend wie auf Wache gewesen, denn nur so hatte er sich davon abhalten können, Gerda gleich auf der Tanzfläche zu lieben.

Und so war sie eigentlich ein wenig enttäuscht, als sie dann auf ihr Zimmer unter dem Dach ging und sich auszog. Ganz offensichtlich hatte sie dem Brigadiere Anania nicht besonders gefallen.

Am nächsten Morgen machte sich Vito sogleich auf die Suche nach Genovese. Kein leichtes Vorhaben, denn der Neapolitaner ließ sich in seinem Büro ungefähr so häufig wie bei entfernten Verwandten blicken, mit anderen Worten, nur bei besonderen Anlässen, und das auch nie lange. Als er ihn endlich gefunden hatte, fragte er ihn, ob er etwas dagegen habe, wenn er, Vito, die Dame, die er gestern an seiner Stelle zum Tanzen ausgeführt hatte, noch einmal wiedersehe.

»Ach was«, antwortete Genovese, »ich habe mir schon gedacht, dass sie nach deinem Geschmack sein würde.«

Er sah Vito aufmerksam an. Das Gesicht des Brigadiere strahlte etwas aus, was ihn, ausnahmsweise einmal, verstummen ließ. Solche Gesichter verliebter Männer hatte Genovese schon viele gesehen und sich in dieser Hinsicht eine feste Meinung gebildet: Dabei kam selten etwas Gutes heraus.

»Weißt du, dass ihr Bruder Terrorist war?«

»War?«

»Ja, dieser Idiot hat sich selbst in die Luft gesprengt.«

Vitos Miene verfinsterte sich, während Genovese ihn mit Augen, so klein und spitz wie Stecknadeln, ansah.

»Anania, du bist anders als ich. Du bist eine ehrliche Haut. Pass nur gut auf! Die ist eine unverheiratete Mutter. Mit der kannst du deinen Spaß haben, mehr aber auch nicht. Vergiss das nicht.«

Doch Genovese wusste: Einem verliebten Mann das zu sagen war so überflüssig, wie ins Bordell Rosen mitzubringen. Wer solche Illusionen hatte, wollte sie behalten. Aber das Leben würde schon dafür sorgen, dass er sie verlor. Und das war auch der Grund, weshalb er, Genovese, sein Dasein danach ausrichtete, gar nicht erst solche zu bekommen.

Als er Gerda zum zweiten Mal traf, sagte Vito zu ihr:

»Deine Augen sind schön und traurig.«

Die schönen Augen weiteten sich vor Erstaunen. Bislang hatte sie von Männern nur zu hören bekommen: Ach, Gerda, du bist immer so fröhlich, so lebendig, ja, du verstehst es, dich zu amüsieren. Dass sie traurig sei, nein, das hatte noch nie jemand zu ihr gesagt.

Erst jetzt, da Vito von ihrer Traurigkeit sprach, dachte Gerda darüber nach. Sicher, ein Teil von ihr war traurig, seit Jahren schon, aber sie hatte es gar nicht richtig gemerkt. Wie konnte er davon wissen?

In der ersten Nacht, die sie zusammen verbrachten, drang er nicht in sie ein. Als er ihren nackten Körper sah, war er dermaßen überwältigt, dass sich nichts bei ihm regte. Vor jeder anderen Frau hätte er sich dafür geschämt. Vor Gerda nicht. Er spürte ein unerklärliches Vertrauen, dass sich alles so entwickeln würde, wie es sein sollte, und dass sie keine Eile hatten. Sie schlief ein, und er hielt sie bis zum Morgengrauen in den Armen und konnte sein Glück nicht fassen.

Als sie sich das nächste Mal sahen, sagte er zu ihr:

»Du verhakst die großen Zehen.«

Sie saßen in einer Bar, und er stützte die Ellbogen auf die Tischplatte auf, zeigte ihr die Handflächen und steckte einen Daumen in die Vertiefung neben dem anderen.

»Siehst du? So machst du. Wenn du auf der Seite liegst.«

Gerda musste einen Moment überlegen. Sie bewegte die großen Zehen in den Schuhen, damit sich ihr Körper besser erinnerte, und tatsächlich, es stimmte: Wenn sie auf der Seite lag, steckte sie immer den großen Zeh in die Lücke zwischen dem anderen großen Zeh und dem daneben. Sie tat das schon immer, ohne es sich bewusst zu machen. Wer war dieser Mann, der sie zu kennen schien, seit sie ein kleines Mädchen war?

In dieser Nacht versank Vito in ihr wie ein Taucher im Wasser und entdeckte die verborgensten Schätze der Lust. Gerda hatte nie jemandem gezeigt, was dort alles zu finden war, auf dem Grund ihres Meeres.

Wir durchfahren den Bahnhof von Sapri, und im Nebenabteil entspinnt sich folgender Wortwechsel:

Erster Inder: »Sabri?«

Zweiter Inder: »Sapi.«

Dritter Inder (das r betonend): »Sapri.«

Erster Inder (das i betonend): »Saprì?«

Dritter Inder (das a betonend): »Sàpri.«

Inderin: »Sapri.«

Alle (zufrieden): »Sapri.«

Die Frau des pensionierten Polizisten hält immer noch ihre ganze Habe auf dem Schoß: Obwohl sie eingenickt ist, drückt sie weiterhin Jacke, Handtasche, Plastiktüte und Fahrkarte an sich und lockert auch nicht den Griff ihrer Hand, auf der ihr Kopf liegt. Als sie die Augen aufschlägt, spricht ihr Mann endlich die erlösenden Worte aus: »Leg doch mal die Sachen zur Seite!«

Sie wirkt überrascht, als sei das eine Idee, die man in Betracht ziehen könnte, auch wenn sie sich etwas überspannt anhört. Sie erinnert mich an jene Frauen, die bei Grillfesten die ganze Zeit über am großen Tisch Bier ausschenken, Würstchen servieren, Brot schneiden und zwischendurch ihren Kindern noch die Nase putzen. Keinen Moment ruhen sie sich aus, essen keinen Happen, setzen sich kein einziges Mal hin, um entspannt das Fest und die Gesellschaft der anderen zu genießen. Und das nicht, weil sie unersetzbar wären, sondern weil sie es undenkbar finden, sich einen Moment mal nicht nützlich zu machen.

Endlich befreit sich die Frau von den Taschen und Tüten, die sie im Arm gehalten hat. Geduldig verstaut er alles auf der Gepäckablage. Auch ich fühle mich erleichtert.

Ein Tunnel reiht sich an den anderen, wir tauchen ein und wieder auf, und während eines kurzen Zwischenstücks schlängelt sich ein Bach mit klarem Wasser durch eine Wiese, die von blühenden Mandelbäumen umsäumt wird. Kein Mensch ist zu sehen, wohl aber ein schwarzer Stier. Ich habe ihn nur ganz kurz vor Augen, ein beinahe subliminaler Eindruck und doch von größerer Präsenz, dieses große mächtige Tier, das düster zwischen den weißen Blüten ringsum hervorragt.

Als wir in den nächsten Tunnel einfahren, bleibt auf meiner Netzhaut ein heller Fleck in Form eines Stieres zurück: sein Negativ.

Als Ulli zum ersten Mal Costa mit nach Hause brachte, um ihn der Familie vorzustellen, sagte Sigi: Bist du wahnsinnig das Haus unserer Mutter mit deinem Scheiß zu besudeln wenn du ihn dir in den Arsch stecken lassen willst dann mach das irgendwo in einem Scheißhaus du widerst mich an und dein Freund noch viel mehr ihr Schwuchteln ihr warmen Brüder ihr schwulen Säue ...

Hässlichere Worte hätte er nicht finden können. Offenbar hatte er das Gift seit Monaten oder Jahren im Mund gesammelt, um es jetzt auf einen Schwall auszuspucken.

Leni sagte: Das ist doch nicht so schlimm eine Krankheit kann man behandeln der Pfarrer hat mir gesagt im Sarntal gibt es einen Arzt der weiß wie das geht wenn du willst geben wir deinem Freund auch die Adresse der wird sich freuen denn wer will schon krank bleiben und leiden wenn man seine Krankheit auch heilen kann ...

Sigi sagte, solche Typen wie euch müsste man kopfüber ins Klo stecken, und damit packte er Costa, der sehr viel schmächtiger war als er, schleifte ihn zum Klobecken und drückte seinen Kopf hinein.

Lass ihn los, rief Ulli, und Sigi gehorchte, aber erst nachdem er die Spülung betätigt hatte.

Lass mich, rief Costa und wand sich aus den Armen Ullis, der ihm aufhelfen wollte, stützte sich mit einer Hand auf den Fliesen ab und richtete sich, ohne ihm in die Augen zu sehen, die Haare uringetränkt, vom Boden auf.

Ich verstehe nicht, warum ihr streiten müsst, sagte Leni, können wir denn nie einfach mal alle friedlich zusammen sein?

Zwei Jahre waren Ulli und Costa schon ein Paar. Als ich sie zum ersten Mal miteinander sah, dachte ich: Gut, jetzt hat Ulli seinen wahren Bruder gefunden.

Sigi dachte nicht nur wie ein Nazi, sondern war auch äußerlich der Typ, den sie propagiert hatten: blaue Augen, blondes Haar, rosafarbene Haut, ganz ähnlich wie ich. Costa dagegen hatte dunkle, sanft blickende Augen so wie Ulli und seine Mutter, die gleiche bernsteinfarbene Haut. Mediterrane Töne, von irgendeinem durchziehenden römischen Legionär in unseren Tälern hinterlassen, einem spanischen Söldner in Diensten des Kaisers vielleicht oder einem levantinischen Händler auf dem Weg zu den großen Städten im Norden. Ulli und Costa ähnelten sich, wie man es häufig bei Paaren sieht, die äußerlich so gut zusammenpassen, dass man sich sofort vorstellen kann, sie könnten ein Leben lang zusammenbleiben.

Monatelang hatte Ulli mit dem Gedanken gespielt, ihn seiner Mutter vorzustellen. In Innsbruck, wo sie sieben Monate im Jahr zusammenlebten, brauchten sie sich nicht zu verstecken. Aber anders sah das in der Wintersaison aus, wenn Ulli Skipisten präparierte und in unserem Städtchen festsaß. Costa war einige Male zu Besuch gekommen, fand die Atmosphäre aber zu bedrückend. Zu geleckt die Straßen, zu perfekt die Geranien vor den Fenstern, zu wenige Leute, die sich zu ihrer Homosexualität bekannten – niemand, um genau zu sein. Ulli hatte ihn nicht gedrängt, häufiger zu kommen, aber er litt unter der Trennung. Costa wäre gern nach Berlin gezogen, eine Stadt, die Ulli ebenfalls gefiel. Er war auch schon dort gewesen, konnte sich allerdings nicht vorstellen, so weit entfernt von seinen geliebten Bergen zu leben. Seit Jahren fragte ihn Leni nicht mehr nach Mädchen, aber dieses stillschweigende Zugeständnis war Ulli nicht mehr genug. Schon seit einer ganzen Weile träumte er davon, offen mit ihr zu reden und ihr Costa vorzustellen. Er würde ihr erklären, dass dieser Mann die Liebe seines Lebens sei, und sie würde es nicht nur hinnehmen, stellte er sich vor, sondern sich aufrichtig darüber freuen. Welche Mutter wünschte ihren Kindern nicht, den Partner fürs Leben zu finden?

Ich hielt das für eine sehr schlechte Idee, Costa auf den Hof mitzubringen. Ich kannte doch Leni und vor allem Sigi. Eigentlich hätte ich Ulli warnen müssen. Aber es gab da ein Hindernis. Ich schämte mich so sehr für die Eifersucht, die Ullis Glück in mir weckte, dass ich mich verhielt wie viele Neidische, wenn ein Einwand gefordert wäre: Sie schweigen aus Angst, sich zu verraten. Und so hörte ich Ulli zu, der mir von seinen Plänen erzählte, ohne ihm meine Zweifel zu offenbaren.

Was ich ihm hätte sagen müssen, bekam er dann von Costa zu hören, von jenem Menschen, mit dem er sein Leben teilen wollte und durch den er verstanden hatte, wozu er auf der Welt war. Aber er tat es, während er gleichzeitig »Hau ab!« sagte und dann für immer aus seinem Leben verschwand:

»Du hättest mich nicht mit dorthin bringen dürfen.«

Und Ulli selbst warf sich das auch vor, während er auf dem Sofa bei mir zu Hause lag, wohin er sich geflüchtet hatte.

»Ich hätte ihn niemals hierher bringen dürfen.«

Ich musste mich über ihn beugen, um diese Worte zu verstehen. Obwohl ich ihn mit einem Federbett zugedeckt hatte, hörte er nicht auf zu zittern.

»Es ist nicht deine Schuld«, sagte ich.

Manchmal weiß man schon, während einem die Worte über die Lippen kommen, dass sie nichts bewirken werden. Manchmal erkennt man es auch nie. Bei mir dauerte es genau zehn Tage.

Diesen Gedanken werde ich nicht mehr los: Als ich aufhörte, offen mit Ulli zu reden, habe auch ich damit begonnen, ihn umzubringen.

In Belvedere Marittimo baumelt vor einem Lebensmittelladen ein Riesenmozzarella aus Pappmaché. Er erinnert mich an den erhängten Stoffbären der jungen Amerikanerin, die inzwischen ausgestiegen ist. Nun ist es wieder die indische Frau im Nebenabteil, die laut in ihr Handy spricht, in Hindi, mit gerollten Rs und Ds, so weich wie Chapatis. Diese Inder müssen ein Vermögen vertelefonieren.

»Hallo, hallo!«, ruft sie hektisch und bricht dann in lautes Lachen aus. Eigentlich dringen aus diesem Abteil nur Gute-Laune-Klänge zu uns: das Gluckern des Kleinkinds, fröhliches Stimmengewirr, friedliches Schnarchen. Plötzlich schwenkt die Frau in ein perfektes Italienisch über:

»Wo bist du? In einer Stunde sind wir da.«

Sie lacht noch einmal und beendet das Gespräch. Kurz darauf wieder ein Klingelton. Dieses Mal ist es mein Handy. Ich nehme es aus der Handtasche und schaue aufs Display, während es weiterklingelt: CARLO. Offenbar hat er es irgendwie geschafft, sich für ein paar Minuten vom Osterfestessen im Familienkreis abzusetzen. Ich lasse es klingeln. Dabei spüre ich den Blick der Frau aus Messina, die mich aufmerksam beobachtet und sich sicher fragt, wem ich da nicht antworten will. Und ich glaube, dass sie sogar richtig rät: einem Mann. Endlich verstummt das Handy wieder, und ich stecke es in die Tasche zurück.

In Cetaro passiert unser Zug eine Straßenkreuzung, und man kann die blauen Schilder der Staatsstraße lesen. Eines zeigt in die Richtung, aus der wir kommen, und gibt an, dass Salerno schon zweihundertzwanzig Kilometer hinter uns liegt. Andere weisen den Weg ins Landesinnere, zu Orten, deren Namen an Schutzburgen denken lassen, an Menschenscharen auf der Flucht, an Überfälle von Seeräuberbanden: Castrovillari, Spezzano Albanese, Saracena.

Das Schild Richtung Süden ist hingegen wie ein Versprechen:

REGGIO CALABRIA 254.

In der Nebensaison, wenn einige Hotelzimmer leer blieben, bat
Gerda hin und wieder Frau Mayer, ihr ein paar Tage freizuge-
ben, damit sie Eva sehen konnte, die auf ihre Besuche wartete
wie ein Frommer auf ein Wunder: im festen Glauben, aber ohne
Gewissheit. Sie wartete auf dem Kirchplatz und beobachtete, wie
der blaue Bus aus Bozen vom Tal herauf die Kehren nahm, bis er
die kleine Kirche erreichte. Ulli war dann nicht bei ihr. Die Begrüßung von Eva und ihrer Mutter ging ihn nichts an, wie er
längst wusste; es war die einzige Situation, in der er sich von ihr
fernhielt. Nun baute sich Eva an der Bustür auf und zwang die
Passagiere, wie an einer winzigen Ehrenwache an ihr vorbeizu-
defilieren, musterte jeden Einzelnen und wandte sich dann ver-
ächtlich ab, weil er nicht ihre Mutter war. Wenn Gerda dann
endlich wie eine Vision auf der obersten Stufe in der Tür auftauchte, explodierte in Evas Brust ein großes Glücksgefühl, durch-
setzt von Beklemmung: Worauf jetzt zu warten blieb, war die
nächste, sicher bevorstehende Trennung.

An jenem Tag aber waren schon alle Fahrgäste ausgestiegen,
als sie immer noch vor dem von der Anstrengung leicht schnau-
fenden Bus stand. Gerda war nicht unter ihnen gewesen. Eva
blickte zum Busfahrer auf, und der zuckte mit den Schultern, die
breit geworden waren in all den Jahren, die er schon seinen Bus
durch die engen Kurven dieser Strecke lenkte. Das Mädchen tat
ihm ehrlich leid, aber er musste sich nun mal an seinen Fahrplan
halten. Er drückte auf einen Knopf, und die Bustür schloss sich.
Im Glas der Türflügel tauchte Evas Spiegelbild auf, dann zog die
blaue Seitenfläche an ihr vorbei, und kurz darauf lag nur noch,

vor dem Hintergrund der Gletscher in der Ferne, der Kirchplatz vor ihr. Auf dem gerade ein kaffeebrauner Fiat 130 anhielt.

Äußerlich schien Eva noch dasselbe blonde Mädchen wie eine Minute zuvor zu sein, doch tatsächlich war das Wesen, das dort verloren stand, nur noch eine Hülle, die ihr ähnlich sah. Weder Enttäuschung noch Trauer empfand sie, sondern fast einen Anflug von Erleichterung. Immerhin brauchte sie sich keine Sorgen mehr zu machen, es war nun tatsächlich passiert, das Schlimmste, was sie immer befürchtet hatte: Ihre Mutter würde nicht mehr zu ihr zurückkommen, nie mehr. Deshalb bemerkte sie auch gar nicht, dass jetzt eine Frau aus dem Fiat stieg. Auch auf den Mann in der schwarzen Uniform, der neben ihr auf sie zukam, achtete sie nicht. Erst als die Frau ihren Namen rief und der Mann sich niederkauerte, um ihr direkt in die Augen zu sehen, begann ihr bewusst zu werden, dass hier etwas Außergewöhnliches, Fantastisches geschah.

Keiner der Männer, die Gerda kennengelernt hatte, hatte sich wie Vito verhalten.

Während Gerda *Schlutzkrapfen* buk, löste Vito mit Eva italienische Kreuzworträtsel. Das hatte Eva noch nie gemacht, weder auf Italienisch noch auf Deutsch oder auf Chinesisch.

Während Gerda das Essen auftrug, fragte Vito Eva nach der Schule, nach ihren Lieblingsfächern, ihren Klassenkameraden.

Während Gerda abspülte, erinnerte Vito Eva ans Zähneputzen.

Als Gerda Eva in ihr Bettchen bringen wollte, schüttelte Vito den Kopf.

»Nein, nein, die kleine Sisiduzza war vor mir da.«

Und so durfte Eva weiter in dem großen Bett schlafen, wie wenn sie mit ihrer Mama alleine war.

Gerda streckte sich neben ihr aus, und auf der anderen Seite legte sich Vito nieder. Durch die Wimpern nahm Gerda die beiden wie zwei flackernde dunkle Figürchen auf dem Boden eines Glases Johannisbeersaft wahr. Vito las Eva von Sandokan, Yanez und den malayischen Tierjungen vor. Gerda hatte ihr noch nie etwas vor dem Einschlafen vorgelesen, und erst recht nicht auf Italienisch. Zwar verstand Eva nicht alle Worte dieser Sprache voller Vokale und sanfter Laute, aber das war auch unwichtig. Reglos lag sie da und lauschte mit halb geschlossenen Augen, während sich die blonden Härchen an ihren Unterarmen ein wenig aufgerichteten hatten, allein durch die Zärtlichkeit in seiner Stimme.

»Was heißt Sisiduzza?«, fragte sie irgendwann.

»Fünkchen«, antwortete Vito.

So lag sie da, von den beiden gekrümmten Körpern wie in einer Muschel eingeschlossen, und strahlte innerlich heller als die »Perle von Labuan«.

Von Vitos Stimme gewiegt, wurden ihre Lider immer schwerer, bis sie sich langsam ganz schlossen.

»Eva schläft«, sagte da ihre Mutter.

Erst jetzt nahm Vito sie sanft auf die Arme und trug sie in ihr Kinderbett hinüber.

Eva schlief tief und fest, so fest wie seit Säuglingstagen nicht mehr.

Für die zwei Tage hatte Genovese Vito seinen Fotoapparat geliehen, und es wurden viele Bilder gemacht.

Gerda vor dem Kirchlein im nachtblauen Hemdblusenkleid.

Gerda auf einer Holzbank vor dem Heuspeicher.

Gerda und Eva auf einer Wiese voller Pusteblumen.

Ein Foto machte auch Eva, die sofort begriff, wie durch den Sucher zu schauen und der Auslöser zu betätigen war: Vito und Gerda, die sich lächelnd in die Augen schauen, sie in den Knien leicht gebeugt, um ihn nicht zu überragen.

Ein weiteres machte ein Passant, dem Vito die Kamera in die Hand drückte: Eva zwischen Gerda und Vito vor dem Hintergrund der Gletscher, alle drei mit den lächelnden Gesichtern einer Familie von Sommerfrischlern.

Als Gerda ihn Maria, Sepp und der ganzen vielköpfigen Familie vorstellte, sagte Vito, der die Stube betrat:

»Griastenk!«

Seit mehr als einem halben Jahrhundert waren es die beiden alten Leute gewohnt, dass Soldaten, Beamte, Funktionäre oder Lehrer sie auf Italienisch ansprachen, dass man italienische Antworten von ihnen erwartete und dass man sich über ihr schlechtes Italienisch lustig machte. Einen Carabiniere, der sie im Südtiroler Dialekt begrüßte, nein, so etwas hatten sie noch nie erlebt. Vito fragte sie, ob sie Lust hätten, am Abend die Artischocken zu probieren, die er mitgebracht habe, und Gerda lud sie ein, zu ihnen in das möblierte Zimmer zum Essen zu kommen.

Als Eva eine dieser Artischocken in die Hand nahm, kam sie ihr mehr wie eine Blüte als wie ein Gemüse vor. Man brauchte sie nur anzusehen, diese riesengroße, ledrige Knospe auf dem haarigen Stängel, um zu begreifen, dass sie aus einem Land der Fülle stammen musste. In ihrer Gegend mit den harten Böden an fast senkrechten Hängen waren solche Pflanzen jedenfalls unbekannt. Vito bereitete die Artischocken mit den Aromen des Südens zu. Sepp und Maria kosteten schweigend, konzentriert, so, als bemühten sie sich, hinter ihr Geheimnis zu kommen. Als Vito ihnen eine zweite Portion anbot, sagten beide Ja.

Es war das erste Mal, dass Gerda in ihrem möblierten Zimmer Gäste empfing, richtige Gäste, für die man kochte und mit denen man plauderte, während Brot gebrochen wurde und die Krümel auf die Tischdecke rieselten. Und sie als richtige Gastgeberin, mit ihrem Mann an ihrer Seite.

Bevor die Gäste eingetroffen waren, hatte Vito eine Holzplatte herbeigeschafft, die er auf den einzigen Tisch im Raum legen wollte, um ihn zu vergrößern, damit alle daran Platz fanden. Eva war mit Malen beschäftigt und reagierte nicht, als Gerda sie bat, den Tisch von Blättern und Stiften frei zu räumen.

»Eva, tu, was deine Mutter sagt, aber sofort!«, schaltete sich Vito mit einer Stimme ein, die nicht barsch klang, aber keinen Widerspruch duldete.

Eva hob den Blick und schaute Vito aus weit aufgerissenen Augen an.

Er schimpfte mit ihr! Dabei war Vito weder ihr Lehrer noch der Pfarrer, geschweige denn Sepp (der allerdings nie und niemandem gegenüber die Stimme erhob). Aber er schimpfte. Eva stand auf und räumte die Stifte vom Tisch, die Augen niedergeschlagen, sodass es aussah, als schmolle sie. In Wahrheit wollte sie nur nicht zeigen, wie glücklich sie war.

Während des Essens erzählte Sepp dem Brigadiere von seiner zweijährigen Kriegsgefangenschaft. Weil selbst die Misshandlungen durch Hermann zu Zeiten der »Option« ihn nicht hatten dazu bringen können, seinen Hof aufzugeben, war er, wie alle »Dableiber«, zur italienischen Armee eingezogen worden. Als ihn dann die Engländer in der afrikanischen Wüste gefangen nahmen, bat er darum, zu den Deutschen ins Lager gesteckt zu werden, um sich wenigstens mit den anderen Gefangenen in seiner Muttersprache unterhalten zu können. Für die Lagerverwaltung war Sepp aber nur ein Soldat aus der Provinz Bolzano, Italy, und deshalb musste er bei den Italienern bleiben.

»Das war mein Glück«, sagte Sepp zu Vito.

Die Kartoffeln, die die Deutschen zu essen bekamen, waren faulig, durch ihr Brot krochen Würmer, und in ihrer Suppe schwamm Pappe. Brot und Kartoffeln für die Italiener aber waren fast unverdorben, und in ihrer Suppe gab es Kohlblätter. Ja, die Engländer kannten die Italiener, erklärte Sepp: So gefügig sie auch sonst sein mochten – war ihr Essen ungenießbar, gingen sie auf die Barrikaden.

Vito trug noch mal Artischocken auf. Der nur halb zugedeckten Pfanne entströmte der Duft von Knoblauch, Minze und wildem Fenchel. Für Eva war dieses Aroma wie Vitos Gegenwart: intensiv und einnehmend wie etwas nie zuvor Probiertes, an das man sich aber sofort gewöhnen konnte.

Als Gerda nach den zwei Tagen Urlaub ins Hotel zurückkehrte, strahlte sie etwas aus, was sogar der Küchenjunge Elmar nie zuvor an ihr gesehen hatte. Es war nicht die Fröhlichkeit, als wenn sie sich etwa zum Ausgehen mit Genovese fertig gemacht hatte, sondern eine ruhige, völlig erfüllte Zufriedenheit.

Immer noch schaute Elmar, der es wegen seines übermäßigen Alkoholkonsums nie weiter als zum Tellerwäscher brachte, Gerda gerne und sehnsüchtig an. Als er an jenem Tag aber erlebte, wie sie mit nie gesehener Zärtlichkeit die Steaks auf dem Küchenbrett klopfte, riss er vor Staunen die Augen auf. Gerda merkte es, hob den Blick und lächelte ihn an. Elmar stockte der Atem. Gerdas Liebe zu Vito war so voll und reich, dass sogar für ihn, den armen alkoholabhängigen Küchenjungen, noch etwas übrig war.

In Lamezia Terme schieben sich die rastlosen indischen Telefonierer von nebenan an der Tür unseres Abteils vorbei, um auszusteigen. Die Frau mit der tiefen Stimme trägt Jeans, weiße Socken und mit bunten Perlen besetzte Dianetten, die Männer haben Bäuche wie Billardkugeln und magere Beine. Über die Schulter eines dieser Männer lugen zwei große, mit Kajal umränderte Augen. Dass es kein italienisches Kind sein konnte, war mir allerdings schon vorher klar geworden, denn in den über fünf Stunden hat es kein einziges Mal geweint. Ich lächele den Jungen an. Zunächst bleibt seine Miene ernst, plötzlich enthüllt er Zähnchen wie ein Haifischbaby, und seine Augen leuchten wie ein Funke auf.

Ein Fünkchen, eine Sisiduzza.

Sie werden von einer Frau abgeholt, offensichtlich Italienerin, die sie lachend empfängt. Auch die Inder scheinen sich zu freuen, sie zu sehen, und laden fröhlich die Koffer aus. Es sind viele pralle Gepäckstücke, die weiße Klebebändchen mit der Aufschrift FCO tragen. Offenbar waren die Inder gerade erst auf dem römischen Flughafen Fiumicino gelandet, bevor sie in den Zug gestiegen waren, doch die Anstrengung der langen Reise hat ihrer guten Laune nichts anhaben können. Jetzt bewegen sie sich mit der italienischen Freundin auf die Unterführung zu, und ihr lautes Lachen ist noch eine Weile zu hören, als sie schon aus meinem Blickfeld verschwunden sind. In unserem Waggon ist es still geworden.

Ich schaue meine drei Abteilnachbarn an. Nur wir italienischen Staatsbürger sind geblieben. Ohne Touristen aus Amerika, Indien oder sonst woher ist er wirklich leer, dieser Osterzug.

Wir fahren noch nicht lange, als der pensionierte Polizist aus Messina plötzlich ausruft:

»Da hinten sieht man schon Sizilien!«

Seine Stimme klingt ein wenig ergriffen. Ich gehe hinaus auf den Gang und stelle fest, dass er recht hat: Die Stiefelspitze Italiens ist nicht mehr weit, und gegen die Sonne, die mittlerweile auf halber Höhe am Himmel steht, zeichnen sich die dunklen Umrisse Siziliens ab. Blickt man hingegen nach Norden, kann man durch die extrem gekrümmte Küstenlinie nicht nur Kalabrien sehen, sondern auch die Basilikata und ein Stück von Kampanien. Den ganzen eleganten Bogen scheint man ausmachen zu können, den der italienische Stiefel von Neapel bis Sizilien beschreibt. In den Bergen besteht das Licht aus Luft und Wind, und der Frost schleudert es aus großen Höhen wie einen Dartpfeil ins Tal hinab. Dieses Licht hier ist dagegen wie eine zähe Flüssigkeit, die die Dinge nicht koloriert, sondern sich mit ihren Lebenssäften vermischt.

Zwischen der Festlandküste, die wir entlangrollen, und der Insel zieht ein dunkler Schatten seine Bahn durch das glitzernde Meer: wahrscheinlich ein Öltanker oder ein Riesenfrachter, der in Neapel Tausende chinesischer Container entlädt. Wie ein Geisterschiff gleitet er lautlos durchs Wasser. Für die Matrosen an Bord wird der Motorenlärm ohrenbetäubend sein, aber auf die Entfernung strahlt es etwas von der grandiosen Schicksalhaftigkeit der alten Überseelinien aus.

In solchen Momenten fehlt mir Ulli ganz besonders.

Als er starb, war Costa erst seit etwas mehr als einer Woche fort; die ersten drei Tage hatte Ulli zitternd auf meinem Sofa verbracht. Ich hatte auf ihn Tage eingeredet, dass er noch bleiben sollte, doch er wollte wieder in seinen Alltag zurückkehren. Die Arbeit mit Marlene, deren Maschinenkräfte zu steuern, würde ihm guttun, behauptete er. In jener Nacht war ich dann nicht bei ihm. Seit zwanzig Jahren frage ich mich schon, wieso ich nicht mitgekommen bin, um ihm Gesellschaft zu leisten. War ich bei einem Mann? Bat Ulli mich, zu Hause zu bleiben? Nein, das kann nicht sein, denn das hätte mich misstrauisch gemacht, und ich hätte ihn nicht allein gehen lassen. Warum war ich also nicht bei ihm? Ich habe keine Ahnung. Ich erinnere mich nur, dass ich, als das Telefon klingelte, in meinem Bett lag und allein war.

Ulli wollte nicht nach Berlin ziehen oder nach London oder Wien, wie ihm alle rieten. Aber er wollte auch nicht der schwule Sohn des Helden sein, der sein Leben für ihn geopfert hatte. Der brave Sohn einer besorgten Mutter, der sich das Hirn durch Elektroschocks braten ließ, während man ihm Pornobilder zeigte – eine Therapie, wie sie bestimmt dieser Arzt aus dem Sarntal im Sinn hatte, wahrscheinlich um selbst nach Lust und Laune Aufnahmen homosexueller Paare beim Geschlechtsverkehr betrachten zu können. Er wollte keine Frau heiraten, der er nur Kinder machen konnte, indem er die Augen schloss und sich vorstellte, dass sie ein Mann wäre, und der er irgendwann vormachen würde, er habe eine Geliebte, damit sie nicht entdeckte, dass er in Wirklichkeit auf öffentlichen Toiletten Befriedigung suchte. Nein, das alles wollte er nicht. Er wollte bloß er selbst sein und lieben dürfen, wen er liebte, und das dort, wo er geboren worden war.

Er wollte das Einzige, was unmöglich war.

Mit der Schneeraupe kletterte er die steilste Piste hinauf, dort, wo für den Weltcup trainiert wurde, 68 Prozent Steigung, ununterbrochen. Die Ketten fraßen sich durch den Schnee, während ihn die Seilwinde, die ihn sicherte, höher und höher zog. Oben angekommen, löste er das Seil, drehte die Schnauze der Schneeraupe dem Tal zu, gab Gas und löste die Bremsen. So habe ich es mir immer vorgestellt: Marlene, die Schneeraupe, die Ulli so liebte wie ein Trucker seinen Lkw, wie ein Cowboy sein Pferd, gleitet elegant die Piste hinunter, nimmt Fahrt auf, überfährt einen Schneehaufen und neigt sich zur Seite, doch die erstklassigen Ketten halten sie noch in der Spur, sie wird immer schneller, rast jetzt dahin, ohne noch den Schnee zu berühren, fliegt, schlägt auf und wird wieder hochgeschleudert wie ein Skianfänger, knallt gegen einen Baum am Rand der Piste, und dann gegen noch einen und wieder einen, bis sie schließlich den ganzen Abhang hinunterstürzt.

Marlene war rot, kraftstrotzend und praktisch nicht zu stoppen, so wie die Pumpe in unserer Brust, die das Blut durch den Körper treibt. Sie rodete einen ganzen Hang, bevor sie sich geschlagen gab. Lärchen, Rottannen, Zirbelkiefern, Eichen walzte sie wie Zahnstocher nieder.

Die Todesanzeigen in der Tagezeitung *Dolomiten* sind wie ein Code, der entschlüsselt werden muss, besonders, was die Todesursache des Betrauerten angeht.

»Nach langer schwerer Krankheit« bedeutet: Krebs.

»Durch einen tragischen Verkehrsunfall« – falls er an einem Freitag oder Samstag geschah: Trunkenheit am Steuer.

Stirbt plötzlich ein junger Mensch, gibt die Familie stets die Todesursache an, meistens die zweite, damit niemand auf den Gedanken kommt, er zähle zu den erschreckend vielen Jugendlichen, die sich Jahr für Jahr in unserer Heimat das Leben nehmen.

Ist die Todesursache nicht genannt und nur etwas von »unerwartet« oder »plötzlich« zu lesen, kann man sicher sein, dass es sich um Selbstmord handelt.

Für Ulli lautete die Sprachregelung: »durch einen Arbeitsunfall«.

Auch ein Einfaltspinsel hätte es gemerkt. Und einfältig war Mariangela Anania, geborene Mollica, nun wirklich nicht. Außerdem, bestimmte Dinge spürt eine Mutter einfach.

Zu ahnen begonnen hatte sie es schon fast ein Jahr zuvor, als Vito auf Urlaub zu Hause war und ihr erzählte, dass er nun doch etwas länger dort oben in diesem Land der Sauerkraut- und Knödelesser bleiben werde. Sie hatte nicht lange gebraucht, um zwei und zwei zusammenzuzählen. Wenn man ihn nach fünf Jahren ehrenhaften Dienstes im kalten Norden Italiens nicht zu seiner verwitweten Mutter zurückkehren ließ, konnte es nur einen Grund dafür geben: Er selbst hatte beantragt, dort zu bleiben.

Dumm war sie nicht und auch nicht weinerlich. Sie hatte nicht gekränkt reagiert, nichts verlangt, sondern nur »Ach ja?« gesagt und dann nicht mehr darüber gesprochen.

Dann war da noch dieses Picknick gewesen, am zweiten Ostertag mit den Nachbarn und deren Tochter Sabrina, die keine Schönheit war, aber doch ordentlich gebaut. Sie hatte alles da, wo es hingehörte, und das nicht zu knapp, und außerdem schöne grüne, leuchtende Augen, und diplomierte Buchhalterin war sie auch noch. Auf einen Kilometer Entfernung konnte man sehen, dass sie an Vito interessiert war, und Signora Anania und die Eltern des Mädchens hatten vieldeutige Blicke gewechselt, wie um zu sagen: Lassen wir sie doch ruhig mal allein, diese jungen Leute, sollen sie sich doch ein wenig unterhalten und kennenlernen, ohne dass wir dabei sind, das kann nicht schaden. Aber was geschah? Kaum hatte sich das arme Ding etwas näher zu

Vito gesetzt, stand er auf, entdeckte eine Kaffeekanne, die um-
zustellen, ein Glas, das zu füllen war ... Kurzum, es war offensichtlich, dass ihm jeder Vorwand recht war, um nicht mit ihr
allein zu sein. Und das schien unnormal für einen jungen Mann,
dessen Herz frei war. Wenn es jedoch nicht frei war ...

Schließlich hatte Tante Giovanna, bekannt dafür, Dinge auszusprechen, die andere zwar dachten, sich aber zu sagen scheu-
ten – eine Eigenschaft, die ihr stets den allgemeinen, wenn auch
oft genug verärgerten Respekt eintrug –, diese Giovanna also
hatte eines Tages zu ihm gesagt: »Wann willst du eigentlich
endlich mal heiraten?« Worauf Vito nicht mit dem dümmlichen
Lachen junger Männer reagierte, die noch ausschließlich Mädchen im Kopf hatten, die leicht ins Bett zu bekommen waren,
weil für die eine, die das ganze Leben dieses Bett mit einem
teilen sollte, noch Zeit genug war, mehr als genug sogar, was
man den Verwandten aber natürlich nicht so offen sagen konnte, weshalb dann gekichert wurde, durchtrieben, eitel, verlegen.
Nein, Vito schaute nur auf seine Schuhspitzen und hob den
Blick gar nicht mehr oder erst nach einer halben Stunde, und
so verhielt man sich nur, wenn man ein Geheimnis hatte, ein
kostbares, ganz bestimmtes Geheimnis, das Vor- und Zunamen
besaß.

Gherda Uber also.

Allein schon zu begreifen, dass man ihren Vornamen nicht
aussprach, wie er geschrieben wurde, also »Gherda« statt »Gier-
da«, hatte sie einige Mühe gekostet. Aber dieser Nachname ...
Ging das denn überhaupt, dass ein Wort mit einem H anfing
und einem Konsonanten endete? Ja, klar ging das, versicherte
ihr Vito, und selbst im Italienischen gebe es so eines: *hotel*. Und
dann, erzählte er weiter, sei dieser Nachname ja noch gar
nichts, da gebe es weit schlimmere, manche ließen sich wirklich unmöglich aussprechen, und noch nicht einmal er, nach all

den Jahren dort oben, bekomme das so richtig hin, und dann zählte er ihr einige auf. Sie verstand überhaupt nichts mehr, und um ihr einen Spaß zu machen, schrieb er die Namen auf ein Blatt.

Schwingshackl. Niederwolfsgruber. Tschurtschenthaler.

Aber sie stöhnte eher, als sie lachte, kein einziger Vokal, nur Konsonanten, und noch nicht einmal normale Konsonanten, sondern Ks und Hs und Ws. Was waren das bloß für Namen! Außerdem fühlte sie sich durch diese Laute zu sehr an jene Tage im Jahr 1943 in Reggio Calabria erinnert, als in ihrem Schoß ein Kind heranwuchs und ihr Mann, was sie damals aber noch nicht wusste, bereits in einem Massengrab in Griechenland lag und die Deutschen von Haus zu Haus marschierten und gegen die Türen schlugen und dabei so etwas wie *»scinél actùn ràus capùt«* brüllten. Es war wirklich ein Wunder, dass sie nicht vor Angst eine Fehlgeburt erlitten hatte. Aber Vito mochte sie das nicht sagen, denn einmal hatte er ihr erklärt: »Schau mal, Mama, nur weil sie Deutsch sprechen, sind die doch nicht alle Nazis.« Und da war ihr klar geworden, dass sie das Thema besser fallen ließ. Zum Glück hatte er ja diese Stimmen, die wie Maschinengewehrfeuer klangen, nicht mehr miterleben müssen, denn als er dann auf die Welt kam, waren die Amerikaner schon da.

Auf alle Fälle war sie erst einmal beruhigt, als ihr Vito alles erzählte.

Denn, nun ja, es war nicht zu leugnen, irgendwann hatten sie bereits böse Vorahnungen beschlichen.

Wenn diese Bekanntschaft, die er da gemacht hatte, ein anständiges Mädchen war, nun gut, warum nicht, er wäre nicht der erste Soldat, der sich seine Braut von irgendwoher aus der Ferne, wo er stationiert war, nach Hause mitbrächte. Nur, warum hatte er die Sache mehr als ein ganzes Jahr vor allen geheim gehalten?

Deshalb machte sie sich Sorgen. Steckte vielleicht hinter diesem langen Auf-die-Schuhspitzen-Starren ein Hindernis, ein Haken, eine Schande? Eigentlich war Vito ein sehr besonnener Mann, selbst als kleiner Junge hatte er sich nie Eigenmächtigkeiten erlaubt. Als sie ihn, da war er sechs, zum Brotkaufen schickte und ihm absichtlich etwas zu viel Geld mitgab, um zu sehen, ob er ihr den Rest auch wiederbrachte, was machte er da, der künftige Carabiniere? Er benahm sich nicht nur wie ein Carabiniere, sondern auch wie ein Steuerfahnder, wie einer, der die Bücher prüft, mit Soll und Haben, in denen alles korrekt sein muss. Die kleinen Lire-Münzen zählte er ihr einzeln in die Hand, die zu fünf mit dem Fischlein und die zu zehn mit der Ähre und dem Pflug darauf, nein, nicht die kleinste Verfehlung erlaubte er sich, nicht mal ein Bonbon kaufte er sich ohne ihre Erlaubnis. Aber bekanntermaßen waren es manchmal eben die geradesten Stöcke, die im Feuer landeten.

Doch er konnte sie beruhigen, als er ihr das Foto zeigte.

Schön war sie, wirklich eine richtige Schönheit, da gab es nichts. Fast zu schön, hatte Mariangela gedacht, aber nicht gesagt. Und Vito starrte das Foto von diesem blonden Prachtweib so verträumt an, dass man sich vorstellen konnte, wie er sie erst mit Blicken verschlang, wenn er sie leibhaftig vor sich hatte. Gewiss, Gerda sah nicht nur fast zu schön, sondern auch fast zu deutsch aus. Aber nun gut, mit manchen Dingen musste sich eine Mutter eben abfinden, und sie hatte sich immer über Schwiegermütter geärgert, die der jungen Ehefrau ihres Sohnes das Leben schwer machten, nur weil sie nicht bis aufs i-Tüpfelchen ihren Vorstellungen von einer Schwiegertochter entsprach. Mariangela Anania, geborene Mollica, mit einem Säugling zur Kriegerwitwe geworden, wusste, welche Mühsal das Leben für Frauen bereithielt, und während sie das Foto betrachtete, überlegte sie: Wenn das nun das Mädchen ist, das mir Vito ins Haus bringen will, werde ich ihr zeigen, wie man Schwertfisch zubereitet und Auberginen mit Mandeln und Walnüssen, ich werde sie trösten, wenn sie Heimweh nach ihrem Dorf bekommt und sie wie die Tochter behandeln, die ich nie hatte.

Doch der Fluss ihrer Gedanken staute und brach sich an einem Satz, den Vito jetzt sagte.

»Allerdings gibt es da ein Problem.«

Etwas Kaltes überkam sie. Etwas Beklemmendes. Und eine Gewissheit: Jetzt sagt er mir, was es ist, das Hindernis, der Haken, die Schande. Instinktiv kniff sie den Mund zusammen, und die anderen Körperöffnungen auch, die weiter unten, wie jemand, der verhindern wollte, dass Kummer und Leid in sein Leben einzogen, und vor allem nicht in das des geliebten Sohnes. Aber sie wusste auch: Wenn sich Körpereingänge so zusammenpressten, waren Kummer und Leid bereits eingedrungen.

Aber.

»Sie hat ..., sie ist um einiges größer als ich«, sagte Vito.

Wie eine kräftige, heiße Brühe an einem kalten Winterabend wärmte sie die Erleichterung. Zwar las sie in seinen Augen, dass es da noch eine Kleinigkeit gab, die er nicht erwähnte – einer Mutter entging so etwas nicht. Da sie aber auch nicht dumm war und in Anbetracht der Tatsache, dass er sie ihr verschwieg, wusste sie allerdings auch: Egal, worum es sich bei dieser Kleinigkeit handelte, über die er hinwegging, sie selbst musste sich nicht darum kümmern. Ihr Sohn würde sie aus der Welt schaffen, ganz allein.

»Was ist schon dabei?«, sagte sie also. »Dein Vater war auch kaum größer als ich. Bring sie mal mit, dann setze ich ihr eine gute ›Nduja‹ vor.«

Die Nachmittage nach der Schule verbrachten Eva und Ulli auf einem Himalajagipfel, genauer, auf dem Nanga Parbat. Ihrem Unterschlupf ganz oben auf dem Heuspeicher, dem hölzernen Balkon, dort, wo der Architrav die schrägen Dachbalken schnitt, hatten sie zu Ehren Reinhold Messners diesen Namen gegeben, jenes Bergsteigers, der die Achttausender nur im Vertrauen auf seine kräftigen Lungen ohne Sauerstoffflaschen in Angriff nahm. Auch sie selbst bestiegen den Nanga Parbat ohne künstliche Hilfsmittel, vor allem aber ohne Sigi: Für Ullis kleinen Bruder galt striktes Gipfelverbot. Als er einmal unbedingt mitkommen wollte, hatten sie ihn Yeti getauft, und weil Sigi so etwas Widerliches nicht sein wollte, hatte er sie fortan in Ruhe gelassen.

Eva war davon abgekommen, ihren Cousin Ulli zu ignorieren, wenn Gerda zu Besuch war. Nun erlaubte sie es ihm, sich ihr, ihrer Mutter und Vito anzuschließen. Der Brigadiere Anania beschränkte seine Zuneigung nicht auf Gerda und Eva, sondern bezog alle mit ein, die die beiden gernhatten. Also Maria, Sepp und Wastl. Und Ulli natürlich. Von jeher war für Eva die Gegenwart ihrer Mutter mit einem Gefühl von Knappheit verbunden gewesen: Sie eintreffen zu sehen hatte bereits die Furcht, sie wieder zu verlieren, mit eingeschlossen. Durch Vito hingegen hatte die Fülle Einzug gehalten, denn seine Wärme war so groß, dass sie für alle reichte.

Eva mochte es besonders, wenn sie hörte, dass Gerda und Vito sich über sie unterhielten. Gerade so wie ein richtiges Elternpaar. Einmal, als die beiden dachten, sie sei bereits eingeschlafen, bekam sie sogar mit, wie sie fast in Streit geraten wären.

Gerda erzählte ihm, dass sie Eva nach der mittleren Reife auf eine Hotelfachschule schicken wolle. Bei den vielen neuen Hotels, die jetzt aufmachten, würde sie so nie in Not geraten. Und vor allem würde sie dann nicht, wie sie selbst, eine Arbeit beginnen, ohne tatsächlich etwas zu können, außer sich die Hände von Ätznatron verbrennen zu lassen und sich beim Scheuern von Riesentöpfen einen krummen Buckel zu holen. Nein, Eva würde ihre erste Arbeitsstelle mit einem Diplom, einem Titel und Fachkenntnissen antreten. Sicher würde sie nicht als Chefköchin anfangen, aber als Hilfsköchin, ja, das schon.

»Nein! Eva muss ihr Abitur machen«, hatte Vito dagegengehalten. »Und vielleicht auch studieren. Sie ist intelligent genug, die Universität zu besuchen.«

Die Universität? Gerda war fast in Zorn geraten. Die Universität besuchten doch nur Kinder reicher Eltern, sagte sie, von Leuten, die ein dickes Bankkonto hätten und Beziehungen nach ganz oben. Sie hingegen habe ja nur ihre zwei Hände, und darauf sei sie stolz, und wenn er denke, dass Köchin ein Beruf sei, der ...

Sie hatte innegehalten. Mit geschlossenen Augen im Bett liegend, konnte Eva das Schweigen hören, dann das Geräusch feuchter Lippen, die sich trafen, Vitos sanfte Stimme, die ihr zuraunte: »Du bist für mich ...«, und schließlich nur noch ein undeutliches Gemurmel. Obwohl sie das Gesicht ihrer Mutter nicht sah, stand es ihr genau vor Augen: Sie hatte es jetzt schon oft gesehen, wenn Vito etwas zu ihr sagte, das mit »du ...« begann. Dann wurde es so wunderschön, das Gesicht ihrer Mutter, dass selbst sie es kaum noch wiedererkannte.

Eines Tages, in der Schule, baute sich die Lehrerin vor Eva auf, die, anstatt aufzupassen, an einem Bild zeichnete.

»Und wer soll das sein?«, fragte sie, indem sie auf das Blatt zeigte.

Das Bild zeigte einen Mann mit dunklen Augen und Haaren, auf dem Kopf eine Schirmmütze, und breiten roten Streifen an den Seiten seiner schwarzen Uniformhose. In der Hand hielt er, wie einen Rosenstrauß, eine riesengroße violett-grüne Artischocke.

»*Mein Tata*«, sagte Eva. Mein Papa.

Der Urlaub war vorüber.

Vito blickte aus dem Fenster, sah aber nur sich selbst: Der Nachtzug war gerade in Reggio Calabria losgefahren und draußen, auf der Meerseite, war nichts als Finsternis.

Bevor er nach Hause aufgebrochen war, hatte er Gerda versprochen, dass er seiner Mutter Bescheid sagen würde. Gerdas Miene war erstarrt wie vor Schmerz, doch es war Freude. Das hatte sie noch nie erlebt, dass man sie einer Mutter als künftige Schwiegertochter ankündigte.

Und von Eva werde ich ihr auch erzählen.

Er würde seiner Mutter ein paar von Evas Heften mitbringen und ihr zeigen, wie gut sie in der Schule war. Ich kann es gar nicht erwarten, sie kennenzulernen, würde seine Mutter sagen. Und dass sie ihr etwas Schönes schenken und kalabrische Lieder beibringen wolle ...

Ehrlos, verachtenswert, falsch. So fühlte sich Vito nun.

Er saß in einem Waggon, der bis nach Deutschland durchfuhr. Es war der Zug der »Fremdarbeiter«, der italienischen Emigranten, die nach den Ferien im heimischen Dorf an ihre Arbeitsplätze zurückkehren. Vito kannte es schon: Ganze Abteile belagerten sie mit ihren Caciocavalli-Käsen, ihren Gläsern mit in Olivenöl eingelegten Tomaten, den Korbflaschen voll Wein. Mit ihm redeten sie über ihr Heimweh und wie hart es sei, fern der heimischen Wurzeln zu leben. »Da bleibt immer ein Teil von einem zurück«, sagten sie. Und sie beneideten ihn, wenn sie sahen, dass er noch vor dem Brenner ausstieg. Sie schienen nicht zu wissen, dass dies zwar noch Italien war, aber nur gewissermaßen.

Der Zug nahm Fahrt auf und machte sich auf den langen Weg ganz Italien hinauf, wo am oberen Ende der Ort lag, den Gerda ihr Zuhause nannte, am unteren der, der für ihn das Zuhause war.

Vito war schon eine ganze Weile wieder zurück, als er die Klappe des Küchenherds öffnete und die *Nduja* sah.

Die Salami war ein Mitbringsel von seiner Mutter für Gerda, für seine Verlobte, wie sie betont hatte. Aber die konnte sie nicht essen. Zu scharf war sie ihr, zu intensiv, zu anders als die Geschmacksrichtungen, die sie kannte. Und als Vito gegangen war, hatte sie die Wurst einfach in den Ofen gesteckt. Nun war sie voller Asche, gräulich und stank.

Gerda trat zu ihm und drückte sich an ihn. »Ich habe sie nicht runterbekommen.«

»Macht doch nichts.«

Er trat an das Fenster, das zu den Gletschern hinausging, und stand da, während ihm die Lippen zitterten. Noch nie hatte er eine so tiefe Traurigkeit in sich gespürt. Er hätte nicht sagen können, woher sie rührte. Seine Augen wurden feucht.

Gerda schaute ihn erschrocken an. War es möglich, dass er wegen einer Salami weinte? Er richtete sich auf und legte ihr eine Hand um die Taille.

»Tut mir leid«, sagte er, »ich bin nur ein wenig erschöpft.«

Er drückte sie an sich, schloss die Augen, suchte ihre Haut. Nur eine Sehnsucht spürte er in diesem Moment: blind zu sein, taub und ohne Zukunft.

Wochen, Monate waren vergangen. Bei Vito und Gerda hatte sich nichts verändert.

Weiterhin besuchten sie gemeinsam Eva, die die übrige Zeit bei Sepp und Maria lebte, zur Schule ging und jede freie Minute mit ihrem Ulli verbrachte. Gerda arbeitete in der Hotelküche, Vito in der Kaserne. Sie schliefen miteinander, sobald sie Gelegenheit dazu hatten. Zum Tanzen gingen sie dagegen nicht mehr: Beiden war klar geworden, dass sie eigentlich gar kein Interesse daran hatten.

Leni hatte auf dem Hof ihrer Eltern ein weiteres Gebäude mit drei Apartments für Touristen bauen lassen. Es war ihr nicht leichtgefallen, alle Genehmigungen einzuholen. Die Kinder bereiteten ihr keine Sorgen in der Schule, ihre alten Eltern waren noch rüstig, und so sah sie sich selbst nicht als unglückliche Frau.

Wastl war nach München gezogen, wo er Musikunterricht gab und Klarinette in einer Jazzgruppe spielte. Ruthi folgte ihm, um ihm zu beweisen, dass er sie brauchte, was ihr aber nicht gelang. So war sie irgendwann nach Hause zurückgekehrt und hatte kurz darauf den ältesten Sohn eines Hofs auf der anderen Talseite geheiratet. Und mit nicht einmal achtzehn Jahren erwartete sie nun ihr erstes Kind.

Paul Staggl war stolz, endlich auch Großvater geworden zu sein. Überhaupt hatte sich seine Schwiegertochter als hervorragende Mutter herausgestellt, die ihre Kinder mit fester Hand erzog, auch die weiteren drei, die noch folgten. Um sowohl seine Frau als auch die Kinder so wenig wie möglich zu sehen, brachte Hannes seine Tage im Büro des Vaters zu. Dadurch hatte er seine Kenntnisse in Sachen Seilbahnen, Skipisten und vor allem der neuesten bahnbrechenden Erfindung, der Schneekanonen, beträchtlich erweitern können. Den cremefarbenen 190er Mercedes Cabrio besaß er immer noch, ließ ihn aber die meiste Zeit in der Garage. Ins Büro ging er zu Fuß.

Wie ganz Schanghai wurde Hermanns Haus kurzerhand abgerissen, um, wie es der neueste Bebauungsplan vorsah, Ferienwohnanlagen Platz zu machen. Mit seinen vierundsechzig Jahren wurde Hermann zum jüngsten Bewohner im Altersheim der Stadt. Das Personal empfand ihn nicht als besonders schwierigen Gast. Wenn er nicht aß oder schlief, brachte er seine Zeit damit zu, aus Brotkrumen Figürchen zu modellieren, von denen einige sogar in der Krippe zu sehen waren, die an Weihnachten in der Eingangshalle aufgebaut wurde. Besucht wurde er nie in diesem Altersheim.

Als die Wintersaison in Frau Mayers Hotel vorüber war, sagte Vito zu Gerda:

»Ich zeige euch Venedig.«

Eva hätte stundenlang den Tauben auf dem Markusplatz nachrennen können, aber es gab ja so viel zu sehen. Mehr noch als die Straßen, die fast alle aus Wasser bestanden, oder die Gondeln, die wie schwarze Fische hindurchglitten, die Häuser, die nicht aus Stein, sondern aus Zuckerguss gemacht schienen, waren es die Menschen, die sie faszinierten. Die Stadt schien ein einziges großes Open-Air-Festival zu sein: Viele Touristen hatten lange Haare, mandelförmig geschnittene Augen, milchig helle, bernstein- oder auch lederfarbene Haut. Die Röcke der Frauen waren sehr kurz oder knöchellang.

Eine solche Vielfalt unterschiedlichster Menschen kannte Eva noch nicht. Verglichen mit diesen Menschen hier, hätten die Touristen, die in der Hochsaison in ihrem Städtchen herumliefen, alle miteinander verwandt sein können. In Venedig aber sah sie Amerikaner, Asiaten, Skandinavier, sogar Afrikaner. Was für eine schöne Hautfarbe sie doch hatten. Warum man sie allerdings »Schwarze« nannte, obwohl sie doch eher braun waren, war Eva nicht ganz klar. Und dann diese Japanerinnen – konnten die überhaupt richtig sehen durch ihre Schlitzaugen? Eva blinzelte, um es selbst einmal auszuprobieren, und stellte fest, dass sie schon etwas erkennen konnte, jedoch nur seitlich, oben und unten nicht. Dennoch bewegten die Japanerinnen seltsamerweise nicht den Kopf, um hochzuschauen; aber vielleicht interessierte man sich dort, wo sie herkamen, nicht für den Himmel. Während ein Passant von ihr, Gerda und Vito ein Foto machte, sah sie eine Frau, die eine Tischdecke trug, und einen Mann im Pyjama.

»Inder«, erklärte Vito ihr, doch Eva wunderte sich nur noch mehr: Inder hatte sie sich immer mit Federn auf dem Kopf, Zöpfen und Mokassins vorgestellt. Du meinst Indianer, stellte Vito klar, das ist im Italienischen das gleiche Wort. Jedenfalls kamen sie von weit her und waren faszinierend anzuschauen. Dass sie und all die anderen Menschen hierhergekommen waren, erschien Eva wie eine Einladung. Wenn die ganze Welt Venedig besuchte, würde sie auch eines Tages die ganze Welt besuchen können.

So liefen sie, Vito, Gerda und Eva in der Mitte zwischen ihnen, die Brücken und Stege hinauf und hinab, durchquerten Gasse auf Gasse. Wenn diese zu eng waren, gingen sie hintereinander und beschleunigten ihre Schritte, bis wieder ausreichend Platz war, um nebeneinander spazieren zu können. In einer kleinen Pension hinter der Kirche San Stae nahmen sie sich ein Zimmer. Der Hotelier, der sie an der Rezeption empfing, hatte dicke Ringe unter den Augen, weil er schon viele Jahre nachtschwärmerischen Gästen die Tür öffnen musste und nicht mehr richtig schlief. An Gerda wandte er sich mit »Signora« und sprach ihr gegenüber von »Ihrem Mann«, Vito gegenüber von »Ihrer Tochter«. Dann las er ihre Nachnamen in den Ausweisen und begriff, wie die Dinge lagen. In den zwei Tagen ihres Aufenthalts bemühte er sich erfolgreich, Gerda nicht mehr direkt anzusprechen (»Signorina« zu sagen hätte als Kränkung empfunden werden können), und fragte auch nicht nach, wessen Tochter die Kleine nun war. Solch eine Situation erlebte er nicht zum ersten Mal.

Paare ohne Ehering am Finger waren ihm schon mehr als genug unter die Augen gekommen, und gerade in den letzten Jahren hatte er Dinge gesehen, die er früher nicht für möglich gehalten hätte. Nein, das störte ihn alles nicht. Gerda aber zündete sich, als der Hotelier ihnen die Schlüssel reichte, eine Zigarette an, während Vito Eva das Glöckchen vom Tresen reichte und »Schau mal« zu ihr sagte. Doch sie wusste: Wenn ihre Mutter so ins Leere starrte und paffend den Rauch ausstieß, war irgendetwas nicht in Ordnung.

Abgesehen von diesem kleinen Zwischenfall, war Gerda glücklich. Sie war in Venedig! Mit Vito! Und Eva! Wie in einem Schlager, einem Fotoroman, einem Film fühlte sie sich. In Filmen sah man, wie sich Verliebte, die Venedig besuchten, in der Gondel küssten, und Vito hatte gerade einen Gondoliere herbeigerufen. Auf dem mit rotem Samt bezogenen Bänkchen lehnte sie sich zurück und schloss die Augen.

»Zeigst du mir die Amalfiküste auf unserer Hochzeitsreise?«

Vito streichelte ihr Haar und drückte sie an sich, und Gerda bemerkte nicht, dass er dies tat, um ihr nicht in die Augen zu sehen. Dann jedoch sagte er:

»Ich möchte dich heiraten.«

Ich möchte war ungefähr das Gleiche wie *Ich will*, aber nicht ganz, deshalb richtete sie sich auf und schaute ihn an. Da gestand er ihr, dass er seiner Mutter nur von ihr erzählt hatte. Von Eva aber nicht.

Eva, vorn auf dem Klappsitz, drehte sich nicht um.

Vito redete leise, damit nur Gerda ihn verstand.

»Wenn ich das nächste Mal runterfahre, hole ich es nach. Das verspreche ich dir.«

Eva starrte weiter auf das Ruder, das der Gondoliere durchs faulige Wasser zog.

Vito küsste Gerdas Gesicht. Sie ließ sich küssen.

Eva betrachtete die kleine Bogenbrücke, die über ihrem Kopf hinwegzog, und dachte: Wenn die einstürzt und auf mich runterfällt, tauche ich unter und halte die Luft an und schwimme und schwimme, bis ich heil am Ufer bin.

Hinter Vibo Valentia wird der Blick auf den vergoldeten Bogen der kalabrischen Küste immer wieder unterbrochen durch die donnernde Finsternis unzähliger Tunnel. Es ist ähnlich wie bei einem Film, der zu langsam abgespielt wird, sodass die schwarzen Streifen zwischen den Einzelbildern sichtbar werden. Dann verschwindet das Meer, wir sind wieder im Landesinnern, und nach jedem Tunnel tauchen sanft gerundete Hügel auf, die mit riesengroßen Olivenbäumen bestanden sind. Nun fahren wir unter dem Aspromonte hindurch, einem endlos langen Tunnel, so stockfinster wie die Verzweiflung.

Ullis Sarg stand bereit, um in die Grube hinabgelassen zu werden, als ein alter Mann vortrat, dessen Hände vom jahrzehntelangen Ziehen der Glockenstränge in der Kapelle gezeichnet waren.

»Ich möchte noch etwas sagen«, begann er.

Es war Lukas, der Küster. In der Kirche war er nicht ans Lesepult neben dem Altar getreten, so wie Sigi und noch einige andere, um mit lauter Stimme und großer Sorgfalt über die Umstände und die Hintergründe von Ullis Tod hinwegzugehen. Auch ich hatte mich nicht erhoben, ebenso wenig wie bei der Kommunion, zu der ich schon nicht mehr ging, seit der Pastor, nach Vitos Abreise, meine Mutter wie ein verirrtes oder besser gebrochenes Schäflein wieder in seinen Stall aufgenommen hatte. Lukas war seit fast vierzig Jahren Küster in der kleinen Kirche unterhalb der Gletscher, aber kaum jemand erinnerte sich, mal seine Stimme gehört zu haben. Anfangs zitterte sie, dann wurde sie fester.

»Ich möchte hier allen erzählen, was ich durch Ulli gelernt habe.«

Die Überraschung sorgte für vollkommene Stille, so, als habe der größte Redner das Wort ergriffen.

»Wenn meine geliebte Anna noch lebte, würde ich es nicht tun ...«

Die Verblüffung war jetzt in gespannte Erwartung übergegangen. Bei Leni aber in Panik. Mit entsetzlichen, von ihr gar nicht verlangten Enthüllungen waren schon die Verluste zunächst ihres Mannes, dann auch ihres Sohnes einhergegangen, und nun starrte sie den Küster an und flehte innerlich, er möge sie verschonen.

Doch Lukas fuhr fort. Vor über sechzig Jahren, sagte er, in seiner Kindheit, sei dieses Wort nicht nur verboten, sondern vor allem unbekannt gewesen: *Homosexualität.* Ein klinischer, fast akademischer Begriff, der seltsam klang aus dem Mund dieses einfachen Mannes, der seit Jahrzehnten das passende Brevier auf dem Ambo zurechtlegte, Betschwestern, die zur Rosenkranzandacht kamen, mit Weihrauch besprenkelte oder braven Kindern, die sich im Katechismusunterricht hervortaten, ungeweihte Hostien schenkte. Wirklich seltsam.

»Es war die Zeit des Faschismus, und auch im Italienischen war dieses Wort unbekannt.«

Lukas erzählte weiter, wie ihm als junger Bursche der Schweiß ausbrach, wenn er mit bestimmten Jungen in Berührung kam, und dass ihm das bei Mädchen nie passiert sei und dass er nachts aufwühlende Träume hatte, die er dem Pfarrer beichtete, der ihm aufgab:

»Bete drei Rosenkränze und vier Vaterunser, dann legt sich das wieder.«

In den vierzig Jahren seiner Ehe habe er mit seiner Frau nur zusammen sein können, wenn er die Augen schloss und sich vorstellte, dass sie ein Mann sei. Anna habe ihm nie Vorwürfe gemacht, aber sicher gespürt, dass bei ihm etwas anders war. Natürlich habe auch sie dieses Wort nicht gekannt, und er selbst sei überzeugt gewesen, der einzige Mensch auf Erden mit solch verdrehten Gefühlen zu sein.

Wie der einsamste Mensch der Welt sei er sich vorgekommen.

Erst als sich Ulli ganz offen zu seiner Veranlagung bekannte, habe er begriffen, was er war: ein Homosexueller. Und sich auch nicht mehr allein gefühlt, denn immerhin seien sie ja nun zu zweit gewesen.

Er sei ein alter Mann, erklärte er, sein irdisches Dasein fast beendet, seine liebe Frau Anna schon gegangen. Und deshalb habe er nun beschlossen, dazu beizutragen, dass niemand mehr so wie er sein Leben in Einsamkeit, Unwissenheit und Verwirrung zubringen müsse. Es sei wichtig, sich nicht zu verstecken. Er jedenfalls sage es nun ganz offen: Ohne Ulli hätte er nie herausgefunden, wer er wirklich sei. Und auch wenn Ulli jetzt den Mut verloren und auf diese Weise seinem Leben ein Ende gesetzt habe, zweifle er, Lukas, nicht daran, dass ihn der Herrgott, mit dem er ja in enger Verbindung stehe, weil er ihm seit Ewigkeiten schon das Haus sauber halte, zu sich in den Himmel nehmen werde.

Um das offene Grab herum herrschte Stille. Niemand sagte ein Wort. Auch Lukas schwieg jetzt, er hatte alles ausgesprochen, was ihm auf der Seele gelegen hatte. Nun warf er eine Schaufel Erde auf den Sarg aus hellem Holz, der darauf wartete, ins Grab hinabgelassen zu werden. Obendrauf lag auch die Zielscheibe mit der Aufschrift »Ulli«, die sein Vater anlässlich seiner Geburt, wie eine düstere Prophezeiung, mit Schrot durchsiebt hatte. Mit kurzen, unsicheren Schritten, die wahrscheinlich nicht nur von seiner Arthritis herrührten, ging der

Küster davon, während der Wind durch seine grauen Haare fuhr. Als wolle er fragen: »Können wir jetzt endlich?«, ließ der Totengräber den Blick über die Trauergemeinde wandern. Er erhielt keine Antwort, und so machte er sich an die Arbeit. Nach und nach entfernten sich alle. Nur Leni, Sigi und ich blieben noch.

Die Gletscher jenseits der Friedhofsmauer schienen so nahe wie nie zuvor.

Sigi hatte sich nicht getraut, die rohen Worte, die Ulli töteten, auch dem alten Küster an den Kopf zu schleudern. Stattdessen stand er mit gesenktem Kopf da und ließ seine breiten Jägerschultern hängen, die offensichtlich nicht in der Lage waren, diese Last zu tragen. Ich hätte es nie für möglich gehalten, aber es war so: In diesem Moment tat Ullis Bruder mir leid.

Wäre Vito doch da gewesen, um mich zu halten, während ich mich an ihn lehnte, um mir zu sagen: Da siehst du, dass Ulli nicht umsonst gelebt hat. Aber Vito war schon lange fort und würde noch viele Jahre verschwunden sein. Doch dies war der Tag, da mir mehr als je zuvor oder je danach seine Abwesenheit völlig unerträglich war.

Endlich, ganz plötzlich, haben wir mit dem letzten Tunnel auch die letzte Anhöhe an der Stiefelspitze hinter uns gelassen und sind wieder am Meer. Der Zug fährt in kürzester Entfernung am Wasser entlang. Auch wenn steinerne Wellenbrecher das Gleisbett schützen, werden bei Flut mit Sicherheit Spritzer gegen die Zugfenster klatschen.

Der winzige Bahnhof von Favazzina steht eingezwängt zwischen Häusern und ist heruntergekommen, dreckig und mit Graffiti beschmiert, darunter auch in riesigen Buchstaben: WELCOME TO FAVAZZINA HILL. Gleich darauf durchfahren wir einen weiteren, ebenso kleinen, abgetakelten Bahnhof mit einem aber sehr viel klangvollerem Name: Scilla. Und dann schließlich der rot-weiße Leuchtturm von Villa San Giovanni, der verkündet: Der Kontinent endet hier.

Odontometer, Pinzette, Lupe. Silvius Magnago saß vornübergebeugt an seinem Schreibtisch und studierte die Zähnung einer Briefmarke.

Er war nie ein großer Reisender gewesen. Der entfernteste Ort, an den er jemals gelangte, war die endlose Ebene von Nikopol in der Ukraine, wo er sein linkes Bein zurückgelassen hatte. Nach Wien war er häufig gereist, ebenso in verschiedene europäische Hauptstädte. Aber vor allem war er zwischen Bozen und Rom hin und her gependelt und hatte auf diese Weise mehr Kilometer zurückgelegt als bei einer Weltumrundung. Doch zu reisen, um etwas von der Welt zu sehen, war nie seine Sache gewesen. Seine Art, die Welt zu erkunden, bestand darin, Briefmarken aus aller Herren Länder zu sammeln. Und er empfand es als Wohltat, nun nach so vielen Jahren endlich etwas Zeit dafür zu finden.

Mit der Verabschiedung des sogenannten Pakets hatten die Attentate ein Ende genommen, es gab keine Sprengsätze und keine Todesopfer mehr. Drei Jahre später, vor wenigen Monaten also, waren die Gesetze in Kraft getreten. Und nun galt es, die Durchführungsbestimmungen der einzelnen Maßnahmen zu beschließen. Bei den Steuern, im Schulwesen, im Verkehrswesen, beim Wohnungsbau: In jedem Bereich musste die Verwaltungsautonomie praktisch umgesetzt werden. Eine langwierige, bürokratische Arbeit. Doch die Suche nach konkreten, detaillierten Lösungen war immer schon eine von Magnagos Stärken gewesen, und diese gewaltige Aufgabe, der er sich nun in Zusammenarbeit mit Kommissionen unter der Leitung von ihm geschätzter

Kollegen wie des Christdemokraten Berloffa verschrieben hatte, schreckte ihn nicht. Worauf es hier ankam, waren Detailgenauigkeit, Akribie und Sachverstand – Eigenschaften, die ihm als Briefmarkensammler nicht fremd waren.

Auch die Stimmung in seiner Heimat war gut. Der Tourismus brachte Südtirol einen Wohlstand, den sich nur zehn Jahre zuvor niemand auch nur entfernt hätte vorstellen können. Bei den letzten Wahlen war seine Partei für die Bewältigung ihrer historischen Aufgabe von der Wählerschaft mit einer Zweidrittelmehrheit belohnt worden. Und vor allem genoss er es, nachts nicht mehr von Anrufen aus dem Schlaf gerissen zu werden, in denen man ihn darüber informierte, dass ein Soldat in Stücke gesprengt oder ein junger Bursche bei einer Straßensperre von der Polizei erschossen worden war.

Je älter er wurde, desto häufiger hielt sein unsichtbares Bein, das in Nikopol zurückgeblieben war, Zwiesprache mit dem restlichen Körper in der Geheimsprache des Schmerzes, die er mit niemandem teilen konnte, noch nicht einmal mit seiner Frau Sofia. Die dramatischen, aufregenden Jahre mit dem langen Weg von der Massenkundgebung vor der Burgruine Sigmundskron bis zu den Vereinbarungen mit der Regierung in Rom waren zu Ende, sodass er sich nun endlich, hin und wieder wenigstens, seinen geliebten Briefmarken widmen konnte. Dennoch war er beunruhigt, wenn er die politische Entwicklung in dem Land beobachtete, dem anzugehören seine Heimat mit der Verabschiedung des Pakets zugestimmt hatte. Zu vertraut kam ihm vor, was da geschah, wie eine Melodie, die er zu oft gehört hatte. Doch war sie damals nur von wenigen und in einem abgelegenen Landstrich wie Südtirol gepfiffen worden, wurde sie nun von einem kompletten Orchester in ganz Italien gespielt.

Bomben. Blutbäder. Anschläge. Terroristen. Straßensperren. Umsturzpläne. Vertuschungen. Gerüchte zu Verwicklungen von

Geheimdienstmitarbeitern in obskure Machenschaften. Und vor allem Tote. Zu viele Tote. Auf den Straßen, in Banken, auf Polizeirevieren, wo Verhöre tödlich endeten, auf überfüllten Plätzen. Es war alles andere als eine heitere Melodie, die da durchs Land zog.

Vor einiger Zeit hatte er mit seiner Frau im Fernsehen einen Dokumentarfilm über Tornados und Taifune gesehen. Dabei war ihm der Gedanke gekommen, dass Südtirol Gegenden inmitten des weiten Ozeans ähnelte, aus deren Schoß die Hurrikane kamen. Winzig kleine Tiefdruckgebiete am Rande des Weltgeschehens, die kaum auf den Radarschirmen der Beobachtungsstationen auftauchten, in denen aber die Luft wirbelte, das Wasser schäumte und die Wolken kondensierten, bis sich das, was als kleine Windhose entstand, zu einem Hurrikan ausgewachsen hatte, der über die Küsten der Kontinente hinwegfegte.

Ja, so war es. Die Donnerschläge, Gewitter und Stürme, die seine Heimat in den Jahren zwischen 1957 und 1969 erschüttert hatten, waren aus diesem Blickwinkel betrachtet nur das Vorgeplänkel für etwas viel Größeres und Weitreichenderes gewesen. Für etwas, dessen Generalprobe – Magnago erschrak selbst, als er diesen Gedanken nur dachte – hier in Südtirol stattgefunden hatte, für etwas, was bei ihnen in Südtirol erlernt worden war.

Magnago war vielleicht der einzige Politiker in Italien, der sozusagen einen Doppelstatus besaß. Die Terroristen und radikalsten Splittergruppen sahen in ihm einen Politkarrieristen, der seine Ideale verraten und sich der Staatsräson unterworfen hatte, und in der italienischen Innenpolitik warf man ihm zu großes Verständnis für die Terroristen vor. So war er eigentlich in einer idealen Lage, um die Dinge von beiden Seiten zu betrachten. Durch die Ereignisse in Südtirol war er, was Attentate anging, mittlerweile so feinfühlig wie ein Wünschelrutengänger. Überdeutlich erkannte er, dass diese Anschläge gerade denen gelegen kamen, gegen die sie eigentlich gerichtet waren. Und viele Vorfälle der letzten zwölf Jahre waren nur zu verstehen, wenn man davon ausging, dass irgendwer, irgendwelche irregeleiteten Vertreter oder Gruppierungen des politischen Lebens in Italien an einem Eigentor interessiert waren, um die harte Reaktion des Staates zu rechtfertigen. Dies waren Zusammenhänge, die Magnago natürlich niemals würde beweisen können. Und ebenso wenig hätte er solche Vermutungen während der sensiblen Verhandlungen, die er über Jahre mit verschiedenen Regierungen in Rom führte, seinen italienischen Gesprächspartnern gegenüber ansprechen können. Das hätte man sich wohl entschieden verbeten. Nur ein einziges Mal, zu Ende einer wie immer freundschaftlichen Unterredung mit Aldo Moro, hatte er diesbezüglich einen Satz fallen lassen, nur um zu sehen, welche Reaktion er hervorrufen würde, darauf gefasst, ihn sogleich wieder zurückzunehmen.

»Man könnte fast glauben«, hatte Magnago zu Moro gesagt, »manche Leute seien daran interessiert, Italien keine echte Demokratie werden zu lassen.«

Der Christdemokrat, dessen Stimme normalerweise schon so tief und heiser klang, dass man ihn nur schwer verstand, hatte geschwiegen, seinen Blick aber, der verständnisvoll war, eindringlich, erschöpft, auf Magnago gerichtet und dann die Augen zu einer kaum wahrnehmbaren, aber unmissverständlichen Geste der Zustimmung halb geschlossen. Seitdem wusste Magnago, dass er recht hatte: Es gab einen gezielten Plan, die italienische Demokratie zu destabilisieren. Und in bestimmten Kreisen war dies bekannt. Doch ebenso wenig wie die körperlichen Schmerzen, mit denen er seit 1943 lebte, konnte Magnago diese Gewissheit mit jemandem teilen – sein einziger Beweis war Moros Niederschlagen der Lider.

Aber es lohnte sich nicht, seine Zeit mit Dingen zu vergeuden, die man nicht einmal besprechen, geschweige denn ändern konnte. Mit der konkreten Umsetzung der Südtiroler Autonomie lagen genug dringende, schwer zu lösende Probleme auf dem Tisch. Seit sich das Verhältnis zum italienischen Staat zu normalisieren begonnen hatte, sah Magnago in erster Linie ein anderes Phänomen, das auf lange Sicht die Identität seiner Heimat bedrohte. Eines, das destabilisierender, umwälzender und gefährlicher als alles andere war: Mischehen zwischen Angehörigen verschiedener Volksgruppen.

Gewiss, auch er selbst war aus einer Mischehe hervorgegangen. Aber seine Eltern hatten geheiratet, als ganz Tirol noch ungeteilt zu Österreich gehörte. Zu einer Zeit, als es noch nicht geboten war, die Traditionen der Heimat vor einer Assimilierung zu schützen.

Diese Zeiten waren lange vorbei, und nun war es von enormer Wichtigkeit, die Volksgruppen in Südtirol genau zu erfassen, zu zählen und gegeneinander abzugrenzen. Vor allem für den Bereich von Schulen sowie Kultur- und Sprachinstituten, denn nur durch eine deutliche Abgrenzung von italienischen Einflüssen waren die Kultur und die Sprache Südtirols wirksam zu schützen. Eine klare Grenzziehung zwischen den Volksgruppen – nur auf diese Weise war nach all den Tumulten der Friede im Land zu erhalten.

Es war wie beim Briefmarkensammeln. Die berühmte *Sachsen-Dreier* oder die *Schwarze Einser** hatten ihren Platz im Album historischer Briefmarken und nicht in dem für ›Tiere aus aller Welt‹, ›Unterkategorie Vögel‹. Ordnen, Katalogisieren: Südtirol brauchte die Grundfähigkeiten eines leidenschaftlichen Briefmarkensammlers. Vermischungen und Überschneidungen zwischen den Gemeinschaften hätten nur erneut zu Gewalt und Chaos geführt.

---

* Von den Königreichen Sachsen und Bayern 1850 beziehungsweise 1849 herausgegeben.

Die Zähnung der Briefmarke war ebenso wie die Gummierung gut erhalten. Mit einem zufriedenen Seufzer steckte Magnago sie an den richtigen Platz ins Album. Für eine öffentliche Erklärung war die Zeit noch nicht reif, doch stand fest, dass sich zu diesem Thema der nächste Kampf anbahnte, den der Vater der Autonomie mit seiner ganzen Autorität führen würde. Und bald schon würde er es klar und deutlich verkünden: Mischehen zwischen Italienern und Deutschen waren der Anfang vom Ende Südtirols.

Der Tenente Colonnello, der Vito den entsprechenden Passus der Dienstordnung vorlas, war einige Jahre älter als er selbst, sah aber jünger aus, und seine unschuldig dreinblickenden, hellblauen Augen machten es schwierig, ihn sich mit der Waffe in der Hand im Einsatz bei einer Razzia irgendwo im Gebirge vorzustellen. Und in der Tat hatte er noch nie an einer solchen Aktion teilgenommen, war er doch gerade erst, als das Schlimmste schon überstanden war, nach Südtirol versetzt worden.

Er hatte Vito in sein Büro bestellt und ihn mit der formellen Höflichkeit der Turiner oder auch schüchterner Menschen in höheren Positionen empfangen: Er war beides. Um die Verordnung wörtlich wiederzugeben, hatte er sich eigens eine Kopie besorgt. Nicht weil er glaubte, der Brigadiere würde den Inhalt nicht kennen, sondern weil dieser Unteroffizier von allen geschätzt wurde, war es ihm wichtig, ihn respektvoll zu behandeln. Außerdem war die Angelegenheit reichlich delikat und berührte die Privatsphäre des Brigadiere. Sich an einem Stück Papier festzuhalten würde es sicher leichter machen, die Sache hinter sich zu bringen.

Er begann zu lesen:

»Umberto von Savoyen, Fürst von Piemont, Generalstatthalter des Reiches. Kraft des uns übertragenen Amtes und gemäß des königlichen Ermächtigungsgesetzes und so weiter und so weiter ..., laut Beschluss des Ministerrats, auf Vorschlag des Kriegsministers und im Einverständnis mit dem Innenminister sowie dem Schatzminister verfügen und verkünden wir folgenden Erlass ...«

Vito saß vor ihm, und der Offizier hatte sich zu ihm vorgelehnt, um ihm mit dem Finger die entsprechenden Zeilen des Textes, den er vorlas, zu zeigen. Er roch frisch gewaschen. Hinter ihm an der Wand ein Porträt des Staatspräsidenten Giovanni Leone mit seinem von einer dicken Hornbrille eingerahmten Nagergesicht.

»Artikel 1. Den Marescialli der drei Dienstgrade sowie den Brigadieri der königlichen Carabinieritruppe kann ohne Einschränkungen die Genehmigung zur Eheschließung erteilt werden, sofern sie neun Dienstjahre abgeschlossen und das achtundzwanzigste Lebensjahr vollendet haben ... Voraussetzungen, die Sie alle erfüllen«, stellte der Oberleutnant an Vito gewandt klar.

Der nickte.

»Der Artikel 2 bezieht sich auf Appuntati und bestimmte Carabinieri, betrifft Sie also nicht, ebenso wie der Artikel 6. Die Artikel 3, 4 und 5 erläutern die Zahl der für eine Kaserne zulässigen verheirateten Carabinieri. Der Artikel 7 enthält eine gute Nachricht: die verheirateten Angehörigen der königlichen Carabinieritruppe haben Anrecht auf kostenlose medizinische Versorgung durch den bei ihrer Einheit stationierten Amtsarzt ...«

»Entschuldigen Sie, Colonnello, aber wieso eigentlich ›königlich‹?«

»Ja, dieses Adjektiv ist nie gestrichen worden und gilt immer noch, obwohl wir längst der Republik Italien ...«

Er deutete auf das Foto der bebrillten Maus hinter ihm.

»... die Treue schwören. Es ist nun aber der Artikel 8, der ...«

Er brach ab.

Sind schlechte Neuigkeiten zu verkünden, müssen schüchterne Menschen doppelten Mut aufbringen: dem anderen, aber auch sich selbst gegenüber.

»... Sie betrifft.«

Vitos Gedanken waren abgeschweift. Er dachte wieder daran, was seine Mutter zu ihm gesagt hatte, als er zwei Wochen zuvor auf Urlaub zu Hause war. Sie hatte nicht lange um den heißen Brei herumgeredet.

»Entweder sie oder wir.«

Sie: Das waren Gerda und Eva. Wir: Das war sie selbst, aber auch alle Verwandten und jeder einzelne Bewohner ihrer Stadt, ja ganz Kalabriens.

»Artikel 8: Ungebührliches, öffentlich Anstoß erregendes Verhalten vonseiten Angehöriger der königlichen Carabinieritruppe führt auf Vorschlag des jeweiligen Kommandanten und nach Beschluss des Generalkommandos zum Ausscheiden des Betroffenen aus der Truppe beziehungsweise zur Ablehnung seiner freiwilligen Weiterverpflichtung.«

In einem Atemzug, ohne auch nur ein einziges Mal den Blick seiner blauen Augen zu heben, las der Tenente Colonnello wie ein Schüler den Artikel vor.

»Gegeben zu Rom, am 29. März 1946. Umberto von Savoyen. De Gasperi, Brosio, Romita, Corbino. Siegelbewahrer: Togliatti.«

Mehr gab es nicht vorzulesen. Und doch richtete der Oberleutnant den Blick weiter auf das Blatt.

Entweder sie oder wir. Das hatte Mariangela Anania, geborene Mollica, zu ihrem Sohn gesagt. Und die Gesamtheit der Kalabresen, obwohl durch jahrhundertelange Fehden, Rivalitäten, Zwistigkeiten und obskure Machtinteressen entzweit, war sich darin einig, die Eheschließung Vitos mit einer ledigen Mutter zu missbilligen. Einstimmig, was man seit den Zeiten der Magna

Graecia, ja, der Phönizier nicht mehr erlebt hatte. Und angesichts der erstaunlichen Geschlossenheit dieses Urteils, das seine Landsleute da verkündet hatten, die lebenden, aber auch die toten, wie seine Mutter ihm klarmachte, wenn nicht sogar künftige Generationen, was konnte ihm da solch eine Dienstordnung schon anhaben? Welches neue Hindernis konnte sie seiner Liebe zu Gerda schon in den Weg legen, das nicht bereits da war, unverrückbar und unüberwindlich wie ein auf einen Eselspfad gestürzter Felsblock?

Der Tenente Colonnello hob den Blick seiner sanften Augen.

»Schwester eines Terroristen und ledige Mutter ... Wo haben Sie die bloß aufgegabelt, Brigadiere Anania?«

»Gerda hat nie etwas Unrechtes getan.«

Der Oberleutnant seufzte, nicht ärgerlich, sondern eher hilflos, sogar bedauernd.

»Sie können das sehen, wie Sie wollen, Brigadiere, aber so steht es in der Dienstordnung. Öffentlichen Anstoß erregendes, ungebührliches Verhalten. Es wäre beides erfüllt. Kein Vorgesetzter wird Ihnen jemals erlauben, diese Frau zu heiraten. Als freier Bürger können Sie das natürlich tun, aber dann werden Sie verabschiedet. Das Reglement spricht da eine klare Sprache.«

Vito hatte sein ganzes Erwachsenenleben damit zugebracht, sich an die Vorschriften der *Arma dei Carabinieri* zu halten. Mit Stolz, Opferbereitschaft, Korpsgeist – Einstellungen, die kein Zivilist je verstehen würde. Daher wusste er jetzt auch nichts zu erwidern. Als er das Büro seines Vorgesetzten verließ, traf er Genovese auf dem Flur.

Der Neapolitaner hatte bereits den Mund geöffnet, um irgendeinen seiner Sprüche loszuwerden. Doch als er Vitos Gesicht sah, kniff er die Lippen zusammen. Ja, so sahen Verliebte aus, wenn die Geschichte bereits einen unglücklichen Verlauf zu nehmen begann: Und Anania hatte offenbar gerade einen mächtigen

Dämpfer erhalten. Langsam hob und senkte Genovese den Kopf wie jemand, der etwas bereits lange Erwartetes bestätigt findet. Dann klopfte er Vito ganz unvermittelt brüsk, aber doch fast zärtlich zweimal auf die Schulter, drehte sich um und ging davon.

Der Brigadiere blieb allein im Gang zurück.

Heiraten. Er und sie. Nichts anderes wollten sie. Aber wie sollten sie das anstellen, wenn alle Welt dagegenstand? Jedenfalls durften sie jetzt nicht den Mut verlieren. Sie liebten sich doch. Nur darauf kam es an.

Man würde ihn aus dem Dienst entlassen? Na wenn schon? Die *Arma dei Carabinieri* war ja nicht die ganze Welt. Sie würden es trotzdem schaffen. Gerda war Köchin, und auch er hatte einen Beruf gelernt, war diplomierter Buchhalter. Und sobald er eine Stelle fände, würde sie sich auch nicht mehr in der Hotelküche abrackern müssen, weil er dafür sorgen wollte, dass es ihr an nichts fehlte. Eva würde irgendwo in der Nähe zur Schule gehen, und sie konnten endlich alle drei zusammenleben. Er würde sie adoptieren und ihr seinen Namen geben: Eva Anania, das klang richtig gut.

Sie würden glücklich sein, alle drei, und noch mehr Kinder bekommen. Eva wäre froh, alle Mädchen freuten sich über kleine Geschwister, mit denen sie schmusen und spielen konnten. Und sie würde sie so liebhaben, dass sie gar nicht auf den Gedanken käme, eifersüchtig zu werden.

Aber seine Mutter? Nun, die brauchte einfach etwas Zeit, früher oder später würde sie ihre Meinung ändern, spätestens dann, wenn das erste Enkelkind zur Welt kam, und ihm verzeihen. Da war er sich sicher.

Vito redete in einem fort, unter der Bettdecke, mit leiser Stimme.

Gerda hörte ihm wortlos zu. Sie drängte sich an ihn, suchte ihn mit den Händen. Sie begehrte ihn, seinen Mund, wollte spüren, wie er sich in ihr bewegte, ihr ganzes Leben lang würden sie das Bett miteinander teilen, aber jetzt konnte sie es nicht erwarten.

Vito war sofort bereit, wie immer für sie. Sie eng umschlungen im Arm haltend, drehte er sie auf den Rücken, während sie sich ihm entgegenbäumte. Mein Gott, wie leicht es doch war, in sie einzudringen, wie selbstverständlich, wie unverzichtbar.

Danach schlief Vito ein.

Seinen Kopf an ihrer Brust, hielt Gerda ihn wie ein Kind im Arm. Sie blickte auf den Stuhl neben dem Bett, auf dem er seine Uniform abgelegt hatte. Die Hose war exakt gefaltet, und der rote Längsstreifen hob sich genau in der Mitte von der Sitzfläche ab, während die Schultern seines Hemdes auf den Knäufen der Lehne steckten. Wie ordentlich er doch war, ihr Vito, wie zuverlässig, wie vertrauenswürdig. Ein Ehrenmann. Sie streichelte sein schwarzes Haar. Es war schon ein wenig schütterer als zu dem Zeitpunkt, als sie sich kennengelernt hatten. So häufig hatte sie seine Stirn berührt, seinen Nacken, seine Augenbrauen, dass sie, wäre sie jetzt erblindet, tastend seinen Haaransatz unter Tausenden wiedererkannt hätte. Gerda seufzte tief, während sich Vitos Kopf mit ihrem Busen hob.

Sie wusste, was zu tun war.

Als Vito aufwachte, stand sie rauchend am Fenster. Er sah sie an und bekam Angst. Ihre Stimme war verändert, ihr Gesicht, ihre Augen. Während er schlief, war Gerda in ein Danach eingetreten, das mit dem Davor nichts mehr zu tun hatte.

Sie sagte:

»Ich habe eine Entscheidung getroffen.«

Sie sagte nicht: Wenn du den Dienst quittierst, bist du nicht mehr du selbst und verlierst alles, woran du glaubst. Und sie sagte auch nicht: Deine Mutter hat nur dich, dies hier ist nicht dein Zuhause, hier wärst du immer unglücklich, du würdest eingehen vor Heimweh. Und auch nicht: Sag mir, dass das alles nicht stimmt, was ich da rede, überzeug mich, lass nicht zu, dass wir uns trennen.

Stattdessen sagte sie: Ich will dich nicht heiraten. Das ist meine Entscheidung. Ich habe lange darüber nachgedacht, ich kann nicht mit dir leben, wir sind zu verschieden, das würde niemals gut gehen, und wenn wir noch Kinder bekämen, wäre Eva dir nichts mehr wert.

Sie zuckte mit den Achseln, und diese leichte Bewegung ließ sie fast zusammenbrechen. Schnell zündete sie sich eine weitere Zigarette an, obwohl die erste noch nicht aufgeraucht war.

Vito hatte sich im Bett aufgesetzt und sagte kein Wort.

Gerda stieß den Rauch aus, kraftvoll, blies ihn weit fort, als wolle sie die Berge jenseits des Fensters treffen.

Vito schwieg weiter.

Gerda rauchte die Zigarette zu Ende.

Vito hätte nie geglaubt, dass es ihm einmal so schwerfallen könnte, ihr in die Augen zu schauen.

Und Gerda begriff, dass sie das Richtige getan hatte, das Einzige, was ihnen übrig blieb, als er jetzt nicht zu ihr sagte: Nein, meine große Liebe, du Licht meines Lebens, ich liebe dich, und wir werden diese Probleme meistern, wie wir auch alle weiteren Probleme meistern werden, die uns unser gemeinsames Leben noch bringen wird, verlass mich nicht, dann werde ich dich auch nie verlassen. Stattdessen sagte er:

»Aber ich möchte es Eva sagen.«

Es war ihm wichtig, sich einzeln von allen zu verabschieden. Von Sepp, Maria, Eloise, Ulli. Er schaute auch bei dem Hof vorbei, wo Ruthi eingeheiratet hatte, und brachte eine Kleinigkeit für das Neugeborene mit. Er habe seine Versetzung beantragt, erklärte er. Zu lange schon sei er von zu Hause fort. Seine Mutter sei alt, und sie habe ja nur ihn, deshalb müsse er heimkehren. Niemand stellte Fragen. Niemand sagte: Und was ist mit Gerda? Maria umarmte ihn und gab ihm Schüttelbrot und Kaminwurze und selbst gebrannte Schnäpse aus Latschenkiefern, Himbeeren und Enzian als Geschenke für seine Mutter mit. Graukäse nicht, der wäre nicht heil in Kalabrien angekommen. Sepp hatte eine Holzkiste für ihn geschnitzt, in der er seine Andenken an Südtirol aufbewahren sollte, aber das eigentliche Souvenir war der Duft, der frei wurde, wenn man sie öffnete, der Duft von Stube und Heuboden. Ulli weinte und wollte ihn nicht loslassen. Eva war nicht da.

Sie saß oben auf dem Nanga Parbat, auf den Holzbrettern unter dem Dach, und ließ die Beine durchs Geländer baumeln. Sie blickte hinunter auf den Platz zwischen Stall und Haus, auf die Hühner, die auf dem Misthaufen herumscharrten, die Katze, die dösend in einer Ecke lag. Die ganze Zeit, während sich Vito verabschiedete, rührte sie sich nicht. Die anderen bemerkten sie erst, als sie herauskamen, um Abschiedsfotos zu machen – alle wollten ein Bild von sich mit Vito darauf, aber in der Stube war nicht genug Licht dafür.

Gerda rief, sie solle sofort herunterkommen.

Den Kopf im Nacken, die Stirn in Falten gelegt, sah Vito wortlos zu ihr hinauf.

Über die Geländer der hölzernen Balkone vor dem Heuspeicher kletterte Eva aus ihrem Versteck hinunter. Normalerweise hätte Vito sie ausgeschimpft, denn es war gefährlich, auf diesem Weg abzusteigen. Aber heute sagte er kein Wort und sah ihr nur zu, wie sie sich an der Fassade des alten Heuschobers hinabließ mit nackten Beinen, die unter dem Kleidchen hervorschauten, die Knie aufgeschürft, während ihre Strümpfe bis zu den

Knöcheln hinuntergerutscht waren. Mit einem kleinen Satz landete sie vor dem Stallfenster, und Vito ging auf sie zu, nahm sie
in den Arm und sagte etwas zu ihr. Eva hörte nicht zu, zu sehr
war sie eingenommen von dem, was ihr durch den Kopf ging:
Und ich habe gedacht, er ist anders als die anderen, dabei ist er
der Schlimmste von allen.

Am Bahnhof in Villa San Giovanni sieht man unter dem verrosteten Schutzdach eine mit Graffiti übersäte Mauer. Vor allem Fußballanhänger haben sich mit den Namen von Fanclubs verewigt:

BRIGATE AUTONOME ALCAMO

CURVA NORD PALERMO merde

(»Scheiße« kleingeschrieben)

ULTRAS MESSINA TESTI FRACIDI

Was wohl mit *»testi fracidi«* gemeint ist? Besoffene Gehirne oder verdorbene Hoden?

Jenseits der Gleise erhebt sich ein großes Einkaufszentrum, über dem in gigantischen grünen Lettern ein Schriftzug prangt, der gut auch der Titel eines Abenteuerromans von Salgari sein könnte:

LA PERLA DELLO STRETTO (Die Perle der Meeresstraße)

Über eine Fußgängerbrücke ist das Einkaufszentrum mit dem Bahnhof verbunden. Viele Menschen sieht man die Stufen der Metalltreppe hinauf- und hinuntereilen, während die nagelneuen Rolltreppen daneben offenbar stehen. Ich vermute sogar, dass sie noch nie gelaufen sind; sie sind von einem glänzenden, heiteren Rot, genau jenem primären Rot, in dem auch Ullis Schneeraupe Marlene lackiert war.

Die Familie aus Messina steigt aus. Sie wollen hier Verwandte besuchen und mit ihnen morgen den Ostermontag verbringen, bevor sie am Tag darauf nach Hause zurückfahren. Wir verabschieden uns herzlich, die Frau rafft ihre vielen Tüten und Taschen zusammen, ihr Mann drückt mir die Hand, sehr kräftig, wie von einem früheren Polizisten nicht anders zu erwarten, die Tochter zeigt ein strahlendes Lächeln, und dann bleibe ich allein zurück. Allein im Abteil, im Waggon, vielleicht sogar im ganzen Zug.

Jenseits des veilchenblauen Wassers der Straße von Messina scheint sich Sizilien im Gegenlicht an die untergehende Sonne zu lehnen, eine dunkle Landmasse, über der lang gezogene Wolken hängen. Der Zug setzt sich wieder in Bewegung, bricht auf zu seiner letzten Etappe, und genau in diesem Augenblick sehe ich, wie hinter der Insel, jenseits des plötzlich anthrazitfarbenen Meeres, die Sonne ganz verschwindet.

Aus der halb geöffneten Tasche auf dem Nebensitz dringt ein bläulicher Lichtschein zu mir: eine SMS. Ich nehme das Handy heraus und schaue aufs Display. Carlo schreibt mir.

WIE GEHT'S DIR? BIST DU SCHON DA? ICH LIEBE DICH.

Lange betrachte ich die Nachricht und drücke dann, ich weiß selbst nicht so recht, wieso, eine Taste unter dem Bildschirm, woraufhin ich gefragt werde: LÖSCHEN?

Ich wende den Blick zum Fenster. Die Umrisse Siziliens werden immer düsterer und undeutlicher und sind mittlerweile nur noch durch die Lichter Messinas bestimmt. Dann durchfahren wir die Außenbezirke von Reggio Calabria. Wohnhäuser als Resultat von Kahlschlag und Bauspekulationen, wie sie überall sonst in Italien auch stehen könnten, sind jetzt in das gelbe Licht der Straßenlaternen getaucht. Mit fast tropischer Geschwindigkeit ist die Nacht hereingebrochen.

Während der Zug in Vitos Stadt einfährt, drücke ich: JA.

Der Bahnhof ist fast menschenleer. Mit ein paar wenigen anderen Passagieren steige ich aus dem Waggon, auf unsicheren Beinen wie nach einem langen Intercontinentalflug. Ich habe ein Zimmer in einem Hotel beim Bahnhof gebucht, mein Trolley ist nicht sperrig, ich müsste also zu Fuß hinkommen. Während ich mich schon aufs Gleisende zubewege, sehe ich ihn plötzlich vor mir.

Er sieht genauso aus, wie ich ihn in Erinnerung habe. Nicht sehr groß, mit einer phönizischen Nase, der weiche Mund ein wenig schief. Auch Vito erkennt mich auf Anhieb und kommt mir entgegen. Er ist jung geblieben, so jung wie damals. Kein bisschen älter ist er geworden.

Es war der sogenannte *patentino*, der Gerda das Leben rettete.

Vielleicht wäre sie auch ohne durchgekommen, vielleicht hätte der Selbsterhaltungstrieb sie alles wieder auskotzen lassen. Vielleicht wäre auch jemand ins Zimmer gelaufen und hätte sie davon abgehalten. Oder ihr wäre im letzten Moment Eva eingefallen, und sie hätte die Tabletten ins Klo geworfen. Tatsache ist, dass Gerda es dem »Gesetz zur Zweisprachigkeit« verdankte, dass sie überlebte, dem Hauptpunkt des neuen Autonomiestatuts der Provinz Alto Adige/Südtirol.

Nachdem die Südtiroler viele Jahre lang dazu gezwungen waren, eine Fremdsprache zu benutzen, wenn sie auf einem Amt ihrer Heimat etwas zu erledigen hatten, schaffte das »Paket« hier Abhilfe. Alle Angestellten in öffentlichen Ämtern mussten von nun an nachweisen, dass sie sowohl Deutsch als auch Italienisch beherrschten, und zwar mit einer Bescheinigung, die eben *patentino** genannt wurde.

Das Gesetz machte Schluss mit einer historischen Ungerechtigkeit. Dumm nur, dass niemand die praktischen Auswirkungen bedacht hatte. Was sollte mit den italienischen Beamten geschehen, die nicht gut genug Deutsch sprachen, um die Prüfung schaffen zu können, also praktisch alle? Wollte man sie ausnahmslos entlassen? Und was war mit denen, die in Bereichen arbeiteten, die ebenfalls für das Gemeinwohl wichtig waren? Den Apothekern zum Beispiel. Was sollten die machen?

---

* Wörtlich »Führerscheinchen«.

Doktor Enrico Sanna etwa hatte nach dem Universitätsexamen sein heimisches Cagliari auf Sardinien verlassen und ganz in der Nähe von Frau Mayers Hotel eine Apotheke aufgemacht. Seit damals waren dreißig Jahre vergangen, doch auf Deutsch hatte er nicht mehr als zu grüßen gelernt oder eben »danke«, »bitte«, »guten Appetit« oder dergleichen zu sagen. Um sich die Namen der Arzneien zu merken, brauchte man nicht in Sprachen bewandert zu sein, und die Symptome von Kopfschmerzen oder Verdauungsstörungen konnte man sich auch mit den Händen oder dem Gesichtsausdruck beschreiben lassen. Auf alle Fälle hatte er seine mangelnden Deutschkenntnisse nie als Einschränkung seiner beruflichen Fähigkeiten empfunden. Und auch seine Kunden hatten sich nie beschwert. Im Gegenteil hatten sie auf ihre trockene Art ihm gegenüber immer eine gewisse Herzlichkeit gezeigt. Und ebenso seiner Frau gegenüber, die aus der sardischen Stadt Barbagia stammte und sich unter den Menschen ihrer neuen Heimat, die nicht zu Gefühlsausbrüchen neigten, aber stets ihr Wort hielten, nie unwohl gefühlt hatte. So weit, so gut, bis zu dem Tag, da Doktor Sanna eine amtliche Mitteilung ins Haus flatterte, in der man ihn aufforderte, eine Prüfung zur Erlangung der Zweisprachigkeitsbescheinigung abzulegen.

Vito war seit einigen Wochen fort, und wie sonst auch arbeitete Gerda in der Hotelküche. Die Speisen, die sie dort für Frau Mayers Gäste zubereitete, waren genauso schmackhaft wie gewohnt, das Fleisch nicht weniger perfekt auf den Punkt gegart, die Garnierungen nicht nachlässiger angeordnet. Wenn die Kellner mit ihren Bestellungen heranstoben, »neu« riefen und ihre Zettel auf der Theke ablegten, rührte sie nicht weniger aufmerksam eine Soße an, begoss sie nicht weniger behutsam den Braten im Ofen, schnitt sie nicht weniger exakt die *Rolladen* in Scheiben. In den Pausen aber, wenn das übrige Personal beim

Essen zusammensaß, sie aber, als treue Nachfolgerin von Herrn Neumann, allein in der Küche blieb, um die Töpfe auf dem Herd nicht aus den Augen zu lassen, kam es vor, dass sie versonnen Elmars Putzmittel über dem Spülbecken betrachtete – so eine Flasche auf einen Zug auszutrinken schien ihr nicht sonderlich schwer – oder die Fleischmesser, deren scharfen Klingen es in ihren fachkundigen Händen leicht gefallen wäre, die Adern zu finden.

Doch die Pausen gingen zu Ende, die Köche kehrten an ihre Arbeitstische zurück, die Gäste hatten Hunger, und Gerda überlebte, Stunde für Stunde.

An jenem Tag hatte sie frei, und das war immer die schlimmste Zeit. Sie lag in ihrem Zimmer auf dem Bett, und das allein schon war grausam, so zu liegen auf diesem Bett, in dem sie mit Vito ...

Von einem plötzlichen Entschluss gepackt, stand sie auf, zog sich an, verließ das Hotel und machte sich auf den Weg zu der Praxis, wo man auch auf Krankenschein behandelt wurde. Dort wartete sie zwischen Kindern mit Mumps und Alten mit Darmentzündung, und als sie dran war, sagte sie dem Arzt, worunter sie litt: Schlaflosigkeit. Der Mann betrachtete ihre graue Haut, die dicken Ringe unter den Augen und verschrieb ihr Benzodiazepin.

Ist das ein Schlafmittel?

Ja. Damit werde sie endlich wieder tief schlafen können.

So machte sich Gerda auf den Weg zur Apotheke. Hielt sie dabei das Rezept in der Hand wie ein Samurai das Schwert, mit dem er Harakiri verüben wird? Nein, sie hatte es zu Puder und Geldbörse in die Handtasche gesteckt. Doch zu sterben war sie ebenso wild entschlossen wie ein japanischer Krieger.

So gelangte sie zur Apotheke von Doktor Sanna. Doch die war geschlossen. Gerda konnte es nicht glauben, schließlich war es vier Uhr am Nachmittag, es war Montag, und nicht Weihnachten. Am heruntergelassenen Rollgitter hing ein Blatt voller Stempel, auf dem ganz oben stand:

PROVINZVERORDNUNG/ORDINANZA PROVINCIALE

Gerda blickte sich um. Erst jetzt fiel ihr auf, dass sich eine kleine Menge auf dem Gehweg vor der Apotheke versammelt hatte. Männer, Alte, junge Mütter mit ihren Säuglingen, wehrpflichtige Soldaten. Sie brauchten Aspirin, Mundwasser oder Insulin. Kondome, Fieberthermometer oder Antibiotika, Blutgerinnungsmittel, Mullbinden oder sterile Spritzen. Läusegift, Halstabletten oder eben Benzodiazepin, um dem Schmerz ein Ende zu machen.

Doktor Sanna aber hatte die Zweisprachigkeitsprüfung nicht bestanden und durfte das alles niemandem mehr verkaufen.

Hätte sie es unbedingt gewollt, so wären auch noch die Apotheken in den Nachbarorten erreichbar gewesen. Doch die Entschlossenheit, die sie zu Doktor Sanna geführt hatte, war schon ein wenig erlahmt.

So starb Gerda also nicht. Aber sie begann, sich mehr und mehr zu vernachlässigen. Wenn sie Fleisch holen ging, vergaß sie den Wintermantel überzuziehen und betrat in Hemdsärmeln, noch erhitzt von der Küche, die Kühlkammer. Und auf der Stelle gefror ihr der Schweiß auf dem Leib, und ihre Nieren schmerzten wie unter Stromstößen, aber sich etwas überzuziehen fiel ihr erst ein, wenn sie bereits wieder draußen war. Gerda war von unverwüstlicher Natur wie ihr Vater Hermann, und so dauerte es lange, bis sie krank wurde, aber schließlich bekam sie sehr hohes Fieber. Als Frau Mayer sie in der Kammer unter dem Dach aufsuchte, erschrak sie: Ihre Chefköchin schwitzte und zitterte, als habe sie die Cholera, und das Kopfkissen war mit Haaren übersät, die Gerda büschelweise ausfielen. Drei Wochen musste sie das Bett hüten. Als sie endlich wieder aufstehen konnte, hatte Gerda mit ihren nicht mal dreißig Jahren große kahle Stellen auf dem Kopf. Monatelang band sie sich ein Kopftuch um. Dann waren die blonden Haare nachgewachsen, wurden aber nie mehr so flauschig wie zuvor.

Gerda nahm ihren harten Arbeitsalltag wieder auf. Es war alles wie zuvor. Nur wenn jemand in der Küche das Radio anstellte, schaltete sie es sofort aus. Das Radio aus ihrem Zimmer schenkte sie Elmar. Musik hören schmerzte sie mehr als alles andere. Wenn sie im Café einen Mann traf, fragte sie nicht, wie er heiße, und wenn er es ihr trotzdem sagte, hörte sie nicht hin. Es gab nur einen Namen, den sie hören wollte.

Eines Morgens, in einer Pause bei der Zubereitung der Grundzutaten, ging sie hinaus, um hinter dem Haus eine Zigarette zu rauchen, in der Hand den Kochlöffel, den sie zurückzulegen vergessen hatte. Da stand Hannes Staggl, der auf sie gewartet hatte. Er war dicker geworden, seine roten Haare von grauen Strähnen durchzogen, und seine Augenlider sahen immer mehr wie die von einem Salamander aus. So stand er da im Hof von Frau Mayer wie ein verkehrtes Einzelbild in einem Film.

»Figg lai mit mir, Gerda«, sagte er zu ihr. Fick nur mit mir. »Der Kerl hat dich verlassen, weil er dich nicht geliebt hat. Aber ich bin noch da, und wenn du Ja sagst, bin ich bereit, dir alles zu bezahlen. Fick nur noch mit mir, jetzt und in Zukunft, und dir und Eva wird es an nichts fehlen.«

Gerda zielte und schleuderte dem Vater ihrer Tochter den Kochlöffel ins Gesicht. Sie traf ihn seitlich am Auge. Und dabei konnte sich Hannes Staggl noch glücklich schätzen, denn zehn Minuten vorher war Gerda noch damit beschäftigt gewesen, mit einem Hackebeil eine Rinderschulter zu entbeinen.

Wochenlang lief er mit einem geschwollenen und blauen Auge, das er nur halb öffnen konnte, herum wie ein Boxer, für den es an der Zeit wäre, seine Handschuhe an den Nagel zu hängen. Seiner Frau erzählte er, er habe sich gestoßen, als er die Wagentür öffnen wollte. Seinen Mercedes hatte er endlich verkauft, und an die Türen des Lancias habe er sich noch nicht gewöhnt, sagte er.

Als sie das möblierte Zimmer betrat, wo sie außerhalb der Saison wohnte, fand Gerda Dutzende von Briefen vor. Allein schon bei der Berührung überkam sie die Verzweiflung. Ohne sie zu öffnen, warf sie alle in die Brennkammer im Küchenherd. Viele davon waren an Eva adressiert, doch auch die warf sie fort, als wären sie eine ungenießbare Salami mit zu viel Peperoni drin.

Wenn Eva einen milchkaffeefarbenen (aber auch hellgrauen, gelblichen oder schwarzen) Fiat 130 die Kehren zu ihrem Hof hinaufklettern sah, erstarrten ihre Beine, als hätten sie Wurzeln geschlagen, ihr Atem stockte und ihr Mund wurde trocken. Wenn Kürbisse zu Kutschen werden konnten und in manchen Fröschen verzauberte Prinzen steckten, warum sollte dann nicht plötzlich Vito auf dem Platz auftauchen?

Nein, es war sinnlos. Es funktionierte einfach nicht mehr. Sie war jetzt schon elf, und sosehr sie sich auch bemühte, an Märchen glaubte sie nicht mehr.

Das Einzige, was sie tun konnte, war, mit Ulli oben auf dem Nanga Parbat zu sitzen und so selten wie möglich in die Ebene zum Rest der Menschheit hinabzusteigen. Auf achttausend Metern war es kalt, und man bekam kaum Luft, doch zumindest thronte man über den Niederungen von Sehnsucht und Verzweiflung.

Ganz plötzlich, fast von einem auf den anderen Tag, begann sich Ullis Stimme zu verändern. Sein kindlicher Sopran wurde zunächst zu einem unschönen Krächzen, um dann, nach einigen Jahren, die Klangfülle eines Tenors anzunehmen. Doch auch weiterhin zeigte er kein Interesse an der Gesellschaft von Mädchen mit Ausnahme von Eva. Morgens erwachte er nach von seltsamen Tieren bevölkerten Träumen mit klebriger Schamgegend.

Eva war vielleicht vierzehn, als sie die männlichen Blicke zu spüren begann, die auf sie gerichtet waren. Eines Tages lief sie mit Gerda durch die Hauptstraße ihres Städtchens, als sie hörte, dass eine Gruppe Jugendlicher ihnen nachpfiff. Gerda drehte sich nicht um, überzeugt, dass diese bewundernden Pfiffe wie immer, seit sie zur Frau geworden war, nur ihr gelten konnten. Als Eva sich umdrehte und den erregten, ein wenig ängstlichen Blick eines der Jungen bemerkte, wurde ihr klar, dass sie in Wahrheit ihr nachschauten, ihr mit ihren langen, nackten Beinen, die unter dem Minirock hervorschauten, ihren bereits stark entwickelten Brüsten, die ihre Bluse mit den Schmetterlingen darauf wölbten. Sie schaute zu ihrer Mutter, die nicht auf die lästigen Komplimente eingehen wollte und mit durchgedrücktem Rücken und verkniffenem Mund neben ihr herging. Eva öffnete die Lippen, um sie über die Situation aufzuklären, besann sich dann aber, und ein wenig verlegen, innerlich jubelnd und mit einem vagen Gefühl des Verrats hielt sie den Mund.

Es ist nicht Vito, sondern sein Sohn Gabriele, der zum Bahnhof gekommen ist, um mich abzuholen. Er lädt meinen Trolley in den Kofferraum seines Opels Vectra, und einen Moment lang habe ich Carlo, mit dem gleichen Vorgang beschäftigt, vor Augen. Es scheint ein ganzes Jahr und nicht erst zwei Tage her zu sein.

Es sei zu spät, um zu Vito zu fahren, sagt er. Der Knochenkrebs halte ihn die ganze Nacht wach, und nur am frühen Abend gelinge es ihm, ein wenig zu schlafen. Gabriele bringt mich erst einmal ins Hotel, Vito werde ich dann morgen besuchen. Während der Autofahrt kann ich der Versuchung nicht widerstehen, ihn verstohlen zu betrachten, und ihm geht es wohl ebenso. Als wir uns gegenseitig dabei ertappen, müssen wir beide lachen.

Vitos Sohn und ich, lachend in einem Auto.

Was es nicht alles gibt!

Er hat mich weder mit »Signora«, noch mit »Signorina« angesprochen, sondern sogleich geduzt, wie ich ihn auch, und von Anfang an war das richtig und normal. Gabriele redet, während er den Wagen recht flott durch den ruhigen Verkehr steuert. Von Reggio Calabria sehe ich nichts, weil ich nur Augen habe für das scharfe Profil und den ein wenig schiefen Mund des Menschen, der, seit er auf der Welt ist, Vito »Papa« nennen darf.

Er weiß einiges über mich. Als er zwanzig war, sagt er, habe Vito ihm von dieser Frau in Norditalien erzählt, die er als junger Mann geliebt hat. Und von ihrer kleinen Tochter.

»Und ich habe mir dieses kleine Mädchen immer mit hellblon-
den, fast weißen Haaren vorgestellt, wie die Kinder aus Deutschland eben, die im Frühling bei uns Urlaub machen. Und ich hatte recht.«

»Nein, das hattest du nicht.«

»Wieso? Bist du nicht blond?«

»Doch, aber ich bin keine Deutsche aus Deutschland. Ich bin
Südtirolerin.«

Er schaut mich an. Ernst, aber mit lachenden Augen.

»Und das ist etwas völlig anderes ...«

»Ja, sicher, etwas völlig anderes.«

Wie sehr er doch seinem Vater ähnelt. Er hat das gleiche, ein
wenig schiefe Lachen: Die eine Mundhälfte hebt, dehnt und verbreitert sich, und die andere Hälfte rührt sich nicht, als warte sie
darauf, dass die Gegenseite mit diesen Tänzchen fertig wird –
aber nicht ungeduldig.

»Was hat er sonst noch von mir erzählt?«

»Dass er sich wünscht, dass du glücklich bist.«

Ich wende den Blick ab.

»Hast du Hunger?«, fragt er mich.

Es ist ein kleines Restaurant in einer engen Gasse, in der man
aber das Meer riechen kann. Die Ricottafrikadellen und frittier-
ten Meeresfrüchte kommen mir wie das leckerste Essen vor, das
mir je serviert wurde, vielleicht weil ich seit Franzensfeste nichts
Warmes mehr gegessen habe.

Gabriele ist auch Carabiniere. Er hat zwei Universitätsab-
schlüsse gemacht, in Jura und Politikwissenschaft, und spricht
drei Sprachen sowie einige Brocken der Sprachen jener Länder,
in denen er stationiert war: Bosnien, Kosovo und Irak.

Im Kosovo, erzählt er, sei es wichtig gewesen, die Volksgruppen nicht zu verwechseln und Albaner und Serben in der richti-

gen Sprache zu begrüßen. Und in einem albanischen Café müsse man aufpassen, dass man nicht drei Kaffees bestelle, indem man Daumen, Zeigefinger und Mittelfinger hebt. Denn das sei der Gruß der Serben. Statt des Daumens müsse man den Ringfinger nehmen. Andernfalls werde das als Beleidigung aufgefasst, und mit beleidigten Albanern sei nicht zu spaßen.

In Peć habe er mit seinen Männern eine »Mädchenfarm« befreit, wie sie, die Carabinieri im Auslandseinsatz, solche Gefangenenlager nannten. Was er da genau gesehen hat, will er nicht erzählen. Aber den Chef des Lagers habe er persönlich bewacht und den Vertretern des internationalen Gerichtshofs übergeben. Ein Mann mittleren Alters, verheiratet mit einer unterwürfigen Frau und drei Töchtern im gleichen Alter wie die weiblichen Gefangenen, die von ihren Bewachern wie lebendes Fleisch konsumiert worden seien.

»Das ist einfach nicht zu begreifen«, meint er.

»Wenn ich von solchen Gräueln höre«, sage ich, »denke ich immer, dass wir in Südtirol wirklich Glück hatten, weil wir davor verschont geblieben sind.«

»Ja, großes Glück.«

Nach dem Espresso hebe ich den Blick und sage lächelnd:

»Du fragst mich gar nicht danach.«

»Wonach denn?«

»Ob ich mich eher als Italienerin oder als Deutsche fühle.«

»Warum sollte ich? Genauso gut könntest du mich fragen, ob ich mich eher als Kalabrese oder Italiener fühle oder, wenn du so willst, als Normanne, Araber, Grieche oder Albaner.«

Ich schaue ihn an und frage mich, wie es wohl gewesen wäre, mit Gabriele als kleinem Bruder aufzuwachsen.

Vor dem Hotel angekommen, schaltet Gabriele den Motor aus. Einen Augenblick schweigt er und sagt dann:

»Auch meine Mutter hat von euch gewusst.«

»Deine Mutter …! Und wie hat sie das erfahren?«

»Durch meine Großmutter, die nicht mehr lebt. Als sich meine Eltern verlobten, sagte sie zu ihr: Die große Liebe meines Sohnes war eine andere. So wie diese Frau wird er dich niemals lieben. Aber er wird dich immer achten, denn er ist ein guter Mann. Nimm ihn so, wie er ist, oder lass es bleiben.«

»Und deine Mutter hat ihn genommen.«

Gabriele nickt.

»Aber es wurde keine unglückliche Ehe, überhaupt nicht.«

Er bringt mein Gepäck zur Rezeption. Bevor er sich verabschiedet, reicht er mir ein Päckchen. Es ist klein, in braunes Packpapier eingeschlagen und mit einer dünnen Kordel verschnürt. Alt sieht es aus und riecht so, als habe es lange in einer Schublade gelegen.

»Mein Vater hat mich gebeten, dir das zu geben, wenn du ankommst. Hier, das wirst du wahrscheinlich brauchen«, fügt er hinzu und reicht mir einen alten Walkman und Kopfhörer.

Wir verabschieden uns mit einer ungelenken Umarmung wie zwei Menschen, die sich fest drücken möchten, aber zu befangen dafür sind.

Dieser Anruf, einer der schlimmsten, den er je bekommen hatte, erreichte ihn nicht mitten in der Nacht und auch nicht im Morgengrauen. Der Apparat klingelte zu einem trügerisch friedlichen Zeitpunkt, gleich nach dem Mittagessen, als Magnago gerade mit seiner Frau Sofia den Espresso eingenommen hatte und sich anschickte, ins Büro zurückzukehren.

Eine bekannte Stimme mit römischem Akzent meldete sich und berichtete ihm von dem roten Renault, von der Straße, wo er gefunden wurde – und in der Nähe die beiden größten Parteien Italiens ihren Sitz hatten –, von der Leiche unter der Decke.

Seit einiger Zeit hatte Sofia Probleme mit ihrem Gedächtnis, und immer häufiger fielen ihr die Bezeichnungen für Dinge nicht mehr ein, oder vielleicht war es auch so, dass sie sich von ihrer Sprache nicht mehr finden lassen wollten. Von jenem hölzernen Dingsda mit vier Beinen wusste sie im Moment nicht, wie es hieß, aber das brauchte sie auch nicht, um es ihrem Mann hinzuschieben: Auch wusste sie nicht, was man ihm am Telefon erzählte, sah aber sehr genau, dass Silvius umzukippen drohte.

Magnago ließ sich auf den Stuhl sinken und legte eine Hand an die Stirn. Sie möge den Fernseher einschalten, bat er sie.

Man sah die Leiche, die zusammengekrümmt im Kofferraum lag. Die Scharen von Polizisten. Einen Priester, der die Letzte Ölung spendete. Das Magnago wohlvertraute intelligente Gesicht des Mannes hatte jetzt einen langen Bart, nach den vielen Tagen der Angst und des Schreckens in der Gefangenschaft der

Terroristen. Da war sie, die volle Zerstörungskraft des Hurrikans. Aldo Moro war umgebracht worden.

Magnago barg das Gesicht in den Händen, ließ die Stirn an die Brust seiner Frau neben ihm sinken und weinte.

An jenem 9. Mai 1978 stand auch Gerda vor dem Fernsehgerät. Frau Mayer, die Gäste, die Kellner, Köche und Hilfsköche, alle starrten sie gemeinsam schweigend auf den Bildschirm.

Aus dieser Gruppe waren nur Gerda, Elmar und Frau Mayer bei dem Bankett dabei gewesen, das der Obmann Magnago viele Jahre zuvor zu Ehren Aldo Moros in ebendiesem Raum gegeben hatte. Das übrige Personal war später eingestellt worden. Gerda dachte daran zurück, wie sie sich in einer Reihe postiert und den hohen Gästen die Hand geschüttelt hatten. Sie versuchte, sich auch an Moros Augen zu erinnern, aber dann fiel ihr ein, dass er den Blick gesenkt hielt, während er ihre Hand ergriff zu einer Geste, die kaum als Händedruck zu bezeichnen war oder als der Händedruck eines mit Sicherheit körperlich schwachen, vielleicht sogar wehrlosen Mannes. Wieso mochten diese Leute wohl einen solch sanften Menschen ermordet haben?

Und ebenso wenig hatte es irgendein Mensch, egal ob unbedeutend oder mächtig, verdient, dann noch auf diese unwürdige Weise, wie eine Kiste oder eine Reisetasche, in einen Kofferraum verfrachtet zu werden.

Dies war aber nicht der schlimmste Tag, denn für die Hinterbliebenen ist jeder neue Mord schlimmer als die zuvor, und auch danach sollte es in Italien noch viele, zu viele Gewaltopfer zu betrauern geben.

Im Vergleich dazu waren die Anschläge, die es in Südtirol noch gelegentlich gab, wie jene Knallerbsen, die lange nach Silvester erst explodieren, Kinkerlitzchen, Feuerwerkskörper, gemessen an dem, was im übrigen Italien geschah.

Im Jahr 1979 sprengte der *Tiroler Schutzbund*, eine extremistische Splittergruppe, von der kaum jemand gehört hatte, wieder einmal den »Wastl« in Evas Kleinstadt in die Luft. Vierzig Jahre schon wurde das Alpinodenkmal zerstört, wieder aufgebaut und wieder zerstört, wie der Zankapfel in einem nicht enden wollenden Wettkampf.

Schon seit Längerem besuchte Eva ein Internat in Bozen, mittlerweile die Gymnasialklassen der Oberstufe, zu denen sie dank ihrer sehr guten Noten im Mittleren-Reife-Zeugnis zugelassen worden war. Nach langen Diskussionen hatte sie ihre Mutter davon überzeugen können, dass Köchin kein Beruf für sie sei. An jenem Morgen kam sie an der Kreuzung vorüber, wo junge Wehrpflichtige in Kampfanzügen und hohen Stiefeln damit beschäftigt waren, mit Besen und Schaufeln »Wastls« zertrümmerte Einzelteile vom Boden aufzulesen. Sie sahen nicht aus wie Militär im Einsatz gegen einen Terrorismus, der eigentlich der Vergangenheit angehörte, sondern eher wie fleißige Bauernjungen.

Bis auf vereinzelte extremistische Ausnahmen war auf beiden Seiten das Interesse an diesem Kampf völlig verflogen. Sogar der »Nationale Verband der italienischen Alpini« traf einige Monate später die weise Entscheidung, das Monument nicht wieder aufzubauen und stattdessen ein granitenes Basrelief zu schaffen, das Alpini im Friedenseinsatz zeigen sollte. Bis zu seiner Realisierung würde »Wastls« amputierte Büste an ihrem Platz auf dem Sockel stehen bleiben. Das Relief allerdings wurde nie gefertigt, und die halb zerstörte Statue blieb dort, wo sie heute noch zu sehen ist.

Eva war über die Ferien zu Hause, als das Päckchen gebracht wurde. Es war in braunes Packpapier eingeschlagen und mit einer dünnen Kordel verschnürt. Gerda hatte die Tür geöffnet. Empfänger und Absender waren in einer ordentlichen Handschrift geschrieben, die sie auf Anhieb wiedererkannte.

»*I nimms net*«, sagte sie an Udo, den Postboten, gewandt. Das nehme ich nicht an.

»Aber es ist doch für Eva ...«

»Ich bin ihre Mutter und weiß, dass sie es nicht haben will.«

Ob sie sich da wirklich sicher sei, wollte Udo sie fragen. Doch sie richtete den Blick ihrer hellblauen, länglichen Augen auf ihn und schaute ihn reglos an. Da schwieg er. Stattdessen zog er einen Stift aus der Brusttasche und holte ein Formular aus seiner Ledertasche hervor. Ohne sie anzusehen, reichte er ihr beides.

»Dann unterschreib hier.«

Gerda tat es und fragte dann, mit einem Mal fast zärtlich besorgt:

»Was geschieht denn jetzt mit diesem Päckchen?«

»Ich nehme es wieder mit zum Postamt und gebe an, dass du es nicht haben wolltest ...«

»Dass Eva es nicht haben wollte.«

»... und dann schicken sie es zurück.«

Udo verstaute das Päckchen wieder in der Ledertasche, faltete das Formular zusammen und sortierte es zwischen anderen Blättern ein. Dann steckte er den Stift in die Brusttasche zurück, prüfte, ob sie auch richtig zu war, und machte Anstalten zu gehen. Sein Oberkörper begann bereits, sich Richtung Straße zu wenden, und seine Füße würden ihm im nächsten Augenblick folgen, als ihm noch einmal Bedenken kamen.

»Wo ist Eva eigentlich?«, fragte er.

»Eva schläft.«

Und so reiste das braune Päckchen den ganzen weiten Weg, den es bis zu ihnen genommen hatte, wieder zurück:

zweitausendsiebenhundertvierundneunzig Kilometer insgesamt, einmal hin und einmal her.

Liebe Sisiduzza,
heute wirst du sechzehn Jahre alt.
Das ist ein wichtiger Tag.
Alle deine Geburtstage sind wichtige Tage für mich, und auch
wenn ich dich nicht mehr wiedersehen konnte, habe ich keinen
einzigen davon vergessen.

Das Hotelzimmer hat einen Fußboden aus Marmorfliesen und
schwammgetünchte Wände, an denen oben unter der Decke ein
Fries aus Blüten und Früchten entlangläuft. Die Nacht ist still,
ich liege auf dem Bett, gegen das metallene Kopfteil gelehnt, der
Walkman läuft.

Aus vielerlei Gründen haben deine Mutter und ich nicht hei-
raten können. Ich weiß nicht, ob sie mit dir darüber gesprochen,
ob sie es dir erklärt hat, aber das ist jetzt auch nicht so wichtig.
Es ist alles so gekommen, wie es gekommen ist, und die Zeit
lässt sich nun mal nicht zurückdrehen. Ich möchte aber, dass du
weißt, dass du für mich nicht nur ... Gerdas Tochter bist. Du bist
auch meine Sisiduzza, und ich habe dich sehr, sehr lieb, und
daran hat sich nie etwas geändert, obwohl ich dich schon viele
Jahre nicht mehr gesehen habe.

Auf die vielen Briefe, die ich dir geschrieben habe, hast du
mir nie geantwortet. Ich kann das verstehen und will dir auch
bestimmt keine Vorwürfe machen, du warst ja noch so klein.
Was hättest du mir auch schreiben können? Wahrscheinlich
warst du wütend auf mich, und dazu hattest du auch allen
Grund. Aber jetzt bist du ein junges Mädchen, und damit könnte

sich etwas ändern. Wenn du möchtest, würde ich mich freuen, wenn wir uns häufiger schreiben, vielleicht auch hin und wieder miteinander telefonieren. Du könntest mir erzählen, was so in deinem Leben passiert, zum Beispiel, wie es auf dem Gymnasium in der Oberstufe läuft. Ich weiß, dass du immer fleißig und intelligent warst, und es würde mir Spaß machen zu verfolgen, was du lernst, und dich auf deinem Weg zu begleiten. So besonders gebildet bin ich ja selbst nicht, aber ich muss dir ja auch keinen Stoff beibringen, dafür hast du deine Lehrer. Du sollst nur wissen, dass du immer auf mich zählen kannst.

Jetzt, da du zur Frau wirst, ist es meiner Ansicht nach wichtig für dich, jemanden zu haben, der für dich da ist, wichtiger noch als früher, als du ein kleines Mädchen warst. Sicher, du hast deine Mutter, die dich sehr liebt und immer alles für dich getan hat, was sie tun konnte, auch als die Lage für sie sehr ... schwierig war.

Eine lange Pause. Vito räuspert sich.

Aber Mädchen in deinem Alter brauchen auch einen Vater, und wenn du willst, könnte ich so etwas für dich sein, sagen wir, eine Art Vater, der dich berät, dich tröstet, vielleicht sogar mit dir schimpft, wenn du etwas verkehrt gemacht hast. Vor allem aber ein Vater, der dich beschützt.

Ich drücke die Stopptaste. Starre auf den Walkman. Drücke auf Rewind.

... der dich berät, dich tröstet, vielleicht sogar mit dir schimpft, wenn du etwas verkehrt gemacht hast. Vor allem aber ein Vater, der dich beschützt.

Rewind.

... macht hast. Vor allem aber ein Vater, der dich beschützt.

Rewind.

... der dich beschützt.

Rewind.

... der dich beschützt.
Rewind.
... der dich beschützt.
Rewind ...

Da sind Trauben, Zitronen, eine Frucht, die ich nicht erkenne. Mohn, Rosen, Orangenblüten. Hier und da ist zwischen Blüten und Früchten eine Putte zu erkennen. Wie lange liege ich schon auf dem Bett und starre auf den Fries, der sich die Wände entlangzieht? Ich habe keine Ahnung. Durch das Fenster beginnt ein gräulicher Schimmer einzusickern.

Ich stelle ihn mir vor, den jungen Unteroffizier in Uniform, wie er an einem Tisch sitzt und ins Mikrofon des Kassettenrekorders spricht. Diese frische, liebevolle, wache Stimme. Sie war für mich da. Aber ich habe sie verloren.

Ich habe Vito verloren.

Ich habe ihn verloren, wie man auf der Kirmes verliert, weil man an der Bude nicht richtig zielt und mit dem Ball die Blechdosen verfehlt. Ich habe geworfen, aber nicht gewonnen und keinen Preis bekommen.

Ich habe keinen Vater bekommen, weder als ich zur Welt kam noch danach mit Vito. Ich habe keinen Ehemann und keine Kinder bekommen. Ich habe weder Brüder noch Schwestern bekommen, mit denen ich das anstrengende Los hätte teilen können, Tochter dieser Mutter zu sein. Auch Ullis Liebe habe ich nicht gewonnen. Die Leute hatten recht, als sie auf seiner Beerdigung sagten, dass wir ihn verloren haben. Ich dachte, das stimmt nicht, aber so war es, auch Ulli habe ich verloren. Mein ganzes Leben lang werfe ich schon mit aus Flicken zusammengesetzten Bällen auf Blechdosen, ohne sie jemals zu treffen. Und jetzt habe ich das Gefühl, dass mir so langsam die Bälle ausgehen.

Ich strecke mich und fege dabei mit dem Arm das Packpapier vom Bett, in das die Kassette eingeschlagen war. Ich hebe es auf. Wie früher üblich, steht der Absender auf der Innenseite des Papiers. Über viele Jahre war die Schrift in direktem Kontakt mit der Kassette und ist dunkel geblieben. Die Handschrift sieht sehr ordentlich aus, soldatisch korrekt.

ANANIA VITO, VIA BOTTEGHELLE 17, REGGIO CALABRIA.

Die Seite mit der Anschrift des Empfängers ist hingegen verblichen. Man sieht, dass sie mehr Licht abbekommen hat.

SIGNORINA EVA HUBER.

Das Päckchen war an mich persönlich adressiert. Denn ich heiße Eva Huber. Dieser Name dort, das bin ich.

Über der Anschrift quer ein roter Stempel:

ANNAHME VERWEIGERT.

Verweigert.

Von wem?

Wer hat die Annahme verweigert?

Ich hebe den Blick zu dem Fries und erkenne jetzt die eine Frucht: Es ist ein Granatapfel.

Sie war es. Sie hat dieses Päckchen zurückschicken lassen.

Ein Päckchen, das an mich adressiert war, nur an mich, an Eva Huber, das bin nämlich ich, nicht sie, sie hat einen anderen Namen, sie ist jemand anderes, wir sind nicht ein und dasselbe, und doch hat sie es getan. Ich war sechzehn, und sie lässt den Briefträger die Stimme von Vito zurückschicken, von Vito, der »Ich will für dich da sein und dich beschützen« zu mir sagt.

Ich hätte Vito nicht verlieren müssen. Er hätte mir nahe sein können. Es hätte alles anders sein können. Doch sie hat »verweigert« auf sein Päckchen stempeln lassen.

Die Empörung nimmt mir den Atem.

Jetzt ist mir alles klar.

Es ist ihre Schuld. Es ist alles ihre Schuld. Alles, aber auch wirklich alles ist ihre Schuld.

Ich verfluche den Tag, an dem ich geboren wurde, denn an diesem Tag wurde Gerda Huber meine Mutter.

Ich gehe ins Bad und kippe mir kaltes Wasser ins Gesicht, ich bin müde, furchtbar müde, aber im Kopf so klar wie nie zuvor. Eine Wut, wie ich sie noch nie im Leben verspürt habe, presst mir mit eisernem Griff die Brust zusammen. Ich muss sie zur Rede stellen. Ich muss sie unbedingt zur Rede stellen.

Nun ist es schon rosa- und orangefarben, das Licht, das durchs Fenster einfällt. Ein schöner Tag kündigt sich an.

Zurück im Zimmer setze ich mich aufs Bett, lasse mich verbinden und wähle eine Nummer. Meine Gesten sind so konsequent und unerbittlich wie die einer Mörderin.

Immer schon ist Gerda Huber früh aufgestanden, und auch jetzt als Rentnerin hält sie es weiter so. Es klingelt sechs-, siebenmal, bevor sie rangeht.

Ohne Begrüßung komme ich direkt zur Sache. Warum, frage ich sie. Warum hast du das Päckchen zurückschicken lassen?

Sie schweigt.

Vielleicht war sie schon auf, vielleicht hat das Telefon sie auch aus ihrem leichten Rentnerinnenschlaf gerissen. Noch nicht einmal »Ciao, ich bin's« habe ich zu ihr gesagt.

Bis sie endlich begreift, wovon ich überhaupt rede, braucht sie eine ganze Weile, in der ich sie weiter mit Sätzen so scharf wie Schwertklingen bombardiere.

Dann:

»Woher weißt du davon?«

»Ich bin in Reggio Calabria. Ich bin hier, um Vito zu besuchen, der im Sterben liegt.«

»Aber wie ...«

Anstatt auf sie einzugehen, setze ich ihr weiter zu.

»Stell dir doch mal vor, jemand hätte dafür gesorgt, dass du keinen Vater hast. Dass du ihn nicht sehen kannst. Den eigenen Vater. Nicht als kleines Kind und auch nicht später, als du älter warst. Überleg doch mal. Überleg doch mal, wie das für dich gewesen wäre.«

Wann hatte Gerda ihren Vater zum letzten Mal gesehen? Bei Peters Beerdigung, ein Vierteljahrhundert zuvor.

Der Flur wies die seltsamsten Winkel auf. Man ging geradeaus und stieß gegen ein Fenster, das aber nicht bündig, sondern schräg eingesetzt war. Auch die Linien draußen an der Fassade des neuen Altersheims verliefen kreuz und quer, die Balkone waren dreieckig, und die Giebel auf dem Dach waren recht eigenwillig geschnitten.

Das Städtchen hatte lange auf dieses neue Altersheim warten müssen. Sei es wegen der Bevölkerungszunahme oder weil der Tod faul geworden war, jedenfalls waren seit Jahren in der alten Einrichtung für Senioren kaum noch Plätze zu bekommen. Die Warteliste war ellenlang, und die Familien mussten sich Jahre gedulden, bevor etwas frei wurde. Und da die einzige Art, wie ein Insasse sein Zimmer räumen konnte, wenig erfreulich war, wollte man niemandem diesen Abschied wünschen. Durch das neue Gebäude aber gab es jetzt sehr viel mehr Plätze, und Wartelisten waren kaum noch nötig.

Die Gemeinde hatte beim Bau keine Kosten gescheut, nicht zuletzt, weil durch die Steuerautonomie der Provinz sehr viel Geld hereinkam, sodass man sich zuweilen sogar fragte, wie man das alles ausgeben sollte. Die Architekten, die das Projekt entworfen hatten, waren zufrieden mit ihrem innovativen Werk, den Wänden, die so kühn aufeinanderstießen, den großen Räumen, die nie quadratisch oder rechteckig, sondern rhombisch, trapezförmig oder dreieckig waren. Schade nur, dass es den Bewohnern so schwerfiel, sich bei all diesen spitzen Winkeln im

Haus zurechtzufinden; und wer seine Möbel von daheim mitbrachte, um die Zeit, die ihm noch blieb, im eigenen Bett zu schlafen, musste feststellen, dass es kaum möglich war, sie irgendwo an diesen schrägen Wänden aufzustellen. Aber dafür konnte sich das Altersheim sogar damit brüsten, in Architekturzeitschriften Erwähnung zu finden.

Von Hermann Hubers Kindern hatte die Heimleitung als Einzige Gerda ausfindig machen können: Ein Sohn war tot, eine weitere Tochter irgendwo im Ausland verheiratet, und niemand wusste, wie sie jetzt als Ehefrau hieß. Blieb nur noch sie, Gerda, die immerhin in dem Städtchen gemeldet war.

So rief man bei ihr an, am Telefon im Büro von Frau Mayer, die persönlich in die Küche gekommen war, um ihr zu sagen, dass man sie dringend sprechen wolle. Die Krankheit, unter der ihr Vater litt, so erklärte man ihr, sei nun sehr weit fortgeschritten, er spreche auf keine Therapie mehr an, und es bleibe ihm wohl nicht mehr viel Zeit. Wenn sie ihren Vater also noch einmal sehen wolle, solle sie sich beeilen. Andernfalls müsse sie aber auf alle Fälle *danach* vorbeikommen, um alle Formalitäten zu erledigen, die notwendig waren, damit der Nächste auf der Warteliste das Zimmer übernehmen konnte.

Frau Mayer hatte Gerda während des Telefonats in ihrem Büro allein gelassen. Trotz ihrer jetzt fast achtzig Jahre hatte das aztekische Grün ihrer Augen kaum etwas von seiner Strahlkraft verloren, und der Zopf, den sie um den Kopf trug, war zwar schlohweiß, aber deswegen nicht weniger akkurat geflochten, vielleicht sogar, wenn überhaupt möglich, noch makelloser als zuvor. Und da sich Gerdas Schönheit mit den Jahren verändert hatte und weniger verschwenderisch geworden war, hatten sich die beiden, Gerda und Frau Mayer, zu ähneln begonnen, wie es mit alten Paaren geschah. Mit ihren fast fünfzig Jahren war Gerda immer noch eine schöne Frau, rief aber bei den Männern nicht mehr dieses schmachtende Verlangen wie früher hervor, wodurch es Frau Mayer erst möglich wurde, sie mehr ins Herz zu schließen. So hatte sie auch nichts dagegen einzuwenden, als Gerda ihr mitteilte, dass sie einen Tag Urlaub brauche. Sie bemerkte lediglich, sie habe gar nicht gewusst, dass ihr Vater noch lebe.

»Ich auch nicht«, antwortete Gerda.

Jetzt durchquerte sie den Flur, der vom Eingang des Altersheims zum Treppenaufgang führte. In den unteren Geschossen waren jene Bewohner untergebracht, die sich noch selbst verpflegen konnten, die noch die *Dolomiten* lasen, sich verliebten und gegenseitig wilde Eifersuchtsszenen machten. Auf den oberen Stockwerken wohnten die Alten, die nicht mehr allein zurechtkamen. Je näher oder wahrscheinlicher das Ableben eines Gastes war, desto näher lag sein Zimmer am Himmel.

Gerda folgte dem Weg, den man ihr an der Rezeption beschrieben hatte, und hielt sich rechts, stand aber plötzlich vor einer Toilettentür. Und schon hatte sie sich verlaufen. So wie fast alle Besucher, die zum ersten Mal hierherkamen. Bei all den unerwarteten Ecken war es schnell passiert, dass man links und rechts durcheinanderbrachte. Gerda machte kehrt und beschloss, auf den Fahrstuhl zu verzichten und die Treppe zu nehmen. Da stieß sie mitten im Flur auf eine kleine Menschenmenge. Vielleicht ein Dutzend Personen – Pflegekräfte, Bewohner und Besucher – umstanden eine große, hagere Gestalt auf Krücken, die trotz ihres Alters für Gerda unverwechselbar war. Sie schrak zusammen: Es war *ihr* Obmann!

»Das kann ich Ihnen garantieren, gnädige Frau«, sagte dieser gerade zu einer alten Dame im Rollstuhl, »Hüftosteoporose hat keinen negativen Einfluss auf ihre geistigen Fähigkeiten. Glauben Sie mir, ich weiß, wovon ich rede. Säße die Intelligenz in den Beinen, müsste man mich als Idioten bezeichnen.«

Und die Dame im Rollstuhl lachte wie ein junges Mädchen, das jederzeit hätte aufstehen und tanzen können.

Mit seinen bald achtzig Jahren hatte Silvius Magnago seine Ämter aufgegeben und war nicht mehr Landeshauptmann von Südtirol und auch nicht Obmann seiner Partei, deren Ehrenvorsitzender er allerdings blieb. Wenige Monate zuvor, im Juni 1992, hatte Österreich der Republik Italien eine Note übergeben, in der anerkannt wurde, dass der italienische Staat seinen Verpflichtungen gegenüber der deutschsprachigen Minderheit in der Region Trentino/Alto Adige nachgekommen sei. Der offizielle Begriff dafür lautete: Schuldbefreiungsbestätigung. Ein Begriff, der sich nach Anwaltskanzlei anhörte, nach Buchhaltung und Kaufbelegen, jedoch sicher nicht nach Heldentaten – aber vielleicht lag gerade darin Silvius Magnagos politischer Erfolg begründet. Und da er nun seine historische Aufgabe erfüllt hatte, war er auf andere Weise erfolgreich: indem er Seniorenheime in der Provinz Bozen besuchte und dort Menschen seines Alters mit einem trockenen Humor überraschte, den ihm früher, während seiner politischen Laufbahn, niemand zugetraut hätte.

Magnago deutete jetzt auf die Zigarette in der Hand einer jungen Krankenschwester. »Die Heimleitung hat mir verboten, Ihnen Zigaretten mitzubringen, davon würden Sie Krebs bekommen. In dem Heim in Lana hat man es mir dagegen erlaubt. Und soll ich Ihnen mal sagen, warum? Weil deren Warteliste länger ist und sie ein wenig Unterstützung brauchen können.«

Ein kurzes Schweigen, dann brach die ganze Runde in ein befreiendes, fast wildes Gelächter aus.

Mit Herzklopfen trat Gerda näher. Beim Anblick dieses Mannes kam sie sich wieder als kleines Mädchen wie damals auf der Burgruine Sigmundskron vor, als er die Menschenmenge in seinen Bann geschlagen hatte.

»Herr Obmann ...!«, murmelte sie.

Magnago erblickte sie, wandte sich ihr mit einem liebenswürdigen Lächeln zu und ergriff die Hand, die sie, verblüfft über ihren eigenen Mut, ihm entgegenstreckte.

»Schöne Frau, Sie sind zu jung, um hier zu wohnen. Besuchen Sie einen Angehörigen?«

»Ja, meinen Vater.«

»Das ist gut. Es ist wichtig, dass ihr Jungen uns Alte nicht uns selbst überlasst. Wie geht es Ihrem Vater?«

Gerdas Mund wurde trocken. Zum Glück mischte sich jetzt ein bestimmt achtzigjähriger alter Mann ein, der sich, auf einen Stock gestützt, durch den Flur geschleppt hatte, und sagte an Magnago gewandt: Er habe sich sein ganzes Leben lang immer gewünscht, ihn einmal leibhaftig, in Fleisch und Blut, vor sich zu sehen.

Magnago deutete auf seinen mageren Brustkorb. »Blut wird da noch drin sein, aber Fleisch ..., tut mir leid, davon werden Sie kaum noch was finden ...«

Er sagte das wie ein professioneller Komiker, ernst und ohne eine Miene zu verziehen. Sein Publikum honorierte es und brach wieder in lautes Lachen aus.

Da hatte Gerda sich bereits verwirrt entfernt.

Der Geruch von Desinfektionsmitteln und Javelwasser überlagerte die Ausdünstungen des verfallenden Körpers. Doch die Luft stand schwer im Raum und deutete an, dass der Tod nicht mehr fern war. Hermanns Schultern waren immer noch breit, quadratisch; wegen seiner langen Beine, die seine Tochter von ihm geerbt hatte, stieß er am Fußende des Bettes an. Der Arm, der auf dem Betttuch lag und in den Tropfen für Tropfen eine Infusionslösung lief, war immer noch muskulös. Er schlief.

Gerda stand in der Tür und zögerte einzutreten. Es war ein heller, großer, natürlich unregelmäßig geschnittener Raum. Der

Abstand zwischen sich und der Gestalt dort auf dem Bett kam ihr zu groß vor, um ihn überbrücken zu können. So stand sie lange Zeit nur da und blickte ihn aus der Entfernung an. Es kostete sie einige Überwindung, endlich näher zu treten, sich einen Stuhl – in gewagtem Röhrendesign – heranzuziehen und Platz zu nehmen.

Hermann schien sie nicht zu bemerken. Die Fensterbank stand voller Figürchen aus Brotkrumen, ein eigenes Völkchen, das sich im Gegenlicht wie ein eigenes Volk vor dem Himmel abzeichnete. Vom Föhn getrieben, zogen hinter der Scheibe linsenförmige Wolken mit verschwommenen Umrissen durchs Blau. Gerda sprach ihn nicht an, diesen Mann, der früher einmal ihr Vater gewesen war, und versuchte auch nicht auf andere Weise, ihn auf sich aufmerksam zu machen. Reglos und stumm saß sie da, so als seien auch ihre Gefühle von dem *Javel*wasser desinfiziert worden.

Sie hätte nicht sagen können, wie lange sie dort saß. Nach einer Weile schlug ihr Vater die Augen auf und nahm ihre Gegenwart wahr. Er drehte sich zu ihr um und betrachtete sie mit einem stumpfen Blick, der sich plötzlich aufhellte. Seine Augen glänzten jetzt wie die eines kleinen Jungen.

Sie war es.

Ja, kein Zweifel, sie war es.

Die länglichen Augen. Die hohen Backenknochen. Der weiche Mund, der nur liebe Worte sprach.

Mit einem Seufzer der Erleichterung, der Zufriedenheit und des Trostes senkte Hermann die Augenlider.

»*Mamme* ...«, murmelte er mit geschlossenen Augen.

Wie lange hatte er doch auf sie gewartet. Sein ganzes Leben lang.

Gabriele hat mich abgeholt und zur Wohnung seiner Eltern gebracht. Seine Mutter macht uns auf. Sie reicht mir nur bis zu den Schultern, hat kurze graue Haare, die früher wohl einmal gelockt waren, und einen korpulenten Körper. Aber auch grüne, strahlende Augen und eine schöne, melodische Stimme.

»Schön, dass Sie endlich da sind. Sie können sich gar nicht vorstellen, wie lange mein Mann schon auf Sie wartet.«

Verlegenheit? Eifersucht? Nicht die Spur. Stattdessen beugt sie sich zu mir vor und fährt leiser fort.

»Seien Sie mir bitte nicht böse, aber ich werde so tun, als wüsste ich nicht, wer Sie sind. Er soll nicht denken, dass er mir vielleicht wehtut.«

Ich weiß nicht, was ich sagen soll. Aber sie braucht meine Worte nicht, um fortzufahren. »Wenn Sie noch einen Moment Geduld haben ..., ich muss das Wohnzimmer noch fertig machen, hier bei uns geht es gemächlich zu, ich bin ja auch kein junges Mädchen mehr.«

Und damit verschwindet sie hinter einer Tür mit einer Mattglasscheibe, der einzigen Lichtquelle in dem Flur mit den dunklen Steinfliesen.

Es riecht nach Tomatensoße.

»Möchtest du einen Espresso?«, fragt mich Gabriele.

»Ja, danke.«

»Ich mach ihn dir in der Küche.«

Ich lege ihm eine Hand auf die Schulter. »Bitte, lass mich nicht allein.«

Er nickt und scheint nicht überrascht zu sein. Er legt seine Hand auf meine, während ich ihm einen dankbaren Blick zuwerfe.

An den Flurwänden hängen verschiedene Urkunden. Gabriele bemerkt, dass ich sie anschaue, und schaltet das Licht ein.

Die Auszeichnungen sind alle Vito Anania verliehen worden.

BRONZENE VERDIENSTMEDAILLE FÜR
LANGJÄHRIGEN MILITÄRDIENST

SILBERNE VERDIENSTMEDAILLE FÜR
LANGJÄHRIGEN MILITÄRDIENST

GOLDENE VERDIENSTMEDAILLE FÜR
LANGJÄHRIGEN MILITÄRDIENST

GOLDENES KREUZ FÜR DAS DIENSTJUBILÄUM

RITTER DER REPUBLIK ITALIEN

MAURITIUS-MEDAILLE

Aufgehängt ist auch eine »feierliche Belobigung« mit ausführlicher »Begründung«.

Ich fange an zu lesen.

Im Einsatzkommando arbeitete er erfolgreich seinem Vorgesetzten zu, dessen schwierige, riskante Ermittlungen gegen die organisierte Kriminalität zur Festnahme von zwanzig wegen Mitgliedschaft in einer kriminellen Vereinigung gesuchten Straftätern führten, die für acht Fälle von Schutzgelderpressungen, siebzehn Sprengstoffanschläge, sieben schwere Sachbeschädigungen und weitere kleinere Delikte verantwortlich zeichneten, und von denen zwei festgenommen werden konnten, während sie mittels Leitung den Ablauf der Übergabe einer beträchtlichen Geldsumme diktierten.

»Was ist denn mit ›mittels Leitung‹ gemeint?«, frage ich Gabriele.

»Am Telefon.« Seine Augen lachen ein wenig, doch sein Mund bleibt ernst.

Durch die Glastür kommt Vitos Frau zurück. Sie hat sich eine Jacke übergezogen und hängt sich jetzt eine Tasche über die Schulter. Zu ihrem Sohn sagt sie: »Ich nutze die Gelegenheit, solange ihr hier seid, und gehe einkaufen.«

Mir erklärt sie, als würde ich schon dazugehören: »Wir können ihn nicht mehr allein lassen.«

Und dabei lächelt sie mich so herzlich an, dass ich nicht anders kann, als das Lächeln zu erwidern.

»Sie ist da.«

Gabriele öffnet die Tür, lässt mich eintreten und geht dann in die Küche, glaube ich jedenfalls, denn ich nehme sonst gar nichts mehr wahr.

Vito liegt auf dem Sofa, in einem Meer von Kissen, mit einer kurzen Decke über den auf einem Puff ruhenden Beinen.

»Eva ...«

Wie alt er geworden ist. Und wie krank er aussieht. Nur die Augen sind noch so, wie ich sie in Erinnerung habe, alles Übrige ist zum Sterben bereit.

»Endlich bist du da.«

Ich schaffe es noch nicht einmal, seinen Namen zu sagen. Er bedeutet mir, näher zu kommen. Ich durchquere den Raum, während er mich betrachtet und sein Blick nicht ablässt von mir.

»Wie schön du bist.«

Noch nie im Leben war ich mir so bewusst, wie sehr ich meiner Mutter ähnele.

Was sagt man in solch einer Situation? Was sagt man, wenn man einen Menschen wiedersieht, der mehr als dreißig Jahre zuvor ... Ich weiß es nicht. Deshalb frage ich nur:

»Wie geht's dir?«

»Na ja, du siehst ja selbst ...«

»Hast du starke Schmerzen?«

»Nachts schon ...«

Mit der flachen Hand klopft er ein paarmal sanft aufs Sofa, eine Einladung, als wolle er mich zum Tanzen auffordern.

»Komm, setz dich zu mir, erzähl mir von dir ... Ich will alles wissen.«

So, jetzt ist es so weit, denke ich, jetzt fragt er mich, ob ich verheiratet bin, ob ich Kinder habe ...

»Was machst du beruflich? Ich bin sicher, du bist sehr erfolg-reich. Was hast du denn studiert?«

Es ist genau die Stimme, mit der er mir von den Abenteuern der Tigerjungen in Malaysia vorgelesen hat, nur schwächer.

Ich schüttele den Kopf.

»Ich habe gar nicht fertig studiert. Ich organisiere Events.«

»Events?«

Ich erzähle ihm, dass ich in Jura eingeschrieben war und mich auf Arbeitsrecht spezialisieren wollte, aber im zweiten Se-mester eine Stelle in einem PR-Büro fand und zu keiner Prüfung mehr erschienen bin. Dass ich mich dann irgendwann selbst-ständig gemacht habe und heute eben alle möglichen exklusiven Veranstaltungen organisiere. Ja, verdienen würde ich gut, erzäh-le ich weiter, und dass ich mir ein schönes Haus gekauft hätte. Und meine Mutter sei froh, dass ich keine Sklavenarbeit verrich-ten müsse, wie sie das nenne.

Vito lässt mich erzählen und verzichtet auf jeden Kommentar. Er bemängelt nicht, dass ich mein Studium nicht abgeschlossen habe, kein Wort davon, dass er vielleicht enttäuscht über mich sei. Und er sagt auch nicht: Wäre ich da gewesen, hätte ich dich unterstützt, damit du dich anders entscheidest. Er nickt nur bedächtig, als bedenke er den Lauf der Dinge, der nicht mehr zu ändern ist. Aber ich glaube schon, dass ihn meine Antwort enttäuscht hat.

Auch von meiner Mutter will er nicht wissen, ob sie geheiratet hat. Er fragt nur, wie es ihr geht. Ich erzähle es ihm.

»Weiß sie, dass du hier bist?«

»Ich habe es ihr heute Morgen gesagt, bevor ich hierherkam. Aber wahrscheinlich nicht so, wie es gut gewesen wäre.«

Er nickt wieder auf diese bedächtige, langsame Art. Was er auch nicht sagt: Grüß sie bitte von mir.

Dann fragt er mich nach den Leuten, die er gekannt hat. Es wird immer leichter, miteinander zu reden. Ich erzähle ihm von allen. Zuletzt von dem Menschen, bei dem es mir am schwersten fällt. Vitos Blick verschleiert sich, und eine Weile bringt er nichts anderes heraus als diesen Namen:

»Ulli ...«

Lange schweigen wir, und es ist ein fast zärtlicher Moment, wie wir so still beisammensitzen, verbunden durch die Erinnerung an den kleinen Jungen mit den Rehaugen.

Dann fragt er mich nach dem Nanga Parbat. Er erinnert sich tatsächlich an den Namen für unser Versteck! Die Enkel von Sepp und Maria hätten den alten Stall mit dem Heuboden abreißen lassen, erzähle ich, und durch einen neuen ersetzt, der wie ein Laboratorium aussehe. Ich erwähne auch Sigi und seinen Sohn Bruno, der wie sein Vater den Schützen beigetreten sei und sich bei den Paraden den Dreispitz aus dem 19. Jahrhundert auf die Dreadlocks setze. Wie selbstverständlich ist es doch, sich mit Vito zu unterhalten. Auch er erzählt mir von sich und seiner Familie. Aber irgendwann merke ich, dass er angestrengt wirkt. Ich will ihn darauf aufmerksam machen, aber er kommt mir zuvor.

»Du siehst müde aus«, sagt er mir.

Ich nicke. »Ich habe nicht mehr richtig geschlafen seit ..., ja, ich weiß es selbst nicht so genau ...«

Er legt sich ein kleines Kissen auf die Decke über seinen Beinen, schaut mich an und klopft zweimal leicht mit der flachen Hand darauf. Wieder eine liebevolle Einladung. Als wäre ich eine Katze oder ein Hündchen. Oder seine kleine Tochter.

Ich ziehe die Schuhe aus, lege den Kopf in seinen Schoß, nehme die Beine hoch und mache es mir bequem. Er nimmt mich in den Arm und rückt mir mit der freien Hand das Kissen unter dem Kopf zurecht.

»Ich habe das Band gehört«, sage ich leise, den Blick zur Decke gerichtet.

»Hat Gabriele es dir gegeben?«

Ich bewege ein wenig den Kopf auf und ab. »Ich wünschte, ich hätte es bekommen, als du es mir geschickt hast.«

»Hauptsache, du hast es.«

Der Bauch, auf dem mein Kopf liegt, hallt wie eine Trommel von seiner Stimme wider. Ich schließe die Augen und seufze tief.

»Aber jetzt ist es zu spät.«

»Es ist nicht zu spät. Es ist nur später.«

Der Schlaf überfällt mich: Er war mir die ganze Zeit nahe, aber ich habe ihn nicht bemerkt, bis er mich hinterrücks packte. Ich bekomme noch mit, wie Gabriele mit einer Tasse Kaffee das Zimmer betritt und Vito zu ihm sagt:

»Den trinkt Eva später. Jetzt schläft sie.«

Und jetzt umarme ich meine Mutter, denn nichts und niemand kann uns für das entschädigen, was wir verloren haben. Auch die nicht, die für den Verlust verantwortlich oder direkt oder indirekt der Grund oder der Anlass für ihn sind. Denn letztendlich, wenn alles abgerechnet und klar zu erkennen ist, wer wem etwas genommen und warum er das getan hat, wenn Soll und Haben und die ganze doppelte Buchführung von Schuld und Groll exakt aufgelistet sind, bleibt doch nur eines, was wirklich zählt: sich wieder umarmen zu können und nicht mehr länger, auch nur für einen Augenblick, das große Glück zu vergessen, zu leben und zusammen sein zu dürfen.

Nach Hause zurück bin ich geflogen, bin in wenigen Stunden über ganz Italien hinweggeschwebt, mit dem Gesicht dicht am Fenster und dem Gefühl, die lange Halbinsel, die jetzt unter mir lag, auf der Hinfahrt gestreichelt zu haben.

Dann bin ich sofort zu meiner Mutter gefahren und habe ihr von Vito erzählt.

Sie hat mich angeschaut und nicht gleich etwas gesagt. Aber dann höre ich aus ihrem Mund:

»Er muss dir sehr gefehlt haben.«

Es sind die Worte, auf die ich dreißig Jahre lang gewartet habe, was mir aber erst jetzt, als sie sie ausspricht, bewusst wird. Ich nehme sie auf und berge sie in mir wie einen kostbaren Schatz.

»Und du? Hast du oft an Vito gedacht?«, frage ich sie dann.

Meine Mutter reagiert seltsam, streift die Hausschuhe von den nackten Füßen und verhakt die großen Zehen. Sie betrachtet sie lange.

»Jeden Abend, vor dem Einschlafen.«

Ich bleibe, um bei ihr zu übernachten. Es hat noch mal gefroren, und die Straßen sind glatt. Sie schläft auf dem Sofa ein, mit dem Kopf auf dem von Ruthi bestickten Kissen, ihren immer noch wunderschönen Mund leicht geöffnet. Sie zu betrachten tut mir fast weh, aber es ist ein guter Schmerz.

Und ich denke: *Gerda schloft.*

Gerda schläft.

Epilog

Zum einen ist da die Zeit, die verstreicht, um uns herum, uns entgegen und durch uns hindurch, die Zeit, die uns bindet und formt, die Erinnerungen, die wir hegen oder verdrängen, das heißt: unsere Geschichte. Zum anderen sind da die Orte, an denen wir leben, zwischen denen wir uns bewegen, Orte, an denen wir körperlich anwesend sind und die aus Straßen und Häusern bestehen, aber auch aus Bäumen und Horizonten, aus verschiedenen Temperaturen, hohem oder niedrigem Luftdruck, der Geschwindigkeit, mit der ein Fluss fließt, Höhenlinien, kurz: unsere Geografie.

In jedem Augenblick und an jedem Ort schneiden sich diese beiden Bahnen, über die zum Teil unser Schicksal, zum Teil aber auch unser freier Wille entscheidet, wie in einem kosmischen Koordinatensystem in einem Punkt. Und all diese Punkte fügen sich zu einer Linie, einer Kurve, mit einer manchmal sogar, wenn wir Glück haben, klaren Entwicklung, die vielleicht nicht harmonisch, aber doch deutlich auszumachen ist.

Das ist die Gestalt unseres Lebens.

An einem Frühlingsmorgen im Jahr 1998 wurden infolge des Schengener Abkommens im Beisein hochrangiger Vertreter der italienischen und der österreichischen Regierungen die Schlagbäume am Brenner entfernt. Damit war die sichtbare Grenze zwischen Südtirol und seinem verlorenen Mutterland gefallen.

Schade nur, dass dieses Ereignis, von dem man achtzig Jahre lang geträumt, das man herbeizubomben versucht und mit Militärgewalt verhindert hatte, mittlerweile in der von der Globalisierung durcheinandergerüttelten Welt kaum noch Bedeutung hatte. Wollte sich die Geschichte einen Spaß erlauben, war das Datum gut getroffen: der 1. April.

Eva hat einen Entschluss gefasst. Sollte es eine weitere Volkszählung geben, wird sie in der Sprachgruppenzugehörigkeitserklärung unter »Volksgruppe« CHINESIN angeben.

Schließlich ist ihre Mutter in Schanghai zur Welt gekommen.

In den objektiven Grenzen eines frei erfundenen Romans habe ich versucht, mich so getreu wie möglich an die historischen Fakten zu halten. Insbesondere die Episode mit der Razzia zeichnet die Ereignisse nach, wie sie sich nach Augenzeugenberichten im September 1964 in Montassilone/Tesselberg (Pustertal) zutrugen. Von dem Offizier der Alpini, der »alle zu erschießen« befahl, sowie der Tatsache, dass dieser Befehl zu einer umfassenden Strategie gehörte, berichtete 1991 in einem Interview mit der italienischen Tageszeitung *La Repubblica* der pensionierte General Giancarlo Giudici: Er selbst war damals der junge Tenente Colonnello, der die Operation leitete – und sich dem Befehl widersetzte.

Die Kapitel zu Silvius Magnago basieren zum großen Teil auf dem hervorragenden Buch von Hans Karl Peterlini: *Silvius Magnago. Das Vermächtnis. Bekenntnisse einer politischen Legende* (Edition Raetia, 2007).

Für den Handlungsverlauf schien es mir vorteilhaft, so zu tun, als sei im Jahr 1973 die von Umberto von Savoyen erlassene Verordnung zu »akzeptablen« Eheschließungen von Carabinieri noch in Kraft gewesen. Tatsächlich aber wurde sie 1971 abgeschafft. Ebenso habe ich Minas Rückkehr ins Fernsehen nach der Geburt ihres Kindes um ein Jahr auf 1963 vorgezogen.

Schließlich noch eine Bemerkung zu den Begriffen »Alto Adige«, »Südtirol« und ihren Ableitungen. Eben weil es bei dem Thema auch um die Streitfrage geht, wie die Provinz genannt werden sollte oder durfte, wurden die Begriffe jeweils bewusst gewählt und nur in seltenen Fällen neutral verwendet. Im Allgemeinen bin ich der Linie gefolgt, dass es »Alto Adige« heißt, wenn die Situation vom italienischen Standpunkt aus, »Südtirol«, wenn sie vom deutschen Standpunkt aus betrachtet wird, und dass mit »Altoatesini« die italienischsprachigen und mit »Südtirolern« die deutschsprachigen Bewohner der Provinz gemeint sind. Doch natürlich gibt es im Sprachgebrauch viele Ausnahmen von dieser Regel. Deswegen habe ich auch im Roman immer wieder die Karten etwas anders gemischt.

Sollte das hin und wieder beim Lesen für Verwirrung sorgen, kann ich nur sagen: Herzlich willkommen in Alto Adige/ Südtirol.

DANKSAGUNGEN

Ohne meine Mutter würde es dieses Buch nicht geben. Seit den sechziger Jahren wohnten wir im Sommer immer in Alto Adige/Südtirol, und so konnte ich von ihr das Interesse – und die Bewunderung – für eine Gegend und seine Bewohner lernen, von der, heute wie damals, viele Italiener nur die landschaftlichen Vorzüge kennen, ohne etwas über ihre Geschichte zu wissen.

Darüber hinaus möchte ich einer ganzen Reihe von Carabinieri danken – pensioniert oder noch im Dienst, Veteranen im Kampf gegen den Terrorismus in Alto Adige oder von Friedenseinsätzen im Ausland –, die mir Geschichten von ihrem Leben bei der Truppe erzählt haben. Getreu ihrem alten Grundsatz »schweigend gehorchen« haben sie mich gebeten, sie nicht namentlich zu erwähnen. Weiterhin danke ich dem Chefkoch Albert Pernter, der mir Zugang zu seinem Reich, der Küche im Hotel Post in Bruneck, gewährt hat; dann Alois Niederwolfsgruber für seine Berichte über das Coming-out von Homosexuellen in Bergbauernhöfen; Mirella Angelo und Giovanni Monaco für ihre Gastfreundschaft und die gefüllten Sardinen; Stefan Lechner für das Konzept der historischen Recherchen; allen *Italiani*, allen Deutschsprachigen und allen *ladins* in Alto Adige/Südtirol, bei denen ich mich immer wie zu Hause fühlen durfte, ganz besonders aber der Familie Senoner vom Putzè-Hof bei St. Christina im Grödnertal, Annemi Feichter (»die liebe Omi«) und Doktor Manfred Walde; schließlich den vielen Freunden, die sich geduldig in die Lektüre des sich nach und nach entwickelnden Manuskripts gestürzt und mir mit intelligenten Ratschlägen, wertvoller Kritik und Zuspruch geholfen haben. Es sind zu viele, um sie alle aufzuzählen, doch sie wissen, dass sie gemeint sind.

Vielen Dank, *grazie mille, Donkschian.*

GLOSSAR

ACCADEMIA DELLA CRUSCA
1583 in Florenz gegründet, Sprachgesellschaft mit der
Aufgabe des *Studiums und der Bewahrung der italienischen
Sprache.*

8. SEPTEMBER
Am 8. September 1943 trat mit der öffentlichen Verkündung der
sogenannte Waffenstillstand von Cassibile zwischen dem
Königreich Italien unter Marschall Badoglio und den Alliierten
in Kraft. Damit schied Italien aus dem Bündnis mit Nazi-
deutschland aus.

ALPINI
Italienische Gebirgsjägertruppe, 1872 gegründet, kämpfte im
Ersten und Zweiten Weltkrieg, ist auch heute noch Teil der
italienischen Berufsarmee.

ALTOATESINI
Bewohner von Alto Adige; Südtirol.

BAS (BEFREIUNGSAUSSCHUSS SÜDTIROL)
Mitte der fünfziger Jahre gegründete Untergrundorganisation,
die mit Attentaten auf Symbole des italienischen Staates die
Loslösung der Provinz Bozen zu erzwingen versuchte.

BUCHTELN
Süße Hefeknödel oder -taschen.

CADORE
Eine von den Dolomiten umrahmte Tallandschaft in der
italienischen Region Venetien.

CELERE
Bereitschaftspolizei; Einsatzkommando.

COMELICO
Tal im Norden der Region Venetien.

CRUCCHO, CRUCCHI (PL.)
Im Italienischen Spottbezeichnung für alles Deutsche.

GREASTL
Speck oder Fleischstreifen, in der Pfanne mit Kartoffeln
gebraten.

KIRSCHTA
Dorffest.

MINA
Populäre italienische Sängerin der sechziger Jahre.

NDUJA
Salami, eine kalabresische Spezialität.

OAS (ORGANISATION ARMÉE SECRÈTE)
Französische Untergrundbewegung, 1960/61
von Militärs gegründet, um mit Attentaten
den Verbleib Algeriens bei Frankreich
zu erzwingen.

PADANIEN
Von der separatistischen *Lega Nord* verwendete Bezeichnung für die wirtschaftlich starken norditalienischen Regionen.

»PERLE VON LABUAN«
Beiname für das junge Mädchen, das in den Abenteuerromanen Salgaris der Protagonist Sandokan liebt.

RISORGIMENTO
Italienische Einigungsbewegung im 19. Jahrhundert.

ROLLADE
Biskuitrolle.

SANDOKAN
Held von Abenteuerromanen des italienischen Schriftstellers Emilio Salgari (1862–1911).

SARTÙ
Üppiges Reisgericht, Spezialität der neapolitanischen Küche.

SCHLUTZA
Tiroler Ravioli.

SCHLUTZKRAPFEN
Teigtaschen mit Quark und Spinat.

SPATZLAN
Spinatnocken.

STRAUCHELN
Süßes Schmalzgebackenes mit Zucker oder Marmelade.

TIRTLAN

Ausgebackene Hefeteigtaschen, gefüllt mit Sauerkraut, Spinat und Quark oder Kartoffeln.

TOLOMEI, ETTORE

Italienischer Nationalist (1865–1952), betrieb als Vorsitzender des *Commissariato Lingua e Cultura per l'Alto Adige* im Auftrag der faschistischen Regierung besonders leidenschaftlich die Italianisierung Südtirols. Die italienischen Bezeichnungen für alle Südtiroler Orte, Berge, Flüsse und Gewässer, die er sich einfallen ließ, sind seit 1923 bis heute die amtlich gültigen – und nach wie vor umstritten.

TOPFENTASCHEN

Quarktaschen.

VITTIMISMO

Eine Art »Selbstbemitleidung«, von ital. *vittima*, Opfer.

WATTEN

Kartenspiel, das vor allem in den Alpenregionen, auch Südtirol, gespielt wird.

INHALT

Stefanie Zweig

»Mit großer Wärme und Herzlichkeit erzählt.« *Cosmopolitan*

»Stefanie Zweig beobachtet sehr genau.« *Süddeutsche Zeitung*

978-3-453-40916-3

Nirgendwo in Afrika
978-3-453-81129-4

Irgendwo in Deutschland
978-3-453-81130-0

Nur die Liebe bleibt
978-3-453-40516-5

**Doch die Träume
blieben in Afrika**
978-3-453-81127-0

**Karibu heißt
willkommen**
978-3-453-40734-3

**Und das Glück
ist anderswo**
978-3-453-81126-3

Der Traum vom Paradies
978-3-453-40646-9

**Das Haus in der
Rothschildallee**
978-3-453-40617-9

**Die Kinder der
Rothschildallee**
978-3-453-40778-7

**Heimkehr in die
Rothschildallee**
978-3-453-40916-3

Leseproben unter: **www.heyne.de**

HEYNE ‹

Alain Mabanckou

»Ein tiefsinniger Roman voller Witz und Melancholie.«
LE MONDE

»Ein literarischer Glücksfall: Selten fabulierte ein afrikanischer
Autor dermaßen humorvoll, respektlos und mitreißend.«
Financial Times Deutschland

978-3-453-43589-6

Amelie Fried

Das persönlichste Buch von Amelie Fried erstmals im Taschenbuch

Über die Nazi-Zeit und die Judenverfolgung wurde in der Familie Fried wenig gesprochen. Bis Amelie Fried durch Zufall herausfindet, dass auch Verwandte von ihr ermordet wurden. Dass ihr Großvater, der Eigentümer des Schuhhauses Pallas in Ulm, schlimmsten Repressalien ausgesetzt war. Dass ihr Vater im KZ war. Schockiert über das Entdeckte, recherchiert sie die eigene Familiengeschichte und schreibt sie auf.

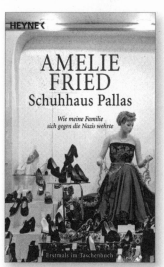

»Amelie Fried erzählt eine im Wortsinn tragische, erschütternde, bittere Familiengeschichte.«
Die Welt

978-3-453-40663-6

Stacey McGlynn

Wer sagt, es gäbe keine zweite Chance im Leben, kennt Daisy Phillips nicht

**»Ein herrlich charmanter Debütroman ...
Ein kleines Juwel von einem Roman.«** *Kirkus Reviews*

978-3-453-26638-4

HEYNE ‹

Miljenko Jergović

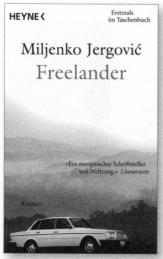

978-3-453-40852-4

978-3-453-40686-5

Freelander
978-3-453-40852-4

Buick Rivera
978-3-453-81114-0

Das Walnusshaus
978-3-453-40686-5

Hank Moody

»Der unverzichtbare Roman zur ›dreckigsten
Sitcom aller Zeiten!‹« *The Miami Herald*

978-3-453-43588-9

HEYNE‹